PONTO DE IMPACTO

O ARQUEIRO

GERALDO JORDÃO PEREIRA (1938-2008) começou sua carreira aos 17 anos, quando foi trabalhar com seu pai, o célebre editor José Olympio, publicando obras marcantes como *O menino do dedo verde*, de Maurice Druon, e *Minha vida*, de Charles Chaplin.

Em 1976, fundou a Editora Salamandra com o propósito de formar uma nova geração de leitores e acabou criando um dos catálogos infantis mais premiados do Brasil. Em 1992, fugindo de sua linha editorial, lançou *Muitas vidas, muitos mestres*, de Brian Weiss, livro que deu origem à Editora Sextante.

Fã de histórias de suspense, Geraldo descobriu *O Código Da Vinci* antes mesmo de ele ser lançado nos Estados Unidos. A aposta em ficção, que não era o foco da Sextante, foi certeira: o título se transformou em um dos maiores fenômenos editoriais de todos os tempos.

Mas não foi só aos livros que se dedicou. Com seu desejo de ajudar o próximo, Geraldo desenvolveu diversos projetos sociais que se tornaram sua grande paixão.

Com a missão de publicar histórias empolgantes, tornar os livros cada vez mais acessíveis e despertar o amor pela leitura, a Editora Arqueiro é uma homenagem a esta figura extraordinária, capaz de enxergar mais além, mirar nas coisas verdadeiramente importantes e não perder o idealismo e a esperança diante dos desafios e contratempos da vida.

DAN BROWN

PONTO DE IMPACTO

ARQUEIRO

Título original: *Deception Point*
Copyright © 2001 por Dan Brown
Copyright da tradução © 2005 por Editora Arqueiro Ltda.
Todos os direitos reservados.

tradução
Carlos Irineu da Costa

preparo de originais
Virginie Leite

revisão
José Tedin Pinto
Luis Américo Costa
Sérgio Bellinello Soares

revisão técnica de biologia
Sonia Maria Marques Hoenen

diagramação
Valéria Teixeira

capa
Raul Fernandes

imagem de capa
Latinstock/© Viaframe/Corbis (DC)

impressão
Geográfica e Editora Ltda.

CIP-BRASIL. CATALOGAÇÃO-NA-FONTE
SINDICATO NACIONAL DOS EDITORES DE LIVROS, RJ

B897p Brown, Dan, 1964-
    Ponto de impacto
  / Dan Brown; tradução de Carlos Irineu da Costa. – São Paulo: Arqueiro, 2005.

    Tradução de: Deception point
    ISBN 85-99296-01-9

    1. Americanos – Ártica, região – Ficção. 2. Presidentes – Eleições – Ficção.
  3. Ficção americana. I. Costa, Carlos Irineu da. II. Título.

05-2125   CDD 813
                       CDU 821.111(73)-3

Todos os direitos reservados, no Brasil, por
Editora Arqueiro Ltda.
Rua Artur de Azevedo, 1.767 – Conj. 177 – Pinheiros
05404-014 – São Paulo – SP
Tel.: (11) 2894-4987
E-mail: atendimento@editoraarqueiro.com.br
www.editoraarqueiro.com.br

AGRADECIMENTOS

Meus sinceros agradecimentos a Jason Kaufman, por sua fantástica orientação e suas preciosas habilidades editoriais; a Blythe Brown, por sua incansável pesquisa e opiniões criativas; ao meu grande amigo Jake Elwell, na Wieser & Wieser; ao Arquivo de Segurança Nacional; ao Departamento de Relações Públicas da NASA; a Stan Planton, que continua sendo uma grande fonte de informações para tudo; à Agência de Segurança Nacional; ao glaciologista Martin O. Jeffries; e às mentes privilegiadas de Brett Trotter, Thomas D. Nadeau e Jim Barrington.

Gostaria também de agradecer a Connie e Dick Brown, ao Projeto de Documentação da Política de Inteligência Norte-Americana, a Suzanne O'Neill, Margie Wachtel, Morey Stettner, Owen King, Alison McKinnell, Mary e Stephen Gorman. E ainda ao Dr. Karl Singer; ao Dr. Michael I. Latz, do Instituto de Oceanografia Scripps; a April, da Micron Electronics; a Esther Sung; ao Museu Nacional Aeroespacial; ao Dr. Gene Allmendinger; à inigualável Heide Lange, da Sanford J. Greenburger Associates; e a John Pike, da Federação dos Cientistas Americanos.

NOTA DO AUTOR

A Força Delta, o NRO e a Space Frontier Foundation são organizações reais. Todas as tecnologias descritas neste livro existem de fato.

"Se esta descoberta for confirmada, com certeza será uma das mais incríveis revelações sobre nosso universo já feitas pela ciência. Suas implicações são tão vastas e impressionantes que ultrapassam nossa imaginação. Ao mesmo tempo que promete responder a algumas de nossas mais antigas perguntas, ela nos coloca diante de outras ainda mais fundamentais."

— Presidente Bill Clinton, em uma coletiva de imprensa após a descoberta conhecida como ALH84001 no dia 7 de agosto de 1997.

Prólogo

A morte, naquele lugar deserto e esquecido por todos, podia ter infinitas formas. O geólogo Charles Brophy havia enfrentado o esplendor selvagem daquele terreno durante anos, mas, ainda assim, nada poderia prepará-lo para um destino tão bárbaro e antinatural quanto aquele que em breve encontraria.

Os quatro huskies siberianos que puxavam seu trenó pela tundra subitamente reduziram a marcha, olhando para o céu.

– O que há, rapazes? – perguntou Brophy, descendo do trenó carregado com equipamentos geológicos.

Atravessando as pesadas nuvens que anunciavam uma tempestade, um helicóptero de transporte de dois rotores passou entre os picos glaciais com precisão militar, manobrando em direção ao solo.

Estranho, ele pensou. Nunca havia visto helicópteros tão ao norte. A aeronave pousou a uns 50 metros, levantando um jato de neve granulada. Os cachorros ganiram, assustados.

As portas se abriram e dois homens desceram. Vestidos com uniformes militares brancos apropriados para o frio e armados com rifles, eles caminharam na direção de Brophy com determinação.

– Dr. Brophy?

O geólogo ficou paralisado.

– Como sabe meu nome? Quem são vocês?

– Pegue seu rádio, por favor.

– O quê?

– Faça o que eu disse.

Perplexo, Brophy puxou o rádio de dentro de sua parca.

– Precisamos que você transmita um comunicado de emergência. Ajuste sua freqüência de transmissão para 100 kHz.

100 kHz? Brophy não estava entendendo nada. *Ninguém pode receber nada em uma freqüência tão baixa.*

– Houve algum acidente?

O outro homem levantou seu rifle e apontou-o para a cabeça de Brophy.

– Não há tempo para explicar. Apenas obedeça.

Tremendo, Brophy ajustou sua freqüência de transmissão. O homem que havia falado primeiro lhe passou um papel com algumas linhas impressas.

– Transmita esta mensagem. Agora.

Brophy olhou para o papel.

– Não entendo. Isto aqui está errado. Eu não...

O homem pressionou o rifle com força contra a cabeça do geólogo.

A voz de Brophy estava trêmula ao enviar a estranha mensagem.

– Muito bem – disse o homem. – Agora pegue seus cães e vamos para o helicóptero.

Sob a mira do rifle, Brophy relutantemente levou seus cães em direção à aeronave e subiu por uma rampa para dentro do compartimento de carga. Assim que se acomodaram, o helicóptero partiu na direção oeste.

– Afinal, quem são vocês? – protestou Brophy, suando frio por baixo de sua parca. *E qual era o sentido daquela mensagem?*

Os homens permaneceram em silêncio. À medida que o helicóptero ganhava altitude, o vento que entrava pela porta aberta tornava-se insuportavelmente cortante. Os quatro huskies de Brophy, ainda atrelados ao trenó, uivavam baixinho.

– Pelo menos fechem a maldita porta – exigiu o geólogo. – Meus cachorros estão assustados, vocês não estão vendo?

Eles nada disseram. Quando o helicóptero passou de mil metros de altitude e inclinou-se fortemente sobre uma série de precipícios e fendas no gelo, os homens levantaram-se bruscamente, agarraram o trenó e jogaram-no porta afora. Brophy olhou, aterrorizado, enquanto seus cachorros se debatiam inutilmente, puxados pelo enorme peso do trenó. Em poucos instantes os animais haviam sumido de vista, seus uivos desesperados ecoando ao longe.

Brophy estava de pé, gritando, quando os homens também o pegaram e o empurraram em direção à porta. Em pânico, tentou livrar-se das mãos firmes que procuravam jogá-lo para fora.

Seu esforço foi em vão. Poucos instantes depois, ele também despencou, espaço abaixo, em direção às profundezas do gelo.

CAPÍTULO 1

Local predileto para o mais refinado café-da-manhã dos executivos e políticos de Washington, o restaurante Toulos, próximo ao Capitol Hill, ostenta, com um toque de ironia, um menu politicamente incorreto que inclui até carpaccio de cavalo. Naquela manhã o Toulos estava movimentado – uma cacofonia de prataria sendo remexida, máquinas de café expresso em ação e pessoas falando em seus celulares.

O maître estava bebericando disfarçadamente seu Bloody Mary matinal quando a mulher entrou. Ele se virou, com um sorriso profissional.

– Bom dia. Posso ajudá-la?

Era uma mulher atraente, dos seus trinta e poucos anos, usando uma calça de flanela cinza, blusa de grife marfim e discretos sapatos de salto baixo. Tinha uma postura alinhada e o queixo levemente levantado – o suficiente para demonstrar força sem, contudo, ser arrogante. Seu cabelo era castanho-claro, cortado no estilo "jornal das oito", o mais popular daquele momento em Washington: elegantemente desfiado e curvado para dentro na altura dos ombros. Longo o bastante para parecer sensual, curto o suficiente para transmitir a quem olhasse a nítida impressão de que a mais inteligente ali era ela.

– Estou um pouco atrasada – disse a mulher. – Marquei um café-da-manhã com o senador Sexton.

O maître sentiu um frio na espinha. *O senador Sedgewick Sexton.* Era um cliente habitual da casa e, naquele momento, um dos homens mais famosos do país. Na semana anterior, após ter levado a melhor em todas as 12 eleições primárias dos republicanos, o senador havia praticamente garantido sua indicação pelo partido para presidente dos Estados Unidos. Muitos acreditavam que, nas próximas eleições, ele tinha uma ótima chance de vencer a disputa pela Casa Branca contra o atual presidente. Ultimamente o rosto de Sexton parecia estar em todas as revistas, e seu slogan de campanha estava espalhado por todo o país: "Chega de gastar, é hora de reformar."

– O senador Sexton está em seu reservado – disse o maître. – A quem devo anunciar?

– Rachel Sexton. Sou filha dele.

Mas que burrice a minha, ele pensou. As semelhanças eram evidentes. A mulher tinha os mesmos olhos penetrantes do senador e a mesma altivez – aquele ar polido de uma nobreza jovial. Era óbvio que a beleza clássica do senador havia sido transmitida à geração seguinte, ainda que Rachel Sexton parecesse lidar com a graça natural que lhe havia sido concedida com uma dignidade recatada que seu pai não possuía.

– É um prazer recebê-la, senhorita Sexton.

O maître acompanhou a filha do senador através do salão, um pouco incomodado com o fogo cruzado de olhares masculinos que a seguiam, com maior ou menor discrição. Poucas mulheres freqüentavam o Toulos, e raramente se via uma tão bela quanto Rachel.

– Belas curvas – sussurrou um cliente. – Será que Sexton finalmente conseguiu arrumar uma nova mulher?

– Aquela é a filha dele, seu idiota – respondeu um outro.

O primeiro homem deu uma risadinha e completou:

– Se conheço Sexton, ele provavelmente transaria com ela mesmo assim.

◆◆◆

Quando Rachel chegou à mesa de seu pai, o senador estava falando em seu celular, bem alto, sobre mais um de seus recentes sucessos. Olhou para ela brevemente, apenas o suficiente para dar um tapinha em seu relógio Cartier, lembrando-a de que estava atrasada.

Também senti sua falta, pensou Rachel.

O nome de seu pai era Thomas, mas há muito tempo que ele optara por usar apenas seu sobrenome. Rachel achava que ele gostava da aliteração. Senador Sedgewick Sexton. Era um político profissional de cabelos grisalhos e fala macia que havia sido agraciado com a aparência de um astro de seriado de televisão, o que parecia bastante adequado, considerando seu talento para disfarces e artimanhas.

– Rachel! – seu pai finalmente desligou o telefone e levantou-se para lhe dar um beijo na bochecha.

– Oi, pai – ela não retornou o beijo.

– Você parece exausta.

Lá vamos nós de novo, pensou ela.

– Recebi seu recado. Aconteceu alguma coisa?

– Puxa! Agora preciso de uma razão para chamar minha filha para tomar café comigo?

Rachel aprendera desde cedo que seu pai raramente a chamava, a não ser que tivesse algo específico em mente.

O senador tomou um gole de café.

– Então, como vai sua vida?

– Ando ocupada. Vejo que sua campanha está indo bem.

– Ah, não vamos falar de negócios. – Sexton inclinou-se ligeiramente sobre a mesa, baixando o tom de voz. – Como vai aquele rapaz do Departamento de Estado que eu lhe apresentei?

Rachel respirou fundo, já se controlando para não olhar para o relógio. A manhã prometia ser longa.

– Pai, definitivamente não tenho tempo de ligar para ele. E eu gostaria muito que você parasse de tentar...

– Você precisa encontrar tempo para as coisas que realmente importam, querida. Sem amor, tudo mais perde o sentido.

Uma enorme quantidade de respostas veio à sua mente, mas Rachel preferiu se manter em silêncio.

– Pai, você queria me ver? Você disse que era importante.

– De fato é. – Ele estudou o rosto da filha atentamente.

Rachel sentiu parte de suas defesas se desfazer diante daquele exame minucioso e amaldiçoou o poder daquele homem. O olhar do senador era a sua maior dádiva – grande o suficiente para levá-lo até à Casa Branca. Seu domínio era tamanho que conseguia ficar com os olhos cheios de lágrimas quando desejava e, um instante depois, exibir um olhar límpido, como se estivesse abrindo uma janela para sua alma apaixonada, fortalecendo seus laços de boa-fé com os outros. "Confiança é tudo", seu pai sempre lhe dissera. Embora ele houvesse perdido a confiança de Rachel há anos, agora estava ganhando a de toda uma nação.

– Queria lhe propor uma coisa – disse o senador.

– Deixe-me adivinhar – respondeu Rachel, tentando retomar sua vantagem. – Algum divorciado de grande prestígio à procura de uma jovem esposa?

– Não se iluda, querida. Você já não é assim tão jovem.

Rachel teve a sensação de estar diminuindo, o que muitas vezes acontecia em seus encontros com o pai.

– Quero lhe dar uma chance, quero lhe oferecer um porto seguro – ele disse.

– Há alguma tempestade vindo na minha direção?

– Na sua, não. Mas no caminho do presidente, sim. E acho melhor você se afastar dele enquanto há tempo.

– Acho que já tivemos essa conversa, não é?

– Pense em seu futuro, Rachel. Venha trabalhar comigo.

– Espero que não tenha me chamado aqui só por causa disso.

O verniz da calma aparente do senador se desfez quase imperceptivelmente.

– Rachel, você não vê o quanto o fato de estar trabalhando para ele repercute negativamente para mim e para minha campanha?

Ela suspirou. Os dois já haviam conversado sobre aquilo.

– Pai, eu não trabalho para o presidente. Eu nunca *encontrei* o presidente. Eu nem trabalho em Washington, você sabe disso!

– Política é a arte da percepção, Rachel. Para quem olha, *parece* que você trabalha para o presidente.

Ela respirou fundo, tentando manter a calma.

– Pai, dei duro para conseguir esse emprego e não vou pedir demissão.

Os olhos do senador se fixaram nela.

– Você sabe, tem horas em que sua atitude egoísta é realmente...

– Senador Sexton? – um repórter apareceu do nada e estava agora de pé ao lado da mesa.

A postura de Sexton abrandou-se rapidamente. Rachel resmungou algo e pegou um croissant da cestinha em cima da mesa.

– Ralph Sneeden, do *Washington Post* – disse o repórter. – Posso lhe fazer algumas perguntas?

O senador sorriu, limpando gentilmente a boca com um guardanapo.

– É um prazer, Ralph. Mas, por favor, não demore. Não quero que meu café esfrie.

O repórter riu, como previa o script.

– Claro, senhor. – Ele tirou do bolso um minigravador e ligou-o. – Senador, sua propaganda na televisão diz que são necessárias leis para garantir igualdade salarial para as mulheres no mercado de trabalho, assim como cortes nos impostos para as famílias recém-formadas. O senhor pode explicar o que pretende com essas propostas?

– Claro. Sou um grande fã de mulheres fortes e de famílias fortes.

Rachel quase se engasgou com o croissant.

– Ainda a respeito das famílias – prosseguiu o repórter –, o senhor tem falado muito sobre a importância da educação e até propôs alguns cortes orçamentários polêmicos para que mais recursos sejam destinados às escolas.

– Acredito que nosso futuro está nas crianças de hoje.

Rachel não podia acreditar que seu pai estivesse recorrendo àquele tipo de lugar-comum.

– Uma última pergunta, senhor – disse o repórter. – Os resultados das pesquisas indicam um enorme avanço de sua candidatura nas últimas semanas. O presidente deve estar preocupado. Algo a dizer sobre esse recente sucesso?

– Acredito que tenha a ver com confiança. Os americanos estão começando a perceber que o presidente não é confiável o bastante para tomar as duras decisões necessárias para garantir o futuro desta nação. Os gastos descontrolados do governo estão afundando o país em uma dívida cada vez maior, e o povo parece ter compreendido que chega de gastar, é hora de reformar.

O alarme do pager de Rachel disparou, interrompendo providencialmente a retórica do pai. O irritante bipe eletrônico que sempre a perturbava soava agora quase como uma melodia.

O senador lançou-lhe um olhar de indignação por ter sido interrompido.

Rachel pegou rapidamente o pager em sua bolsa e digitou a seqüência de cinco teclas que confirmava sua identidade. O ruído eletrônico cessou e a pequena tela começou a piscar. Em 15 segundos ela iria receber uma mensagem de texto codificada.

Sneeden sorriu para o senador.

— Sua filha é obviamente uma mulher ocupada. É reconfortante ver que vocês ainda conseguem encontrar tempo para tomar um café-da-manhã juntos.

— Como eu disse, a família está sempre em primeiro lugar.

Sneeden assentiu e, em seguida, ficou sério, fitando Sexton com um olhar duro.

— Posso perguntar-lhe, senador, como o senhor e sua filha gerenciam seus conflitos de interesses?

— Que conflitos? — O senador inclinou a cabeça em um gesto inocente de aparente perplexidade. — A que você se refere?

Rachel olhou para cima, fazendo uma careta diante da atuação teatral de seu pai. Ela sabia muito bem onde aquilo iria parar. *Malditos repórteres*, pensou. Metade deles estava na folha de pagamento de algum político. Aquela era uma armação: a pergunta parecia ser dura, mas na verdade era formulada de maneira a favorecer o senador. Uma bola lenta jogada no ponto exato para que seu pai pudesse acertar uma tacada em cheio, marcando um belo ponto e esclarecendo algumas coisas no meio tempo.

— Bem, senhor... — o repórter tossiu, querendo mostrar-se pouco à vontade. — O conflito diz respeito ao fato de sua filha trabalhar para seu oponente.

O senador Sexton deu uma gargalhada, retirando instantaneamente toda a tensão da pergunta.

— Ralph, em primeiro lugar, eu e o presidente não somos *oponentes*. Somos apenas dois patriotas que possuem idéias divergentes sobre como administrar o país que amamos.

O repórter abriu um largo sorriso. Tinha conseguido chegar aonde queria.

— E em segundo lugar?

— Em segundo lugar, minha filha não trabalha para o presidente. Ela trabalha para a comunidade de inteligência. Analisa relatórios de inteligência e os envia para a Casa Branca. É uma posição relativamente baixa na hierarquia. – Fez uma pausa e olhou para Rachel. – Na verdade, querida, acho que você nem mesmo chegou a se *encontrar* pessoalmente com o presidente, não é?

Rachel encarou-o, soltando faíscas pelos olhos. Seu bipe emitiu um outro som e ela olhou para a tela.

–RPRT DIRNRO IMED–

Ela decifrou mentalmente a mensagem abreviada e franziu a testa. A mensagem era inesperada e provavelmente traria más notícias. Bem, pelo menos tinha um motivo para sair dali.

– Senhores, lamento profundamente, mas preciso ir embora. Estou atrasada para o trabalho.

– Senhorita Sexton – atalhou o repórter rapidamente –, antes de sair, será que você poderia responder a uma pergunta? Há rumores de que esta reunião matinal era para discutir a possibilidade de que você deixasse seu cargo para trabalhar na campanha de seu pai. É verdade?

Rachel sentiu seu rosto pegando fogo como se tivesse sido atingida por uma xícara de café quente. A pergunta pegou-a totalmente desprevenida. Ela olhou para o pai e percebeu, por trás de seu sorriso forçado, que a pergunta havia sido previamente combinada. Teve vontade de subir na mesa e atacá-lo com um garfo.

O repórter enfiou o gravador na cara dela.

– Senhorita Sexton?

Ela olhou firme para o repórter, furiosa.

– Ralph, ou seja lá quem você for, preste atenção: não tenho a menor intenção de abandonar meu cargo para trabalhar para o senador Sexton. Se você publicar algo diferente, irá precisar de ajuda médica para tirar esse gravador de onde vou enfiá-lo.

O repórter arregalou os olhos, espantado, e desligou o gravador, escondendo um risinho.

– Agradeço a ambos – disse, sumindo de vista.

Rachel arrependeu-se logo de seu acesso de raiva. Havia herdado o temperamento do pai e odiava isso. *Calma, Rachel. Muita calma.*

Seu pai lançou-lhe um olhar de desaprovação.

– Seria bom se você aprendesse a manter a calma.

Ela começou a pegar suas coisas.

– Nossa reunião está terminada.

O senador parecia também não ter mais nada a dizer e puxou seu celular para fazer uma chamada.

– Adeus, querida. Dê uma passada no escritório um dia desses para me dizer "oi". E encontre um homem para se casar, pelo amor de Deus. Você já está com 33 anos.

– Trinta e quatro – respondeu, ríspida. – Sua secretária me enviou um cartão.

Ele balançou a cabeça, contrariado.

– Trinta e quatro. Uma balzaquiana solteirona. Você sabe, aos 34 anos, eu já tinha...

– Casado com minha mãe e ido para a cama com a vizinha? – As palavras saíram num tom um pouco mais alto do que ela pretendia, num sincronismo absolutamente perfeito e desafortunado com uma daquelas pausas que costumam ocorrer no burburinho dos restaurantes. Parecia que ela estava falando sozinha para todo o salão. As pessoas se viraram para olhá-la.

O senador Sexton a encarou com um olhar gélido.

– Tome cuidado com o que diz, minha jovem.

Rachel não respondeu, apenas dirigiu-se para a saída. *Não, você é quem deve tomar cuidado, senador.*

CAPÍTULO 2

Os três homens estavam sentados em silêncio dentro de sua tenda Therma-Tech de proteção contra tempestades. Do lado de fora, um vento gelado açoitava o abrigo, como se quisesse arrancá-lo de seus tirantes. Os homens pareciam não se importar: todos já haviam passado por situações bem mais arriscadas do que aquela.

A tenda, totalmente branca, tinha sido montada em uma ligeira depressão do terreno, para que não pudesse ser vista à distância. As armas, o transporte e os dispositivos de comunicação usados por seus ocupantes eram todos de última geração. O líder do grupo respondia pelo codinome Delta-Um. Era um homem musculoso e ágil, com um olhar tão desolado quanto a paisagem à sua volta.

De repente, o cronógrafo militar no pulso de Delta-Um emitiu um bipe agudo, em perfeita sincronia com os bipes dos cronógrafos que os outros dois homens estavam usando. Mais 30 minutos haviam se passado. Era hora. Outra vez.

Automaticamente, Delta-Um deixou seus dois companheiros e saiu da tenda em meio à escuridão e à ventania. Examinou o horizonte iluminado pelo luar com seus binóculos de infravermelho. Como sempre, concentrou-se na estrutura que estava aproximadamente a um quilômetro de distância. Era uma construção enorme e inusitada erguida em meio ao terreno desértico. Desde que fora construída, há 10 dias, ele e sua equipe a vigiavam. Delta-Um não tinha dúvidas de que o que acontecia lá dentro iria mudar o mundo. Algumas pessoas já haviam perdido suas vidas para que aquelas informações fossem resguardadas.

Por enquanto não havia atividade alguma fora da estrutura. O verdadeiro teste, contudo, dizia respeito ao que estava acontecendo *lá dentro*.

Delta-Um retornou à tenda e falou com os outros soldados:

– Vamos fazer um reconhecimento.

Os dois assentiram. O mais alto deles, Delta-Dois, abriu um laptop e ligou-o. Posicionando-se diante da tela, Delta-Dois segurou o joystick e moveu-o levemente. Um quilômetro adiante, escondido nas profundezas do prédio, um robô de vigilância do tamanho de um mosquito recebeu a transmissão e ativou-se.

CAPÍTULO 3

Rachel Sexton ainda estava furiosa. Dirigia agora seu carro pela Leesburg Highway. As árvores ainda desfolhadas na encosta das montanhas de Falls Church destacavam-se nitidamente contra o céu revigorante de março, mas o cenário idílico não era suficiente para dissipar sua raiva. A recente ascensão de seu pai nas pesquisas deveria ter dado a ele um mínimo de confiança e amabilidade. Entretanto, parecia ter servido apenas de combustível para sua arrogância.

A armação de seu pai se tornava ainda mais dolorosa porque ele era o único parente próximo que Rachel ainda possuía. Sua mãe havia morrido há três anos, uma perda terrível cujas feridas emocionais permaneciam no coração de Rachel. O único consolo era saber que a morte, com uma compaixão irônica, libertara sua mãe de um estado de total desespero diante de um casamento infeliz com o senador.

O pager de Rachel emitiu um novo bipe, trazendo seus pensamentos de volta para a estrada que se estendia à sua frente. A mensagem era a mesma:

—RPRT DIRNRO IMED—

Reporte-se ao diretor do NRO imediatamente. Ela respirou profundamente. *Que saco, estou chegando!*

Com uma sensação crescente de incerteza, Rachel chegou à saída habitual da via expressa, entrou na estradinha particular de acesso e parou defronte da cabine de guarda fortemente armada. O endereço era Leesburg Highway, 14.225, um dos locais mais secretos do país.

Enquanto o guarda fazia a varredura de rotina em seu carro à procura de dispositivos de escuta, ela olhou para a gigantesca construção que surgia, ainda um pouco distante, à sua frente. O complexo de quase 10 hectares estava majestosamente situado em um bosque de 28 hectares nos arredores de Washington, D.C., em Fairfax, no estado da Virgínia. A fachada do prédio era uma fortaleza de vidro espelhado, refletindo um batalhão de antenas de satélite, parabólicas e domos de radar espalhados pelo terreno em torno do prédio, duplicando, ao espelhá-los, o número já impressionante de dispositivos eletrônicos.

Após ser liberada, Rachel estacionou o carro e atravessou os jardins cuidados até a entrada principal, onde havia a seguinte inscrição numa placa de granito:

ESCRITÓRIO NACIONAL DE RECONHECIMENTO (NRO)*

Os dois *marines* armados que estavam de sentinela junto à porta giratória blindada permaneceram em posição de alerta enquanto Rachel passava. Ao chegar ao prédio, ela sempre tinha a sensação de estar diante de um gigante adormecido.

Dentro da abóbada do lobby, Rachel captou os sons esparsos de conversas sussurradas, como se as palavras descessem, filtradas, dos escritórios acima. No chão, um enorme mosaico de lajotas expunha a diretriz do NRO:

GARANTIR A SUPERIORIDADE GLOBAL
DE INFORMAÇÕES DOS ESTADOS UNIDOS
NA PAZ OU NA GUERRA

---

* National Reconnaissance Office.

As paredes do hall estavam decoradas com enormes fotografias – lançamentos de foguetes, batismos de submarinos, instalações de interceptação –, feitos impressionantes que só podiam ser comemorados dentro daquelas paredes.

Daquele ponto em diante Rachel sentia que as preocupações do dia-a-dia se dissolviam aos poucos. Estava entrando no mundo das sombras, onde os problemas sempre provocavam alarde e as decisões eram tomadas na surdina.

Rachel aproximou-se da última guarita, tentando adivinhar o que seria tão urgente para que enviassem duas mensagens para seu pager nos últimos 30 minutos.

– Bom dia, Senhorita Sexton – o guarda sorriu quando ela se aproximou de uma grande porta de aço.

Rachel sorriu de volta e pegou a embalagem que o guarda lhe entregou.

– Você sabe o que fazer...

Rachel abriu a embalagem hermeticamente fechada e retirou um bastonete com algodão na extremidade. Então colocou-o na boca, como um palito de sorvete, segurando-o sob a língua durante alguns segundos. Depois inclinou-se para a frente, permitindo que o guarda pegasse o bastão. O guarda inseriu o algodão, agora úmido de saliva, numa máquina atrás dele. Só foram necessários quatro segundos para verificar as seqüências de DNA na saliva de Rachel. Depois um monitor acendeu-se, exibindo sua foto e seu código de segurança.

O guarda piscou.

– Parece que você continua sendo você mesma. – Ele retirou o bastonete usado de dentro da máquina e jogou-o num recipiente, onde foi imediatamente incinerado. – Tenha um bom dia. – Apertou um botão, e as enormes portas de aço se abriram.

Rachel andou pelo labirinto agitado de corredores à sua volta pensando em como era curioso que, mesmo após seis anos, ela ainda ficasse intimidada pelo tamanho colossal daquela organização. O Escritório Nacional de Reconhecimento tinha outras seis instalações nos Estados Unidos, empregava mais de 10 mil agentes e seus custos operacionais ultrapassavam a marca de 10 bilhões de dólares por ano.

Em total segredo, o NRO havia construído e mantinha um arsenal impressionante de tecnologias de ponta para espionagem: interceptores eletrônicos de alcance global; satélites-espiões; chips de retransmissão não-detectáveis embutidos em produtos de telecomunicações; e até mesmo uma rede de reconhecimento naval conhecida como Classic Wizard, uma teia secreta de 1.456 hidrofones colocados no fundo do mar em diversos pontos do planeta para monitorar o movimento de navios em qualquer lugar da Terra.

As tecnologias do NRO não apenas ajudavam os Estados Unidos a vencer conflitos militares, mas também forneciam, em tempos de paz, uma infinita quantidade de dados para agências como a CIA, a NSA e o Departamento de Defesa, ajudando-as a combater terroristas e a detectar crimes contra o meio ambiente, além de fornecer aos legisladores informações para que pudessem embasar suas decisões em uma grande quantidade de tópicos.

Rachel trabalhava lá como "depuradora". O processo de depuração, ou redução de dados, exigia que relatórios complexos fossem analisados para que, em seguida, sua essência fosse consolidada em relatórios concisos. Desde o início, Rachel demonstrara um talento natural para aquele trabalho. Ela acreditava ter desenvolvido sua habilidade ao longo dos anos que passara ouvindo a besteirada que seu pai falava...

Agora ela era a principal "depuradora" do NRO, pois servia como elemento de ligação com a Casa Branca. Rachel tinha que ler todos os relatórios diários de inteligência do escritório e decidir quais eram relevantes para o presidente, resumindo-os, então, em documentos de uma página que eram encaminhados para o conselheiro de segurança nacional do presidente.

O trabalho era difícil e exigia muita dedicação, mas ela se sentia honrada com o cargo, além de ser uma forma de afirmar sua independência em relação ao pai. O senador já havia se oferecido diversas vezes para sustentar Rachel, se ela abandonasse o emprego, mas isso era algo que ela não tinha a menor intenção de fazer. Não iria se tornar financeiramente dependente de Sedgewick Sexton: ela havia testemunhado o que acontecera com a mãe ao depositar poderes demais nas mãos de um homem como ele.

O som do pager de Rachel ecoou pelo hall de mármore.

De novo? Ela nem se preocupou em reler a mensagem.

Ainda pensando em que diabos estaria acontecendo, entrou no elevador e foi direto até o último andar.

CAPÍTULO 4

Chamar o diretor do NRO de homem comum era um exagero. William Pickering era pequeno, pálido, careca e sem traços marcantes. Apesar de já ter visto alguns dos mais profundos segredos do país, seus olhos castanhos pareciam opacos. Ainda assim, para seus subordinados, Pickering era um grande homem. Sua personalidade serena e seu pragmatismo eram lendários no NRO. Seu jeito calmo e zeloso, combinado com o fato de que usava sempre ternos pretos, fizera com que o apelidassem de Quaker, numa referência aos membros da seita protestante inglesa. Estrategista brilhante e modelo de eficiência, ele governava seu mundo com total transparência e pregava que era preciso "encontrar a verdade e agir de acordo com ela".

Quando Rachel chegou ao escritório do diretor, ele estava ao telefone. Observando-o, ela não pôde deixar de pensar que era curioso alguém de aparência tão comum ter poder suficiente para acordar o presidente a qualquer hora.

Pickering desligou e fez sinal para que ela se aproximasse:

– Agente Sexton, sente-se.

– Obrigada, senhor – respondeu Rachel, sentando-se.

Ainda que muitos se sentissem desconfortáveis com o estilo direto e sem rodeios de William Pickering, Rachel sempre gostara dele. Era a antítese perfeita de seu pai... não era fisicamente imponente, não era carismático e cumpria seu dever com um patriotismo abnegado, evitando as luzes da ribalta que seu pai tanto amava.

O diretor tirou os óculos e olhou para ela.

– Agente Sexton, o presidente me ligou há cerca de meia hora. Queria falar especificamente sobre você.

Rachel moveu-se em sua cadeira, inquieta. Pickering era conhecido por ir direto ao assunto. *Bom princípio de conversa*, pensou.

– Espero que um de meus relatórios não tenha causado problemas.

– Pelo contrário. Ele disse que a Casa Branca está muito impressionada com seu trabalho.

Rachel suspirou.

– O que ele queria, então?

– Uma reunião com você. Pessoalmente. Agora.

A inquietude de Rachel retornou.

– Uma reunião pessoal? Sobre *o quê*?

– Excelente pergunta. Ele não quis me dizer.

Aquilo soou estranho. Esconder informações do diretor do NRO era como não contar segredos do Vaticano ao Papa. Na comunidade de inteligência circulava uma piada dizendo que, se William Pickering não sabia de algo, era porque não havia acontecido.

Pickering levantou-se e começou a andar em frente da janela.

– Ele me pediu apenas que entrasse em contato com você imediatamente e a enviasse para um encontro com ele.

– Neste instante?

– Ele mandou um transporte. Está esperando lá fora.

Rachel ficou tensa. O pedido do presidente já era inusitado por si só, mas o ar de preocupação do diretor a deixava realmente nervosa.

– Você obviamente não está totalmente de acordo com isso.

– Mas que diabos, claro que não! – Pickering explodiu, algo que raramente fazia. – O pedido do presidente, neste exato momento, me parece quase imaturo em sua transparência. Você é filha do homem que o está ameaçando nas pesquisas e ele telefona pedindo uma reunião pessoal com você? Acho isso completamente inadequado. Seu pai sem dúvida concordaria comigo.

Rachel pensou que Pickering estava certo, embora não desse a mínima para o que o pai pudesse ou não pensar.

– Você não confia nas motivações do presidente?

– Meu juramento diz respeito a fornecer suporte de inteligência à atual administração na Casa Branca e a não fazer julgamentos sobre suas políticas.

Uma resposta no melhor estilo Pickering, pensou. O diretor não se esforçava muito para ocultar sua visão de que políticos eram figuras transitórias passando rapidamente por um tabuleiro no qual o verdadeiro controle estava nas mãos de homens como ele – veteranos que já haviam tido tempo para desenvolver uma perspectiva real sobre o jogo. Pickering costumava dizer que dois mandatos na Casa Branca não eram nem de longe o suficiente para entender a fundo a complexidade do cenário político internacional.

– Pode ser que seja apenas um pedido comum – disse Rachel, pensando alto e torcendo para que o presidente não se rebaixasse a ponto de tentar truques baratos de campanha. – Que ele precise de um relatório sobre algum assunto delicado, por exemplo.

– Sem querer menosprezar seu trabalho, agente Sexton, a Casa Branca tem acesso a uma boa quantidade de profissionais da sua área que poderiam fazer um relatório. Se de fato se tratar de um trabalho interno da Casa Branca, o presidente deveria ter pensado melhor antes de chamá-la. E, se não for isso, ele *definitivamente* deveria ter pensado melhor antes de requisitar uma reunião com um recurso do NRO e recusar-se a me dizer o motivo.

Pickering sempre se referia a seus funcionários como "recursos", uma forma de falar que muitos achavam peculiarmente fria.

– Seu pai está ganhando força – prosseguiu ele. – *Muita* força. A Casa Branca deve estar tensa com isso – suspirou. – O jogo político sempre envolve um certo desespero. Quando o presidente pede uma reunião secreta com a filha de seu oponente, creio que tem algo mais em mente do que relatórios de inteligência.

Rachel sentiu um arrepio. Os palpites de Pickering costumavam estar absolutamente corretos.

– E você tem medo de que a Casa Branca esteja desesperada o bastante para *me* colocar no meio desse jogo?

Ele fez uma breve pausa.

– Creio que você não faz muita força para ocultar seus sentimentos por seu pai e tenho certeza de que os coordenadores da campanha do presidente estão a par dessa cisão. Minha impressão é que podem estar querendo usá-la contra seu pai de alguma forma.

– Onde é que eu assino? – perguntou Rachel, sarcástica.

Pickering não sorriu: apenas olhou para ela friamente.

– Vou lhe dar um conselho importante, agente Sexton. Se você acha que problemas particulares com seu pai podem atrapalhar seu julgamento ao lidar com o presidente, eu devo sugerir fortemente que recuse esse pedido.

– Recusar? – Rachel deu uma risadinha nervosa. – Eu não poderia negar um pedido do presidente.

– Não – disse o diretor –, mas eu posso.

Suas palavras ressoaram pela sala, lembrando a Rachel o outro motivo pelo qual ele era chamado de Quaker. Apesar de ser um homem de baixa estatura, William Pickering podia causar terremotos políticos quando ficava irritado.

– Minha preocupação, neste caso, é muito simples – disse Pickering. – Sou responsável por proteger aqueles que trabalham para mim e não aceito a mais vaga insinuação de que alguém do NRO possa ser usado como peão num jogo político.

– O que você me recomenda, então?

O diretor suspirou.

– Sugiro que vá se encontrar com ele. Não assuma compromissos. Assim que o presidente lhe disser o que tem em mente, ligue para mim. Se eu achar que ele está usando você como joguete político, acredite, vou tirá-la dessa história tão rápido que ele não vai nem saber o que o acertou.

– Obrigada, senhor. – Rachel sentia no diretor um estilo protetor que faltava a seu próprio pai. – O senhor disse que o presidente já mandou um carro?

– Quase isso. – Pickering levantou uma sobrancelha e apontou para fora.

Sem entender muito bem, Rachel andou até a janela.

Um helicóptero PaveHawk MH-60G estava pousado no jardim. Um dos modelos mais rápidos existentes, aquele tinha a insígnia da Casa Branca. O piloto estava em pé do lado de fora, olhando impaciente para o relógio.

Rachel virou-se para o diretor sem acreditar naquilo.

– A Casa Branca mandou um PaveHawk só para me levar para um passeio de 25 quilômetros até lá?

– Aparentemente o presidente espera que você fique impressionada ou intimidada – disse Pickering, olhando para ela. – Sugiro que você não se deixe levar pelas emoções.

Ela concordou, mas era difícil se controlar. Estava impressionada e intimidada.

◆ ◆ ◆

Quatro minutos depois, Rachel Sexton saiu do NRO e entrou no helicóptero que estava à sua espera. Quase que imediatamente, o aparelho estava no ar, descrevendo uma curva fechada sobre as florestas da Virgínia. Ela olhou para fora e viu as árvores passando tão rápido que pareciam um borrão abaixo dela. Sentiu seu pulso acelerar. Teria acelerado ainda mais se ela soubesse que aquele helicóptero jamais chegaria à Casa Branca.

CAPÍTULO 5

O vento gélido castigava o tecido Therma-Tech da tenda, mas Delta-Um não estava preocupado com isso. Ele e Delta-Três estavam concentrados em seu companheiro, que manipulava o joystick com uma precisão quase cirúrgica. A tela à frente deles exibia uma transmissão de vídeo em tempo real de uma câmera pouco maior que um alfinete instalada no microrrobô.

Este é o melhor dispositivo de vigilância já criado, pensou Delta-Um, que sempre se surpreendia quando ligavam o aparelho. Ultimamente, no mundo da micromecânica, os fatos pareciam superar a ficção.

Os microssistemas eletromecânicos (MEMS) – ou microrrobôs – eram a mais recente ferramenta de alta tecnologia para fins de vigilância. Foram apelidados de "mosca na parede". Literalmente.

Ainda que robôs microscópicos com controle remoto parecessem saídos da ficção científica, na verdade já existiam desde os anos 1990. A revista *Discovery* publicou uma matéria de capa sobre microrrobôs, em meados de 1997, mostrando tanto os modelos "nadadores" quanto os "voadores". Os "nadadores"

– nanossubmarinos do tamanho de um grão de sal – podiam ser injetados na corrente sangüínea de uma pessoa, como no filme *Viagem fantástica*. Estavam sendo usados pelas clínicas e hospitais mais avançados para ajudar os médicos a navegar pelas artérias usando um controle remoto. Assim podiam observar transmissões ao vivo de imagens intravenosas e localizar bloqueios arteriais sem jamais utilizar um bisturi.

Ao contrário do que poderíamos imaginar, construir um microrrobô voador era ainda mais simples. O conhecimento de aerodinâmica necessário para fazer uma máquina voar estava disponível desde o vôo dos irmãos Wright em Kitty Hawk, e a única coisa que precisava ser resolvida era a questão da miniaturização. Os primeiros microrrobôs voadores, projetados pela NASA como ferramentas de exploração remota para futuras missões em Marte, mediam pouco mais de um palmo. Contudo, com os recentes avanços em nanotecnologia, na fabricação de materiais ultraleves capazes de absorver energia e em micromecânica, os microrrobôs voadores haviam se tornado uma realidade.

O grande avanço veio do novo campo da biomimética, ou seja, como copiar a Mãe Natureza. Logo ficou claro que libélulas miniaturizadas eram o protótipo ideal para esses ágeis e eficientes microrrobôs voadores. O modelo PH2 que Delta-Dois estava controlando naquele momento tinha apenas um centímetro de comprimento: era quase do tamanho de um mosquito. Empregava um duplo par de asas transparentes, articuladas e feitas de lâminas de silício, que lhe davam uma mobilidade e eficiência sem igual para voar.

O mecanismo de reabastecimento dos microrrobôs havia sido outro grande avanço. Os primeiros protótipos só podiam recarregar suas células de energia quando se posicionavam diretamente sob uma luz intensa, o que obviamente não era ideal para mantê-los ocultos ou usá-los em locais escuros. Os novos modelos, contudo, podiam recarregar-se simplesmente parando a poucos centímetros de um campo magnético. Isso era particularmente conveniente, pois nos dias de hoje os campos magnéticos se tornaram onipresentes, além de ficarem discretamente posicionados. Tomadas, monitores de computador, motores elétricos, alto-falantes, telefones celulares... Parecia haver um número infinito de obscuras estações de recarga. Uma vez que o microrrobô fosse introduzido com sucesso em um local, ele poderia transmitir áudio e vídeo quase que indefinidamente. O PH2 da Força Delta estava transmitindo imagens há mais de uma semana sem nenhum contratempo.

❖❖❖

Como um inseto dentro de uma caverna, o microrrobô voava agora, em completo silêncio, no ar parado do gigantesco salão central da estrutura. Fornecendo uma visão global do espaço abaixo dele, circulava despercebido sobre os ocupantes da sala – técnicos, cientistas e especialistas de campos diversos. Em meio às imagens vindas do PH2, Delta-Um vislumbrou os rostos familiares de duas pessoas que estavam conversando. Seriam uma boa fonte de informação. Ele pediu a Delta-Dois que se aproximasse para ouvi-las.

Manipulando os controles, Delta-Dois ativou os microfones do robô, orientou seu amplificador parabólico e baixou-o até que ficasse a uns três metros da cabeça dos cientistas. A transmissão estava baixa mas compreensível.

– Ainda não consigo acreditar – dizia um dos cientistas. O tom de animação em sua voz não havia diminuído desde que ali chegara há cerca de 48 horas.

O homem com quem conversava estava tão entusiasmado quanto ele.

– Em toda a sua vida... Você algum dia pensou que iria presenciar algo assim?

– Nunca – respondeu o cientista, sorrindo. – É como um sonho fantástico.

Delta-Um já havia ouvido o bastante. Estava claro que tudo lá dentro corria conforme o esperado. Delta-Dois manobrou o microrrobô de volta até seu esconderijo. Estacionou o pequeno dispositivo em um local onde não podia ser detectado, próximo ao motor de um gerador elétrico. As células de energia do PH2 começaram a recarregar-se, preparando-o para a próxima missão.

CAPÍTULO 6

Rachel estava perdida em pensamentos sobre os estranhos acontecimentos daquela manhã enquanto o PaveHawk cruzava os céus. Ela só percebeu que estavam indo na direção errada quando o helicóptero sobrevoou velozmente a baía de Chesapeake. Sua confusão inicial rapidamente cedeu lugar ao medo.

– Ei! – gritou para o piloto. – O que você está fazendo? – Sua voz mal podia ser ouvida em meio ao ruído dos rotores. – Você deveria estar me levando para a Casa Branca.

O piloto sacudiu a cabeça.

– Desculpe-me, senhora. O presidente não está na Casa Branca esta manhã.

Rachel tentou lembrar se Pickering havia mencionado especificamente a Casa Branca ou se era apenas algo que ela havia presumido.

– Onde ele está, então?

– Seu encontro é em outro local.

Não me diga.

– E que outro local é esse?

– Não estamos longe.

– Não foi o que perguntei.

– Mais uns 25 quilômetros.

Rachel fez uma cara feia para ele. *Esse cara deveria ser político.*

– Você se desvia de balas tão bem quanto se desvia de perguntas?

O piloto não respondeu.

◆◆◆

Levou menos de sete minutos para o helicóptero cruzar a baía de Chesapeake. Quando a terra voltou a aparecer, o piloto fez uma curva para o norte e contornou uma península estreita, onde Rachel viu uma série de pistas de pouso e instalações de aspecto militar. O piloto começou a descer, e ela entendeu, então, onde estavam. As seis plataformas de lançamento e torres de concreto chamuscadas davam uma boa pista, mas, se isso não bastasse, havia ainda duas palavras pintadas, com letras enormes, no telhado de um dos prédios: ILHA WALLOPS.

A ilha Wallops era uma das mais antigas bases de lançamento da NASA e continuava sendo usada para lançar satélites e testar aeronaves experimentais. Wallops era a instalação da NASA que ficava longe dos olhares indiscretos das câmeras.

O presidente está na ilha Wallops? Não fazia sentido.

O piloto do helicóptero seguiu a trajetória de três pistas de pouso que percorriam toda a extensão da península e pareciam se dirigir ao ponto mais distante da pista central. Então reduziu a velocidade.

– Você irá se encontrar com o presidente em seu escritório.

Rachel virou-se, tentando entender se era uma piada.

– O presidente dos Estados Unidos tem um escritório na ilha Wallops?

– O presidente dos Estados Unidos tem seu escritório onde desejar, senhora – respondeu o piloto, bem sério, apontando para o final da pista.

Ao ver a enorme silhueta brilhando ao longe, Rachel sentiu seu coração quase parar. Mesmo a 300 metros de distância, ela podia reconhecer a fuselagem azul clara do 747 modificado.

– Eu vou encontrá-lo a bordo do...

– Sim, senhora. Sua casa longe de casa.

Rachel olhou para o impressionante avião. A obscura designação militar daquele avião famoso era VC-25-A. O resto do mundo, contudo, o conhecia como Air Force One.

– Parece que você vai conhecer o novo modelo esta manhã – disse o piloto, indicando o número pintado na cauda do avião.

Rachel concordou. Poucos sabiam que, na verdade, existiam dois Air Force One em serviço ao mesmo tempo: dois 747-200-B configurados de forma idêntica, um deles com a numeração 28000 e o outro numerado 29000. Ambos tinham uma velocidade de cruzeiro de 600 milhas por hora e haviam sido modificados para reabastecimento em vôo, o que lhes dava, na prática, autonomia ilimitada.

O PaveHawk desceu na pista ao lado do avião presidencial e, ao observá-lo, Rachel compreendeu por que muitos diziam que o comandante-em-chefe da nação levava sempre vantagem ao se deslocar no Air Force One. A visão da aeronave era intimidadora.

Quando o presidente viajava para outros países a fim de se encontrar com chefes de estado, muitas vezes pedia, por razões de segurança, que a reunião ocorresse na pista, a bordo de seu jato. Ainda que o pedido fosse motivado pela preocupação com sua proteção, com certeza havia também a intenção de se ganhar alguma vantagem na negociação através da intimidação pura e simples. Uma visita ao Air Force One era muito mais impressionante do que qualquer visita à Casa Branca. Na fuselagem, com quase dois metros de altura, estava escrito ESTADOS UNIDOS DA AMÉRICA.

– Senhorita Sexton? – Um agente do serviço secreto, vestindo um terno, surgiu do lado de fora do helicóptero e abriu a porta para ela. – O presidente está à sua espera.

Rachel saiu do helicóptero e olhou, do início da escada, para a enorme aeronave. Lembrava-se de ter ouvido dizer que o "Salão Oval" voador tinha quase 400 metros quadrados de espaço interno, incluindo quatro dormitórios privados, acomodações para uma tripulação de 26 pessoas e dois refeitórios capazes de fornecer comida para 50 pessoas.

Rachel subiu pela escada de acesso, sentindo a presença do agente do serviço secreto atrás dela, escoltando-a. No alto, a porta da cabine estava aberta, como um pequeno corte feito na lateral de uma gigantesca baleia metálica. Dirigiu-se para a entrada escura e sentiu que sua autoconfiança diminuía.

Calma, Rachel. É só um avião.

Na entrada do avião, o agente educadamente tomou seu braço e guiou-a através de um corredor surpreendentemente estreito. Viraram para a direita, andaram alguns passos e chegaram a uma luxuosa e espaçosa cabine. Rachel já a havia visto antes em fotografias.

– Espere aqui – disse o agente, saindo da sala.

Rachel ficou sozinha na famosa cabine dianteira do Air Force One, observando as paredes revestidas com madeira. Aquela era a sala usada para reuniões, para entreter chefes de estado e, aparentemente, para matar de medo os passageiros de primeira viagem. Coberta de ponta a ponta por um grosso carpete marrom-claro, a sala ocupava toda a largura do avião. A mobília era impecável – cadeiras de couro de cabra dispostas em torno de uma mesa oval de reuniões feita de uma madeira rara, luminárias em bronze ao lado de um sofá de design sofisticado e de um bar de mogno sobre o qual havia um conjunto de taças de cristal gravadas à mão.

Supostamente os designers da Boeing teriam projetado aquela cabine a fim de transmitir aos passageiros um "sentido de ordem e tranqüilidade". Tranqüilidade, contudo, era a última coisa que Rachel sentia naquele momento. Só conseguia pensar no número de líderes mundiais que já haviam se sentado naquela mesma sala e tomado decisões que mudaram os rumos da História.

Tudo naquela sala transmitia a sensação de poder, desde o suave aroma de fumo para cachimbo até o onipresente selo presidencial. A águia agarrando as flechas e os ramos de oliva estava bordada nas almofadas, gravada no balde de gelo e até mesmo impressa nos descansos para copos no bar. Rachel pegou um deles e o observou.

– Já está roubando um souvenir? – perguntou uma voz grave atrás dela.

Assustada, Rachel deixou o descanso cair no chão e ajoelhou-se desajeitadamente para pegá-lo. Ao se levantar, deu de cara com o presidente dos Estados Unidos, olhando-a com um sorriso divertido.

– Não sou da realeza, senhorita Sexton. Não é preciso ajoelhar-se.

CAPÍTULO 7

O senador Sedgewick Sexton estava apreciando a privacidade de sua limusine Lincoln enquanto enfrentava o trânsito matinal de Washington a caminho de seu escritório. Diante dele estava Gabrielle Ashe, sua assistente pessoal de 24 anos, que repassava os compromissos do dia. Sexton quase não prestava atenção.

Amo Washington, pensou, admirando as formas perfeitas da assistente, delineadas sob a suéter de cashmere. *O poder é o maior de todos os afrodisíacos – e atrai centenas de mulheres como esta para a capital federal.*

Gabrielle se formara em uma das melhores universidades de Nova York e sonhava em se tornar senadora um dia. *Ela conseguirá*, pensou Sexton. Era incrivelmente bonita e esperta como uma raposa. Acima de tudo, ela entendia as regras do jogo.

Gabrielle Ashe era negra, com um tom de pele moreno-jambo, uma coloração confortavelmente indefinível que Sexton sabia que os "brancos" mais radicais apoiariam sem ferir seus preconceitos raciais. Sexton descrevia Gabrielle para seus colegas como alguém com a beleza de Halle Berry aliada à ambição e ao cérebro de Hillary Clinton, mas às vezes ele achava que ela era ainda melhor do que as duas juntas.

Gabrielle havia se tornado uma peça importante em sua campanha desde que ele a promovera ao cargo de assistente pessoal há três meses. Para tornar as coisas ainda melhores, ela estava trabalhando de graça. Sua recompensa pelas jornadas de 16 horas era aprender como funcionava o jogo do poder na prática, trabalhando ao lado de um político veterano.

É claro que eu a convenci a fazer um pouco mais do que apenas seu trabalho, gabava-se Sexton. Logo após a promoção, o senador convidou-a para uma sessão noturna de "orientação" em seu gabinete. Como era esperado, sua jovem assistente chegou com os olhos brilhando e ansiosa para agradar o chefe. Avançando lentamente, com uma paciência aprimorada durante décadas, ele foi hipnotizando sua presa, ganhando sua confiança, cuidadosamente despindo suas inibições, exibindo total controle da situação e, finalmente, seduzindo-a lá mesmo, em seu escritório.

Ele não tinha dúvida de que o encontro tinha sido uma das melhores experiências sexuais da vida daquela jovem. Porém, ao acordar na manhã seguinte, Gabrielle arrependeu-se do que havia ocorrido. Envergonhada, pediu demissão. Sexton recusou. Ela decidiu ficar, mas deixou suas intenções bem claras. Desde então, a relação entre os dois passara a ser estritamente profissional.

Os lábios carnudos de Gabrielle continuavam se movendo:

— ...não quero que você pareça apático ao participar do debate na CNN hoje à tarde. Ainda não sabemos quem a Casa Branca vai mandar como oponente. Você talvez queira ler estas anotações que digitei — disse ela, entregando uma pasta ao senador.

Sexton pegou a pasta, inalando a fragrância de seu perfume que se misturara com o cheiro do couro que revestia os bancos do carro.

– Você não está prestando atenção – ela disse.

– Claro que estou – respondeu ele, com um sorriso forçado. – Esqueça esse debate na CNN. Na pior das hipóteses, a Casa Branca vai me esnobar enviando algum estagiário do comitê de campanha. Na melhor das hipóteses, vão mandar um figurão, e eu farei picadinho do sujeito no ar.

– Tudo bem. Incluí uma lista dos tópicos possivelmente mais hostis nas anotações que lhe passei.

– Os suspeitos habituais, obviamente.

– Com um novo item. Acho que você pode se defrontar com a hostilidade da comunidade gay por causa dos comentários que fez no programa do Larry King.

– Sei. Sobre o casamento de homossexuais – Sexton deu de ombros, distraído.

Gabrielle lançou-lhe um olhar de reprimenda.

– Você se posicionou contra isso de forma bem veemente.

Casamento de homossexuais, pensou Sexton, aborrecido. *Se dependesse de mim, aquelas bichas não teriam nem o direito de votar.*

– Tudo bem, vou maneirar um pouco o tom.

– Bom. Você tem exagerado um pouco nesses tópicos polêmicos nos últimos tempos. Não se torne arrogante, o público pode mudar de idéia muito rápido. Você está ganhando agora, está na crista da onda. Aproveite, não é preciso fazer um gol de placa hoje. Basta manter a bola rolando.

– Notícias da Casa Branca?

– Silêncio completo. É oficial agora: seu oponente tornou-se o "Homem Invisível" – respondeu Gabrielle, com um misto de espanto e satisfação.

O senador mal podia acreditar na sorte que vinha tendo nos últimos tempos. Durante meses, o presidente trabalhou duro em sua campanha. Então, do nada, há uma semana, ele se trancara no Salão Oval e, desde então, ninguém mais o vira ou ouvira falar dele. Era como se ele simplesmente não pudesse fazer frente ao súbito crescimento de Sexton nas pesquisas.

Gabrielle passou a mão em seus cabelos escuros e alisados.

– Ouvi dizer que a equipe de campanha da Casa Branca está tão perplexa quanto nós. O presidente não apresentou nenhuma explicação para seu desaparecimento, e todos estão muito irritados por lá.

– Especulações? – perguntou Sexton.

Gabrielle olhou para ele por cima dos óculos que lhe davam uma aparência de intelectual.

– Bem, por acaso eu consegui alguns detalhes interessantes hoje pela manhã com um contato pessoal na Casa Branca.

Sexton reconheceu a expressão por trás daquele olhar. Gabrielle Ashe tinha, mais uma vez, conseguido uma informação interna. Ele ficava imaginando se ela estaria transando com algum dos auxiliares do presidente em troca desses segredos de campanha. Não que ele se importasse... contanto que as informações continuassem fluindo.

– De acordo com os rumores – ela prosseguiu num tom de voz mais baixo –, esse comportamento estranho do presidente começou semana passada, após um encontro confidencial de emergência com o administrador da NASA. Aparentemente o presidente saiu da reunião atordoado. Pediu que todos os seus compromissos fossem imediatamente cancelados e vem mantendo contatos freqüentes com a agência espacial desde então.

Sexton ficou feliz com aquela história.

– Você acha que a NASA lhe deu más notícias de novo?

– Seria uma explicação lógica – disse ela, pensativa. – Ainda assim, teria que ser algo bem sério para fazer o presidente cancelar tudo e sumir.

Sexton pensou sobre o assunto. Fosse lá o que estivesse acontecendo com a NASA, as notícias deveriam ser ruins. *Do contrário, o presidente já teria jogado tudo na minha cara.* Nos últimos tempos, o senador vinha batendo forte no presidente em relação às verbas destinadas à NASA. O histórico recente de missões problemáticas ou abortadas, além dos gigantescos rombos orçamentários, tinha dado à agência a duvidosa honra de ser a bandeira não-oficial de Sexton contra os gastos excessivos do governo e sua ineficiência administrativa. Atacar a NASA, um dos maiores símbolos do orgulho norte-americano, não era a maneira mais ortodoxa de se conquistar votos, mas Sexton tinha uma arma que poucos políticos possuíam: Gabrielle Ashe – e seus instintos impecáveis.

A jovem havia atraído a atenção do senador meses antes, quando trabalhava como coordenadora no seu escritório de campanha em Washington. Sexton estava ficando bem para trás nas pesquisas das primárias, e sua posição quanto aos gastos excessivos do governo vinha sendo ignorada pelos eleitores. Foi então que Gabrielle escreveu-lhe um bilhete sugerindo uma nova e radical abordagem para a campanha. Ela sugeriu que o senador atacasse os excessos orçamentários da NASA e as freqüentes verbas emergenciais fornecidas pela Casa Branca como exemplo principal da falta de controle financeiro da administração do presidente Herney.

– A NASA está custando uma fortuna para o bolso dos americanos – escreveu Gabrielle, relacionando cifras, fracassos e verbas emergenciais. – Os eleitores não fazem idéia de quanto está sendo gasto. Vão ficar horrorizados. Transforme a NASA em uma questão política.

Sexton suspirou diante da ingenuidade da moça. *Lógico, e aproveito para declarar que sou contra cantar o hino nacional antes das partidas de basquete.*

Nas semanas que se seguiram, Gabrielle continuou enviando ao senador informações sobre a NASA. Quanto mais Sexton lia, mais convencido ficava de que ela tinha razão. Mesmo pelos padrões das agências governamentais, a NASA era um poço sem fundo para as verbas – cara, ineficiente e, nos últimos anos, de uma incompetência grosseira.

Uma tarde, Sexton estava participando de uma entrevista ao vivo no rádio sobre educação, e a entrevistadora não parava de pressioná-lo para saber de onde ele pretendia tirar os fundos para promover as melhorias prometidas nas escolas públicas. Como resposta, o senador decidiu testar a teoria de Gabrielle sobre a NASA. Em um tom meio jocoso, respondeu:

– Dinheiro para a educação? Bem, talvez eu corte o programa espacial pela metade. Creio que, se a NASA pode gastar 15 bilhões por ano no espaço, devo conseguir 7,5 bilhões para as crianças aqui da Terra.

Na sala de transmissão, os diretores de campanha de Sexton engoliram em seco diante daquela observação descuidada. Já tinham visto campanhas inteiras arruinadas por muito menos. Ao fazer um ataque frontal à NASA, ele estava mexendo num vespeiro. Imediatamente as linhas de telefone da estação de rádio se acenderam. Os diretores de campanha se encolheram, esperando o contra-ataque dos patriotas espaciais.

No entanto, algo inesperado aconteceu.

– Quinze bilhões por ano? – disse o primeiro ouvinte ao telefone, parecendo chocado. – Com um "b"? Você está me dizendo que a turma de matemática do meu filho está superlotada porque as escolas não podem pagar os professores enquanto a NASA está gastando 15 bilhões de dólares por ano para tirar fotos de poeira espacial?

– Hum... é isso mesmo – disse Sexton, cautelosamente.

– É um absurdo! E o presidente tem algum poder para mudar isso?

– Claro que sim! – respondeu o senador, mais confiante. – O presidente tem direito de vetar o pedido de verbas de qualquer agência que ele acredite ser excessivo.

– Então meu voto é seu, senador Sexton. Quinze bilhões para a pesquisa espacial e nossas crianças aqui, sem professores. É revoltante! Boa sorte, senhor. Espero que chegue lá!

O próximo telefonema foi colocado no ar.

– Senador, eu li há pouco tempo que a Estação Espacial Internacional da NASA já gastou muito mais do que o previsto em seu orçamento e que o presidente está pensando em conceder verbas adicionais para manter o projeto em andamento. É verdade?

— Sim, é verdade! — disse Sexton, aproveitando a oportunidade para explicar que a estação espacial havia sido originalmente proposta como um programa em conjunto, cujos custos seriam divididos entre 12 países. Mas, após o início da construção, o orçamento da estação fugiu totalmente do controle e muitos países se retiraram do projeto por discordarem do rumo das coisas. Em vez de sucatear o projeto, o presidente decidiu cobrir as despesas de todos os outros.

— O custo total do projeto da Estação Espacial Internacional — anunciou Sexton — subiu dos oito bilhões inicialmente propostos para a formidável quantia de 100 bilhões de dólares!

O ouvinte do outro lado da linha estava furioso.

— Então por que o presidente não manda parar com essa história?

Sexton teve vontade de beijar o sujeito.

— É uma excelente pergunta. Infelizmente, um terço dos materiais para a construção já estão em órbita e o presidente investiu o dinheiro público para colocá-los lá. Paralisar o projeto seria admitir que cometeu um erro de muitos bilhões de dólares com o dinheiro do povo.

As chamadas não paravam, uma atrás da outra. Pela primeira vez, parecia que os americanos haviam compreendido que manter a NASA era uma escolha, e não uma obrigação da nação.

Quando a entrevista acabou, com exceção de alguns fãs de carteirinha da NASA que ligaram e fizeram discursos comoventes sobre a eterna busca da humanidade pelo conhecimento, o consenso era claro. A campanha de Sexton havia encontrado um filão: uma questão controversa, mas ainda não debatida, que havia atingido em cheio os eleitores.

Nas semanas que se seguiram, Sexton trucidou seus oponentes em cinco primárias cruciais. Anunciou que Gabrielle Ashe seria sua nova assistente pessoal de campanha, elogiando seu trabalho por ter trazido a questão da NASA ao conhecimento dos eleitores. Como num passe de mágica, o senador transformou a jovem negra numa estrela política em ascensão e fez seu histórico de votos racistas e machistas desaparecer de uma hora para a outra.

Agora, enquanto os dois circulavam de carro pela cidade, Sexton refletia sobre o que Gabrielle acabara de lhe contar. A assistente provara mais uma vez seu valor. A informação sobre a reunião secreta da semana anterior entre o administrador da NASA e o presidente certamente sugeria que havia novos problemas com a agência — quem sabe outro financiamento destrutivo para a nação por conta da estação espacial.

Quando a limusine passou em frente ao Monumento a Washington, o senador Sexton sentiu que era o escolhido.

CAPÍTULO 8

O homem que ocupava o mais poderoso cargo político do mundo não era uma figura imponente. Magro, com ombros estreitos e estatura mediana, o presidente Zachary Herney usava óculos bifocais, tinha o rosto coberto de sardas e cabelos ralos e pretos. Seu físico pouco impressionante contrastava com seu enorme carisma. As pessoas costumavam dizer que um único encontro com o presidente era suficiente para fazer com que qualquer um se tornasse seu fiel seguidor, indo até os confins da Terra por ele.

– Fico feliz que você tenha atendido ao meu chamado – disse o presidente Herney, estendendo a mão e cumprimentando Rachel com um toque caloroso e sincero.

Rachel tentou se livrar do nó em sua garganta.

– Sim... claro, senhor presidente. É uma honra conhecê-lo.

O presidente abriu um sorriso reconfortante, e Rachel sentiu em primeira mão a lendária amabilidade de Herney. Aquele homem possuía um semblante tranqüilo que os cartunistas políticos adoravam porque, independentemente da qualidade de suas charges, era impossível não reconhecer aquele sorriso caloroso e amigável. Seus olhos transpareciam sinceridade e dignidade o tempo todo.

– Se você quiser me acompanhar – disse, num tom de voz bem-humorado –, há uma xícara de café esperando por você lá dentro.

– Obrigada, senhor.

O presidente pressionou o interfone e pediu que levassem café para seu escritório.

Rachel seguiu-o em direção ao gabinete, observando que ele parecia particularmente feliz e relaxado para alguém que estava indo mal nas pesquisas eleitorais. Ela também notou que ele estava vestido de maneira bem informal: calça jeans, camisa pólo e botas de caminhada.

Sem saber o que fazer, Rachel tentou puxar assunto.

– Tem feito caminhadas, senhor presidente?

– Ah. Não, nada disso. É que meus assessores de campanha decidiram que este deveria ser meu novo visual. O que você acha?

Rachel esperava sinceramente que aquilo fosse uma brincadeira.

– Bem, eu diria que é... muito *masculino*, senhor.

Herney respondeu com a maior cara-de-pau:

– Que bom. Achamos que isso me ajudaria a conquistar alguns dos votos femininos de seu pai. – Após uma curta pausa, o presidente abriu um largo sorriso. – Senhorita Sexton, isso foi uma piada. Nós dois sabemos que é preciso mais do que uma camisa pólo e uma calça jeans para vencer essa eleição.

A franqueza e o bom humor do presidente fizeram com que Rachel começasse a se sentir mais à vontade. A falta de atributos físicos de Zach Herney era totalmente compensada por seu jeito afável de lidar com as pessoas. Não era uma habilidade que tivesse desenvolvido, era um talento natural.

Os dois caminharam em direção à parte traseira do Air Force One. À medida que avançavam, menos o interior se parecia com o de um avião. Havia corredores recurvados, revestimento com papel de parede e até mesmo uma bem equipada sala de ginástica. Estranhamente, o avião parecia completamente deserto.

– O senhor vai viajar sozinho, presidente?

Ele balançou a cabeça.

– Acabei de chegar, na verdade.

Rachel estava surpresa. *Chegar de onde?* Os relatórios de inteligência daquela semana não continham nenhum planejamento relativo a viagens presidenciais. Aparentemente ele estava usando a ilha Wallops para viajar despercebido.

– Minha equipe deixou o avião pouco antes de você chegar – disse o presidente. – Vou retornar à Casa Branca em breve para me encontrar com eles, mas queria falar com você aqui e não em meu escritório.

– Tentando me intimidar?

– Pelo contrário. Tentando demonstrar respeito, senhorita Sexton. A Casa Branca não tem a menor privacidade, e a notícia de um encontro entre nós dois poderia colocá-la em uma situação complicada em relação a seu pai.

– Agradeço seu cuidado, senhor.

– Creio que você tem conseguido manter um equilíbrio delicado de forma graciosa e não vejo razões para atrapalhar isso.

Rachel lembrou-se rapidamente do encontro matinal com seu pai: ela duvidava que seu comportamento pudesse ser chamado de "gracioso". De qualquer jeito, Herney estava fazendo um esforço evidente para agir de maneira honrada.

– Posso chamá-la de Rachel? – perguntou Herney.

– Claro. – *Posso chamá-lo de Zach?*

– Meu escritório – disse o presidente, fazendo sinal para que ela entrasse por uma porta de madeira entalhada.

O gabinete presidencial do Air Force One tinha um clima mais intimista do que seu equivalente na Casa Branca, mas, ainda assim, o mobiliário guardava um certo ar de austeridade. Havia uma pilha de papéis sobre a escrivaninha. Na parede atrás da mesa estava pendurada uma imponente pintura a óleo de uma escuna de três mastros, velas infladas, tentando sobrepujar uma furiosa tempestade. Parecia a metáfora perfeita para a situação política de Zachary Herney naquele momento.

O presidente puxou uma das três cadeiras executivas que estavam em frente à sua mesa para Rachel. Ela se sentou, esperando que ele fosse sentar-se do outro lado, atrás da escrivaninha. Em vez disso, ele puxou uma das outras cadeiras e acomodou-se ao lado dela.

No mesmo nível, ela pensou. *Um mestre em relacionamentos.*

– Bem, Rachel – disse Herney, soltando um suspiro de cansaço. – Imagino que você esteja confusa quanto à razão de estar sentada aqui neste momento, não é?

Rachel baixou a guarda diante da sinceridade na voz do presidente.

– Para falar a verdade, estou perplexa.

Herney soltou uma risada.

– Fantástico! Não é todo dia que consigo deixar alguém do NRO perplexo!

– Também não é todo dia que alguém do NRO é convidado a subir a bordo do Air Force One por um presidente usando botas de caminhada.

Ele riu novamente.

Uma batida suave na porta anunciou a chegada do café. Uma tripulante entrou com uma cafeteira fumegante e duas xícaras de estanho numa bandeja. A pedido do presidente, ela deixou a bandeja sobre a mesa, saindo discretamente.

– Creme e açúcar? – perguntou Herney, servindo o café.

– Somente creme, por favor. – Rachel saboreou o aroma forte do café. *O presidente dos Estados Unidos está me servindo café pessoalmente?*

Zach Herney passou-lhe uma pesada xícara de estanho.

– É uma Paul Revere autêntica – disse ele. – Um pequeno luxo.

Rachel tomou um gole de café. Era o melhor que já havia provado.

– Bem – disse o presidente, enchendo sua própria xícara e sentando-se novamente –, não posso ficar aqui por muito tempo, então vamos direto ao assunto. – O presidente deixou cair um cubinho de açúcar em seu café e olhou para ela. – Suponho que Bill Pickering tenha alertado você sobre as minhas intenções. Ele provavelmente lhe disse que eu só poderia estar interessado em tirar alguma vantagem política deste encontro, certo?

– Na verdade, senhor, foi exatamente o que ele disse.

O presidente deu uma gargalhada.

– Ele é sempre muito cético.

– Ele estava errado?

– Pickering, errado? – o presidente riu. – Bill nunca erra. Ele está absolutamente correto.

CAPÍTULO 9

Enquanto a limusine avançava lentamente em meio ao trânsito matinal rumo ao escritório de Sexton, Gabrielle Ashe olhava distraidamente para fora da janela, refletindo sobre como havia chegado àquele ponto em sua vida. Assistente pessoal do senador Sedgewick Sexton. Era exatamente o que ela sempre tinha desejado, não?
Estou sentada em uma limusine com o próximo presidente dos Estados Unidos.
Ela olhou para o senador à sua frente, aparentemente perdido em seus próprios pensamentos. Examinou seus belos traços e estilo impecável. Parecia um presidente, de fato.

Gabrielle conhecera o senador há três anos, quando cursava Ciências Políticas na Universidade de Cornell. Ela tinha ido assistir à palestra de Sexton e nunca se esqueceria da forma como ele a encarava do palco, como se quisesse mandar-lhe uma mensagem especial – *confie em mim*. Depois da conferência, ela havia esperado na fila para cumprimentá-lo.

– Gabrielle Ashe – disse o senador, lendo o nome escrito em seu crachá. – Um lindo nome para uma linda jovem.

– Obrigada, senhor – respondeu Gabrielle, apertando sua mão e sentindo a força que ele transmitia. – Fiquei realmente impressionada com o que disse.

– Fico feliz com isso! – Sexton lhe entregou um cartão de visitas. – Estou sempre à procura de jovens inteligentes que compartilhem minha visão. Quando terminar a faculdade, procure por mim. Meu pessoal talvez tenha um trabalho para você.

Gabrielle começou a dizer algo em agradecimento, mas o senador já estava falando com a próxima pessoa da fila. Nos meses que se seguiram, ela acompanhou a carreira de Sexton pela televisão. Sempre ficava admirada com seus discursos contra os gastos do governo americano. Ele defendia cortes orçamentários, propunha uma modernização da receita federal para aumentar a eficácia da arrecadação, sugeria um corte nas verbas da DEA, órgão responsável pelo combate às drogas, e até mesmo a abolição de ações na área social que estivessem duplicadas.

Quando a mulher do senador morreu num acidente de automóvel, Gabrielle ficou atônita com sua capacidade de transformar algo tão negativo em um fato positivo. Sexton superou sua dor pessoal e declarou à nação que iria se candidatar à presidência, dedicando o restante de seus anos de serviço público à memória da mulher. Foi naquele momento que Gabrielle decidiu que queria trabalhar na campanha presidencial do senador.

E não podia ter se dedicado mais intensamente àquela missão.

Ela lembrou-se da noite que havia passado com Sexton em seu gabinete e trincou os dentes, tentando bloquear as imagens vergonhosas que surgiam em sua mente. *Mas o que eu estava pensando?* Ela sabia que poderia ter resistido, mas, ainda assim, não conseguiu. Sedgewick Sexton era um grande ídolo para ela... e pensar que ele a desejava.

A limusine passou por um buraco, trazendo seus pensamentos de volta ao presente.

– Está tudo bem? – Sexton estava olhando para ela.

– Tudo certo – Gabrielle apressou-se em sorrir.

– Você não está pensando de novo naquela jogada suja dos nossos oponentes, está?

Ela deu de ombros.

– Acho que ainda estou preocupada.

– Deixe para lá. Aquilo foi a melhor coisa que aconteceu em minha campanha.

Cerca de um mês atrás, a equipe de campanha do presidente, preocupada com sua queda nas pesquisas, resolveu tentar um movimento mais agressivo e deixar vazar uma história que suspeitavam ser verdadeira: a de que o senador Sexton tivera um caso com sua assistente pessoal. Infelizmente para a Casa Branca, não havia nenhuma prova material disso. O senador, que acreditava firmemente na idéia de que a melhor defesa é o ataque, não perdeu a oportunidade de contra-atacar. Convocou uma coletiva para proclamar sua inocência e declarar que se sentia ultrajado. "Não posso acreditar que o presidente venha desonrar a memória de minha falecida esposa com essas mentiras maldosas", disse ele diante das câmeras, exibindo um olhar profundamente magoado.

O tiro da Casa Branca definitivamente havia saído pela culatra.

O desempenho de Sexton na TV foi tão convincente que a própria Gabrielle quase acreditou que eles não haviam feito sexo. Vendo como era fácil para ele mentir, a assistente percebeu o quão perigoso aquele homem era.

Mais tarde, ainda que estivesse certa de que estava apostando no cavalo mais *forte* na corrida à presidência, ela começou a se questionar se estava apostando no *melhor* cavalo. Trabalhar ao lado de Sexton estava sendo uma experiência muito reveladora.

Ainda que Gabrielle continuasse confiando plenamente na mensagem do senador, ela estava começando a duvidar do mensageiro.

CAPÍTULO 10

— **Aquilo que estou prestes** a lhe dizer, Rachel, é classificado como "UMBRA" e está muito além de sua posição na hierarquia de segurança – confidenciou o presidente.

Rachel sentiu as paredes do Air Force One se fecharem em torno dela. O presidente mandara um helicóptero levá-la até a ilha Wallops para que os dois pudessem ter um encontro secreto em seu avião, servira-lhe café, dissera com toda a clareza que pretendia usá-la politicamente contra seu pai e agora anunciava que pretendia lhe passar informações secretas ilegalmente. Por mais cortês que Zach Herney parecesse ser, Rachel acabara de descobrir que ele assumia o controle da situação muito rapidamente.

— Há duas semanas – disse o presidente, olhando dentro de seus olhos – a NASA fez uma descoberta.

As palavras pairaram no ar por alguns instantes, antes que Rachel pudesse compreendê-las. *Uma descoberta da NASA?* Os últimos relatórios de inteligência não sugeriam que nada de extraordinário estivesse acontecendo na agência espacial. Claro que, nos últimos tempos, uma "descoberta da NASA" em geral significava que tinham cometido um erro grosseiro ao estimar os custos de um novo projeto. E sempre erravam para menos.

— Antes de prosseguir, eu queria saber se você compartilha com seu pai o desprezo pela exploração do espaço – disse o presidente.

Rachel ficou ressentida com o comentário.

— Espero que você não tenha me trazido até aqui para me pedir que controle os ataques de meu pai à NASA.

Ele riu.

— Claro que não! Não seja tola, eu lido com o Senado há bastante tempo para saber que *ninguém* controla Sedgewick Sexton.

— Meu pai é um oportunista, senhor, exatamente como a maioria dos políticos bem-sucedidos. E infelizmente a NASA se mostrou uma boa oportunidade para ele.

Os erros cometidos recentemente pela agência eram tão inaceitáveis que as pessoas não sabiam se deviam rir ou chorar: satélites se desintegravam em órbita, sondas espaciais sumiam sem nunca mandar mensagens de volta, o orçamento da Estação Espacial Internacional já havia sido multiplicado por 10 enquanto os demais países participantes abandonavam o projeto como ratos tentando escapar de um navio prestes a afundar. Bilhões estavam sendo perdidos, e o senador Sexton usava isso para chegar aonde queria: Pennsylvania Avenue, 1.600 – a Casa Branca.

– Devo admitir – continuou ele – que a NASA tem sido uma espécie de desastre ambulante nos últimos tempos. Toda vez que eu me viro surge uma nova razão para que eu corte suas verbas.

Rachel viu uma brecha e aproveitou-se dela.

– Mas, ainda assim, presidente, eu li que o senhor aprovou na semana passada mais três milhões de dólares em fundos emergenciais para evitar que a agência se tornasse inadimplente...

O presidente deu uma risadinha.

– Seu pai certamente ficou feliz com essa notícia, não é?

– Nada melhor do que fornecer munição para seu carrasco...

– Você ouviu o que ele disse no programa *Nightline*? "Zach Herney é viciado no espaço e são os dólares dos contribuintes que financiam seu vício."

– Mas o senhor continua provando que ele está certo...

Herney assentiu.

– Nunca ocultei o fato de que sou um grande fã da NASA. Sempre fui. Nasci na era da corrida espacial – Sputnik, John Glenn, Apollo 11 – e nunca hesitei em demonstrar meus sentimentos de admiração e de orgulho nacional por nosso programa de conquista do espaço. Na minha cabeça, os homens e mulheres da NASA são os pioneiros da história contemporânea. Desejam o impossível, aceitam os fracassos e então retornam às suas pranchetas enquanto o restante de nós fica só observando e criticando.

Rachel ficou em silêncio por um instante. Ela percebera que a aparente calma do presidente escondia uma raiva indignada contra a incessante retórica anti-NASA de seu pai. Àquela altura, ela só queria saber que diabos a NASA teria encontrado. O presidente estava dando uma longa volta antes de chegar ao cerne da questão.

– Hoje pretendo mudar radicalmente sua opinião sobre a NASA – disse Herney, com vigor.

Rachel olhou para ele, incerta quanto ao que dizer.

— O senhor já tem o meu voto. Talvez devesse se preocupar mais com o restante do país, presidente.

— É o que pretendo fazer — disse, tomando um gole de café e sorrindo. — E vou pedir que você me ajude. — Fez uma pausa e inclinou-se na direção dela. — De uma forma peculiar.

Ela podia sentir que Zach Herney estava analisando cada um de seus movimentos, como um caçador tentando avaliar se sua presa pretendia fugir ou lutar. Infelizmente, Rachel não tinha para onde fugir.

— Devo presumir — prosseguiu ele, servindo mais café para os dois — que você está a par de um projeto da NASA chamado EOS?

Rachel assentiu. *Earth Observing System.*

— Sistema de Observação da Terra. Creio que meu pai tocou nesse assunto uma ou duas vezes.

Sua débil tentativa de parecer sarcástica fez o presidente franzir a testa. Na verdade, o pai de Rachel mencionava aquele projeto sempre que podia. Era uma das mais controvertidas empreitadas da NASA. Consistia numa constelação de cinco satélites projetados para observar a Terra a partir do espaço a fim de analisar o meio ambiente do planeta: redução da camada de ozônio, derretimento das calotas polares, aquecimento planetário, devastação das florestas tropicais. A intenção era fornecer aos ambientalistas dados macroscópicos inéditos para que pudessem planejar melhor o futuro da Terra.

Infelizmente o projeto EOS tivera problemas desde sua concepção. E, como sempre, os imprevistos eram dispendiosos. Quem estava levando a pior nesse caso era Zach Herney. Ele tinha se aproveitado do lobby dos ambientalistas para conseguir aprovar no Congresso uma verba de 1,4 bilhão de dólares para o projeto. No entanto, em vez de fornecer as contribuições prometidas para ampliar o conhecimento científico sobre o planeta, o EOS se transformara em outro pesadelo terrivelmente custoso de lançamentos fracassados, falhas em computadores e coletivas de imprensa deprimentes na NASA. A única pessoa feliz, nos últimos tempos, era o senador Sexton, que não se cansava de lembrar aos eleitores e contribuintes *quanto* o presidente havia gasto no EOS e *como* os resultados tinham sido péssimos.

— Por mais surpreendente que isso possa parecer, a descoberta da NASA a que estou me referindo foi feita pelo EOS.

Rachel ficou aturdida com aquela declaração. *Se o EOS obteve um sucesso recente, por que a NASA não o anunciou?* Seu pai estava crucificando o Sistema de Observação da Terra na mídia, e a agência espacial se beneficiaria muito de qualquer notícia favorável.

– Não li nada a respeito de uma descoberta do EOS – disse Rachel.

– Eu sei. A NASA prefere guardar as boas novas para si mesma durante algum tempo.

Rachel tinha dúvidas quanto a isso.

– De acordo com minha experiência, senhor, quando o assunto é a NASA, *nenhuma* notícia em geral significa que há *más* notícias. – A discrição não era exatamente o ponto forte da agência. No NRO circulava uma piada dizendo que a NASA convocava a imprensa toda vez que um de seus cientistas espirrava.

O presidente levantou uma sobrancelha.

– Ah, sim. Esqueci que estava falando com uma das discípulas de Pickering. Ele continua reclamando e resmungando a respeito da língua solta da NASA?

– Ele lida com segurança, senhor. E leva isso muito a sério.

– Está absolutamente certo. Só não entendo por que duas agências com tantas coisas em comum conseguem encontrar sempre um motivo para brigar.

Rachel havia aprendido bem cedo, sob o comando de William Pickering, que, apesar de a NASA e o NRO serem organizações ligadas ao espaço, as duas tinham filosofias opostas. O NRO era mais voltado para a defesa e mantinha todas as suas atividades espaciais em segredo, enquanto a NASA era acadêmica e divulgava, com entusiasmo, cada uma de suas descobertas para todo o planeta. William Pickering argumentava que muitas vezes essa atitude chegava a colocar em risco a segurança nacional. Algumas das melhores tecnologias desenvolvidas pela NASA – como as lentes de alta resolução para telescópios de satélites, sistemas de comunicação de longo alcance e dispositivos de mapeamento por ondas de rádio – invariavelmente apareciam no arsenal de inteligência de países hostis, sendo usadas para espionar os Estados Unidos. Bill Pickering reclamava que os cientistas da NASA podiam até ter grandes cérebros, mas suas bocas eram ainda maiores.

Havia, contudo, uma questão mais delicada entre as duas organizações. Como a NASA era responsável pelos lançamentos de satélites do NRO, muitos dos seus problemas recentes afetavam diretamente o trabalho do Escritório Nacional de Reconhecimento. Nenhum fracasso havia sido maior do que o ocorrido em 12 de agosto de 1998, quando um foguete Titan 4 da NASA/Força Aérea explodiu 40 segundos após o lançamento, desintegrando sua carga – um satélite de 1,2 bilhão de dólares do NRO cujo codinome era Vortex 2. Pickering não tinha a menor intenção de esquecer aquele episódio, especificamente.

– Então por que a NASA não anunciou seu sucesso recente ao público? – questionou Rachel. – A agência certamente se beneficiaria de uma boa notícia neste momento.

– A NASA manteve silêncio porque eu *ordenei* que ninguém falasse nada – declarou o presidente.

Rachel ficou pensando se tinha mesmo ouvido aquilo. Se fosse verdade, o presidente estava cometendo uma espécie de suicídio político que ela não podia entender.

– A descoberta tem implicações assombrosas – disse Herney.

Rachel sentiu um calafrio. No mundo da inteligência, "implicações assombrosas" dificilmente significavam boas notícias. Ela estava pensando se todo aquele segredo se devia a algum desastre ambiental iminente descoberto pelos satélites do EOS.

– Há algum problema sério?

– Nenhum problema. O que o EOS descobriu, na verdade, é maravilhoso.

Rachel ouvia em silêncio.

– Suponha que eu lhe dissesse que a NASA acabou de fazer uma descoberta de tamanha importância científica, tamanha significância planetária, que por si só justificasse cada dólar já gasto pelos americanos em pesquisas espaciais?

Rachel não sabia o que pensar.

O presidente levantou-se.

– Vamos dar uma volta?

CAPÍTULO 11

Rachel e o presidente Herney saíram do avião para a luz forte da manhã. Ela começou a descer as escadas do Air Force One, sentindo o ar fresco de março clarear suas idéias. A clareza, contudo, tornava as afirmações do presidente ainda mais estranhas.

A NASA fez uma descoberta de tamanha importância científica que justifica cada dólar já gasto pelos americanos nas pesquisas espaciais?

Rachel imaginava que uma descoberta de tal magnitude só poderia estar centrada em uma coisa – o Santo Graal da NASA, ou seja, contato com uma forma de vida extraterrestre. Infelizmente ela conhecia o suficiente a respeito dessa questão em particular para saber que era completamente implausível.

Por conta de seu trabalho, Rachel muitas vezes era bombardeada por perguntas de amigos que queriam saber sobre a suposta dissimulação do governo a respeito de contatos com alienígenas. Sempre ficava chocada com as teorias nas quais seus amigos "cultos" acreditavam: discos voadores que haviam caído na Terra e estavam escondidos em galpões secretos do governo, corpos de extraterrestres congelados, até mesmo civis inocentes sendo abduzidos e submetidos a cirurgias.

Tudo aquilo era absurdo, claro. Não havia alienígenas. Não havia dissimulação alguma.

Todo mundo que fazia parte da comunidade de inteligência sabia que, em sua grande maioria, as visões de alienígenas e as pessoas abduzidas eram apenas o produto de imaginações férteis ou armações para tirar dinheiro dos outros. Quando surgiam evidências fotográficas autênticas de óvnis, curiosamente ocorriam sempre perto de alguma base militar dos EUA onde estava sendo testado um novo protótipo secreto de aeronave. Quando a Lockheed começou a fazer testes de vôo de um novo e radical avião a jato chamado Stealth Bomber, o número de aparições de óvnis perto da Base Aérea de Edwards aumentou quase 15 vezes.

– Você está com uma expressão bastante cética – disse o presidente.

O som de sua voz surpreendeu Rachel. Ela olhou para ele, sem saber o que dizer.

– Bem... – ela hesitou. – Posso presumir, senhor, que não estamos falando sobre naves alienígenas ou homenzinhos verdes?

O presidente pareceu achar aquilo engraçado.

– Rachel, creio que você vai achar essa descoberta ainda mais intrigante do que ficção científica.

Ela ficou mais tranqüila ao pensar que a NASA não estava desesperada o suficiente para tentar convencer o presidente de que havia encontrado alienígenas. Ainda assim, aquele comentário apenas aprofundou o mistério.

– Então, seja qual for a descoberta, devo dizer que o momento é extremamente conveniente.

Herney parou no meio da escada.

– Conveniente? Como assim?

Como assim? Rachel parou e olhou para ele.

– Senhor presidente, a NASA está neste momento em meio a uma batalha de vida ou morte para justificar sua própria existência, e o senhor está sendo atacado por manter suas linhas de financiamento. Uma grande descoberta feita pela NASA neste momento poderia ser uma solução tanto para a agência quanto para sua campanha. Seus críticos, entretanto, iriam achar as circunstâncias altamente suspeitas.

– Você está me chamando de mentiroso ou de tolo?

Rachel sentiu um nó na garganta.

– Não quis desrespeitá-lo, senhor. Eu estava apenas...

– Relaxe. – Um leve sorriso surgiu nos lábios de Herney e ele continuou descendo. – Quando o administrador da NASA me contou sobre essa descoberta, eu prontamente a rejeitei como um completo absurdo. Acusei-o de estar planejando a mais transparente de todas as trapaças.

Rachel relaxou. Quando os dois chegaram ao final da descida, Herney parou e olhou para ela.

– Uma das razões pelas quais pedi que se mantivesse essa história em segredo foi para proteger a NASA. A magnitude dessa descoberta está além de qualquer coisa que a agência já tenha anunciado. Fará com que o fato de termos enviado homens à Lua se torne insignificante. Como todos, inclusive eu, temos tanto a ganhar – e a perder –, achei que era prudente que alguém fosse verificar os dados da NASA antes que nos colocássemos no centro dos olhares do mundo inteiro dando uma declaração formal.

– O senhor não está pensando em mim, está? – Rachel perguntou, assustada.

O presidente riu.

– Não, essa área não é sua especialidade. Além disso, os dados já foram verificados através de canais extragovernamentais.

O alívio de Rachel deu lugar novamente ao espanto.

– Você quer dizer que convocou alguém de fora do governo? Em um assunto ultra-secreto?

O presidente assentiu, convicto.

– Montei uma equipe de verificação externa: quatro cientistas civis, sem qualquer conexão com a NASA, mas muito respeitados em suas áreas de atuação e com uma reputação a zelar. Eles usaram seus equipamentos para fazer observações e tirar suas próprias conclusões. Nas últimas 48 horas, esses cientistas confirmaram, sem sombra de dúvida, a descoberta da NASA.

Agora ela estava impressionada. O presidente havia se protegido com a segurança que lhe era característica. Ao contratar uma equipe de "céticos" de alta confiabilidade – pessoas de fora do governo que não teriam nada a ganhar confirmando a incrível descoberta –, Herney preparou uma defesa prévia contra qualquer suspeita de que aquilo fosse um plano desesperado da NASA para justificar suas verbas, reeleger um presidente favorável a seus projetos e bloquear os ataques do senador Sexton.

– Hoje, às oito da noite, vou dar uma coletiva na Casa Branca para anunciar essa descoberta ao mundo – anunciou Herney.

Rachel sentiu-se frustrada. O presidente ainda não havia lhe dito nada muito substancial.

– E o que seria essa descoberta, exatamente?

O presidente sorriu.

– Você entenderá hoje que a paciência é uma virtude. A descoberta é algo que você precisa ver por conta própria. Você tem que compreender a situação por completo antes de prosseguirmos. O administrador da NASA está à sua espera para lhe dar os detalhes. Ele irá lhe contar tudo o que for necessário. Depois, eu e você iremos conversar mais a fundo sobre seu papel nessa história.

Rachel sentiu o toque de suspense na fala do presidente e lembrou-se do palpite do diretor do NRO de que a Casa Branca tinha uma carta escondida na manga. Pickering, ao que parecia, estava certo mais uma vez.

Herney apontou para um hangar próximo.

– Venha comigo – pediu ele.

Rachel seguiu-o, confusa. O prédio à frente deles não tinha janelas e seus enormes portões estavam fechados. O único acesso parecia ser através de uma porta lateral que estava entreaberta. O presidente acompanhou Rachel até à porta.

– Aqui é o fim da linha para mim. Você segue em frente – disse ele.

Rachel hesitou.

– O senhor não vem?

– Preciso voltar para a Casa Branca. Falarei com você em breve. Você tem um telefone celular?

– Claro, senhor.

– Pode me dar seu aparelho?

Rachel entregou-o ao presidente, presumindo que ele iria registrar na agenda do telefone um número para que ela pudesse contatá-lo pessoalmente. Em vez disso, ele pegou o aparelho e guardou-o no bolso.

– A partir de agora, você está fora de circuito – disse o presidente. – Já resolvemos as questões relativas a seu trabalho. Você não irá falar com mais ninguém hoje sem minha permissão expressa ou a do administrador da NASA. Está claro?

Rachel ficou perplexa. *O presidente ficou com meu celular?*

– Depois que o administrador lhe der os detalhes da descoberta, ele irá colocá-la em contato comigo através de um canal seguro. Nos falaremos em breve. Boa sorte.

Ela olhou para a porta do hangar, com um mal-estar crescente.

O presidente Herney colocou a mão em seu ombro, reconfortando-a.

– Rachel, pode estar certa de que não irá se arrepender de me ajudar.

Sem dizer mais nada, o presidente saiu andando em direção ao PaveHawk que havia trazido Rachel até ali. Subiu a bordo e decolou. Não olhou para trás uma única vez.

CAPÍTULO 12

Rachel estava de pé, sozinha, prestes a entrar no hangar isolado. Olhando para a escuridão à sua frente, sentia-se como se estivesse no limiar de outro mundo. Uma brisa fria e com cheiro de mofo saía lá de dentro, como se o prédio estivesse respirando.

– Olá? – gritou, com a voz ligeiramente trêmula.

Silêncio.

Sentindo-se um pouco nervosa, ela entrou no galpão. Tudo ficou escuro por alguns instantes.

– Senhorita Sexton, não é? – disse uma voz masculina, a poucos metros de distância.

Ela deu um pulo, sobressaltada, e virou-se em direção à voz.

– Sim, senhor.

Naquele breu só conseguia distinguir os contornos do homem que se aproximava. Quando seus olhos finalmente se acostumaram à pouca luz, ela deu de cara com um jovem de traços fortes em um macacão de vôo da NASA. Seu corpo era atlético e musculoso e seu peito estava coberto de insígnias.

– Comandante Wayne Loosigian – apresentou-se ele. – Desculpe tê-la assustado. Está bem escuro aqui. Ainda não tive tempo de abrir as portas do hangar. – Antes que Rachel pudesse dizer algo, ele acrescentou: – Terei a honra de ser seu piloto esta manhã.

– Piloto? – Rachel olhou espantada para o homem. *Um piloto acabou de me trazer até aqui.* – Vim aqui para me encontrar com o administrador da NASA.

– Sim, senhorita Sexton. Minhas ordens são para levá-la até ele imediatamente.

Demorou um tempo até que Rachel processasse o que ele acabara de dizer. Quando finalmente compreendeu, sentiu-se enganada. Parece que teria outra viagem pela frente.

– E onde ele está? – perguntou, preocupada.

– Ainda não tenho essa informação – respondeu o piloto. – Receberei as coordenadas depois que tivermos decolado.

O homem parecia sincero. Ela e o diretor Pickering não eram as duas únicas pessoas que estavam sendo mantidas no escuro. O presidente estava levando a questão da segurança muito a sério, e Rachel sentiu-se envergonhada ao pensar sobre quão facilmente Zachary Herney a havia "tirado de circuito". *Uma hora fora do NRO e já estou privada de qualquer forma de comunicação. Além disso, meu diretor não tem a menor idéia de onde eu esteja.*

Diante da postura rija do piloto da NASA, Rachel tinha certeza de que todos os planos relativos àquela manhã estavam selados. Independentemente de gostar ou não, ela estaria a bordo daquele vôo. A única questão era saber onde ele iria parar.

O piloto caminhou em direção à parede e pressionou um botão. O extremo oposto do hangar começou a correr para o lado fazendo bastante barulho. A luz entrou, vinda de fora, delineando a silhueta de um grande objeto no centro do galpão.

Rachel ficou boquiaberta. *Deus me ajude...*

Estava diante de um caça a jato preto de aspecto agressivo. Era o avião com a aerodinâmica mais perfeita que Rachel já havia visto pessoalmente.

– Isso é uma piada?

– A reação inicial é comum, senhorita, mas o F-14 Tomcat é uma aeronave extremamente confiável.

É um míssil com asas.

O piloto acompanhou Rachel até o avião. Ele apontou para o cockpit de dois lugares.

– Você vai atrás.

– Sério? – Ela lhe devolveu um sorriso tenso. – Achei que você queria que eu dirigisse.

◆◆◆

Depois de vestir um macacão de vôo térmico sobre suas roupas, Rachel subiu no cockpit. Desajeitadamente, encaixou seus quadris no assento estreito.

– A NASA obviamente não contrata pilotos de quadris largos! – brincou.

O piloto deu um sorriso enquanto a auxiliava com o cinto de segurança. Depois colocou um capacete na cabeça dela.

– Nossa altitude de cruzeiro vai ser bem alta – ele disse. – Você tem que usar esta máscara de oxigênio. – Puxou uma máscara de um painel lateral e começou a ajeitá-la por cima do capacete dela.

– Acho que posso me virar – disse Rachel, tentando colocá-la.

– É claro, senhorita.

Rachel lutou um pouco com a máscara de oxigênio, mas acabou conseguindo colocá-la sobre o capacete. O encaixe era estranho e pouco confortável.

O comandante ficou olhando para ela, com cara de quem estava achando alguma coisa engraçada.

– Tem alguma coisa errada? – ela perguntou.

– Não, em absoluto. – Ele parecia estar segurando um risinho. – Há sacos de vômito sob seu assento. A maioria das pessoas fica enjoada na primeira vez que voa em um F-14.

– Acho que vou ficar bem – disse Rachel, tranqüilizando-o, a voz abafada pelo encaixe sufocante da máscara. – Não sou dada a enjôos.

O piloto retornou um sorriso cético.

– Muitos homens de tropas de elite como os Navy Seals dizem a mesma coisa, mas já me cansei de limpar o vômito deles no meu cockpit.

Ela acenou com a cabeça. *Que ótimo!*

– Alguma pergunta antes de partirmos?

Rachel pensou um pouco e depois bateu na máscara de oxigênio, que estava apertando seu queixo.

– Isto aqui está atrapalhando minha circulação. Como vocês conseguem suportar essas coisas em vôos mais longos?

O piloto sorriu.

– Bem, normalmente não as colocamos ao contrário!

◆ ◆ ◆

Dentro do caça estacionado no final da pista de decolagem, com as duas turbinas pulsando atrás dela, Rachel sentiu-se como uma bala no tambor de uma arma, esperando apenas que alguém puxasse o gatilho. Quando o piloto empurrou o acelerador, as duas turbinas Lockheed 345 do Tomcat rugiram e tudo em volta se transformou em um borrão. Os freios se soltaram e Rachel foi prensada de encontro à sua cadeira. O jato atravessou velozmente a pista e decolou em poucos segundos. Do lado de fora, o chão ia se distanciando a uma velocidade estonteante.

Rachel fechou os olhos enquanto o avião subia quase verticalmente. Pensou no que havia de errado com aquela manhã. Supostamente deveria estar em sua mesa escrevendo relatórios de inteligência, mas, em vez disso, estava cavalgando um torpedo movido a testosterona e usando uma máscara de oxigênio.

Quando o F-14 finalmente atingiu sua altitude de cruzeiro, a 45 mil pés, Rachel estava se sentindo enjoada. Fez força para se concentrar em outra coisa. Olhando para o oceano lá embaixo, ela teve saudades de casa.

Na frente do cockpit, o piloto estava falando com alguém pelo rádio. Assim que a conversa terminou, ele fez uma curva radical à esquerda. O F-14 inclinou-se quase 90 graus, e Rachel sentiu seu estômago dar um nó. Em seguida o piloto voltou à posição normal.

– Obrigada por ter me avisado – resmungou Rachel.

– Peço desculpas, mas acabaram de me enviar as coordenadas para seu encontro com o administrador.

– Deixe-me adivinhar... – disse Rachel. – Vamos para o norte?

O piloto pareceu confuso.

– Como você sabe?

Rachel soltou um suspiro resignado. *É preciso ter paciência com esses pilotos treinados em simuladores.*

– A esta hora da manhã, com o Sol à sua direita, só podemos estar voando para o norte.

Houve um instante de silêncio no cockpit.

– Sim, senhorita, estamos indo para o norte agora.

– E exatamente *quanto* ao norte?

O piloto verificou as coordenadas.

– Cerca de cinco mil quilômetros.

Rachel ficou paralisada.

– O quê? – Tentou visualizar um mapa, mas não foi capaz de imaginar nada tão ao norte. – São quatro horas de vôo!

– À nossa velocidade atual, sim – disse o piloto. – Segure-se, por favor.

Antes que Rachel pudesse responder, o piloto retraiu as asas do F-14 para a posição de baixo arrasto. Logo em seguida, ela foi novamente jogada contra seu assento e o avião disparou como se antes estivesse parado. Em um minuto estavam voando a Mach 2, cerca de 2.500 km/h.

Rachel estava ficando tonta agora. Atravessavam os céus com uma velocidade alucinante e ela sentiu uma onda incontrolável de enjôo tomar conta dela. A voz do presidente ecoava vagamente em sua cabeça: *Rachel, pode estar certa de que não irá se arrepender de me ajudar.*

Gemendo, ela tateou à procura do saco de vômito. *Nunca confie em políticos.*

CAPÍTULO 13

O senador Sedgewick Sexton detestava andar de táxi. Considerava os carros sujos e inadequados para alguém da sua posição, mas havia aprendido a suportar alguns momentos de degradação em sua estrada rumo à glória. O táxi meio nojento que acabara de deixá-lo no subsolo da garagem do Hotel Purdue propiciava-lhe algo que sua luxuosa limusine não permitia: anonimato.

Ficou contente ao ver que todo o nível subterrâneo estava deserto, com alguns poucos automóveis empoeirados espalhados em meio à floresta de pilastras de concreto. Olhou para seu relógio enquanto atravessava a garagem a pé, cortando caminho na diagonal.

Eram 11h15 da manhã. Perfeito.

O homem com quem ia se encontrar era sempre muito sensível em relação à pontualidade. Por outro lado, Sexton pensou que, considerando-se *quem* aquele homem estava representando, ele poderia ser "sensível" em relação a qualquer maluquice que desejasse.

Sexton viu que a minivan branca, uma Ford Windstar, estava parada exatamente no mesmo lugar dos encontros anteriores – no canto mais discreto da garagem, atrás de uma fileira de latas de lixo. O senador teria preferido conversar com o sujeito em uma suíte do hotel, mas entendia perfeitamente suas precauções. Aqueles homens não teriam chegado aonde chegaram se não fossem desconfiados e cautelosos.

Enquanto se aproximava da van, Sexton tornou a sentir a ligeira tensão que sempre experimentava antes daqueles encontros. Fazendo um esforço para relaxar seus ombros, subiu no compartimento do passageiro e acenou para o homem. O cavalheiro de cabelos escuros sentado no banco do motorista não sorriu. Ele tinha quase 70 anos, mas sua fisionomia rígida transmitia uma tenacidade adequada a seu posto como testa-de-ferro de um exército de visionários audaciosos e empresários implacáveis.

– Feche a porta – disse o homem friamente.

Sexton obedeceu, tolerando a grosseria sem reclamar. Afinal de contas, aquele sujeito representava um grupo que controlava vultosas somas de dinheiro e que, nos últimos tempos, vinha fazendo grandes investimentos para colocá-lo o mais próximo possível do cargo político mais poderoso do planeta.

O senador não demorou a perceber que o objetivo real daquelas reuniões não era discutir estratégias políticas, mas lembrá-lo mensalmente do quanto devia a seus benfeitores. Aqueles homens estavam esperando um grande retorno sobre seu investimento. O próprio Sexton admitia que o "retorno" era uma exigência bastante ousada. Era, contudo, algo que estaria dentro da sua esfera de influência quando chegasse à presidência.

– Presumo – disse Sexton, já sabendo que aquele homem gostava de ir direto ao assunto – que outro depósito foi feito.

— Sim. E, como sempre, você deverá usar esses fundos apenas para sua campanha. Estamos felizes por ver que as pesquisas têm se mostrado cada vez mais favoráveis à sua candidatura e nos parece que seus coordenadores de campanha têm gasto nosso dinheiro de forma eficaz.

— Estamos ganhando terreno rapidamente.

— Conforme mencionei ao telefone, convenci seis outros a se encontrarem com você esta noite – disse o velho.

— Excelente – confirmou Sexton.

O homem entregou uma pasta ao senador.

— Aqui estão as informações sobre eles. Estude isso. Eles querem ter certeza de que você entende seus interesses específicos. Querem estar seguros de que você os apóia. Sugiro que os receba em sua casa.

— Na minha casa? Mas em geral as reuniões são...

— Senador, esses seis homens dirigem empresas que possuem muito mais recursos do que você imagina, não se comparam aos outros com quem já se encontrou. São peixes grandes e são desconfiados. Há muita coisa em jogo para eles; portanto, também há muito a perder. Tive trabalho para convencê-los a se encontrarem com você. Será preciso lhes dar um tratamento especial. Um toque pessoal, digamos assim.

Sexton assentiu.

— Com toda a certeza. Vou providenciar uma reunião na minha casa.

— É claro que eles exigem total discrição e privacidade.

— Assim como eu.

— Boa sorte – finalizou o velho. – Se tudo correr bem hoje à noite, pode ser sua última reunião. Esse pequeno grupo de homens, por si só, pode lhe fornecer o que ainda for necessário para colocar a campanha Sexton definitivamente em primeiro lugar.

O senador gostou disso. Deu um sorriso confiante para o homem.

— Com sorte, meu amigo, quando chegar a hora da eleição, todos poderemos nos considerar vitoriosos.

— Vitoriosos? – O velho fez uma expressão de desdém e inclinou-se para Sexton com um olhar sinistro. – Senador, colocá-lo na Casa Branca é apenas *o primeiro passo* em direção à vitória. Espero que você não tenha se esquecido disso.

CAPÍTULO 14

A Casa Branca é uma das menores mansões presidenciais do mundo, tendo apenas 50 metros de comprimento e 26 de largura, em meio a uma área arborizada de sete hectares. Apesar de sua pouca originalidade, a planta do arquiteto James Hoban, que criou uma estrutura de pedra em formato retangular, com colunas na entrada, foi selecionada num concurso público por juízes que elogiaram sua "beleza, dignidade e flexibilidade".

Embora aquela fosse sua residência oficial há três anos e meio, o presidente Zach Herney raramente se sentia em casa ali, em meio aos candelabros, antiguidades e *marines* armados. Naquele momento, contudo, enquanto se dirigia para a Ala Oeste, sentia-se animado e bem à vontade, andando como se seus pés flutuassem sobre os carpetes luxuosos.

Diversos membros da equipe da Casa Branca pararam para observá-lo enquanto passava. Herney acenava e cumprimentava todos pelo nome. As respostas, apesar de polidas, não eram das mais animadas e em geral vinham acompanhadas por sorrisos meramente formais.

– Bom dia, senhor presidente.

– Como vai, senhor presidente?

– Bela manhã, senhor.

Enquanto caminhava em direção ao seu escritório, o presidente podia sentir uma onda de sussurros levantando-se atrás dele. Havia um clima de insurreição dentro da Casa Branca. Durante as últimas semanas, a desilusão lá dentro tinha crescido a tal ponto que Herney estava começando a sentir-se como o lendário capitão Bligh – comandando um navio cuja tripulação se prepara para um motim.

Não podia culpá-los. Sua equipe havia trabalhado uma quantidade enorme de horas para lhe dar o apoio necessário para as eleições que se aproximavam, e agora, subitamente, parecia que o presidente estava completamente perdido.

Em breve irão entender, Herney pensou. *Em breve me tornarei novamente um herói.*

Ele lamentava ter que manter seu pessoal no escuro durante tanto tempo, mas o sigilo era absolutamente necessário. E, no que dizia respeito a guardar segredos, a Casa Branca sempre tinha sido um desastre.

Herney chegou à sala de espera que ficava do lado de fora do Salão Oval e acenou animado para sua secretária.

– Você me parece bem-disposta esta manhã, Dolores.
– O senhor também – respondeu ela, observando as roupas informais do presidente com evidente desaprovação.
Herney abaixou a voz.
– Gostaria que organizasse uma reunião para mim.
– Com quem, senhor?
– Com toda a equipe da Casa Branca.
A secretária olhou para ele, surpresa.
– Toda a equipe, senhor? Todas as 145 pessoas?
– Isso mesmo.
– Certo. E devo marcá-la para... a Sala de Conferências? – perguntou, visivelmente desconfortável com a situação.
Herney balançou a cabeça.
– Não. É melhor usar o meu escritório.
Ela não entendeu.
– O senhor deseja reunir toda a sua equipe no Salão Oval?
– Exato.
– Todos de uma só vez, senhor?
– E por que não? Agende isso para as quatro da tarde.
A secretária assentiu, como se estivesse reconfortando um lunático.
– Muito bem, senhor. E o assunto da reunião é...?
– Tenho um comunicado importante a fazer para o povo norte-americano esta noite. Quero que minha equipe ouça isso primeiro.
A secretária não conseguiu disfarçar um olhar de desalento, como se temesse secretamente aquele momento. Baixou a voz e perguntou:
– O senhor vai desistir da campanha?
Herney começou a rir.
– Mas que diabos! Claro que não, Dolores! Estou me preparando para o combate!
Ela parecia não acreditar muito. Todas as análises da imprensa diziam que Herney estava jogando a toalha.
Ele deu uma piscadela amigável.
– Dolores, você tem feito um excelente trabalho nestes últimos três anos e pouco e fará um excelente trabalho nos próximos quatro anos. Vamos *ficar* na Casa Branca, eu juro.
A secretária adoraria que aquilo fosse verdade, mas tinha sérias dúvidas a respeito.
– Tudo bem, senhor. Vou avisar à equipe. Quatro da tarde.

♦♦♦

Zach Herney entrou no Salão Oval. Não pôde deixar de sorrir ao pensar em toda a sua equipe aglomerada naquela sala, bem menor do que as pessoas costumavam imaginá-la.

Aquele escritório tinha algumas peculiaridades arquitetônicas que fizeram com que fosse apelidado de "a armadilha". Sempre que alguém entrava ali pela primeira vez sentia-se desorientado. A simetria, as paredes levemente recurvadas, as portas de entrada e saída discretamente disfarçadas, tudo contribuía para dar aos visitantes a impressão de que haviam sido vendados e girados pela sala. Muitas vezes, ao final de uma reunião no Salão Oval, um dignitário se levantava, apertava a mão do presidente e saía direto rumo a um armário. Dependendo de como tivesse sido o encontro, Herney decidia se apontava o caminho certo ou apenas observava o visitante fazer papel de tolo.

O presidente sempre achou que o aspecto mais marcante do Salão Oval era a colorida águia americana que adornava o tapete oval da sala. A garra esquerda da águia segurava um ramo de oliveira e a direita, um feixe de flechas. Poucas pessoas de fora sabiam que durante os tempos de paz a águia olhava para a esquerda, na direção dos ramos de oliveira. Contudo, em tempos de guerra, a águia misteriosamente olhava para as flechas, à direita.

O mecanismo por trás desse truque era fonte de discreta especulação entre os membros da equipe da Casa Branca porque, tradicionalmente, apenas o presidente e o chefe da manutenção o conheciam. Quando Herney descobriu o segredo da águia enigmática, ficou desapontado por sua simplicidade. Num depósito no subsolo havia um segundo tapete oval, com a águia olhando na direção oposta à do que ficava no salão. O chefe da manutenção apenas substituía um pelo outro, à noite, sem que ninguém notasse.

Herney estava olhando para a águia "da paz", voltada para a esquerda, e sorriu pensando que talvez devesse trocar os tapetes em homenagem à pequena guerra que estava prestes a lançar contra o senador Sedgewick Sexton.

CAPÍTULO 15

A Força Delta é a única tropa de combate norte-americana cujas ações são agraciadas pelo presidente com total imunidade legal.

A Decisão Presidencial 25 (PDD-25) concede aos soldados da Força Delta "isenção de qualquer responsabilidade legal", inclusive tornando-os imunes ao Posse Comitatus Act, de 1878, um estatuto que impõe penas criminais ao uso do poder militar para ganhos pessoais, proíbe a participação de forças militares em atividades policiais dentro do território americano ou ainda em operações secretas não-autorizadas. Os membros da Força Delta são selecionados individualmente entre os membros do Grupo de Aplicações de Combate, uma organização secreta dentro do Comando de Operações Especiais, sediado em Fort Bragg, na Carolina do Norte. Os soldados da Força Delta são assassinos bem treinados – especialistas no resgate de reféns, em ataques-surpresa, na eliminação de forças inimigas sob disfarce, além de todo tipo de operações SWAT (Special Weapons And Tactics), que exigem armas e táticas especiais.

Como as missões da Força Delta são cercadas de alto grau de sigilo, a longa hierarquia de comando militar é deixada de lado, sendo substituída por um único controlador com autoridade para liderar a unidade como preferir. Esse controlador costuma ser um "figurão" das forças armadas ou do governo, com patente ou influência suficiente para se responsabilizar pela missão. As missões da Força Delta são classificadas no nível mais alto de segurança e, uma vez que a operação tenha sido executada, os homens envolvidos não podem falar nada a respeito dela. Nenhum comentário interno, nem mesmo para seus superiores de Operações Especiais.

Voar. Combater. Esquecer.

A equipe Delta atualmente estacionada um pouco acima do paralelo 82 não estava nem voando nem combatendo. Estava apenas observando.

Delta-Um achava que aquela era uma das missões mais estranhas das quais já havia participado, mas aprendera a nunca se surpreender com o que lhe pediam para fazer. Nos últimos cinco anos, tinha se envolvido no resgate de reféns no Oriente Médio, no rastreamento e aniquilação de células terroristas dentro dos Estados Unidos e até mesmo na eliminação discreta de homens e mulheres considerados perigosos em diversos locais do planeta.

Há apenas um mês sua equipe Delta havia usado um microrrobô voador para induzir um ataque cardíaco fatal em um chefão de drogas particularmente perverso na América do Sul. Equipado com uma agulha de titânio tão fina quanto um fio de cabelo e contendo um poderoso vasoconstritor, o robô foi guiado para o interior da casa do alvo através de uma janela aberta no segundo andar, entrou no seu quarto e picou-o no ombro enquanto dormia. Quando o traficante acordou com dores no peito, o microrrobô já havia saído sem deixar vestígios. No momento em que a mulher do bandido chamava a ambulância, a equipe Delta encarregada da missão voava de volta para sua base.

Nada de arrombamento e invasão de domicílio.

Apenas morte por causas naturais.

Uma ação elegante.

Há pouco tempo, um outro microrrobô que ficava permanentemente no escritório de um proeminente senador para vigiar suas reuniões pessoais havia capturado imagens de um tórrido encontro sexual. A equipe Delta se referia àquela missão, de forma debochada, como "inserção por trás das linhas inimigas".

Agora, após 10 dias trancado em missão de vigilância dentro de sua tenda, Delta-Um torcia para que aquele serviço terminasse logo.

Permanecer invisível.

Monitorar a estrutura – dentro e fora.

Relatar ao controlador qualquer desenvolvimento inesperado.

Delta-Um havia sido treinado para nunca sentir nenhuma emoção em relação a suas missões. Aquela, porém, fizera seu coração bater mais forte quando ele e seus companheiros receberam as ordens. A reunião de orientação havia sido "anônima". Delta-Um não se encontrara com o controlador responsável pela missão – tudo tinha sido explicado através de canais eletrônicos seguros.

O soldado estava preparando uma refeição à base de proteínas desidratadas quando seu relógio bipou em uníssono com os dos outros. Poucos segundos depois, o dispositivo de comunicações CrypTalk atrás dele piscou em sinal de alerta. Delta-Um parou o que estava fazendo e pegou o comunicador portátil. Os outros dois homens observaram em silêncio.

– Delta-Um na escuta – disse ele.

As palavras foram instantaneamente identificadas pelo software de reconhecimento de voz embutido no dispositivo. Cada palavra recebia um número de referência, que era codificado e depois transmitido via satélite para quem fez a chamada. Do outro lado da linha havia um dispositivo similar, no qual os números eram convertidos novamente em palavras usando um decodificador de chave aleatória predeterminado. As palavras, então, eram pronunciadas por uma voz sintetizada. Isso tudo levava apenas 80 milissegundos.

– Controlador falando – disse a pessoa responsável pela operação. O tom robótico do CrypTalk era fantasmagórico, mecânico e andrógino. – Qual a situação da operação?

– Procedendo conforme planejado – respondeu Delta-Um.

– Excelente. Tenho uma atualização quanto à duração da operação. A informação irá a público hoje às oito da noite, hora de Washington.

Delta-Um olhou para seu cronógrafo. *Só mais oito horas.* Seu trabalho ali estaria terminado em breve. Isso era uma boa notícia.

– Há um novo desdobramento – disse o controlador. – Um novo jogador em campo.

– Qual novo jogador?

Delta-Um ouviu. *Uma aposta interessante.* Alguém lá fora estava jogando a sério.

– Você acredita que ela seja confiável?

– Ela precisa ser monitorada com atenção.

– Em caso de problemas?

Não houve hesitação na linha.

– As ordens permanecem inalteradas.

CAPÍTULO 16

O vôo de Rachel em direção ao norte já passava de uma hora. Além de uma visão rápida da ilha canadense de Terra Nova, não havia visto nada senão água abaixo dela durante todo o trajeto.

Por que tinha que ser justamente água?, pensou ela, fazendo uma careta. Rachel havia caído num buraco quando estava patinando sobre um lago congelado aos sete anos de idade. Presa abaixo da superfície, pensou que iria morrer. Foi sua mãe que, puxando-a com força, a trouxe de volta à superfície. Desde então ela passou a sofrer de hidrofobia, ou medo de água, especialmente de água gelada. Naquela manhã, não tendo nada à vista a não ser o Atlântico Norte, os velhos medos retornavam.

Foi só quando o piloto verificou sua posição com a base aérea de Thule, no norte da Groenlândia, que Rachel se deu conta de quão longe eles estavam. *Nossa, já passei do Círculo Polar Ártico?* Essa revelação a deixou ainda mais tensa. *Para onde estão me levando? O que a NASA descobriu?* Logo a enorme superfície azul-acinzentada abaixo dela se encheu de pequenos pontos brancos bem delineados.

Icebergs.

Rachel só havia visto icebergs uma vez em sua vida, seis anos atrás, quando sua mãe a havia convencido a juntar-se a ela em um cruzeiro de "mãe e filha" até o Alasca. Rachel havia sugerido uma série de alternativas de viagem em terra firme, mas sua mãe foi insistente.

– Querida, dois terços de nosso planeta são cobertos de água e, mais cedo ou mais tarde, você terá que lidar com isso – disse a senhora Sexton, uma americana jovial, nascida na Nova Inglaterra, determinada a educar a filha para que se tornasse uma mulher forte.

O cruzeiro fora a última viagem que as duas fizeram juntas.

Katherine Wentworth Sexton. Rachel sentiu uma pontada de solidão. Com o vento uivante do lado de fora do avião, as memórias voltaram à sua mente, causando uma enorme tristeza como sempre. A última conversa que tiveram foi por telefone, na manhã do Dia de Ação de Graças.

– Sinto muito, mãe – disse Rachel, ligando para casa do aeroporto de O'Hare, completamente coberto de neve. – Sei que nossa família nunca passou o Dia de Ação de Graças separada. Parece que esta vai ser a primeira vez.

Sua mãe parecia arrasada, do outro lado da linha.

– Eu estava tão ansiosa para ver você novamente.

– Eu também, mãe. Pense só, vou ter que comer essa comida de aeroporto enquanto você e papai se enchem de peru!

A mãe ficou em silêncio por um instante.

– Rachel, eu só ia lhe contar quando você chegasse aqui, mas seu pai falou que tinha trabalho demais e não poderia vir para casa este ano. Ele vai ficar em sua suíte em Washington durante todo o feriado.

– Como? – O sentimento inicial de surpresa logo deu lugar à raiva. – Mas é o feriado de Ação de Graças! O Senado não terá sessões, e ele está a menos de duas horas daí. Ele tinha que se encontrar com você.

– Eu sei. Mas seu pai disse que está exausto, cansado demais até para dirigir. Decidiu passar o feriado debruçado sobre uma pilha de trabalhos atrasados.

Trabalho? Rachel tinha suas dúvidas. Era mais provável que o senador Sexton fosse passar o feriado debruçado sobre outra mulher. Suas infidelidades, ainda que discretas, já duravam anos. Katherine não era tola, mas os casos do marido sempre vinham acompanhados de álibis convincentes e de magoada indignação diante da mera sugestão de que ele poderia estar sendo infiel. No final, a senhora Sexton só podia mesmo esconder sua dor e se fingir de cega. Rachel havia insistido para que a mãe se divorciasse, mas Katherine era uma mulher de palavra. "Até que a morte nos separe", ela havia dito. "Seu pai me abençoou com você, uma linda filha, por isso eu lhe sou grata. Um dia ele terá que responder por seus atos perante uma força maior."

Naquele momento, no aeroporto, Rachel fervia de raiva, silenciosamente.

– Mas isso quer dizer que você estará sozinha durante o feriado! – ela sentiu uma dor na boca do estômago. Abandonar a família durante o Dia de Ação de Graças era baixo demais, mesmo para o pai.

Katherine tornou a falar, desapontada, mas com um tom de voz decidido.

– Obviamente não posso deixar que toda essa comida se estrague. Vou pegar o carro e visitar a tia Ann. Ela sempre nos convida para passar o feriado lá. Vou ligar para ela.

Rachel sentiu-se um pouco menos culpada.

– Acho uma boa idéia. Eu chego assim que puder. Amo você, mãe!

– Faça uma boa viagem, querida.

Eram 22h30 daquele mesmo dia quando o táxi de Rachel chegou à pequena estradinha que levava à luxuosa casa da família Sexton. Ela logo percebeu que algo estava errado. Havia três carros de polícia na entrada da casa. Várias vans de televisão, também. Todas as luzes da casa estavam acesas. Rachel entrou correndo, aflita.

Um policial estava na porta. Sua expressão era pesarosa. Ele não precisou dizer nada, Rachel já sabia. Tinha havido um acidente.

– A estrada 25 estava escorregadia porque a chuva formou uma camada de gelo sobre a pista – disse o policial. – Sua mãe perdeu o controle do carro e saiu da estrada, caindo em um barranco com árvores. Eu lamento. Ela morreu com o impacto.

Rachel sentiu seu corpo ficar dormente. Ao receber a notícia, seu pai viera imediatamente para casa e estava agora na sala com um grupo de jornalistas, anunciando estoicamente ao mundo que sua mulher havia morrido em um acidente de carro enquanto voltava do jantar de Ação de Graças com a família.

De pé em um canto, Rachel soluçou durante todo o evento.

– Tudo que eu desejava – seu pai dizia à imprensa, com os olhos cheios de lágrimas – era ter voltado para casa neste fim de semana. Nada disso teria acontecido.

Você deveria ter pensado nisso antes, Rachel disse para si mesma enquanto chorava, seu ódio pelo pai crescendo a cada instante.

Desde então Rachel divorciou-se dele como a mãe nunca tivera coragem de fazer. O senador mal parecia notar. De uma hora para a outra, ele tinha ficado muito ocupado, usando a fortuna deixada pela mulher para buscar a indicação de seu partido para concorrer à presidência. Os votos solidários, é claro, também eram bem-vindos.

Cruelmente agora, três anos depois daquela tragédia, mesmo à distância o senador fazia com que Rachel se sentisse solitária. O fato de o pai ter decidido disputar a Casa Branca fizera Rachel adiar indefinidamente os sonhos de encontrar um homem com quem quisesse constituir uma família. Para ela, tornara-se muito mais fácil deixar de lado a vida social do que lidar com a fila de pretendentes em Washington, sedentos de poder e tentando agarrar uma potencial "primeira-filha" enquanto ainda estava acessível.

◆◆◆

Do lado de fora do F-14, o dia tinha começado a escurecer. O Ártico estava em pleno inverno, época de escuridão permanente. Rachel percebeu que voava para uma terra onde só haveria noites.

À medida que os minutos se passavam, o sol foi desaparecendo, até sumir por completo na linha do horizonte. Continuaram rumando para o norte, e uma lua brilhante, de três quartos, surgiu no céu cristalino e glacial. Bem abaixo, as ondas do oceano cintilavam, e os icebergs lembravam diamantes costurados em um tecido negro.

Finalmente Rachel avistou um pedaço de terra, embora não fosse exatamente o que esperava. Uma enorme cadeia de montanhas recobertas por neve surgiu à frente do avião.

– Montanhas? – perguntou Rachel, confusa. – Há *montanhas* ao norte da Groenlândia?

– Parece que sim – disse o piloto, igualmente surpreso.

O F-14 começou sua descida, e Rachel sentiu uma estranha falta de peso. Em meio ao zumbido em seus ouvidos, ela podia ouvir um sinal agudo repetido no cockpit. O piloto havia travado a rota do avião em um sinalizador direcional e estava seguindo o rumo indicado.

Quando desceram abaixo de três mil pés, Rachel olhou pela janela para o fantástico terreno abaixo deles, iluminado pelo luar. Na base das montanhas abria-se uma extensa planície gelada. O platô se espalhava graciosamente por cerca de 15 quilômetros na direção do oceano, terminando abruptamente em uma escarpa de puro gelo que caía verticalmente até encontrar o mar.

Foi então que ela viu algo completamente inesperado, diferente de tudo o que já vira na face da Terra. Primeiro pensou que fosse o luar refletido, criando uma ilusão de ótica. Olhou atentamente para os campos enevoados, sem conseguir entender o que estava vendo. Quanto mais o avião descia, mais clara a imagem se tornava.

Meu Deus, o que é isso?

O platô abaixo deles era listrado... como se alguém tivesse pintado a neve com três grandes estrias de tinta prateada. As faixas brilhantes corriam paralelas ao penhasco costeiro. Só quando o avião ficou a menos de 500 pés do solo a ilusão se desfez. As três faixas prateadas eram vales profundos, cada um com cerca de 30 metros de largura. Eles haviam se enchido de água que, ao congelar, formara largos canais prateados que se estendiam, paralelos, através do platô. As elevações brancas entre eles eram barragens de neve.

Quando desceram mais na direção do platô, o avião começou a dar solavancos, atravessando uma forte turbulência. Rachel ouviu o trem de pouso travando com um som metálico, mas não estava vendo nenhuma pista de pouso. Enquanto o piloto lutava para manter a aeronave sob controle, ela encostou o rosto no vidro do cockpit e viu duas linhas de luzes piscantes delimitando uma faixa de gelo ao longe. Em pânico, entendeu o que o piloto estava tentando fazer.

– Vamos aterrissar no *gelo?* – perguntou.

Ele não respondeu. Estava concentrado em controlar o jato. Rachel sentiu suas entranhas se revirarem quando o F-14 desacelerou e desceu em direção ao canal de gelo. De ambos os lados do avião erguiam-se paredes de neve. Ela prendeu a respiração, consciente de que um erro mínimo naquele estreito canal significaria morte certa. Sacudindo bastante, o F-14 desceu mais, até que, subitamente, a turbulência cessou. Protegido do vento dentro do canal, o avião fez uma aterrissagem perfeita.

O piloto reverteu as turbinas do jato, que perdeu velocidade rapidamente. Rachel soltou um suspiro de alívio. O F-14 percorreu cerca de 100 metros e finalmente parou em uma linha vermelha que tinha sido pintada grosseiramente com um spray sobre o gelo.

Olhando à direita, havia apenas uma parede de neve iluminada pelo luar – o lado de uma das barragens. A visão à esquerda era idêntica. Só à frente ela podia ver algo... uma infinita extensão de gelo. Sentia-se como se houvesse descido em um planeta deserto. Tirando a linha traçada sobre o gelo, não havia sinal de vida.

Logo em seguida Rachel ouviu um som. Estava longe ainda, mas era o ruído de outro motor, mais agudo. O som foi ficando mais intenso até que ela avistou uma máquina. Era um largo trator de neve sobre esteiras, movendo-se ruidosamente em meio ao canal de gelo. Alto e longilíneo, parecia-se com um imenso inseto futurista rastejando em direção a eles sobre vorazes pés giratórios. Na parte mais alta do chassi haviam montado uma cabine de plexiglas com uma fileira de holofotes para iluminar o caminho.

A máquina parou ruidosamente bem ao lado do F-14. A porta da cabine se abriu e um homem desceu por uma escada até o gelo. Ele estava envolto, da cabeça aos pés, em um macacão branco e fofo que dava a impressão de ter sido inflado.

O homem fez sinal para que o piloto abrisse o cockpit do F-14. O piloto obedeceu, e a rajada de ar que atravessou o corpo de Rachel congelou-a imediatamente até os ossos.

Feche esta droga!

– Senhorita Sexton? – ele falou, com sotaque americano. – Em nome da NASA, eu lhe dou as boas-vindas.

Rachel estava tremendo de frio. *Mil vezes obrigada.*

– Por favor, destrave seu cinto de segurança, deixe seu capacete no avião e desça usando os apoios na lateral da fuselagem. Alguma pergunta?

– Sim – gritou ela de volta. – Onde diabos eu estou?

CAPÍTULO 17

Marjorie Tench, a consultora sênior do presidente, era uma criatura extremamente magra e alta – um esqueleto ambulante. Tinha 1,80 metro de altura e parecia ter sido montada a partir de um kit de construção de robôs com juntas e ligas. Pendurado no alto daquele corpo de aparência instável havia um rosto amarelado, cuja pele mais se parecia com uma folha de pergaminho perfurada por dois olhos sem emoção. Com apenas 51 anos de idade, ela aparentava 70.

Tench era respeitada em toda a Washington como uma deusa na arena política. Dizia-se que seu pensamento analítico beirava a clarividência. Uma década no comando do Escritório de Inteligência e Pesquisa do Departamento de Estado tinha contribuído para aguçar ainda mais sua mente perigosamente afiada e crítica. Infelizmente, a sabedoria e o traquejo político de Marjorie eram acompanhados de um temperamento frio que poucos conseguiam tolerar por mais que alguns minutos. Podia-se dizer que seu cérebro possuía a capacidade – e a frieza – de um supercomputador. Ainda assim, o presidente Herney não tinha dificuldade em lidar com ela. O intelecto e a força de trabalho de Tench haviam sido quase inteiramente responsáveis por fazer com que ele chegasse à Casa Branca.

– Marjorie – disse o presidente, levantando-se para recebê-la no Salão Oval. – Em que posso ajudá-la? – Ele não puxou uma cadeira para ela. Aquele tipo de cortesia não se aplicava a mulheres como Marjorie Tench. Se ela quisesse se sentar, podia muito bem pegar sua própria cadeira.

– Vi que você marcou a reunião com a sua equipe para hoje, às quatro da tarde. – Sua voz soava um pouco áspera por causa do cigarro. – Muito bom.

Tench andou pela sala por um instante, e Herney podia sentir as intrincadas engrenagens de sua mente girarem. Isso o deixava feliz. Marjorie Tench era um dos poucos eleitos na equipe do presidente a ter total conhecimento da descoberta da NASA, e sua habilidade política ajudara Herney a planejar sua estratégia.

– Esse debate de hoje na CNN – disse ela, tossindo. – Quem vamos enviar para se digladiar com Sexton?

Herney sorriu.

– Um porta-voz de campanha do baixo escalão. – A tática de nunca enviar um peixe grande para deixar o "caçador" frustrado era tão velha quanto os debates em si.

– Tenho uma idéia melhor – disse ela, fitando Herney. – Deixe que eu vá.

Ele levou um choque.

– Você? – *Que diabos ela está pensando?* – Marjorie, você nunca entra em contato com a mídia. Além disso, é uma transmissão ao vivo no meio da tarde. Se eu mandar minha consultora sênior, como você acha que isso irá soar? Dará a impressão de que estamos entrando em pânico, não é?

– Exatamente.

O presidente observou-a. Fosse qual fosse o intrincado esquema que Marjorie estava arquitetando, por nada neste mundo Herney a deixaria aparecer na CNN. Qualquer um que já tivesse visto a consultora sabia que havia fortes razões para que ela atuasse sempre nos bastidores. Era uma mulher de aparência assustadora e definitivamente não era o rosto que um presidente gostaria de ver como porta-voz da Casa Branca.

– Esse debate da CNN fica comigo – ela repetiu e, desta vez, não era um pedido.

– Marjorie – disse o presidente, tentando fazer com que mudasse de idéia –, a equipe de campanha de Sexton obviamente irá afirmar que sua presença na CNN é uma prova de que a Casa Branca está se sentindo ameaçada. Atacar com nossas melhores armas muito cedo fará com que achem que estamos desesperados.

Ela assentiu com um gesto curto e acendeu um cigarro.

– Quanto mais desesperados acharem que estamos, melhor.

Durante dois ou três minutos, ela explicou em linhas gerais por que o presidente faria melhor enviando-a para o debate em vez de alguém do escalão inferior. Quando a consultora terminou a explicação, Herney estava olhando para ela, impressionado.

Mais uma vez, Marjorie Tench havia se mostrado um gênio da política.

CAPÍTULO 18

A plataforma de gelo Milne é a maior massa sólida de gelo flutuante no Hemisfério Norte. Situada acima do paralelo 82, no extremo norte da ilha de Ellesmere, no alto Ártico, ela tem seis quilômetros e meio de largura e mais de 90 metros de espessura.

Ao entrar na cabine de plexiglas no topo do trator de neve, Rachel ficou feliz ao encontrar lá dentro uma parca e um par de luvas para ela, e se sentiu reconfortada com o ar quente proveniente das saídas de ventilação da cabine. Do lado de fora, na pista de gelo, as turbinas do F-14 foram acionadas e o avião começou a taxiar para partir.

Rachel olhou assustada.

– Ele vai embora?

Seu novo anfitrião subiu no trator, fazendo sinal que sim.

– Somente os cientistas e uma equipe mínima de suporte da NASA têm permissão para ficar aqui.

Quando o F-14 sumiu no céu escuro, Rachel subitamente sentiu-se abandonada em uma ilha deserta.

– Vamos usar o IceRover a partir de agora – disse o homem. – O administrador está esperando.

Rachel olhou para fora, vendo a listra prateada de gelo se estendendo à sua frente, e tentou imaginar o que o administrador da NASA estava fazendo naquele lugar.

– Segure-se! – gritou o homem enquanto mexia em algumas alavancas. Com um rugido forte, a máquina girou 90 graus sem sair do lugar, como um tanque de guerra. Estava agora de frente para a enorme parede de neve.

Rachel olhou para a subida íngreme e sentiu uma pontada de medo. *Obviamente ele não pretende...*

– Vamos nessa! – O motorista soltou a embreagem e o veículo acelerou em direção à subida. Rachel soltou um grito abafado e segurou-se. Quando se chocaram contra a barragem, os grampos das esteiras rasgaram a neve e o veículo começou a subir. Rachel tinha absoluta certeza de que cairiam para trás, mas a cabine permaneceu surpreendentemente na horizontal enquanto os grampos se cravavam na neve, fazendo o IceRover subir. Quando a enorme máquina surgiu lá em cima, no pico da elevação, o motorista parou e sorriu para sua passageira, pálida de medo. – Tente fazer isso com um 4x4! Pegamos o projeto do sistema antichoque do Pathfinder de Marte e colocamos neste brinquedo aqui! Funciona maravilhosamente bem.

Rachel concordou com a cabeça, lívida.

– Que bom.

Posicionada agora no topo da barragem de neve, Rachel observou aquela paisagem inconcebível. Havia mais uma grande elevação na frente deles e depois as ondulações cessavam abruptamente. Além daquele ponto, o gelo aplainava-se, formando uma extensão brilhosa com uma ligeira inclinação. Iluminado pelo luar, o manto de gelo estendia-se à distância até que eventualmente se estreitava, contorcendo-se entre as montanhas.

– Aquela é a geleira Milne – disse o motorista, apontando para as montanhas. – Começa lá em cima e depois vem descendo até chegar a este enorme delta onde estamos agora.

O homem acelerou novamente, e Rachel se segurou enquanto o veículo descia o outro lado da rampa íngreme. Quando chegaram lá embaixo, atravessaram outro canal congelado e depois galgaram o próximo paredão de neve. Subindo até o topo e descendo do lado oposto, chegaram a um manto de gelo liso. Começaram a transpor a parte plana da geleira.

– Estamos longe? – Rachel só via gelo diante deles.

– Uns três quilômetros e meio à frente.

Parecia bastante longe para Rachel. O vento do lado de fora se chocava contra o IceRover em fortes rajadas, chacoalhando a cabine como se quisesse arrancá-la.

– Isso é o vento catabático – gritou o motorista. – Melhor ir se acostumando! – Ele explicou, então, que aquela área era constantemente varrida por um vento conhecido como catabático, uma palavra de origem grega que significava "do alto para baixo". O vento contínuo era, aparentemente, produzido pelo ar frio e pesado que "fluía" para baixo pelas encostas da geleira como se fosse um rio enfurecido descendo montanha abaixo. – Este é o único lugar na Terra – acrescentou o motorista, rindo – no qual o inferno congela!

Algum tempo depois, Rachel começou a distinguir uma forma vaga ao longe, na direção em que seguiam. Era a silhueta de um enorme domo branco emergindo do gelo. Ela esfregou os olhos. *Meu Deus, o que é isso?*

– Temos uns esquimós *bem grandes* por aqui, não? – disse o homem, brincando.

Ela tentou compreender a estrutura à sua frente. Parecia-se muito com uma versão reduzida do Astrodomo de Houston.

– A NASA construiu isso aí há uma semana e meia – ele disse. – É um complexo de polissorbato inflável multiestágio. Basta inflar as peças, juntá-las umas às outras e depois fixar a estrutura no gelo usando pítons e cordas. Parece uma grande lona de circo, não? Na verdade é o protótipo da NASA para o hábitat portátil que queremos usar em Marte, quando for possível. Nós o chamamos de "habisfera", uma esfera habitável.

Rachel ficou olhando para a estranha construção no meio daquela planície glacial.

– E, já que a NASA ainda não conseguiu chegar a Marte, vocês todos resolveram passar umas noites por aqui, é isso?

O homem riu.

– Na verdade, eu teria preferido o Taiti, mas o local foi determinado pelo destino.

Rachel continuava examinando aquela construção peculiar. O branco-acinzentado da estrutura fantasmagórica contrastava com o céu escuro. O IceRover aproximou-se do domo, parando ao lado de uma pequena porta, que se abriu no mesmo momento. A luz vinda lá de dentro iluminou a neve. Um homem saiu: era um gigante corpulento usando um suéter de lã preto que exagerava ainda mais o seu tamanho, fazendo com que parecesse um urso. Ele caminhou na direção do IceRover.

Rachel conhecia aquele homem: era Lawrence Ekstrom, o administrador da NASA.

O motorista deu um risinho tranqüilizador e disse:

– Não deixe o tamanho desse cara te enganar. Ele é gentil como um gatinho.

Está mais para um tigre, pensou ela, que conhecia bem a reputação de Ekstrom de arrancar a cabeça de qualquer um que se colocasse no caminho de seus sonhos.

Quando Rachel desceu do IceRover, o vento quase a jogou no chão. Enrolou-se firme no casaco e andou em direção ao domo. O administrador da NASA encontrou-a no meio do caminho e estendeu sua enorme mão recoberta por uma luva.

– Senhorita Sexton, fico feliz que tenha vindo.

Sorrindo sem muita convicção, ela gritou por cima do barulho do vento:

– Honestamente, senhor, acho que não tive muita escolha.

◆ ◆ ◆

Um quilômetro acima na geleira, usando binóculos de infravermelho, Delta-Um observava Rachel ser conduzida para dentro do domo pelo administrador da NASA.

CAPÍTULO 19

Lawrence Ekstrom, administrador da NASA, era um homem enorme, de rosto corado e ar rabugento, como um deus nórdico enraivecido. Seu cabelo louro e espevitado era cortado bem rente, em estilo militar, deixando em evidência sua testa enrugada e seu narigão marcado por pequenas veias. Seus olhos estavam pesados pelas muitas noites sem sono. Ele havia sido um influente estrategista e consultor de operações aeroespaciais no Pentágono antes de ser indicado para a NASA. Seu mau humor era tão famoso quanto sua dedicação inabalável a qualquer missão que lhe fosse confiada.

Ao entrar na habisfera atrás de Ekstrom, Rachel viu-se em meio a um labirinto surreal de corredores translúcidos, que parecia ter sido construído com folhas de plástico opaco penduradas em fios estendidos e tensionados. Não tinham colocado um piso: havia apenas o gelo sólido recoberto por faixas de material emborrachado para que ninguém escorregasse. Passaram por um dormitório rudimentar com beliches e toaletes químicos.

Felizmente o ar na habisfera era aquecido, apesar do cheiro peculiarmente pesado que resultava da combinação de odores indiscerníveis de várias pessoas fechadas em um espaço restrito. Em algum lugar havia o zumbido de um gerador, aparentemente fonte da energia elétrica que alimentava as lâmpadas colocadas em bocais ligados a extensões ao longo da entrada.

– Senhorita Sexton – Ekstrom começou a falar, enquanto guiava sua visitante a passos rápidos rumo a um destino desconhecido –, gostaria de ser sincero com você. – Seu tom de voz deixava claro que não estava feliz em ter Rachel como sua hóspede. – Você está aqui porque o presidente quer. Zach Herney é um amigo pessoal e um fiel defensor da NASA. Eu o respeito e devo muito a ele. Mais que isso, confio nele. Não questiono suas ordens diretas, mesmo quando não me sinto confortável com elas. Só queria deixar bem claro que não partilho do entusiasmo do presidente quanto a envolvê-la neste assunto.

Rachel ficou atônita. *Viajei quase cinco mil quilômetros para ser recebida desta forma?*

– Com todo o respeito – ela devolveu na mesma hora –, também me encontro sob ordens do presidente. Não me disseram por que estava sendo trazida para cá, mas fiz esta viagem com a melhor das intenções.

– Ótimo – disse Ekstrom. – Então posso ser direto.

– Acho que já começou de forma bem direta, não?

A resposta dura de Rachel aparentemente mexeu com o administrador. Suas passadas se desaceleraram e seus olhos se desanuviaram um pouco enquanto a observava. Depois, como uma cobra se desenrolando, ele suspirou longamente e retomou seu ritmo.

– Você precisa entender que se encontra em meio a um projeto secreto da NASA contra minha própria vontade. Não apenas é uma representante do NRO, cujo diretor tem profundo prazer em desonrar os cientistas da NASA como se fossem crianças linguarudas, mas também é filha do homem que fez de sua vida uma cruzada pessoal para destruir minha agência. Este deveria ser o momento de glória da NASA. Meus homens têm sofrido muito com as críticas recentes e merecem saborear este triunfo. Contudo, devido à enorme corrente de ceticismo liderada por seu pai, a agência se encontra em tal situação política que meu pessoal, apesar do trabalho árduo já realizado, se vê forçado a dividir o brilho dos holofotes com um punhado de cientistas escolhidos ao acaso e com a filha do homem que está tentando nos destruir.

Não sou meu pai, ela quis gritar, mas aquele obviamente não era o momento para debater questões políticas com Ekstrom.

– Não vim aqui para me fazer de estrela, senhor.

O administrador olhou-a de volta e disse:

– Pode ser que você descubra que não há alternativa.

O comentário pegou-a de surpresa. Ainda que o presidente Herney não houvesse dito especificamente que gostaria que Rachel o ajudasse de forma "pública", William Pickering certamente mostrara-se desconfiado de que sua agente pudesse se tornar um peão no jogo político.

– Gostaria de saber exatamente o que estou fazendo aqui – disse Rachel enfaticamente.

– Somos dois, então. Eu não tenho essa informação.

– Como?

– O presidente apenas me pediu que lhe explicasse em detalhes nossa descoberta assim que você chegasse. Seja lá qual for o papel que ele deseja que você desempenhe neste circo, isso é entre vocês dois.

– Ele me disse que o EOS, o Sistema de Observação da Terra, havia feito uma descoberta.

Ekstrom olhou-a de cima a baixo.

– Quão familiarizada você está com o projeto EOS?

– EOS é uma constelação de cinco satélites da NASA que examinam a Terra de várias formas: mapeamento dos oceanos, análise das falhas geológicas, observação do degelo polar, localização de reservas de combustíveis fósseis...

– Certo – cortou Ekstrom friamente. – Então você deve ter conhecimento sobre o último acréscimo à constelação do EOS. Chama-se PODS.

Ela assentiu. O PODS (Polar Orbiting Density Scanner), um satélite que faz varreduras de densidade em órbita polar, fora desenhado para medir os efeitos do aquecimento global.

– Se entendi bem sua função, o PODS mede a espessura e a rigidez do gelo da calota polar, certo?

– Exato. Ele usa uma tecnologia de espectrometria para captar composições de varreduras de densidade de grandes regiões e encontrar anomalias no gelo – neve derretida, pontos de degelo interno, grandes fissuras – indicativas de aquecimento global.

Rachel estava bem familiarizada com as varreduras de densidade. Funcionavam como um ultra-som subterrâneo. Os satélites do NRO usavam tecnologia similar para procurar variações de densidade no solo do Leste Europeu e, assim, encontrar valas comuns, que podiam confirmar que uma limpeza étnica estava em andamento.

– Há duas semanas – prosseguiu Ekstrom – o PODS passou por cima desta geleira e notou uma anomalia de densidade que não se parecia com nada do que esperávamos ver. Sessenta metros abaixo da superfície, perfeitamente envolto em uma matriz de gelo sólido, o PODS viu algo que se parecia com um glóbulo amorfo com cerca de três metros de diâmetro.

– Um bolsão de água?

– Não. Nada líquido. Estranhamente, essa anomalia era *mais dura* do que o gelo que a cercava.

Rachel pensou um pouco.

— Então... seria uma rocha ou algo assim.

— Essencialmente, sim — disse ele.

Rachel ficou esperando o grande desfecho, mas Ekstrom não disse nada. *Estou aqui só porque a NASA encontrou uma grande rocha no gelo?*

— Ficamos realmente animados quando o PODS calculou a densidade dessa rocha. Enviamos imediatamente uma equipe para cá a fim de analisá-la. Como viemos a descobrir, a rocha que está no gelo abaixo de nós é significativamente mais densa do que qualquer outra que possa ser encontrada aqui, na ilha de Ellesmere. Na verdade, é *mais* densa do que qualquer rocha em um raio de 650 quilômetros.

Rachel olhou para o gelo abaixo de seus pés, imaginando a enorme rocha lá embaixo, em algum lugar.

— Você quer dizer que alguém a *trouxe* para cá?

Ekstrom pareceu se divertir um pouco com essa idéia.

— A rocha pesa mais de oito toneladas e está recoberta por 60 metros de gelo, o que significa que está ali, intocada, por mais de 300 anos.

Rachel sentiu um cansaço se abater sobre ela enquanto seguia o administrador pela entrada de um longo e estreito corredor, passando entre dois guardas armados da NASA que estavam de vigia. Ela olhou para Ekstrom.

— Devo supor que há uma explicação lógica para a presença da pedra aqui... e para todo este segredo?

— Com certeza — respondeu Ekstrom, sem titubear. — A rocha encontrada pelo PODS é um meteorito.

Rachel parou na mesma hora, na passagem, e encarou o administrador.

— Um *meteorito?*

Uma onda de desapontamento tomou conta dela. Um meteorito era um anticlímax após a enorme expectativa gerada pelo presidente. *Esta descoberta sozinha irá justificar todas as despesas e as trapalhadas anteriores da NASA? Em que Herney estava pensando?* Meteoritos eram, claro, um dos tipos mais raros de rochas na Terra, mas a NASA descobria meteoritos o tempo todo.

— Este é um dos maiores já encontrados em todo o mundo — disse Ekstrom rispidamente, de pé na frente dela. — Acreditamos que seja um fragmento de um meteorito que, como foi documentado, caiu no oceano Ártico no início do século XVIII. Muito provavelmente essa rocha foi ejetada com o impacto do meteorito no oceano. Deve ter caído aqui, na geleira Milne, e aos poucos foi soterrada pela neve ao longo dos últimos 300 anos.

Rachel fechou a cara. Aquela descoberta não iria mudar nada. Sentiu crescer sua suspeita de que estava testemunhando um golpe publicitário sem proporções armado pela NASA e pela Casa Branca – as duas entidades, em desespero, tentavam elevar uma descoberta casual ao status de uma grande vitória da NASA de projeção mundial.

– Você não parece muito impressionada – disse Ekstrom.

– Acho que eu esperava algo... diferente.

Ele baixou o rosto, encarando-a.

– Um meteorito desse tamanho é uma descoberta muito rara, senhorita Sexton. Em todo o mundo, poucos são maiores que ele.

– Eu entendo que...

– Mas não foi o *tamanho* do meteorito que nos deixou entusiasmados. Se permitir que eu termine minha explicação, irá compreender que ele possui algumas características impressionantes nunca antes vistas em nenhum outro meteorito, grande ou pequeno. – Ele apontou para o final do corredor. – Se puder me acompanhar, gostaria de apresentá-la a alguém mais qualificado do que eu para lhe explicar essa descoberta.

Rachel não entendeu o que ele quis dizer.

– Alguém mais qualificado do que o administrador da NASA?

Os olhos frios de Ekstrom se fixaram nela.

– Mais qualificado, senhorita Sexton, no sentido de que é um civil. Presumo que, como analista de inteligência, você queira receber os dados de uma fonte *imparcial*.

Touché. Rachel ficou em silêncio.

Seguiu o administrador até o final do corredor estreito, que acabava em uma pesada e escura cortina. Rachel podia ouvir o murmúrio confuso de muita gente falando do outro lado, as vozes ecoando no espaço.

Sem dizer mais nada, o administrador estendeu o braço e abriu a cortina. Rachel ficou temporariamente cega pela claridade ofuscante. Quando seus olhos se ajustaram ao ambiente, viu a enorme sala que se abria diante dela e ficou boquiaberta.

– Meu Deus... – sussurrou. *Que lugar é este?*

CAPÍTULO 20

O estúdio de gravação da CNN nos arredores de Washington D.C. é um dos 212 espalhados pelo mundo que estão ligados, via satélite, à central do Turner Broadcasting System em Atlanta.

Eram 13h45 quando a limusine do senador Sedgewick Sexton parou no estacionamento. Ele andou em direção à portaria do prédio, sentindo-se bastante confiante. Sexton e Gabrielle foram cumprimentados, ao entrar, por um produtor barrigudo da CNN que tinha um sorriso efusivo estampado no rosto.

– Senador Sexton, seja bem-vindo. Tenho boas notícias. Acabamos de descobrir quem a Casa Branca resolveu enviar para enfrentá-lo no debate. – O produtor deu um sorrisinho malicioso. – Espero que esteja bem preparado. – Apontou para o vidro da cabine de produção que dava para o estúdio.

Ao olhar pelo vidro, o senador quase caiu para trás. Do outro lado, em meio à fumaça de seu cigarro, estava o rosto mais feio de todo o cenário político.

– Marjorie Tench? – disse, perplexa, Gabrielle. – O que *ela* está fazendo aqui?

Sexton não tinha a menor idéia, mas, independentemente da razão, sua presença ali era uma ótima notícia. Um sinal claro de que o presidente estava completamente desesperado. Que outro motivo ele teria para mandar sua conselheira sênior para a frente de batalha? Zach Herney estava lançando mão de artilharia pesada, e o senador via aquilo como uma ótima oportunidade.

Quanto maior o adversário, maior é a queda.

Ele não tinha dúvida de que Tench seria uma oponente astuciosa, mas, olhando para ela, estava certo de que o presidente cometera um grande erro de julgamento. Marjorie era pavorosamente feia. Lá estava ela, desengonçada em sua cadeira, fumando um cigarro, a mão direita se movendo lentamente, indo e vindo de seus lábios finos como se fosse um gigantesco louva-a-deus se alimentando.

Meu Deus, pensou Sexton, *ela devia se limitar a participar de debates em programas de rádio.*

Nas poucas vezes em que vira a carranca amarelada da conselheira em algum jornal ou revista, o senador custara a crer que aquela fosse uma das faces mais poderosas de Washington.

– Não estou gostando disso – sussurrou Gabrielle.

Sexton não lhe deu atenção. Quanto mais pensava naquela oportunidade, mais satisfeito ficava. Havia algo de que poderia tirar ainda mais proveito do que do visual inadequado de Marjorie: a conselheira sempre fora uma forte defensora de que o futuro da América como líder mundial dependia de sua superioridade tecnológica. Ela era uma partidária ardorosa dos programas de pesquisa e desenvolvimento de alta tecnologia patrocinados pelo governo e, acima de tudo, pela NASA. Várias pessoas acreditavam que era por conta da pressão interna exercida por Marjorie que o presidente se mantinha tão firmemente posicionado a favor da decadente agência espacial.

Sexton pensou se Herney não estaria, no fundo, querendo punir Tench por todos os conselhos ruins que ela lhe dera em relação à NASA. *Será que ele está jogando sua conselheira sênior aos leões?*

◆◆◆

Gabrielle Ashe olhou para Marjorie através do vidro e sentiu um profundo incômodo. Aquela mulher era uma víbora astuta e sua presença era inesperada. Os dois fatos juntos faziam os instintos da assessora de Sexton se aguçarem. Considerando-se a postura de Marjorie em relação à NASA, o fato de o presidente enviá-la para enfrentar o senador parecia uma má idéia. O presidente, contudo, não era tolo. Algo dizia a Gabrielle que aquela entrevista podia terminar mal.

Para piorar a situação, Gabrielle já podia sentir o senador comemorando antecipadamente seu desempenho naquele debate. Sexton tinha o péssimo hábito de passar do ponto quando se tornava presunçoso. A questão da NASA tinha gerado um bom impulso nas pesquisas, mas ele vinha exagerando um pouco no assunto, na opinião dela. Muitos candidatos já haviam perdido campanhas por terem partido para o nocaute quando deveriam apenas esperar pelo final do round.

O produtor parecia animado com a disputa mortal que viria a seguir.

– Vamos prepará-lo para as câmeras, senador.

Quando Sexton foi em direção ao estúdio, Gabrielle puxou-o discretamente.

– Sei o que você está pensando – ela disse bem baixo. – Mas fique atento. Não passe do ponto.

– Passar do ponto? Eu? – respondeu Sexton, com um sorriso malicioso.

– Lembre-se de que essa mulher é boa naquilo que faz.

Sexton deu uma piscadela e disse:

– E eu também.

CAPÍTULO 21

A imensa câmara principal da habisfera seria uma visão estranha em qualquer lugar do planeta. O fato de estar situada sobre uma plataforma de gelo no Ártico só tornava aquilo ainda mais inacreditável para Rachel.

Olhando para cima, ela via um domo futurístico constituído de blocos triangulares brancos encaixados uns nos outros e sentia-se como se tivesse entrado em um enorme sanatório. As paredes desciam inclinadas até tocar o chão de gelo sólido, onde uma grande quantidade de lâmpadas halógenas parecia montar guarda em torno do perímetro, projetando a luz para cima e conferindo a toda a câmara uma luminosidade efêmera.

Placas de borracha preta foram usadas como revestimento, ziguezagueando sobre o chão de gelo e unindo um emaranhado de estações de pesquisa científica portáteis. Em meio ao equipamento eletrônico, uns 30 ou 40 cientistas da NASA trabalhavam duro, trocando idéias, sorrindo e falando em tom animado. Rachel reconheceu a eletricidade que percorria aquela sala.

Era a excitação diante de uma nova descoberta.

Enquanto ela e o administrador circulavam pela câmara, Rachel notou os olhares de surpresa e de contrariedade no rosto das pessoas que a reconheciam. Seus sussurros podiam ser ouvidos claramente naquele espaço reverberante.

Aquela não é a filha do senador Sexton?
Que diabos ELA está fazendo aqui?
Não acredito que o administrador esteja conversando com ela!

De certa forma, Rachel quase esperava encontrar bonecos de vodu com a imagem de seu pai pendurados pela sala. A hostilidade em torno dela, contudo, não era a única emoção no ar. Ela também podia sentir um orgulho bem nítido, como se a NASA soubesse muito bem quem iria rir por último.

Ekstrom levou Rachel até uma fileira de mesas onde um homem estava sentado sozinho na frente de um computador. Ele usava calça de veludo cotelê, camisa de gola rulê preta e pesadas botas de marinheiro, em vez do uniforme-padrão branco que os funcionários da NASA vestiam. Estava de costas para eles quando se aproximaram.

O administrador pediu a Rachel que esperasse e caminhou na direção do homem. Os dois conversaram brevemente. Em seguida, ele assentiu cordialmente e começou a desligar seu computador. Ekstrom voltou para falar com Rachel.

– O senhor Tolland irá cuidar de você de agora em diante. Ele também foi recrutado pelo presidente, então creio que vocês vão se entender bem.

– Obrigada.

– Suponho que você já tenha ouvido falar de Michael Tolland.

Rachel deu de ombros, seu cérebro ainda tentando compreender aquele lugar incrível.

– O nome não me diz nada.

O homem se aproximou, sorrindo.

– Não lhe diz nada? – Sua voz era profunda e amigável. – Esta é a melhor notícia que tive hoje. Parece que não consigo mais me apresentar por conta própria.

Quando Rachel olhou para ele, congelou. É claro que conhecia aquele rosto bonito. Todo mundo nos Estados Unidos o conhecia.

– Ah – disse ela, corando quando o homem apertou sua mão. – *Você* é o Michael Tolland.

Quando o presidente contara a Rachel que ele havia recrutado cientistas civis de primeira linha para verificar a autenticidade da descoberta da NASA, ela tinha imaginado um grupo de "nerds" esquisitões, carregando nos bolsos calculadoras com suas iniciais gravadas. Michael Tolland era o contrário de tudo aquilo.

Ele era uma das mais conhecidas "celebridades do mundo científico" dos Estados Unidos, em grande parte por ser o apresentador de um documentário semanal na televisão chamado *Maravilhas dos mares*, no qual mostrava aos espectadores fenômenos fascinantes dos oceanos, como vulcões submarinos, serpentes marinhas de três metros e tsunamis. A mídia elogiava Tolland, tido como uma mistura de Jacques Cousteau com Carl Sagan, dizendo que seus conhecimentos, seu entusiasmo despretensioso e seu desejo insaciável por novas aventuras eram responsáveis pelo enorme sucesso do programa. E, como os críticos não se cansavam de dizer, o carisma discreto e a virilidade de Tolland também contribuíam fortemente para elevar os índices de audiência, principalmente entre o público feminino.

– Senhor Tolland... – balbuciou Rachel – ...eu sou Rachel Sexton.

Tolland abriu um sorriso simpático.

– Oi, Rachel. Pode me chamar de Mike.

Rachel não sabia o que dizer em seguida, uma situação bem atípica para ela. A sobrecarga de informações estava começando a pesar: a habisfera, o meteorito, todos aqueles segredos, ver-se subitamente diante de uma celebridade da televisão...

— Estou surpresa por encontrá-lo aqui – disse ela, tentando puxar conversa. – Quando o presidente me disse que havia recrutado cientistas civis para averiguar a autenticidade da descoberta da NASA, acho que eu esperava encontrar... – hesitou.

— Cientistas de verdade? – disse Tolland, sorrindo.

Rachel ficou vermelha, envergonhada.

— Não foi isso que eu quis dizer, eu...

— Não se preocupe – prosseguiu Tolland. – É o que mais tenho ouvido desde que cheguei aqui.

Ekstrom pediu licença e disse que voltaria a encontrá-los mais tarde. Agora era Tolland quem olhava para Rachel com curiosidade.

— O administrador disse que você é filha do senador Sexton.

Rachel fez que sim com a cabeça. *Infelizmente.*

— Uma espiã de Sexton por trás das linhas inimigas?

— As linhas de batalha nem sempre estão onde parecem estar.

Seguiu-se um breve silêncio incômodo.

— Então, conte-me – prosseguiu Rachel rapidamente –, o que um oceanógrafo de fama mundial está fazendo sobre uma geleira com algumas dezenas de cientistas espaciais da NASA?

Tolland soltou um risinho.

— Para dizer a verdade, encontrei um cara que se parecia muito com o presidente. Ele me pediu um favor. Eu abri a boca para dizer "Vá se danar", mas, curiosamente, o que saiu foi "Sim, senhor".

Rachel riu pela primeira vez naquela manhã.

— Bom, bem-vinda ao clube.

Apesar de quase todas as celebridades parecerem ser mais baixas fora das telas, Rachel achou que Tolland era ainda mais alto. Seus olhos castanhos eram atentos e exibiam o mesmo brilho vigoroso que tinham na TV, e sua voz também possuía o mesmo tom de modéstia e entusiasmo. Com porte atlético e cabelos negros e espessos caindo em tufos despenteados sobre a testa, Michael Tolland aparentava 45 anos bem vividos. Tinha um queixo quadrado e um jeitão casual que transmitiam confiança. Quando o apresentador apertou a mão de Rachel, ela sentiu a calosidade áspera de suas palmas e lembrou-se de que Tolland não era uma típica celebridade "de estúdio", mas um veterano dos mares e um pesquisador ativo.

— Para ser franco – admitiu Tolland, meio encabulado –, acho que fui trazido aqui mais por meu valor como figura pública do que por meus conhecimentos científicos. O presidente pediu que eu viesse e preparasse um documentário para ele.

— Um documentário? Sobre um *meteorito?* Mas você é um oceanógrafo!

— Foi exatamente o que eu respondi. Mas ele disse que não conhecia ninguém que fizesse documentários sobre meteoritos. Depois disse que meu envolvimento ajudaria a dar mais credibilidade a esta descoberta. Aparentemente ele está pensando em transmitir meu documentário como parte da coletiva de imprensa desta noite, quando anunciará a descoberta.

Usar uma celebridade como porta-voz. Rachel viu mais uma vez a habilidade política de Zach Herney em ação. A NASA era muitas vezes acusada de falar coisas que o grande público não podia compreender. Desta vez seria diferente. Iriam colocar em cena um mestre da comunicação, alguém que o público americano conhecia e em quem confiava quando o assunto era ciência.

Tolland apontou para o lado diametralmente oposto do domo. Em uma parede distante estava sendo preparada uma área para a imprensa. Havia um carpete azul estendido sobre o gelo, câmeras de TV, luzes especiais e uma longa mesa com diversos microfones sobre ela. Como pano de fundo, uma pessoa estava prendendo uma enorme bandeira americana na parede.

— É para hoje à noite – explicou ele. – O administrador da NASA e alguns de seus melhores cientistas estarão em contato, via satélite, com a Casa Branca, de forma que possam participar da transmissão do presidente às oito da noite.

Muito adequado, pensou Rachel, feliz ao saber que Zach Herney não iria deixar a NASA completamente de fora de seu comunicado.

— Então – perguntou Rachel com um suspiro –, será que alguém finalmente vai me dizer o que há de tão especial nesse meteorito?

Tolland levantou as sobrancelhas e sorriu de forma misteriosa.

— Acho que é mais fácil mostrar o que há de tão especial do que apenas explicar. – Fez um sinal para que Rachel o seguisse em direção a uma área de trabalho próxima.

— O cara que trabalha aqui tem várias amostras que você vai gostar de ver.

— Amostras? Vocês têm *amostras* do meteorito?

— Claro! Fizemos algumas perfurações e pegamos várias. Na verdade, foram as amostras iniciais do núcleo que chamaram a atenção da NASA para a importância da descoberta.

Sem saber muito bem o que esperar, Rachel seguiu Tolland até a estação de trabalho. Aparentemente estava vazia. Havia um copo de café sobre uma mesa repleta de amostras de rocha, paquímetros e outros equipamentos para análise. O café ainda estava fumegando.

— Marlinson! – gritou Tolland, olhando em volta. Nenhuma resposta. Ele se virou para Rachel, frustrado, e disse: – Ele provavelmente se perdeu enquanto tentava achar creme para o café. Olha, eu fiz pós-graduação em Harvard com esse cara e ele conseguia se perder dentro do próprio dormitório. Agora lhe deram uma Medalha Nacional de Mérito em Ciência por seu trabalho em astrofísica. Não dá para entender.

Rachel olhou para Tolland, surpresa.

— Marlinson? Você não está falando do famoso Corky Marlinson, está?

Tolland riu.

— Só existe um.

— Corky Marlinson está *aqui*? — ela perguntou, impressionada. As idéias de Marlinson sobre os campos gravitacionais eram lendárias entre os projetistas de satélites do NRO. — Marlinson é um dos cientistas que o presidente recrutou?

— É, o cara é um dos cientistas *de verdade*...

Mais verdadeiro, impossível, pensou Rachel. Corky Marlinson era um dos cientistas mais brilhantes e respeitados que conhecia.

— O incrível paradoxo a respeito de Corky — disse Tolland — é que ele pode citar a distância daqui a Alfa Centauro em milímetros, mas não consegue dar um nó na própria gravata.

— Minhas gravatas já vêm com nós! — interveio uma voz anasalada e amistosa ressoando de algum lugar por perto. — A eficiência é mais importante que o estilo, Mike. Mas isso é algo que não entra na cabeça de alguém de Hollywood, não é?

Rachel e Tolland se viraram para ver o homem que tinha acabado de sair de trás de uma alta pilha de equipamento eletrônico. Era baixo, com o corpo ao mesmo tempo largo e gorducho, lembrando um pouco um cão da raça pug com olhos esbugalhados e cabelos ralos penteados para o lado. Quando viu Rachel ao lado de Tolland, parou abruptamente.

— Meu Deus, Mike! Estamos numa geleira em pleno Pólo Norte, e ainda assim você consegue encontrar uma mulher bonita! Eu sabia que deveria ter ido trabalhar na TV.

Michael Tolland ficou bastante sem jeito.

— Senhorita Sexton, por favor, perdoe o doutor Marlinson. O que ele não tem em termos de tato é mais do que compensado pelos fragmentos aleatórios de conhecimento absolutamente inútil que possui a respeito de nosso universo.

Corky aproximou-se.

— Uma verdadeira honra. Desculpe, não ouvi seu nome...

— Rachel — disse ela. — Rachel Sexton.

— Sexton? — Corky soltou um risinho debochado. — Você não é parente daquele senador depravado e sem a menor visão de futuro, espero!

Tolland coçou a cabeça, olhando para baixo.

– Na verdade, Corky, o senador Sexton é o pai de Rachel.

Corky parou de rir e falou, desanimado:

– Mike, acho que dá para entender por que nunca me dei muito bem com mulheres, não é?

CAPÍTULO 22

O astrofísico Corky Marlinson levou Rachel e Tolland até sua área de trabalho e começou a remexer em suas ferramentas e amostras de rocha. Ele se movia como uma mola extremamente tensa prestes a explodir.

– O.k. – disse ele, trêmulo de animação. – Senhorita Sexton, você está prestes a ouvir uma apresentação-relâmpago sobre meteoritos, um curso em 30 segundos de Corky Marlinson.

– Melhor ser um pouco paciente, na verdade ele sempre quis ser um ator – disse Tolland, dando uma piscadela para Rachel.

– Isso, e Mike sempre quis ser um cientista respeitável. – Corky vasculhou uma caixa de sapatos e pegou três amostras de rocha, enfileirando-as em sua mesa.

– Estas são as três classes principais de meteoritos existentes no mundo.

Rachel olhou para as três amostras. Todas pareciam ser objetos vagamente esféricos do tamanho de bolas de pingue-pongue. Elas tinham sido cortadas ao meio para mostrar a parte central.

– Todos os meteoritos são compostos de uma quantidade variável de ligas de níquel e ferro, silicatos e sulfetos. Nós os classificamos com base nas relações existentes entre a quantidade de metal e de silicato.

Rachel estava com uma forte impressão de que a "apresentação-relâmpago" de Corky iria durar bem mais do que 30 segundos.

– Veja esta primeira amostra – disse Corky, apontando para uma rocha brilhante e absolutamente negra. – É um meteorito com núcleo de ferro. Bem pesado. Esse cara aterrissou na Antártica há alguns anos.

Rachel estudou o meteorito. Certamente se parecia com algo vindo de outro planeta: uma pesada bolha de ferro acinzentada cuja superfície havia sido queimada e escurecida.

– Esta camada externa carbonizada é chamada de crosta de fusão – prosseguiu Corky. – É o resultado do calor extremo enquanto o meteoro cai em nossa atmosfera. Todos os meteoritos possuem essa crosta. – Corky passou rapidamente para a próxima amostra. – Este aqui é o que chamamos de um meteorito rochoso-ferroso.

Rachel observou a nova amostra, notando que ela também estava carbonizada na parte externa. Sua coloração era verde-clara, e a seção interna parecia uma colagem de fragmentos angulares coloridos, como em um caleidoscópio.

– Bonito.

– Você está brincando, isto é lindo! – Corky falou por algum tempo sobre o alto conteúdo de olivina e como isso causava o brilho esverdeado, depois pegou dramaticamente a terceira e última amostra, entregando-a para Rachel.

Ela segurou o último meteorito na palma da mão. Sua coloração era marrom-acinzentada, lembrando granito. Parecia só um pouco mais pesado do que uma pedra terrestre do mesmo tamanho. A única indicação de que não era uma pedra comum era sua crosta de fusão – a superfície externa carbonizada.

– Nós dizemos que este aí é um meteorito rochoso. É a classe mais comum de meteoritos. Mais de 90% dos meteoritos encontrados na Terra pertencem a essa categoria.

Rachel ficou surpresa. Ela sempre tinha pensado nos meteoritos como algo semelhante à primeira amostra: glóbulos metálicos de aparência alienígena. O meteorito em sua mão não tinha nada de excepcional. Tirando o fato de que havia sido carbonizado por fora, podia ser confundido com uma rocha comum.

Os olhos de Corky agora estavam quase pulando fora das órbitas de tanto entusiasmo.

– O meteorito que está enterrado no gelo aqui em Milne é do tipo rochoso, bastante parecido com o que está em suas mãos. Esses meteoritos são quase idênticos às rochas vulcânicas da Terra, o que dificulta sua detecção. Em geral são uma mistura de silicatos leves – feldspato, olivina, piroxênio. Nada muito divertido.

Concordo, pensou Rachel, devolvendo a amostra.

– Ele se parece muito com uma rocha que alguém jogou em uma lareira e deixou queimando.

Corky começou a rir.

– Teria sido uma lareira *dos infernos!* A fornalha mais poderosa que já conseguimos construir não chega nem perto de reproduzir o calor que um meteorito agüenta quando entra em nossa atmosfera.

Tolland sorriu, condescendente, para Rachel.

– Agora vem a parte boa – disse Tolland.

– Pense nisso – prosseguiu Corky, pegando a amostra de volta. – Vamos imaginar que este garotão aqui é do tamanho de uma casa. – Segurou a amostra bem alto acima de sua cabeça. – O.k., ele está no espaço flutuando pelo nosso sistema solar, resfriado pela temperatura do espaço a -100° Celsius.

Tolland estava rindo para si mesmo, aparentemente por já ter visto a encenação de Corky mostrando a chegada do meteorito na ilha de Ellesmere. Corky começou a baixar a amostra.

– Nosso meteorito está se dirigindo para a Terra e, conforme se aproxima, a gravidade se apodera dele fazendo com que acelere mais e mais.

Rachel observou enquanto ele acelerava a trajetória da amostra em sua mão, simulando a aceleração da gravidade.

– Agora está se movendo muito rapidamente – exclamou o cientista. – Mais de 60 mil quilômetros por hora! Cento e trinta e cinco quilômetros acima da superfície da Terra, o meteorito entra em forte atrito com a atmosfera. – Corky sacudia a amostra violentamente enquanto a abaixava na direção do gelo. – Abaixo de 100 quilômetros já começa a brilhar! O ar em volta do meteorito está se tornando incandescente, e o material da superfície se funde por causa do calor. – Corky começou a fazer sons engraçados de coisas queimando e fritando. – Agora está cruzando a marca dos 80 quilômetros, e seu exterior atinge mais de 800° Celsius!

Rachel continuava olhando a cena, sem acreditar que o astrofísico ganhador da medalha de honra estivesse chacoalhando vigorosamente o meteorito e fazendo ruídos cômicos como uma criança.

– Sessenta quilômetros! – Corky já estava gritando. – Nosso meteorito encontra a barreira atmosférica. O ar é denso demais! Ele é violentamente desacelerado a uma taxa superior a 300 vezes a força da gravidade! – Corky imitou um som de carro freando e reduziu a velocidade de descida drasticamente. – Instantaneamente, ele esfria e pára de brilhar. Entramos na fase do vôo escuro! A superfície do meteoróide se torna mais dura, passando do estágio fundido até formar a crosta de fusão carbonizada.

Rachel percebeu que Tolland fazia força para não cair na gargalhada. Corky, indiferente, se ajoelhou sobre o gelo para encenar o golpe de misericórdia – o impacto com a Terra.

– E agora nosso enorme meteorito está voando através da camada inferior de nossa atmosfera... – De joelhos, posicionou o meteorito na direção do solo em uma inclinação pequena. – Está se dirigindo para o oceano Ártico... o ângulo é oblíquo... está caindo... parece que vai ricochetear no oceano... está caindo... e... – Ele encostou a amostra no gelo. – BUM!

Rachel deu um pulo.

– O impacto é cataclísmico! O meteorito explode. Fragmentos voam para todos os lados, ricocheteando e rolando sobre o oceano! – Corky entrou no modo de "câmera lenta", rolando a amostra e fazendo-a quicar através do oceano invisível em direção aos pés de Rachel. – Um dos fragmentos continua se movimentando rumo à ilha de Ellesmere, ricocheteando mais uma vez no oceano e indo parar em terra... – O astrofísico levou a pedra até bem perto do sapato de Rachel, depois moveu-a por cima do sapato dela e rolou-a até parar perto do tornozelo. – Finalmente, ele pára bem alto na geleira Milne, onde a neve e o gelo rapidamente o encobrem, protegendo-o da erosão atmosférica – disse Corky, levantando-se com um sorriso no rosto.

Rachel estava boquiaberta. Deu uma risada simpática, satisfeita com a demonstração.

– Bem, Dr. Marlinson, essa explicação foi excepcionalmente...

– Clara?

– Isso mesmo! – Rachel sorriu.

Corky devolveu-lhe a amostra.

– Observe o corte transversal.

Ela examinou o interior da rocha durante algum tempo, mas não viu nada.

– Coloque-a contra a luz, depois movimente de leve – disse Tolland, com seu tom sempre amigável – e olhe atentamente.

Rachel aproximou a pedra de seus olhos e girou-a devagar contra as fortes luzes que estavam posicionadas acima deles. Agora podia ver algo. Eram pequenos glóbulos metálicos cintilando dentro da pedra. Dezenas deles estavam salpicados por todo o corte transversal como gotículas de mercúrio, cada uma com cerca de um milímetro de diâmetro.

– Essas pequenas bolhas são chamadas de côndrulos e ocorrem *apenas* em meteoritos – disse Corky.

– Nunca vi nada igual em uma pedra aqui da Terra.

– Nem irá ver! – declarou Corky. – Os côndrulos são uma estrutura geológica que não existe em nosso planeta. Alguns são incrivelmente antigos, constituídos talvez por materiais datando dos primórdios de nosso universo. Outros são bem mais novos, como os que você está vendo. Estes, especificamente, datam apenas de 190 milhões de anos atrás.

– Você está me dizendo que 190 milhões de anos *é novo*?

– Claro! Na escala cosmológica, isso foi ontem. Mas o importante aqui, contudo, é que esta amostra contém côndrulos, que são uma evidência conclusiva de que se trata de um meteorito.

– Certo – disse Rachel. – Então os côndrulos são uma evidência conclusiva. Entendi esta parte.

– E, finalmente – disse Corky, soltando um suspiro –, se a crosta de fusão e os côndrulos não forem convincentes o bastante, nós, astrônomos, temos um método infalível para confirmar que um meteorito é autêntico.

– E que método é esse?

Corky fez um gesto vago com as mãos e disse:

– Ah, nós usamos um microscópio petrográfico de polarização, um espectrômetro de fluorescência de raios X, um analisador de ativação de nêutrons ou um espectrômetro de plasma de acoplamento indutivo para medir as relações ferromagnéticas.

– Quanto exibicionismo... – resmungou Tolland. – Olha, o que Corky quer dizer é que podemos provar que uma pedra é um meteorito simplesmente através da análise de seu conteúdo químico.

– Ei, marinheiro! – protestou Corky. – Vamos deixar as questões científicas com os cientistas, certo? – Voltou-se para Rachel e continuou. – Nas pedras da Terra, o mineral níquel irá sempre ocorrer em porcentagens extremamente elevadas ou extremamente baixas, mas nunca no meio disso. Nos meteoritos, contudo, a quantidade de níquel recai em uma gama de valores intermediários. Assim, se analisarmos uma amostra e descobrirmos que a quantidade de níquel reflete valores intermediários, podemos garantir, sem sombra de dúvida, que é um meteorito.

Rachel estava ficando impaciente.

– Cavalheiros, já entendi que crostas de fusão, côndrulos, conteúdo de níquel em níveis intermediários, tudo isso prova que algo veio do espaço. Isso está claro – disse, colocando a amostra de volta sobre a mesa de Corky. – Mas ninguém me explicou ainda o que eu estou fazendo aqui.

Corky soltou um suspiro condescendente.

– Você quer ver uma amostra do meteorito que a NASA encontrou aqui no gelo?

Antes que eu morra, se possível.

Desta vez Corky procurou em seu bolso, tirando de lá uma pequena pedra em formato de disco. O segmento de rocha tinha o formato de um CD, cerca de 25mm de espessura e parecia ter uma composição similar à do meteorito rochoso que ela acabara de ver.

– Este corte veio de uma amostra cilíndrica que extraímos ontem – disse Corky, passando o disco para Rachel.

A julgar pela aparência, não havia nada de extraordinário naquele meteorito.

Era uma rocha pesada, de um alaranjado-claro. Parte da borda estava carbonizada e escurecida, aparentando ser um segmento da superfície do meteorito.

– Posso ver a crosta de fusão – disse Rachel.

Corky concordou.

– É, essa amostra foi tirada da parte mais externa do meteorito, então dá para ver um pouco de crosta nela.

Rachel inclinou o disco contra a luz e pôde ver os pequenos glóbulos metálicos.

– E também posso ver os côndrulos.

– Ótimo! – exclamou Corky, eufórico. – E eu posso completar seu raciocínio dizendo que já analisamos essa amostra usando um microscópio petrográfico de polarização e que seu conteúdo de níquel recai em um nível intermediário. Meus parabéns, você acabou de confirmar com toda a certeza que a rocha em suas mãos veio do espaço.

Rachel olhou para ele, confusa.

– Dr. Marlinson, isso é um meteorito. Supostamente ele *tem* que vir do espaço, não? Perdi alguma coisa?

Corky e Tolland trocaram um olhar cúmplice. Tolland colocou a mão no ombro de Rachel e disse baixinho:

– Vire-o do outro lado.

Rachel virou o disco. Levou um curto tempo até que seu cérebro assimilasse o que estava vendo. E então a verdade passou por cima dela como um rolo compressor.

Impossível!, pensou, sem ar, enquanto percebia que sua definição de "impossível" havia acabado de mudar para sempre. Incrustada na pedra havia uma forma que em uma amostra de rocha terrestre seria considerada comum. Em um meteorito, contudo, era completamente inconcebível.

– É um... – Rachel gaguejou, quase incapaz de dizer a palavra. – É um... *inseto!* Esse meteorito contém o fóssil de um inseto!

Tolland e Corky sorriam, alegres.

– Bem-vinda ao clube.

O enorme fluxo de emoções que tomou conta de Rachel deixou-a sem fala por alguns instantes. Mesmo aturdida pelo que acabara de ver, compreendeu que não havia qualquer dúvida de que aquele fóssil havia sido, em um passado remoto, um organismo vivo. A impressão petrificada tinha cerca de oito centímetros e parecia ser a parte inferior de um enorme besouro ou outro inseto rastejante. Sete pares de pernas articuladas estavam agrupadas sob um exoesqueleto que, por sua vez, parecia ser segmentado em placas, como as de um tatu.

Rachel se sentia estonteada.

– Um inseto espacial...

– É um isópode – disse Corky. – Os insetos têm apenas três pares de pernas, não sete.

Rachel nem mesmo o ouviu. Sua cabeça continuava girando enquanto olhava para o fóssil em suas mãos.

– Você pode ver claramente – prosseguiu Corky – que a carapaça dorsal é segmentada em placas como no tatu-bolinha, embora os dois apêndices salientes, como uma cauda, façam com que se pareça com um inseto.

A mente de Rachel já não registrava mais o que ele dizia. A classificação da espécie era completamente irrelevante. Todas as peças do quebra-cabeça se encaixaram de uma só vez: o segredo guardado pelo presidente, o entusiasmo da NASA...

Há um fóssil neste meteorito! Não apenas vestígios de bactérias ou micróbios, mas uma forma de vida avançada! Prova de que há vida em outros lugares do universo!

CAPÍTULO 23

Dez minutos depois do início do debate da CNN, o senador Sexton estava pensando que sequer deveria ter se preocupado. Marjorie Tench havia sido superestimada como adversária. Apesar da reputação que tinha de ser cruelmente sagaz, ela não estava se mostrando uma oponente à sua altura.

É verdade que, logo no início do debate, Tench havia jogado com as cartas mais fortes, criticando severamente a plataforma pró-vida do senador como sendo preconceituosa em relação às mulheres, mas justamente quando ela parecia estar cerrando suas garras cometeu um erro tolo. Enquanto questionava como o senador pretendia encontrar fundos para sua proposta de melhorias no sistema educacional sem ter que aumentar os impostos, Tench fez uma alusão depreciativa à forma como Sexton sempre usava a NASA como bode expiatório.

Embora ele só desejasse falar sobre a agência nos minutos finais do debate, Marjorie abrira a porta cedo demais. *Idiota!*

– Já que estamos falando da NASA – emendou ele casualmente –, será que a senhora teria algo a comentar sobre os rumores que tenho ouvido de que a agência acaba de sofrer outro fracasso recentemente?

— Devo dizer que não estou a par desses rumores — Marjorie respondeu sem piscar. Sua voz de fumante inveterada era áspera como uma lixa.

— Nada a comentar, então?

— Receio que não.

Sexton sorriu de orelha a orelha. No mundo dos clichês da mídia, "Sem comentários" significava, basicamente, "Eu me declaro culpada".

— Entendo – prosseguiu Sexton. – Algo a dizer, então, sobre os rumores de uma reunião secreta e de caráter emergencial entre o presidente e o administrador da NASA?

Desta vez Tench pareceu surpresa.

— Não sei bem a qual reunião o senhor está se referindo. Há muitos encontros na agenda do presidente.

— Sim, claro que há. – Sexton decidiu pressioná-la. – Senhora Tench, é verdade que apóia fortemente a agência espacial, não é?

A consultora suspirou, como se já estivesse cansada do assunto predileto do adversário.

— Acredito na importância de preservar a dianteira tecnológica dos Estados Unidos, seja no que diz respeito a assuntos militares, industriais, de inteligência ou de telecomunicações. A NASA certamente tem seu papel nesta visão. Sim.

Sexton podia ver os olhos de Gabrielle, do outro lado da cabine da produção, rogando que ele recuasse, mas Sexton estava sentindo o gosto de sangue.

— Há algo que me deixa curioso... É *sua* a grande influência por trás do persistente apoio do presidente a essa agência problemática?

Tench sacudiu a cabeça.

— Não. O presidente também acredita firmemente na NASA. Ele toma suas próprias decisões.

O senador não podia acreditar no que tinha ouvido. Ele havia acabado de dar a Marjorie uma chance de isentar parcialmente o presidente, aceitando pessoalmente parte da culpa pelos financiamentos à NASA. Em vez disso, ela jogara todo o peso sobre ele. *O presidente toma suas próprias decisões.* Parecia até que a consultora estava tentando se distanciar de uma campanha com sérios problemas. O que não seria nenhuma surpresa, pois, afinal, quando a poeira assentasse, Marjorie Tench teria que encontrar um novo trabalho.

Durante os minutos seguintes, Sexton e Tench rodaram pelo ringue, trocando golpes leves. Ela fez algumas tentativas vagas de mudar de assunto, enquanto seu oponente continuava pressionando-a quanto ao orçamento da NASA.

— Senador — perguntou Tench —, o senhor deseja reduzir o orçamento da NASA, mas tem alguma idéia do que isso implica em termos da perda de postos de trabalho no setor de alta tecnologia?

Sexton quase riu na cara dela. *Esta é a figura tida como a mente mais brilhante de Washington?* Tench obviamente tinha uma lição a aprender em relação à distribuição demográfica do país. Os postos de alta tecnologia eram irrelevantes em comparação com os enormes números do operariado americano.

O senador voou sobre ela.

– Estamos falando numa economia de *bilhões* neste caso, Marjorie. Se o resultado disso for que um punhado de cientistas da NASA terá que pegar seus BMWs e sair distribuindo seus currículos altamente cobiçados pelo mercado, que seja. O meu compromisso é ser duro no controle dos gastos.

Marjorie ficou em silêncio, como se estivesse se recuperando do último golpe.

O mediador da CNN perguntou:

– Senhora Tench? Alguma reação?

Ela finalmente limpou a garganta e falou:

– Acho que fiquei um pouco surpresa ao ouvir o senhor Sexton se colocar de forma tão resoluta como um opositor da NASA.

Os olhos do senador afilaram-se. *Boa tentativa, Marjorie.*

– Não sou um opositor da NASA e me ressinto de tal afirmação. Estou simplesmente dizendo que o orçamento da agência é um indicador do tipo de gastos descontrolados que o presidente advoga. A NASA disse que poderia construir o ônibus espacial por cinco bilhões – ele nos custou 12 bilhões. Disseram que podiam construir a Estação Espacial Internacional por oito bilhões e a conta já está em 100 bilhões.

– Nós, americanos, somos líderes mundiais porque fixamos para nós mesmos metas grandiosas e permanecemos fiéis a elas mesmo em tempos árduos – contra-atacou Tench.

– Esse discurso sobre o orgulho nacional não vai funcionar comigo, cara Marge. A NASA já gastou mais do que três vezes seu orçamento nos últimos dois anos, depois voltou para o presidente, com o rabo entre as pernas, para pedir mais dinheiro a fim de consertar seus erros. Você chama isso de "orgulho nacional"? Se quiser falar de orgulho nacional, vamos falar de boas escolas. Vamos falar de planejamento de saúde para todos. Vamos falar de crianças inteligentes crescendo em um país cheio de oportunidades. É *isso* que chamo de orgulho nacional!

Os olhos de Tench faiscavam.

– Posso lhe fazer uma pergunta direta, senador?

Sexton não respondeu, apenas esperou.

As palavras saíram da boca de Tench calculadamente, com uma aspereza súbita:

– Senador, se eu dissesse que não podemos explorar o espaço por menos do que a NASA gasta atualmente, o senhor estaria pronto a desativar de vez a agência?

A pergunta caiu sobre Sexton como uma rocha. Talvez Tench não fosse assim tão boba, no final das contas. Ela havia acabado de pegar seu adversário com a guarda baixa. Sua pergunta exigia uma resposta direta, do tipo "sim" ou "não". Era uma armadilha preparada com cuidado para forçá-lo a sair de cima do muro e dizer claramente de que lado estava.

Instintivamente, Sexton tentou evitar a armadilha.

– Não tenho dúvida de que, com um gerenciamento adequado, a NASA poderia explorar o espaço gastando muito menos do que atualmente...

– Senador Sexton, por favor responda à minha pergunta. Explorar o espaço é um negócio de risco. Um pouco como construir um jato comercial. Ou fazemos a coisa *direito* ou simplesmente a deixamos de lado. Os riscos são grandes demais. Minha pergunta continua de pé: se o senhor se tornasse presidente e tivesse que enfrentar a decisão de continuar a financiar a NASA em seu patamar atual ou sucatear completamente o programa espacial americano, qual seria a sua decisão?

Merda. Sexton olhou rapidamente para Gabrielle através do vidro. A expressão dela transmitia aquilo que ele já sabia. *Você assumiu um compromisso. Seja direto.* Não tente se desviar do assunto. Ele manteve o prumo.

– Sim, eu transferiria o orçamento atual da NASA diretamente para o ensino público, se tivesse que tomar esta decisão. Meu voto seria em favor de nossas crianças, em detrimento do espaço.

Marjorie deixou transparecer uma expressão de completo espanto.

– Estou chocada. Eu ouvi bem? Como presidente, o senhor agiria no sentido de *abolir* o programa espacial desta nação?

Sexton sentiu a raiva fervilhando dentro dele. Agora Tench estava colocando palavras em sua boca. Ele tentou se opor, mas a consultora já havia voltado a falar.

– Só para esclarecer, senador, o senhor está dizendo que acabaria com a agência que levou o homem à Lua?

– Estou dizendo que a corrida espacial acabou! Os tempos mudaram. A NASA já não desempenha um papel fundamental na vida cotidiana dos americanos e, ainda assim, continuamos financiando a agência da mesma forma.

– Então o senhor não acha que o futuro está no espaço?

– É claro que o futuro está no espaço, mas a NASA é um dinossauro! Deixemos o setor privado explorar o espaço. Os contribuintes americanos não deveriam ter que tirar dinheiro do bolso toda vez que algum engenheiro em Washington decide tirar uma fotografia de um bilhão de dólares de Júpiter. Os americanos estão cansados de leiloar o futuro de seus filhos para financiar uma agência ultrapassada que nos dá tão pouco em troca de seus custos colossais!

Tench deixou escapar um suspiro dramático.

– Tão pouco? Com exceção talvez do programa SETI, a NASA tem trazido enormes retornos.

Sexton ficou abismado que Tench sequer tivesse deixado escapar aquela menção ao programa SETI (Search for Extraterrestrial Intelligence). Enorme tolice. *Obrigado por me lembrar*. O programa de busca por inteligência extraterrestre era um dos maiores sorvedouros de dinheiro da NASA de todos os tempos. Apesar de terem tentado dar uma cara nova ao projeto mudando seu nome para Origins – Origens – e alterando alguns de seus objetivos, ele continuava sendo uma aposta perdedora.

– Prezada Marjorie – disse Sexton, aproveitando a abertura –, só vou falar do SETI porque a senhora tocou no assunto.

Curiosamente, Tench parecia quase ansiosa por essa resposta.

Sexton limpou a garganta.

– Há muitas pessoas que nem sabem que a NASA tem procurado por ETs nos últimos 35 anos. E tem sido uma caçada ao tesouro bem cara: antenas parabólicas, enormes *transceivers*, milhões gastos nos salários de cientistas que ficam sentados no escuro ouvindo fitas em branco. É um desperdício de recursos inacreditável.

– O senhor quer dizer que não há mais ninguém lá fora?

– Estou dizendo que, se qualquer outra agência do governo tivesse gasto 45 milhões ao longo de 35 anos sem produzir um único resultado, teria sofrido cortes há muito tempo. – Sexton parou para deixar que todo o peso de sua declaração pudesse ser sentido. – Após 35 anos, acho que está bem claro que não vamos encontrar vida extraterrestre.

– E se o senhor estiver errado?

Sexton olhou para cima, com desdém.

– Ah, pelo amor de Deus, senhora Tench, se eu estiver errado, como meu chapéu.

Marjorie Tench cravou seus olhos no senador Sexton.

– Vou me lembrar do que o senhor disse, senador. – Ela sorriu pela primeira vez. – Acho que *todos* vamos nos lembrar.

◆◆◆

A alguns quilômetros dali, no Salão Oval, o presidente Zach Herney desligou a televisão e preparou um drinque. Exatamente como Marjorie tinha prometido, o senador Sexton havia engolido a isca.

CAPÍTULO 24

Michael Tolland percebeu que ele também estava sorrindo ao ver a expressão de silencioso deslumbramento no rosto de Rachel diante do meteorito com fósseis. A beleza delicada do rosto daquela mulher parecia ter se dissolvido em uma expressão de fascínio inocente, como uma garotinha que tivesse visto Papai Noel pela primeira vez.

Sei exatamente como se sente, ele pensou.

Tolland ficara impressionado daquela mesma forma 48 horas atrás. Ele também tinha ficado hipnotizado, em silêncio. Mesmo agora, as implicações científicas e filosóficas do meteorito ainda o deixavam aturdido, forçando-o a repensar tudo aquilo em que havia acreditado sobre a natureza.

Entre as diversas descobertas oceanográficas de Tolland havia muitas espécies de águas profundas antes desconhecidas. Mesmo assim, esse "inseto espacial" pertencia a outro nível de descobertas. Apesar de os filmes de Hollywood invariavelmente mostrarem os ETs como pequenos homens verdes, os astrobiólogos e outros fanáticos por pesquisas espaciais concordavam sempre que, devido ao número e à capacidade de adaptação dos insetos da Terra, era grande a probabilidade de que, se um dia descobrissem uma forma de vida extraterrestre, ela se parecesse com um artrópode.

Os animais da classe *Insecta* pertencem ao filo *Arthropoda* – seres que possuem um exoesqueleto rígido e membros articulados. Com mais de 1,25 milhão de espécies conhecidas e uma estimativa de que ainda existam outras 500 mil a serem classificadas, todas as criaturas chamadas de artrópodes ultrapassam, em número, a soma dos outros animais existentes na Terra. Juntas, constituem 95% de todas as espécies do planeta e 40% da sua biomassa.

Não é só sua abundância que impressiona, mas também sua resistência. A exemplo do besouro que vive no gelo da Antártica e do escorpião do Vale da Morte, essas criaturas suportam, tranqüilamente, limites letais de temperatura, falta de umidade e mesmo pressão. Também podem resistir à exposição à força mais mortífera conhecida no universo – a radiação. Após um teste nuclear em 1945, oficiais da força aérea vestiram roupas de proteção contra a radiação e foram examinar o local da explosão, onde encontraram baratas e formigas que sobreviveram, ilesas, à explosão. Os astrônomos compreenderam que, devido a seu exoesqueleto protetor, os artrópodes eram os candidatos ideais a habitar incontáveis planetas banhados por altos níveis de radiação, onde nada mais poderia sobreviver.

Aparentemente os astrobiólogos estavam certos, pensou Tolland. *ET é um artrópode.*

♦♦♦

Rachel sentia suas pernas bambas.

– Eu não posso... não posso acreditar – disse ela, revirando o fóssil em suas mãos. – Eu nunca achei que...

– Deixe que as idéias se assentem lentamente – disse Tolland. – Levou um dia inteiro para eu colocar minha cabeça de volta no lugar.

– Vejo que temos uma recém-chegada – disse um homem alto, de feições asiáticas, que havia andado até eles.

Corky e Tolland fizeram uma cara de desânimo. Aparentemente a mágica do momento havia sido quebrada.

– Sou o Dr. Wailee Ming – disse ele, apresentando-se. – Chefe de Paleontologia da Universidade da Califórnia.

Ele caminhava com a rigidez pomposa da aristocracia renascentista, continuamente mexendo na gravata-borboleta, um tanto deslocada no contexto, que usava por baixo de seu sobretudo de lã de camelo que descia até o joelho. Aparentemente Wailee Ming não era o tipo de pessoa que deixava que um local tão remoto atrapalhasse sua aparência altiva.

– Sou Rachel Sexton – ela ainda estava trêmula quando apertou a palma lisa da mão de Ming. Ele era, obviamente, outro dos cientistas recrutados pelo presidente.

– Terei grande prazer, senhorita Sexton, em lhe dizer tudo o que quiser a respeito desses fósseis – disse o paleontologista.

– E também muitas coisas que você *não* quer saber – resmungou Corky.

Ming ajeitou sua gravata-borboleta.

– Minha especialidade, em paleontologia, são artrópodes e migalomorfos. Obviamente a característica mais impressionante deste organismo encontrado no meteorito é que...

– ...é que ele vem de um outro planeta! – meteu-se Corky.

Ming fez uma cara feia para ele, limpou a garganta e prosseguiu:

– A característica mais impressionante desse organismo é que ele se enquadra *perfeitamente* em nosso sistema darwiniano terrestre de taxonomia e classificação.

Rachel olhou para ele. *Podem classificar essa coisa?*

– Você quer dizer reino, filo, espécie... tudo isso?

– Exato – disse Ming. – Esta espécie, se fosse encontrada na Terra, seria classificada na ordem dos isópodes, um grupo com cerca de duas mil espécies.

– Mas é um bicho enorme!

– A taxonomia não se preocupa com questões de tamanho. Gatos domésticos e tigres são aparentados. A classificação diz respeito à fisiologia. Esta espécie é claramente um isópode: possui um corpo achatado, sete pares de pernas e um marsúpio estruturalmente idêntico aos dos tatuzinhos-de-jardim, tatus-bolinha e baratas-da-praia. Os outros fósseis claramente revelam estruturas mais especializadas de...

– Que outros fósseis?

Ming olhou para Corky e Tolland.

– Ela ainda não sabe?

Tolland sacudiu a cabeça.

O rosto de Ming se encheu de alegria.

– Senhorita Sexton, então você ainda não ouviu a parte mais interessante!

– Há mais fósseis – intrometeu-se Corky, claramente tentando puxar o tapete de Ming. – *Muitos* mais. – O astrofísico correu até um grande tubo circular de papelão e tirou de dentro dele uma enorme folha de papel dobrada. Abriu-a sobre a mesa na frente de Rachel. – Depois de perfurarmos alguns pontos, descemos uma câmera de raios X até o meteorito. Esta é uma representação gráfica da seção central.

Rachel olhou para a impressão da imagem de raios X e logo em seguida teve que sentar-se. A seção transversal tridimensional do meteorito estava cheia, com dúzias desses animais.

– Resquícios paleolíticos – Ming disse – são geralmente encontrados em grande concentração. Muitas vezes, deslizamentos de terra prendem diversos organismos, cobrindo ninhos ou comunidades inteiras.

Corky deu uma risadinha.

– Estamos achando que a coleção dentro do meteorito representa um ninho. – Apontou para um dos espécimes na impressão. – Olha a mamãe aqui...

Rachel olhou para o espécime em questão e arregalou os olhos. O bicho parecia ter cerca de 60 centímetros de comprimento.

– Tatuzinho poderoso, não? – disse Corky.

Rachel assentiu, abismada, imaginando criaturas desse tamanho passeando na superfície de um planeta distante.

– Na Terra – disse Ming – os artrópodes não crescem muito porque a gravidade lhes impõe alguns limites. Não podem crescer mais do que seus exoesqueletos são capazes de suportar. Contudo, em um planeta com uma gravidade menor, eles poderiam crescer bem mais.

– Imagine como seria matar moscas do tamanho de águias – brincou Corky, pegando a amostra da mão de Rachel e colocando-a em seu bolso.

– É melhor não roubar isso! – reclamou Ming.

– Fique tranqüilo – disse Corky. – Temos mais oito toneladas desse material.

A mente de Rachel havia disparado e estava analisando os dados que acabara de receber.

– Mas como é possível que a vida no espaço seja tão similar à vida na Terra? Quero dizer, você falou que essa criatura se *enquadra* em nossa classificação darwiniana?

– Perfeitamente – disse Corky. – E, por mais incrível que pareça, muitos astrônomos haviam previsto que as formas de vida extraterrestres teriam que ser muito similares às terrestres.

– Mas... por quê? – perguntou Rachel. – Essa espécie vem de um ambiente completamente diferente.

– Panspermia – respondeu Corky, com um grande sorriso.

– Como?

– Panspermia é a teoria segundo a qual a vida foi *semeada* aqui a partir de um outro planeta.

– Agora você está me deixando perdida – disse Rachel.

Corky virou-se para Tolland.

– Mike, você é o cara que gosta de falar sobre os mares primitivos.

Tolland parecia feliz por poder entrar em cena.

– A Terra já foi um planeta sem vida, Rachel. Então, subitamente, como se tivesse ocorrido algo da noite para o dia, a vida explodiu. Muitos biólogos acreditam que essa explosão de vida foi o resultado mágico de uma mistura ideal de elementos nos mares primitivos. Mas como nunca fomos capazes de reproduzir isso em laboratório, os estudiosos que são religiosos interpretam esse fracasso como uma prova da existência de Deus, ou seja, como uma evidência de que a vida não poderia existir a menos que Deus tivesse tocado esses mares primitivos e infundido vida neles.

– Mas nós, astrônomos – declarou Corky –, chegamos a uma outra explicação para a súbita explosão de vida na Terra.

– Panspermia – completou Rachel, que havia entendido a idéia geral. Ela já tinha ouvido falar daquela teoria antes, só não se lembrava de seu nome. – É a tese de que um meteorito caiu dentro da sopa primordial, trazendo as primeiras sementes de vida microscópica para a Terra.

– Exato! – disse Corky. – Onde foram percolados e geraram vida.

– Então, se *isso* for mesmo verdade – disse Rachel –, os ancestrais das formas de vida terrestres seriam idênticos aos das formas de vida extraterrestres.

– Novamente certo!

Panspermia, pensou Rachel, ainda com alguma dificuldade em compreender todas as implicações da nova descoberta.

– Então, não apenas esse fóssil confirma que existe vida em outro ponto do universo, mas praticamente prova a teoria da panspermia... De que a vida na Terra foi semeada a partir de outro lugar do universo.

– Triplamente correto! – Corky abriu um sorriso entusiasmado. – Tecnicamente, podemos *todos* ser extraterrestres. – Colocou seus dedos sobre a cabeça, como duas antenas, girou os olhos e balançou a língua, como se fosse algum tipo de inseto.

– E esse cara aí na sua frente é o auge da evolução – disse Tolland, rindo, para Rachel.

CAPÍTULO 25

Rachel sentia-se como se estivesse imersa numa névoa de sonhos enquanto andava pela habisfera, acompanhada de Tolland. Corky e Ming vinham logo atrás.

– Tudo bem? – perguntou Tolland, olhando para ela.

– Sim, obrigada. É que... é muita novidade ao mesmo tempo – ela respondeu, com um sorriso confuso.

Sua mente retornou à vergonhosa descoberta da NASA em 1996 – ALH84001. Um meteorito de Marte que a agência espacial dizia conter traços fossilizados de vida bacteriana. Infelizmente, poucas semanas após a triunfal coletiva de imprensa, diversos cientistas apresentaram evidências de que os "sinais de vida" existentes na rocha nada mais eram que querogênio produzido por contaminação terrestre. A credibilidade da NASA sofreu fortemente com aquele golpe.

Naquela mesma ocasião, o paleobiólogo Stephen Jay Gould resumiu os problemas referentes ao ALH84001 dizendo que os indícios divulgados eram químicos e que haviam sido estabelecidos por inferência, ao contrário de uma prova material, como uma concha ou um osso, que não deixariam ambigüidade alguma.

No meteorito da geleira Milne, porém, Rachel viu que a NASA havia encontrado provas irrefutáveis. Nenhum cientista, por mais cético que fosse, poderia pensar em questionar *aqueles* fósseis. A agência não estava mais tentando vender uma idéia baseada em fotografias borradas e ampliadas de supostas bactérias microscópicas. A NASA tinha agora amostras reais de um meteorito no qual bioorganismos visíveis a olho nu haviam sido aprisionados na pedra. *Isópodes com mais de 30 centímetros de comprimento!*

Rachel deu uma risadinha ao se lembrar de que, quando era jovem, adorava uma música de David Bowie que se referia a "aranhas de Marte". Quem diria que o pop star inglês chegaria tão perto de prever o auge da astrobiologia.

Enquanto uma vaga lembrança da música perpassava a mente de Rachel, Corky aproximou-se dela e perguntou:

– Mike já teve a oportunidade de se vangloriar a respeito de seu documentário?

– Não, mas eu adoraria que vocês me contassem.

Corky deu um tapinha nas costas do amigo.

– Vamos lá, garotão. Diga a ela por que o presidente decidiu que o momento mais importante da história da ciência deveria ser explicado por um astro da TV que passa parte da vida nadando por aí.

Tolland resmungou:

– Corky, dá para ficar quieto um pouco?

– Tudo bem, eu mesmo explico – disse o astrofísico, metendo-se entre os dois. – Como você provavelmente já sabe, senhorita Sexton, o presidente dará uma coletiva hoje à noite para contar a todos sobre o meteorito. Como a vasta maioria do planeta é constituída por pessoas de inteligência limitada, o presidente pediu a Mike que entrasse em cena e simplificasse bastante as coisas para que todos conseguissem entender essa história de meteorito.

– Obrigado pela explicação, Corky – disse Tolland. – Muito gentil de sua parte. – Olhou para Rachel. – O que ele está tentando dizer é que, como há muitos dados científicos que precisam ser explicados, o presidente achou que um pequeno documentário sobre o meteorito, com imagens, ajudaria a tornar a informação mais acessível para o grande público. Curiosamente, Corky, a maior parte das pessoas não possui pós-graduação em astrofísica.

– Você sabia – prosseguiu Corky, zombeteiro – que eu descobri há pouco que o presidente é um admirador secreto de *Maravilhas dos mares?* – Depois balançou a cabeça, em profundo desgosto. – Zach Herney, soberano do mundo livre, obriga sua secretária a gravar o programa de Mike para que ele possa relaxar após um longo dia de trabalho.

Tolland deu de ombros.

— Fazer o que, se o homem tem bom gosto?

Rachel começava agora a compreender quão astucioso era o plano do presidente. A política era um jogo de mídia, e ela já podia imaginar o entusiasmo e a credibilidade científica que o rosto de Michael Tolland traria àquela coletiva. Zach Herney havia convocado o homem ideal para embasar seu pequeno golpe com a NASA. Os céticos teriam dificuldades em questionar os dados apresentados pelo presidente se fossem anunciados pela maior personalidade em matéria de difusão científica na televisão, assim como por vários cientistas de renome.

— Mike já pegou depoimentos da maioria de nós para o seu documentário, assim como dos principais especialistas da NASA. E eu aposto minha Medalha Nacional de Mérito que *você* é a próxima na lista – disse Corky.

Rachel virou-se e olhou para ele.

— Eu? Do que você está falando? Não tenho nenhum currículo nessa área. Sou uma agente de ligação que atua na área de inteligência.

— E por que mais o presidente mandaria você para cá?

— Ele ainda não me disse.

Corky deu um sorriso matreiro.

— Você é uma agente de ligação da Casa Branca, da área de inteligência, que lida com a depuração e autenticação de dados, certo?

— Sim, mas nada disso tem a ver com ciência.

— *E também* é filha do homem que construiu toda a sua campanha em torno das críticas ao dinheiro gasto pela NASA no espaço, não é?

Rachel estava se preparando para o que viria a seguir.

— Você tem que admitir, senhorita Sexton – disse Ming, entrando na conversa –, que um depoimento de sua parte aumentaria substancialmente a credibilidade desse documentário. Se o presidente a enviou até aqui, é porque ele quer que você participe de alguma forma.

Rachel mais uma vez lembrou-se das preocupações de William Pickering de que ela estivesse sendo usada.

Tolland olhou para o relógio.

— Melhor irmos para lá – disse ele, apontando para o centro da habisfera.
— Devem estar quase terminando.

— Terminando o quê? – ela perguntou.

— A extração. A NASA está trazendo o meteorito para a superfície. Deverá emergir a qualquer momento.

Rachel ficou perplexa.

— Vocês estão mesmo *retirando* uma rocha de oito toneladas de dentro de 60 metros de gelo sólido?

Corky olhou para ela, radiante.

– Você não acha que a NASA iria deixar uma descoberta de tamanhas proporções enterrada no gelo, não é?

– Bem, não, mas...

Rachel não vira nenhum sinal de equipamentos de escavação de grande porte dentro da habisfera.

– E exatamente como a NASA está pensando em retirar o meteorito?

Corky empertigou-se.

– Isso é fácil. Você está numa sala cheia de cientistas espaciais!

– Tolice – retrucou Ming, olhando para Rachel. – O doutor Marlinson gosta de contar vantagem mesmo que o mérito não seja seu. A verdade é que ninguém sabia como retirar o meteorito. Foi *Mangor* quem propôs uma solução viável.

– Ainda não encontrei Mangor.

– Glaciologista da Universidade de New Hampshire – disse Tolland. – Quarto e último membro civil da equipe de cientistas convocada pelo presidente. E Ming está certo, foi Mangor quem bolou a solução.

– O.k. – disse Rachel. – E o que, exatamente, esse cara propôs?

– Essa *mulher* – corrigiu Ming, soando ressentido. – A doutora Mangor é uma mulher.

– Bastante questionável – murmurou Corky. E, virando-se para Rachel, acrescentou: – E, por falar nisso, ela provavelmente vai odiar você.

Tolland disparou um olhar zangado para Corky.

– Mas é verdade! – defendeu-se. – Ela vai odiar ter uma concorrente.

Rachel estava perdida na conversa.

– Como assim, concorrente?

– Não dê muita bola para esse cara – disse Tolland. – Infelizmente, o fato de que Corky é um retardado completo por algum motivo passou despercebido pelo Comitê Nacional de Ciências. Você e a doutora Mangor vão se dar muito bem. Ela é uma excelente profissional, considerada uma das melhores glaciologistas do planeta. Na verdade, ela foi morar na Antártica durante alguns anos para estudar os movimentos das geleiras.

– Curioso – meteu-se Corky. – Eu tinha ouvido dizer que a universidade dela recebeu uma doação e decidiu enviá-la para lá de forma que pudessem ter um pouco de paz e silêncio no campus.

– Você por acaso se lembra – Ming reagiu, irritado, como se o comentário fosse algo pessoal – de que a doutora Mangor quase morreu por lá? Ela se perdeu em uma tempestade e teve que sobreviver comendo gordura de foca durante cinco semanas antes que fosse resgatada.

Corky sussurrou para Rachel:
— Ouvi dizer que ninguém estava procurando por ela.

CAPÍTULO 26

O trajeto de limusine dos estúdios da CNN para o escritório de Sexton pareceu interminável para Gabrielle. O senador estava sentado à sua frente, olhando pela janela, obviamente festejando seu desempenho no debate.

— Mandaram Tench para um programa vespertino de televisão — ele disse, virando-se com um belo sorriso. — A Casa Branca está ficando desesperada.

Gabrielle balançou a cabeça, incerta. Ela entrevira um olhar de satisfação quando Marjorie Tench saiu, e aquilo a deixou apreensiva.

O telefone celular pessoal de Sexton tocou e ele enfiou a mão no bolso para pegá-lo. O senador, como a maioria dos políticos, tinha uma hierarquia de números de telefone através dos quais podia ser contatado, dependendo de quão importante fosse o interlocutor. Quem estava ligando naquele momento ocupava obviamente o topo da lista: a chamada era para a linha pessoal de Sexton, um número para o qual mesmo Gabrielle evitava ligar.

— Senador Sedgewick Sexton — ele disse ao atender, realçando a sonoridade de seu nome.

Gabrielle não podia ouvir quem estava do outro lado da linha em meio aos sons que entravam pela limusine, mas Sexton estava prestando bastante atenção e respondendo de forma animada.

— Excelente. Estou muito feliz por você ter ligado. Podemos marcar às seis? Ótimo. Tenho um apartamento aqui na capital. Discreto e confortável. Você já tem o endereço, não é? Certo. Vai ser bom encontrá-lo. Nos vemos à noite, então.

Sexton desligou, parecendo muito feliz consigo mesmo.

— Um novo fã de Sexton? — perguntou Gabrielle.

— É, estão se multiplicando. Esse cara é um peso pesado.

— Deve ser. Para encontrá-lo em seu próprio apartamento... — Sexton em geral defendia a santa privacidade de seu apartamento como um leão protegendo seu último esconderijo.

Ele deu de ombros.

— É. Achei que valia a pena dar um toque pessoal. Esse cara pode dar uma força na reta final. Preciso continuar com esses encontros pessoais, você sabe. Tudo depende de confiança.

Gabrielle assentiu, pegando a agenda de Sexton.

– Você quer que eu inclua o encontro na sua agenda?

– Não é necessário. Eu já havia planejado ficar em casa à noite de qualquer forma.

Gabrielle encontrou a página referente àquela noite e reparou que já estava rabiscada com a letra do senador. Havia sido marcada com "A.P." – a abreviatura que ele criara para assuntos pessoais. De tempos em tempos, o senador agendava uma noite de "A.P." para que pudesse ficar enfurnado em seu apartamento, desligar todos os telefones e fazer aquilo de que mais gostava: tomar alguns copos de conhaque com velhos amigos e fazer de conta que tinha deixado a política de lado durante aquela noite.

Gabrielle olhou para ele, surpresa.

– Nossa. Quer dizer que você está deixando um encontro de negócios entrar em um tempo previamente reservado para seus assuntos pessoais? Estou impressionada.

– Esse cara conseguiu me achar em uma noite na qual tenho algum tempo livre. Queria conversar com ele. Ver o que tem a me dizer.

Gabrielle queria perguntar quem era a pessoa misteriosa ao telefone, mas Sexton estava sendo intencionalmente evasivo, e ela já havia aprendido quando era hora de ficar calada.

O carro saiu do cinturão periférico e entrou nas vias menores, em direção ao escritório de Sexton. A assistente olhou novamente para o tempo destinado a "A.P." na agenda do senador e teve a estranha sensação de que ele já esperava aquela chamada.

CAPÍTULO 27

No centro da habisfera da NASA destacava-se uma estrutura com três pés, de pouco mais de cinco metros de altura, constituída de um andaime modular. Parecia uma combinação de torre de exploração de petróleo com um modelo maluco da Torre Eiffel. Rachel observou o dispositivo, mas foi incapaz de imaginar como aquilo poderia ser usado para extrair o enorme meteorito.

Abaixo da torre, diversos guinchos haviam sido aparafusados em folhas de metal que, por sua vez, foram fixadas no gelo com grandes pinos. Enroscados em volta dos guinchos, cabos de aço subiam por uma série de polias até o alto da torre. De lá, mergulhavam verticalmente em furos estreitos abertos no gelo por perfuratrizes. Vários trabalhadores musculosos da NASA se revezavam na tarefa de girar as manivelas dos guinchos. A cada nova volta, os cabos deslizavam alguns centímetros para cima através dos furos, como se os homens estivessem puxando uma âncora.

Obviamente há algo que não estou entendendo, pensou Rachel, enquanto ela e os outros se aproximavam do local da extração. Os homens da NASA pareciam estar erguendo o meteorito diretamente *através* do gelo.

– MANTENHAM A TENSÃO CONSTANTE! MAS QUE DROGA! – gritou uma voz feminina por perto, com a suavidade de uma serra elétrica.

Rachel olhou na direção da voz e viu uma mulher baixa usando uma roupa de proteção contra o frio amarela e suja de graxa. Ela estava de costas para Rachel, mas ainda assim não havia a menor dúvida de que estava no comando da operação. Fazendo anotações em uma prancheta, a mulher andava de um lado para o outro, observando, como um treinador agitado.

– Não me digam que as donzelas já estão cansadas!

Corky gritou:

– Ei, Norah, pare de chatear esses pobres coitados e venha aqui para um papo mais íntimo.

A mulher nem se virou.

– É você, Marlinson? Posso reconhecer essa voz fina de longe. Volte quando tiver passado da puberdade.

Corky virou-se para Rachel e disse:

– Norah mantém nosso moral alto com seu charme.

– Eu ouvi o que disse, menino-prodígio – respondeu a doutora Mangor, ainda anotando coisas na prancheta. – E, se você estiver olhando para minha bunda, saiba que estas calças para neve acrescentam uns 15 quilos.

– Sem problemas – respondeu Corky. – Não é seu bumbum de elefante que me enlouquece, é sua personalidade magnética.

– Vá se danar!

Corky riu novamente.

– Tenho boas notícias, Norah. Parece que você não foi a única mulher que o presidente recrutou.

– Não é preciso dizer, sei que ele também chamou *você*.

Tolland achou melhor intervir.

– Norah? Você tem um instante? Gostaria de lhe apresentar alguém.

Ao ouvir a voz de Tolland, a glaciologista parou no mesmo instante o que estava fazendo e virou-se. Seu jeitão rude mudou rapidamente.

– Mike! – Ela se aproximou depressa, sorrindo efusivamente. – Há horas que não o vejo.

– Eu estava editando o documentário.

– Como ficou minha parte?

– Você está linda e brilhante.

– Ele usou efeitos especiais – meteu-se Corky.

Norah ignorou a piada e virou-se para Rachel, com um sorriso polido mas orgulhoso. Depois, olhou de volta para Tolland.

– Espero que você não esteja me traindo, Mike.

Tolland ficou ligeiramente corado enquanto fazia as apresentações.

– Norah, gostaria de lhe apresentar Rachel Sexton. Ela trabalha para a comunidade de inteligência e está aqui a pedido do presidente. É filha do senador Sedgewick Sexton.

A cientista ficou visivelmente confusa.

– Não vou nem fazer de conta que entendi – disse ela, cumprimentando Rachel com um aperto de mão frouxo e sem se dar ao trabalho de tirar as luvas. – Bem-vinda ao topo do mundo.

– Obrigada – sorriu Rachel.

Estava surpresa de ver que Norah Mangor, apesar da dureza de sua voz, tinha uma fisionomia simpática e até meio travessa. Seus cabelos, com um corte desfiado, eram castanhos com luzes grisalhas, e seus olhos eram penetrantes e vivazes – dois cristais de gelo. Havia nela uma confiança ferrenha de que Rachel gostava.

– Norah – disse Tolland –, você teria um tempinho para mostrar o que está fazendo para Rachel?

A glaciologista levantou as sobrancelhas, irônica.

– Ora, ora, já estão íntimos assim?

Corky sussurrou:

– Eu te avisei, Mike.

◆◆◆

Norah Mangor andou com Rachel em torno da base da torre, enquanto Tolland e os outros seguiam um pouco atrás, conversando entre si.

– Está vendo esses buracos feitos no gelo sob o tripé? – perguntou Norah, apontando. Seu tom de voz inicialmente frio foi se suavizando à medida que falava de seu trabalho.

Rachel assentiu, olhando para baixo pelos furos no gelo. Cada buraco tinha cerca de 30 centímetros de diâmetro e era atravessado por um cabo de metal.

— Fizemos essas perfurações para obter amostras e tirar raios X do meteorito. Depois resolvemos aproveitá-las como pontos de entrada para descer alguns parafusos de anel resistentes através dos poços vazios e atarraxá-los no meteorito. Em seguida descemos algumas centenas de metros de cabo trançado por cada um dos furos, pescamos os anéis com ganchos industriais e agora estamos apenas içando o meteorito. Essas "damas" aí em volta estão levando várias horas para trazê-lo até a superfície, mas está chegando.

— Há uma coisa que não entendo – disse Rachel. — O meteorito está debaixo de milhares de toneladas de gelo. Como estão fazendo para levantá-lo?

Norah apontou para o alto do andaime, onde havia um feixe de luz vermelha brilhante descendo verticalmente na direção do gelo abaixo do tripé. Rachel já havia notado aquilo, mas pensou que era algum tipo de marcador visual, como uma linha mostrando a localização exata do meteorito.

— É um laser semicondutor de arseneto de gálio – disse Norah.

Rachel olhou mais atentamente para o feixe de luz e pôde ver que ele realmente havia feito um fino buraco no gelo e estava brilhando nas profundezas.

— Gera um feixe muito quente. Estamos aquecendo o meteorito enquanto o içamos.

Foi então que Rachel entendeu o quanto o plano traçado por aquela mulher era simples e brilhante. Norah havia apontado o laser para baixo, derretendo o gelo até que atingisse o meteorito. A pedra, densa demais para ser fundida pelo feixe de luz, começou a absorver o calor do laser e eventualmente ficou quente o suficiente para liquefazer o gelo à sua volta. À medida que os homens da NASA puxavam o meteorito, a rocha aquecida, combinada com a pressão para cima, fazia com que o gelo em volta se derretesse, abrindo caminho para trazê-lo à superfície. A água que se acumulava sobre o meteorito escorria pela pedra, mantendo o poço abaixo cheio.

Como uma faca quente cortando um pedaço de manteiga congelada.

Norah apontou para os trabalhadores que estavam operando os guinchos.

— Os geradores não agüentam tanta pressão, então estou usando os homens para içar a rocha.

— Isso é mentira! – gritou um deles. — Ela está fazendo isso porque gosta de nos ver suar!

– Relaxe – retrucou Norah. – Vocês estavam reclamando por conta de resfriados. Agora estão todos curados. Vamos lá, mais força!

Os trabalhadores riram.

– E para que servem os cones? – perguntou Rachel, apontando para vários cones laranja do tipo usado em estradas que estavam posicionados em volta da torre em lugares aparentemente aleatórios. Ela já havia notado outros daqueles cones espalhados por todo o domo.

– Equipamento fundamental para qualquer glaciologista. É um alerta de que pisar aí pode significar um tornozelo ou mesmo um pescoço quebrado. – Ela levantou um dos cones e mostrou a perfuração circular que mergulhava, como um poço sem fundo, nas profundezas da geleira. – Diria que é um lugar bem ruim para alguém pisar. – Recolocou o cone no lugar. – Fizemos perfurações em diversas partes da geleira para testar a continuidade estrutural. Normalmente, nos estudos arqueológicos, o número de anos que um objeto esteve enterrado é indicado pela *profundidade* em que foi encontrado. Quanto mais profundo estiver, mais antigo será. Então, quando encontramos algo sob o gelo, podemos datar o objeto de acordo com a quantidade de gelo que se acumulou sobre ele. Para termos certeza de que nossa datação do meteorito está correta, verificamos diversas áreas da geleira para confirmar que esta região é constituída por um bloco maciço e não foi perturbada por terremotos, fissuras, avalanches ou qualquer outro fenômeno.

– E qual foi a avaliação desta geleira?

– Perfeita. Está absolutamente inteira, sem nenhuma falha estrutural ou correntes internas de convecção. Dizemos que este meteorito é uma "queda estática". Ele permaneceu no gelo, intocado e isolado de influências externas, desde que aterrissou aqui, em 1716.

Rachel olhou para ela, incrédula.

– Você sabe o *ano* exato em que ele caiu?

Norah ficou surpresa com a pergunta.

– Claro que sim! Foi por isso que me chamaram. Eu "leio" gelo. – Ela apontou para uma pilha de tubos cilíndricos de gelo próximos a elas. Cada um se parecia com um poste translúcido e estava marcado com uma etiqueta laranja fosforescente. – Essas amostras são um registro geológico congelado. – Levou Rachel até os tubos. – Se você olhar com atenção, verá as camadas individuais dentro do gelo.

Rachel agachou-se perto de um tubo e pôde perceber que, de fato, ele era feito do que pareciam ser camadas de gelo com diferenças sutis de luminosidade e transparência. As camadas variavam de espessura, indo de algo próximo a uma folha de papel até cerca de meio metro.

– Cada inverno traz uma nova precipitação de gelo à plataforma – explicou Norah –, e cada primavera provoca um degelo parcial. Então vemos uma nova camada de compressão a cada estação. Começamos pelo topo, que indica o inverno mais recente, e vamos contando para trás.

– É como contar anéis em um tronco de árvore, então? – perguntou Rachel.

– Não é assim tão simples, senhorita Sexton. Lembre-se, estamos medindo centenas de metros de camadas. Precisamos ler também os dados climatológicos para usá-los como referência no trabalho: registros de precipitação, poluição do ar, essas coisas.

Tolland e os outros haviam se juntado a elas agora. O oceanógrafo sorriu para Rachel e disse:

– Ela sabe tudo sobre gelo, não é?

Rachel sentiu-se estranhamente feliz ao vê-lo.

– É incrível.

– A datação da doutora Mangor, de 1716, está absolutamente correta. A NASA havia concluído exatamente isso antes que chegássemos aqui. Ela fez suas próprias perfurações, retirou suas amostras, fez seus testes e confirmou o trabalho da agência – disse Tolland.

Rachel estava impressionada.

– Coincidentemente – Norah prosseguiu –, o ano de 1716 é exatamente o mesmo em que alguns exploradores relataram ter visto uma brilhante bola de fogo cruzando os céus sobre o norte do Canadá. O meteoro foi batizado como Jungersol, em homenagem ao líder da exploração.

– Então – acrescentou Corky – o fato de que a datação da amostra e os registros históricos coincidem é uma prova muito forte de que estamos olhando para um fragmento do mesmo meteorito que Jungersol disse ter visto em 1716.

– Doutora Mangor! – gritou um dos trabalhadores da NASA. – Já podemos ver as primeiras amarras!

– A visita acabou, pessoal – disse Norah. – Chegou a hora da verdade. – Pegou uma cadeira dobrável, subiu nela e gritou o mais alto que pôde: – Atenção, todo mundo! O meteorito estará na superfície em cinco minutos.

De todos os pontos do domo, como cachorros de Pavlov respondendo ao sinal para o jantar, os cientistas largaram o que estavam fazendo e se dirigiram para a zona de extração.

Norah Mangor colocou as mãos na cintura e observou seus domínios.

– Muito bem, vamos trazer o *Titanic* à tona.

CAPÍTULO 28

– **Vamos, afastem-se!** – gritou Norah, movendo-se por entre o grupo de pessoas que se amontoavam. Os trabalhadores abriram espaço. Ela assumiu o controle da situação, dando um pequeno show ao examinar a tensão dos cabos e seus alinhamentos.

– Puxem! – gritou um dos homens da NASA. Os outros giraram suas manivelas e os cabos subiram mais 15 centímetros.

Enquanto os cabos continuavam a subir, Rachel percebeu que todos se inclinavam para a frente, antecipando o momento tão esperado. Corky e Tolland estavam ao lado dela, rostos iluminados como se fossem crianças no Natal. Do outro lado do buraco surgiu a enorme figura do administrador da NASA, Lawrence Ekstrom, procurando um bom local para observar a extração.

– Argolas! – gritou um dos homens. – As guias estão visíveis.

Os cabos de aço que saíam dos furos passaram de um metal trançado prateado para uma cor amarelada.

– Mais dois metros! Mantenham o ritmo!

O grupo em torno do andaime manteve um silêncio extasiado, como espectadores em uma sessão espírita aguardando a aparição de um espectro divino, cada um se esforçando para ter o primeiro vislumbre.

Então Rachel pôde vê-lo.

Emergindo da camada cada vez mais fina de gelo, a forma ainda indefinida do meteorito começou a se tornar mais clara. A mancha era retangular e escura, inicialmente borrada, mas se tornando mais nítida conforme se aproximava da superfície.

– Apertem! – gritou um técnico. Os homens forçaram as manivelas e os andaimes rangeram.

– Falta um metro e meio! Mantenham a tensão homogênea!

Rachel já podia ver a protuberância criada no gelo pelo meteorito, como uma besta grávida prestes a dar à luz. Acima da saliência, em volta do ponto de entrada do laser, um pequeno círculo de gelo superficial começou a ceder, dissolvendo-se e abrindo um buraco cada vez maior.

– O colo está se dilatando! – alguém gritou. – Novecentos centímetros!

Uma risada tensa quebrou o silêncio.

– O.k., desliguem o laser.

Alguém acionou um controle e o feixe sumiu. Então, finalmente, chegou o momento que todos esperavam.

Como a chegada de um deus paleolítico, a enorme rocha surgiu na superfície com um chiado de vapor. Em meio à névoa, a forma colossal saiu do gelo. Os homens que controlavam as manivelas fizeram mais força, até que finalmente toda a rocha se desprendeu dos últimos vestígios de gelo e oscilou, quente e pingando, sobre um poço aberto de água ainda agitada.

Rachel estava hipnotizada.

Suspenso pelos cabos, com sua superfície rugosa, carbonizada e irregular brilhando sob as luzes halógenas, o meteorito parecia uma ameixa seca e petrificada. A rocha era lisa e arredondada em um dos cantos, aparentemente a parte que fora desbastada pela fricção enquanto ela cruzava a atmosfera.

Olhando para a crosta de fusão carbonizada, Rachel quase podia ver o meteoro rasgando os céus em direção à superfície da Terra em uma furiosa bola de fogo. Inacreditável pensar que isso havia sido há poucos séculos. Agora o gigante capturado pendia ali, dos cabos de aço, a água ainda escorrendo de sua superfície.

A caçada havia terminado.

Foi só naquele momento que Rachel realmente percebeu a dramaticidade do evento. O objeto suspenso diante dela viera de outro mundo, separado da Terra por milhões de quilômetros. E presa em seu interior havia a evidência – não, havia a *prova* de que o homem não estava sozinho no universo.

A euforia daquele momento pareceu tomar conta de todos ao mesmo tempo, e o grupo ali reunido irrompeu em assobios e aplausos. Até mesmo o administrador estava emocionado. Ele dava tapinhas nas costas dos homens e mulheres da NASA, congratulando-os. Olhando em volta, Rachel sentiu-se feliz pela NASA. A agência havia passado por tempos difíceis, mas as coisas estavam mudando. Eles mereciam aquele momento.

O grande buraco no gelo assemelhava-se agora a uma pequena piscina no meio da habisfera. A superfície dessa "piscina" de 60 metros de profundidade agitou-se por alguns momentos contra as paredes geladas do poço e depois, ao poucos, ficou plácida. A linha-d'água do poço estava a cerca de 1,5 metro abaixo da superfície da geleira, sendo essa diferença causada tanto pela remoção da massa do meteorito quanto pela propriedade que o gelo tem de se encolher ao derreter.

Norah rapidamente espalhou seus cones ao redor do buraco. Apesar de ser claramente visível, qualquer pessoa curiosa que chegasse perto demais e escorregasse acidentalmente dentro dele correria risco de vida. As paredes do poço eram feitas de gelo sólido, sem apoio algum, e sair de lá sem ajuda seria impossível.

Lawrence Ekstrom caminhou através do gelo na direção deles. Foi primeiro até Norah e apertou sua mão, entusiasmado.

— Grande feito, doutora Mangor.

— Espero ler muitos elogios em futuros artigos – respondeu a glaciologista.

— Com certeza! – O administrador virou-se então para Rachel. Parecia mais feliz, aliviado, até. – Então, senhorita Sexton: nossa cética profissional está convencida?

Rachel não pôde deixar de sorrir.

— Diria que estou abismada.

— Ótimo. Então venha comigo.

❖❖❖

Rachel seguiu o administrador pela habisfera até chegarem a um grande contêiner de metal, pintado com padrões de camuflagem militar.

— Você poderá falar com o presidente daí de dentro – disse Ekstrom.

Uma cabine de comunicação segura, pensou ela. Era comum em frentes de batalha, mas Rachel não esperava encontrar uma delas numa missão de paz da NASA. Por outro lado, Ekstrom já havia trabalhado no Pentágono, então certamente tinha acesso fácil a instalações daquele tipo. Olhando para a expressão rígida dos dois guardas armados que estavam a postos à frente da cabine, ela teve a nítida impressão de que o contato com o mundo externo só podia ser feito com a autorização expressa do administrador.

Ekstrom falou rapidamente com um dos guardas do lado de fora do trailer e depois retornou até onde Rachel estava.

— Boa sorte – disse ele, e depois partiu.

Um dos guardas bateu na porta do trailer e ela foi aberta de dentro. Um técnico surgiu e fez sinal para que Rachel entrasse. Ela o seguiu.

O interior da cabine era escuro e apertado. A única luz lá dentro vinha de um monitor de computador, e seu brilho azulado permitia que fossem entrevistos equipamentos de telefonia, rádios e dispositivos de telecomunicação por satélite. Rachel já se sentia um pouco claustrofóbica. O ar da cabine era carregado, como o de um porão.

— Por favor, sente-se aqui, senhorita Sexton. – O técnico puxou um banco com rodinhas e colocou Rachel na frente do monitor de LCD. Depois posicionou um microfone bem na frente dela e colocou um enorme fone de ouvido AKG em sua cabeça. O técnico verificou uma listagem de senhas de encriptação, depois digitou uma longa seqüência de letras e números em um teclado próximo. Um contador surgiu na tela diante de Rachel.

00:60 SEGUNDOS

O técnico pareceu satisfeito com aquilo e disse:
– Um minuto para estabelecimento da conexão. – Virou-se e saiu, batendo a porta atrás dele. Rachel ainda pôde ouvi-lo fechando a tranca do lado de fora.
Ótimo.

Enquanto esperava ali, no escuro, olhando a contagem regressiva de 60 segundos passar lentamente, ela se deu conta de que era o primeiro momento de privacidade que tinha desde o início daquela manhã. Havia acordado naquele dia sem a menor noção do que iria acontecer. *Vida extraterrestre.* A partir daquele dia, o mito mais popular dos tempos modernos deixava de ser um mito.

Rachel começou a pensar em quão devastador aquele meteorito seria para a campanha de seu pai. Embora as verbas da NASA não devessem ser colocadas no mesmo plano que a discussão sobre o aborto, a aposentadoria e a saúde pública, seu pai havia *transformado* aquilo em uma questão política. Agora a bomba iria estourar no colo dele.

Dentro de algumas horas, os americanos sentiriam novamente a emoção de um grande triunfo da NASA. Haveria sonhadores com lágrimas nos olhos. Cientistas boquiabertos. Crianças com sua imaginação fértil funcionando a mil. As questões de dólares e centavos iriam parecer migalhas, completamente ofuscadas por aquele evento monumental. O presidente ressurgiria das cinzas como uma fênix, transformando-se em herói. No meio de todas as celebrações, o senador, com sua mentalidade de contador, ficaria com a imagem de um pão-duro morrinha, sem nenhuma compreensão do sentimento de aventura da América.

O computador emitiu um bipe, e Rachel voltou a prestar atenção na tela.

00:05 SEGUNDOS

O monitor diante dela piscou brevemente e, em seguida, surgiu uma imagem borrada do selo da Casa Branca. Logo depois a imagem deu lugar à face do presidente Herney.
– Olá, Rachel – disse ele, com um brilho travesso no olhar. – Suponho que você tenha tido uma manhã movimentada, não?

CAPÍTULO 29

O escritório do senador Sedgewick Sexton ficava em um edifício de gabinetes do Senado na Rua C, a nordeste do Capitólio. A construção era uma justaposição neomoderna de retângulos brancos que os críticos diziam parecer mais uma prisão do que um prédio de escritórios. Muitos dos que trabalhavam lá sentiam exatamente o mesmo.

No terceiro andar, Gabrielle Ashe andava nervosamente de um lado para o outro em frente de seu terminal de computador. Havia uma nova mensagem de e-mail em sua tela e ela não sabia bem o que pensar a respeito.

As duas primeiras linhas diziam:

SEDGEWICK FOI IMPRESSIONANTE NA CNN.
TENHO MAIS INFORMAÇÕES PARA VOCÊ.

Ela vinha recebendo mensagens desse tipo nas últimas semanas. O endereço do remetente era falso, mas ainda assim ela havia conseguido estabelecer um vínculo com o domínio "whitehouse.gov". Aparentemente, seu misterioso informante era alguém de dentro da Casa Branca e, independentemente de sua real identidade, havia se tornado a fonte de Gabrielle para diversas informações políticas de grande valor nos últimos tempos, como aquela notícia sobre a reunião secreta entre o administrador da NASA e o presidente.

No início, ela havia ficado desconfiada dos e-mails. Porém, à medida que foi verificando a veracidade das dicas, ficou impressionada ao descobrir o quanto as informações eram corretas e úteis. Iam desde informações secretas sobre gastos excessivos da NASA, missões futuras acima do orçamento, dados mostrando que a busca por vida extraterrestre havia recebido verbas incrivelmente exageradas e até mesmo pesquisas de opinião internas demonstrando que a agência espacial era a questão que estava retirando votos do atual presidente.

Para fazer com que o senador achasse que ela tinha um valor ainda maior, Gabrielle nunca lhe contara que estava recebendo e-mails anônimos vindos de dentro da Casa Branca. Apenas repassava as informações dizendo que tinham vindo de "uma de suas fontes". Sexton se mostrava agradecido e já estava naquele jogo tempo suficiente para não perguntar qual era a fonte. Para Gabrielle, estava claro que ele suspeitava de que ela estava trocando favores sexuais pelas informações. O mais perturbador é que isso não parecia incomodá-lo.

Ela parou de andar e olhou novamente para a mensagem que havia chegado. As conotações de todos os e-mails eram claras: alguém de dentro da Casa Branca queria que o senador Sexton ganhasse aquela eleição e o estava ajudando, fornecendo munição para seu ataque contra a NASA.

Mas quem seria? E por quê?

Um rato abandonando o navio antes do naufrágio, ela concluíra. Em Washington, algumas vezes ocorria que um funcionário da Casa Branca, com medo de que seu presidente estivesse prestes a perder o posto, fizesse alguns favores discretos para o possível sucessor, na esperança de manter seu poder ou obter um cargo após a futura posse. Aparentemente alguém estava sentindo o cheiro da vitória de Sexton e tinha resolvido investir no mercado de futuros.

Mas, ao ler novamente a mensagem na tela do seu computador, Gabrielle ficou nervosa. Não se parecia com nenhuma outra das que havia recebido. As primeiras linhas não a preocupavam. O problema eram as duas últimas:

PORTÃO DE ENCONTROS DA ALA LESTE, 16h30.
VENHA SOZINHA.

Seu informante nunca pedira para encontrá-la pessoalmente. E, mesmo assim, Gabrielle teria esperado um local mais sutil para um encontro pessoal. Até onde ela sabia, só existia um lugar com esse nome em Washington – e ficava do lado de fora da Casa Branca. *O que era aquilo, uma piada?*

Gabrielle sabia que não podia responder por e-mail, já que as mensagens sempre voltavam com o aviso de que o destinatário não existia. A conta de seu correspondente era anônima, o que não era surpresa alguma, claro.

Devo consultar Sexton? Decidiu rapidamente que não seria uma boa idéia: ele estava em uma reunião. Além disso, se ela lhe contasse sobre aquele e-mail, teria que falar também sobre os outros. Ela concluiu que a oferta de seu informante de encontrá-la em público, em plena luz do dia, deveria ser para que Gabrielle se sentisse segura. Afinal, tudo o que aquela pessoa fizera nas últimas semanas havia sido para ajudá-la. Fosse lá quem fosse, obviamente era amigável.

Lendo o e-mail uma última vez, Gabrielle olhou para o relógio. Ainda tinha uma hora pela frente.

CAPÍTULO **30**

O administrador da NASA estava se sentindo mais tranqüilo agora que o meteorito havia sido removido do gelo sem maiores problemas. *Tudo está se encaixando*, pensou consigo mesmo enquanto atravessava o domo em direção à área de trabalho de Tolland. *Nada mais pode nos deter.*

– Como está indo seu trabalho? – Ekstrom perguntou, colocando-se ao lado do cientista da televisão.

Tolland tirou os olhos do computador, parecendo cansado mas animado.

– A edição está quase pronta. Só estou acrescentando algumas imagens da extração do meteorito que seu pessoal acabou de fazer. Deve estar pronto daqui a pouco.

– Ótimo.

O presidente tinha pedido que Ekstrom enviasse o arquivo com o documentário de Tolland para a Casa Branca tão cedo quanto possível.

Apesar de ter se mostrado inicialmente contrário ao desejo do presidente de chamar Tolland para esse projeto, Ekstrom mudara de idéia depois de ver uma versão preliminar do documentário. Sua narrativa inspiradora, combinada com as entrevistas feitas com os cientistas, havia sido editada para produzir 15 minutos emocionantes e didáticos de informações científicas. Com pouco esforço, Tolland fora bem-sucedido num quesito em que a NASA freqüentemente costumava falhar: descrever uma descoberta científica em um nível que o público comum pudesse entender, mas sem parecer condescendente.

– Quando tiver terminado a edição – disse Ekstrom –, por favor traga a versão final para a área de imprensa. Vou pedir a alguém que transmita uma cópia digital para a Casa Branca.

– Sim, senhor – respondeu Tolland, voltando a trabalhar.

O administrador seguiu em frente. Quando chegou à parede norte, ficou feliz por ver que a "área de imprensa" da habisfera tinha sido concluída a contento. Um grande carpete azul fora colocado sobre o gelo. No centro do carpete havia uma longa mesa de conferências com diversos microfones, um emblema da NASA e uma enorme bandeira norte-americana ao fundo. Para dar o toque final, o meteorito havia sido transportado em um trenó especial até sua posição de honra, bem na frente da mesa de conferências.

Ekstrom também ficou feliz em ver que o clima na área de imprensa era de celebração. Muitos dos membros de sua equipe estavam agora reunidos em torno do meteorito, estendendo as mãos sobre aquela massa ainda quente como se estivessem em volta de uma fogueira de acampamento.

Este é o momento, decidiu Ekstrom. Andou até várias caixas que estavam sobre o gelo atrás da área de imprensa. Ele havia pedido que trouxessem aquela encomenda da Groenlândia pela manhã.

– Pessoal, bebidas por minha conta! – gritou, passando latas de cerveja para sua animada equipe.

– Ei, chefe! – gritou alguém. – Obrigado! Elas estão até geladas!

Ekstrom abriu um sorriso, algo bem raro.

– É que elas estavam no gelo.

Todos riram.

– Mas espere aí! – alguém gritou em seguida, dando um olhar de desprezo bem-humorado para sua lata. – Esta coisa é canadense! Onde está seu patriotismo?

– Vocês sabem que tivemos cortes orçamentários. Foi o mais barato que pude encontrar.

Mais risos.

– Atenção, pessoal! – gritou alguém da equipe de transmissão de TV da NASA, usando um megafone. – Vamos ligar a iluminação para a filmagem. Vocês podem ficar temporariamente cegos.

– E nada de beijinhos no escuro – berrou outra pessoa. – Este é um horário "família".

Ekstrom deu uma risadinha, divertindo-se com as brincadeiras enquanto sua equipe fazia os ajustes finais nos spots e nas luzes de reforço.

– O.k., vamos ligar a iluminação de filmagem em 5, 4, 3, 2...

O interior do domo escureceu rapidamente quando as lâmpadas halógenas foram desligadas. Em poucos segundos não havia mais luz alguma e uma escuridão impenetrável tomou conta do local.

– Ei, quem beliscou minha bunda? – alguém gritou, rindo.

A escuridão durou apenas um instante antes de dar lugar à claridade ofuscante dos spots para as câmeras de televisão. Todos apertaram os olhos. A transformação estava completa. O quadrante norte da habisfera da NASA tinha se transformado em um estúdio de televisão. O restante do domo agora se parecia com um galpão de portas escancaradas à noite. A única luz no restante do domo vinha dos reflexos das luzes de TV que batiam no teto em formato de abóbada criando longas sombras ao longo das estações de trabalho agora desertas.

Ekstrom voltou às sombras, feliz por ver sua equipe festejando em torno do meteorito iluminado. Sentia-se como um pai na noite de Natal olhando as crianças se divertirem em volta da árvore.

Só Deus sabe o quanto merecem isso, pensou, sem jamais suspeitar da calamidade que viria dentro em breve.

CAPÍTULO 31

O tempo estava mudando.

Como um arauto pesaroso de um conflito iminente, o vento catabático soltava um uivo melancólico e chocava-se com força contra o abrigo da Força Delta. Delta-Um terminou de fixar a cobertura contra tempestades e voltou para dentro, onde estavam seus dois parceiros. Isso já havia acontecido antes e logo passaria.

Delta-Dois estava olhando para imagens ao vivo do microrrobô.

– É melhor você ver isso – disse para Delta-Um.

O outro aproximou-se. O interior da habisfera estava em total escuridão, tirando a luz brilhante na face norte do domo, em torno da área de imprensa. O restante dela podia ser visto apenas como contornos sombrios.

– Nada demais, estão apenas testando a luz de TV para hoje à noite – respondeu Delta-Um.

– O problema não é a luz – disse Delta-Dois apontando para a mancha escura no meio do gelo: o buraco cheio de água do qual o meteorito havia sido retirado. – Este é o problema.

Delta-Um olhou para o buraco. Continuava cercado pelos cones e a superfície da água parecia calma.

– Não estou vendo nada.

– Olhe com atenção. – Ele mexeu no joystick, fazendo com o que microrrobô descesse em espiral na direção da superfície do buraco.

Delta-Um estudou a poça de água dissolvida cuidadosamente e finalmente viu algo que o fez se contrair, surpreso.

– Mas que droga...

Delta-Três aproximou-se e olhou. Também ficou abalado.

– Meu Deus. Este é o poço de extração? A água deveria estar assim?

– Não – disse Delta-Um. – Pode ter certeza que não.

CAPÍTULO 32

Apesar de estar sentada dentro de um contêiner de metal a cinco mil quilômetros de Washington, Rachel estava tão tensa como se tivesse sido chamada à Casa Branca. O monitor do videofone à sua frente exibia uma imagem absolutamente perfeita do presidente Zach Herney sentado na sala de comunicações da Casa Branca à frente do selo presidencial. A conexão de áudio digital também era excelente e, se não fosse pelo pequeno atraso no sinal, ele poderia muito bem estar sentado na sala ao lado.

A conversa estava fluindo bem, num tom animado. O presidente parecia estar feliz, embora não surpreso, que Rachel tivesse um parecer favorável sobre a descoberta da NASA e também sobre sua escolha quanto a usar a personalidade cativante de Michael Tolland como porta-voz. O presidente estava amigável e bem-humorado.

— Estou certo de que você irá concordar – disse ele, um pouco mais sério – que, em um mundo perfeito, as implicações dessa descoberta seriam apenas científicas por sua própria natureza. – Fez uma pausa e inclinou-se para a frente. Sua face preencheu toda a tela. – Infelizmente, nosso mundo não é perfeito, e esse triunfo da NASA irá se tornar uma bomba política assim que eu o anunciar.

— Considerando-se as provas conclusivas e as pessoas que o senhor recrutou para apoiá-las, não posso imaginar como o público ou qualquer um de seus opositores possa fazer algo além de aceitar essa descoberta como um fato indiscutível.

Herney deu um risinho quase triste.

— Meus opositores políticos *acreditarão* no que irão ver, Rachel. Minha grande preocupação é que não vão *gostar* disso.

Rachel notou como o presidente estava sendo cuidadoso ao não mencionar seu pai diretamente. Ele falava apenas em termos de "meus opositores" ou "opositores políticos".

— E o senhor acha que a oposição irá levantar a hipótese de uma conspiração por motivos meramente políticos?

— É assim que o jogo funciona. Basta que alguém lance uma dúvida vaga, dizendo que essa descoberta é uma espécie de fraude política preparada pela NASA e pela Casa Branca, e, subitamente, eu me verei diante de uma comissão de inquérito. Os jornais logo se esquecerão de que a NASA possui provas de vida extraterrestre, e a mídia se esforçará para encontrar provas de uma armação. É triste, porque qualquer insinuação de conspiração em relação a essa descoberta será ruim para a ciência, ruim para a Casa Branca, ruim para a NASA e, muito sinceramente, ruim para o nosso país.

— Foi por isso que o senhor adiou o anúncio até ter uma confirmação completa e o apoio de alguns cientistas de grande reputação.

— Meu objetivo é apresentar esses dados de forma tão incontestável que qualquer cinismo seja cortado pela raiz. Quero que a descoberta seja celebrada com a plena dignidade que ela merece. É algo que devemos à NASA.

A intuição de Rachel já estava emitindo sinais de alerta. *E o que ele quer de mim?*

— É claro que você se encontra em uma posição especial para me ajudar. Sua experiência como analista, assim como seus laços óbvios com meu oponente lhe dão uma enorme credibilidade em relação a essa descoberta — prosseguiu o presidente.

Rachel sentiu-se desiludida. *Ele quer me usar, exatamente como Pickering disse que faria!*

— Tendo dito isso, eu queria lhe pedir que endossasse essa descoberta pessoalmente, como minha ligação de inteligência na Casa Branca... e como filha de meu oponente.

Lá estava o pedido, preto sobre branco. *Herney quer meu apoio pessoal.*

Rachel havia pensado, sinceramente, que Zach Herney estivesse acima desse tipo lamentável de politicagem. Uma confirmação pública de Rachel iria transformar o meteorito em uma questão pessoal para seu pai, deixando o senador sem nenhuma capacidade de questionar a credibilidade da descoberta sem atacar a credibilidade da própria filha. O que seria, claro, uma sentença de morte para um candidato que proclamava que "a família vinha sempre em primeiro lugar".

— Francamente, senhor — disse Rachel, olhando para o monitor —, estou surpresa que me peça para exercer esse papel.

O presidente pareceu espantado.

— Achei que você ficaria animada por estar ajudando.

— Animada? Senhor, deixando de lado minhas questões pessoais com meu pai, esse pedido me deixa numa posição insustentável. Já tenho um bom número de problemas com meu pai sem me confrontar com ele em um duelo político de vida ou morte. Embora possa admitir que não gosto dele, ainda assim é meu pai, e colocar-me contra ele em um fórum público me parece, com toda a sinceridade, abaixo do seu nível.

— Espere aí! — Herney disse, levantando suas mãos em sinal de "paz". — Eu não disse nada a respeito de um fórum público!

Depois de um breve silêncio, Rachel falou:

— Presumi que o senhor quisesse que eu me juntasse ao administrador da NASA na mesa para a coletiva desta noite.

A gargalhada de Herney fez tremer os alto-falantes.

— Rachel, quem você acha que eu sou? Realmente acredita que eu iria pedir a alguém para dar uma facada nas costas do próprio pai em cadeia nacional de televisão?

— Mas... o senhor disse...

— E você acha que eu iria fazer com que o administrador da NASA dividisse os louros dessa vitória com a filha de seu arquiinimigo? Sem nenhuma ofensa, Rachel, essa coletiva é uma apresentação *científica*. Não tenho idéia de qual seja o seu conhecimento de meteoritos, fósseis ou estrutura dos icebergs, mas acho que não iria acrescentar muito à credibilidade da apresentação.

Rachel sentiu-se corar.

— Mas, então... que tipo de endosso o senhor deseja de mim?

— Um que está bem mais de acordo com sua posição.

— Senhor?

— Você é uma agente de ligação do NRO com a Casa Branca. Queria que você apresentasse dados de importância nacional para minha equipe.

— O senhor quer que eu confirme essa descoberta para sua própria equipe?

Herney parecia ainda estar se divertindo com o mal-entendido.

— Sim, é claro. O ceticismo que vou enfrentar fora da Casa Branca não é nada comparado ao que estou enfrentando aqui dentro neste exato momento. Estamos em meio a um completo motim. Minha credibilidade junto à equipe está a zero. Todos têm me pedido sucessivas vezes para cortar os fundos da NASA. Eu os ignorei e isso foi suicídio político.

— Até agora.

— Exatamente. Como conversamos esta manhã, o *timing* dessa descoberta irá parecer suspeito para os cínicos da área política, e não há pessoas mais cínicas do que minha própria equipe neste momento. Portanto, quando ouvirem as informações pela primeira vez, queria que a fonte fosse...

— O senhor não contou *à sua equipe* sobre o meteorito?

— Apenas alguns assessores de alto escalão sabem da descoberta.

Rachel ficou chocada. *Não é surpresa que ele esteja às voltas com um motim.*

— Mas essa não é minha área normal de atuação. Um meteorito dificilmente poderia ser considerado como um relatório de inteligência.

— De fato, não no sentido tradicional, mas ele tem, com certeza, todos os elementos de seu trabalho habitual: dados complexos que precisam ser depurados e resumidos, implicações políticas importantes...

– Não sou especialista em meteoritos, senhor. Sua equipe não deveria receber um comunicado de alguém como o administrador da NASA?

– Você está brincando? Todos aqui odeiam o homem. Do ponto de vista deles, Ekstrom é um vendedor trapaceiro que me fez entrar em uma infinidade de maus negócios.

Rachel tinha que concordar com essa visão.

– E que tal Corky Marlinson, Medalha Nacional de Astrofísica? Ele tem muito mais credibilidade do que eu.

– Minha equipe é composta por políticos, não por cientistas. Você já conversou com o doutor Marlinson. Acho que é um sujeito brilhante, mas, se eu soltar um astrofísico em meio aos meus articuladores políticos acostumados a pensar dentro de padrões e conjuntos de regras, vou terminar com uma sala cheia de pessoas atônitas com olhos fixados no infinito. Preciso de alguém que seja acessível. Preciso de você, Rachel. Meu pessoal conhece seu trabalho, e, considerando-se o seu sobrenome, você é a porta-voz mais neutra que eles poderiam desejar.

Rachel sentiu-se atraída pelo estilo amistoso do presidente.

– Pelo menos o senhor admite que ser a filha de seu oponente tem algo a ver com esse pedido.

O presidente deu uma risadinha envergonhada.

– Claro que sim. Mas, como pode imaginar, minha equipe será informada de alguma maneira, não importa qual seja a sua decisão. Você não é o prato principal, Rachel, apenas a cereja do bolo. É a pessoa mais qualificada para apresentar esse relatório e por acaso também é uma parente direta do homem que quer expulsar meus funcionários da Casa Branca nas próximas eleições. Você tem, portanto, uma dupla credibilidade.

– O senhor deveria trabalhar em vendas.

– Na verdade, já trabalho. Assim como seu pai. E, sendo muito franco, gostaria de levar a melhor desta vez. – O presidente tirou os óculos e olhou diretamente para os olhos de Rachel. Ela sentiu um pouco do poder de seu próprio pai naquele olhar. – Estou lhe pedindo isso como um favor, mas também porque acredito que é parte de seu trabalho. Então, qual é a sua decisão? Sim ou não?

Rachel sentiu-se acuada dentro do pequeno trailer. *Nada como um pouco de pressão.* Mesmo a cinco mil quilômetros de distância, ela podia sentir a força do presidente através da tela. Também sabia que era um pedido perfeitamente razoável, quer ela gostasse ou não.

– Tenho minhas condições – respondeu por fim.

Herney levantou uma sobrancelha.

– Tais como?

– Vou me encontrar com sua equipe em um local privado. Sem repórteres. Farei um relatório interno e não uma aparição pública.

– Você tem minha palavra quanto a isso. Sua reunião já está marcada para um local completamente privado.

Rachel suspirou e, por fim, concordou.

O presidente sorriu.

– Excelente.

Ela olhou para o relógio e ficou surpresa ao perceber que já passava das quatro da tarde.

– Mas... se o senhor irá entrar no ar, ao vivo, às oito da noite, não teremos tempo. Mesmo usando aquela "coisa" odiosa que me trouxe até aqui, não teria como estar de volta à Casa Branca a tempo. Precisaria preparar minhas observações e...

O presidente apenas sacudiu a cabeça.

– Perdão, acho que não fui claro. Você transmitirá o relatório exatamente de onde está, através de uma videoconferência.

– Ah... – Rachel hesitou. – E a que horas isso seria?

– Vejamos... – disse Herney, com um sorriso sagaz. – Que tal agora mesmo? Todos já estão reunidos e olhando para uma grande tela em branco no momento. Estão esperando por você.

O corpo de Rachel se retesou.

– Mas, senhor, estou totalmente despreparada, eu não poderia...

– Apenas lhes diga a verdade. É tão difícil assim?

– Mas...

– Rachel – disse o presidente, inclinando-se em direção à tela –, lembre-se, você resume e retransmite dados diariamente. É seu trabalho. Apenas fale do que está acontecendo por aí. – Ele estendeu a mão para apertar um botão em seu painel de transmissão de vídeo, mas fez uma breve pausa antes. – Acho que você irá gostar de saber que eu a coloquei em uma posição de poder.

Rachel não entendeu bem o que ele quis dizer, mas já era tarde para perguntar. O presidente apertou o botão.

A tela diante de Rachel ficou em branco por um instante. Quando voltou a transmitir, ela se viu em uma das situações mais perturbadoras de sua vida. Estava olhando para o Salão Oval da Casa Branca. A sala estava lotada de gente, todos de pé. Aparentemente toda a equipe da Casa Branca estava lá, olhando para ela. Rachel percebeu, então, que seu ponto de vista era de alguém situado acima da mesa do presidente.

Falando de uma posição de poder.

Rachel estava suando frio. Pelas expressões das pessoas, os membros da equipe da Casa Branca estavam tão surpresos quanto ela.

– Senhorita Sexton? – disse uma voz rouca.

Rachel procurou em meio ao mar de rostos e encontrou quem havia falado. Era uma mulher magricela que acabara de tomar lugar na primeira fila. Marjorie Tench. A figura era inconfundível, mesmo no meio de uma multidão.

– Obrigada por juntar-se a nós, senhorita Sexton – disse Marjorie. – O presidente falou que você teria algumas informações interessantes a nos transmitir.

CAPÍTULO 33

Aproveitando a escuridão, o paleontologista Wailee Ming estava sentado, sozinho em sua estação de trabalho, tomado por pensamentos. Sentia-se eletrizado imaginando o evento daquela noite. *Em breve serei o paleontologista mais famoso do mundo.* Esperava que Michael Tolland tivesse sido generoso com ele, dando bastante destaque às suas declarações no documentário.

Enquanto se deleitava com a fama iminente, uma leve vibração fez estremecer o gelo sob seus pés, fazendo com que desse um pulo da cadeira. Como morador de Los Angeles, área sempre propensa a tremores e terremotos, ele tinha instintos aguçados em relação ao assunto, sendo hipersensível até mesmo aos menores movimentos do chão. Naquele momento, contudo, Ming sentiu-se meio tolo pensando que a vibração era perfeitamente normal. *É apenas a geleira se fragmentando*, pensou, soltando um suspiro. Ele ainda não tinha se acostumado com aquilo. De tantas em tantas horas, uma explosão distante retumbava pela noite, enquanto em algum lugar da costa da geleira um enorme bloco rachava e caía no mar. Norah Mangor tinha uma maneira poética de encarar aquilo. *Bebês-iceberg nascendo...*

Ainda de pé, Ming esticou os braços. Olhou em volta da habisfera e viu, ao longe, uma celebração em andamento sob as luzes fulgurantes da televisão. Como não gostava muito de festas, resolveu caminhar na direção oposta.

O labirinto deserto de estações de trabalho se parecia agora com uma cidade-fantasma, e todo o domo tinha um ar quase sepulcral. Um vento frio soprava pelo salão, e Ming abotoou seu sobretudo de lã de camelo.

Mais à frente viu o poço de extração, o ponto do qual o mais magnífico de todos os fósseis da história havia sido retirado. O gigantesco tripé de metal já tinha sido desmontado e a poça d'água permanecia ali, solitária, cercada pelos cones, como uma espécie de buraco no asfalto em um vasto estacionamento de gelo. Ming dirigiu-se para o fosso, mantendo uma distância segura da piscina de água gélida. Em breve ela iria congelar novamente, apagando qualquer traço de que alguém já estivera lá.

Era uma bela visão, pensou Ming. *Mesmo no escuro.*

Principalmente no escuro.

Ming achou aquilo estranho. Então percebeu.

Há algo de errado.

Ao examinar com mais atenção a água, sentiu seu contentamento anterior dar lugar a uma súbita confusão de pensamentos conflitantes. Piscou os olhos, olhou de novo e então virou-se rapidamente para o outro lado do domo... em direção às pessoas que estavam comemorando na área de imprensa, a 50 metros dali. Ele sabia que não podiam vê-lo de tão longe, no escuro.

Eu deveria contar a alguém sobre isso, não?

Ming observou novamente a água, pensando no que iria dizer aos outros. Seria uma ilusão de ótica? Algum tipo de reflexo bizarro?

Em dúvida, resolveu passar dos cones e ficou agachado próximo à borda do fosso. A água estava a um metro e meio do nível do gelo, mais ou menos, e ele se inclinou para ver melhor. Sim, de fato havia algo estranho ali. Era impossível não ver e, ainda assim, ninguém havia percebido até que as luzes do domo fossem apagadas.

Ming levantou-se. Definitivamente era preciso contar aquilo para alguém. Começou a andar rápido na direção da área de imprensa. Deu alguns passos e parou. *Meu Deus!* Voltou para o buraco, seus olhos se arregalaram com o que havia acabado de imaginar.

Impossível!, pensou em voz alta.

Ainda assim, sabia que era a única explicação. *Analise cuidadosamente*, disse a si mesmo. *Deve haver uma explicação mais razoável.* No entanto, quanto mais pensava, mais convencido ficava quanto ao que estava vendo. *Não havia outra justificativa!* Ele não podia acreditar que a NASA e Corky Marlinson tivessem deixado passar algo tão incrível, mas não iria reclamar por causa disso.

Esta é uma descoberta de Wailee Ming agora!

Tremendo de excitação, correu até uma estação de trabalho próxima e pegou uma proveta. Tudo de que precisava era uma amostra da água. Ninguém iria acreditar naquilo!

CAPÍTULO 34

— **Como agente de ligação** com a Casa Branca — dizia Rachel Sexton, tentando manter a voz firme enquanto se dirigia ao grupo de pessoas na tela à sua frente —, minhas tarefas incluem eventuais viagens para locais de importância política ao redor do globo, a análise das situações e posterior elaboração de relatórios para o presidente e para a equipe da Casa Branca.

Uma gota de suor se formou no alto de sua testa e Rachel removeu-a de maneira sutil, amaldiçoando o presidente mentalmente por tê-la colocado naquela situação sem nenhum aviso prévio.

— Nenhuma de minhas viagens anteriores havia sido para um lugar tão exótico — disse Rachel, apontando o trailer cheio de equipamentos em torno dela. — Inacreditavelmente, estou falando com vocês, neste momento, de uma geleira com 90 metros de espessura situada acima do Círculo Ártico.

Ela pôde sentir a expectativa e a perplexidade se espalhando nas faces das pessoas. Todos sabiam, é claro, que haviam sido espremidos dentro do Salão Oval por um bom motivo, mas certamente não esperavam que estivesse relacionado a eventos ocorrendo acima do Círculo Ártico.

O suor começou a escorrer novamente. *Concentre-se, Rachel. Isso é só parte do que você faz diariamente.*

— Estou perante vocês, nesta tarde, com grande honra, orgulho e, acima de tudo, muita emoção.

Olhares vagos na tela.

Que se dane, pensou ela, raivosamente secando o suor. *Eu não pedi para estar aqui.* Em uma situação daquelas, sua mãe provavelmente diria: "Quando não souber bem o que dizer, apenas diga!" A frase continha uma das crenças básicas de sua mãe, a de que qualquer desafio pode ser superado quando se fala a verdade, não importa qual seja.

Respirando fundo, Rachel endireitou-se na cadeira e olhou firme para a câmera.

— Pessoal, mil desculpas. Vocês não devem entender como posso estar suando em bicas numa geleira... Bem, estou um pouco nervosa.

As pessoas se mexeram um pouco. Houve risadas contidas.

— Além disso, seu chefe só me avisou com 10 segundos de antecedência que eu iria me deparar com toda a sua equipe reunida. Esse batismo de fogo não é exatamente o que eu esperava em minha primeira visita ao Salão Oval.

Mais risadas desta vez.

– E – disse ela, olhando para baixo da tela – eu certamente não imaginei que estaria sentada na mesa do presidente... muito menos *sobre* ela.

Essa última tirada provocou gargalhadas e sorrisos abertos. Rachel sentiu sua musculatura relaxar. *Basta ir direto ao assunto agora.*

– Vou lhes explicar a situação. – Ela podia reconhecer a própria voz agora. Clara e serena. – O presidente Herney tem estado fora da mídia durante esta última semana não por falta de interesse em sua própria campanha, mas porque esteve profundamente envolvido com um outro assunto. Uma questão que lhe pareceu muito mais importante.

Rachel fez uma pausa, percorrendo sua audiência com o olhar.

– Uma grande descoberta científica foi feita aqui, neste lugar chamado geleira Milne, no Ártico. O presidente irá informar o mundo inteiro a esse respeito durante a coletiva de imprensa hoje, às oito da noite. A descoberta foi feita por um esforçado grupo de americanos que tem sofrido uma série de reveses nos últimos tempos e merece algo de bom. Estou me referindo à NASA. Vocês podem sentir-se orgulhosos sabendo que seu presidente, aparentemente com uma clarividente confiança, fez questão de apoiar a NASA durante este período difícil. Agora parece que sua lealdade foi recompensada.

Foi só então que Rachel percebeu o quanto aquele momento era histórico. Sentiu sua garganta se contraindo, mas abstraiu-se da tensão e seguiu em frente.

– Como uma agente de inteligência especializada na análise e verificação de dados, sou uma dentre diversas pessoas que o presidente chamou para verificar e corroborar os dados da NASA. Examinei-os pessoalmente e também conversei com diversos especialistas tanto do governo quanto civis, cientistas cuja reputação está acima de qualquer dúvida e cuja magnitude está além de influências políticas. É minha opinião profissional que os dados que irei lhes mostrar em seguida são inteiramente factuais em sua origem e imparciais em sua forma de apresentação. Além disso, é minha opinião pessoal que o presidente está agindo de boa-fé e fazendo jus às responsabilidades de seu cargo e à confiança depositada nele pelo público norte-americano. Ele mostrou cuidado e prudência admiráveis ao retardar esta declaração que certamente gostaria de ter feito na semana passada.

Rachel viu as pessoas trocarem olhares surpresos antes de voltarem toda a sua atenção para ela.

– Senhoras e senhores, vocês estão prestes a ouvir aquilo que, tenho certeza, será uma das mais interessantes informações já divulgadas nesta sala.

CAPÍTULO 35

A imagem transmitida para a Força Delta pelo microrrobô que circulava no interior da habisfera poderia certamente ganhar um prêmio num festival de filmes de arte. As luzes eram fracas, o poço de extração reluzia e havia um asiático bem vestido deitado sobre o gelo, com um casaco estendido em volta dele como se fosse uma grande asa. Ele estava tentando obter uma amostra de água.

– Temos que impedi-lo – disse Delta-Três.

Delta-Um concordou. A plataforma de gelo Milne escondia segredos que sua equipe tinha que proteger usando a força se necessário.

– Como vamos detê-lo? – perguntou Delta-Dois, ainda segurando o joystick. – Esse microrrobô não está equipado para ataque.

Delta-Um deixou transparecer sua raiva. O microrrobô que estava no interior da habisfera era um modelo de reconhecimento, com o peso reduzido ao mínimo para ganhar maior autonomia de vôo. Era tão mortífero quanto uma mosca.

– Devemos chamar o controlador – declarou Delta-Três.

Delta-Um observou atentamente a imagem de Wailee Ming, sozinho e precariamente debruçado sobre o poço de extração. Não havia ninguém por perto e aquela água quase congelada não lhe daria muito tempo para gritar.

– Me passa os controles.

– O que você vai fazer? – perguntou Delta-Dois, entregando-lhe o joystick.

– Aquilo que fomos treinados para fazer – respondeu Delta-Um com rispidez, assumindo o comando. – Improvisar.

CAPÍTULO 36

Wailee Ming estava deitado sobre seu estômago ao lado do buraco de extração, com o braço direito estendido por cima da borda tentando pegar uma amostra de água. Não havia ilusão de ótica nenhuma. A poucos palmos da água, ele podia ver tudo claramente.

Isto é incrível!

Alongando-se mais um pouco, Ming passou a proveta entre seus dedos, tentando encostá-la na superfície da água. Só precisava de mais alguns centímetros.

Não conseguindo estender seu braço além daquele ponto, ele decidiu posicionar-se mais perto do poço. Pressionou a ponta das botas contra o gelo e recolocou firmemente a mão esquerda na borda. Mais uma vez, estendeu o braço direito o máximo que pôde. *Quase lá.* Chegou um pouco mais perto. *Isso!* A borda da proveta desceu abaixo da superfície da água e, enquanto o tubo se enchia, ele olhava admirado.

Então, sem aviso algum, algo inexplicável aconteceu. Do nada, saindo da escuridão, como uma bala disparada de uma arma, uma pequena ponta de metal atingiu seu olho direito.

O instinto humano de proteger o olho está tão profundamente arraigado que, apesar de o cérebro de Ming lhe avisar que qualquer movimento rápido poria em risco seu equilíbrio, ele estremeceu. Foi uma reação rápida, mais pela surpresa do que pela dor. A mão esquerda, mais próxima de seu rosto, lançou-se instintivamente para proteger o globo ocular atingido. Sua mão ainda estava em movimento quando ele percebeu que cometera um erro.

Como todo o seu peso estava lançado para a frente, ao remover seu único ponto de apoio Wailee Ming se desequilibrou. Quando se recompôs já era tarde. Deixou cair a proveta e tentou segurar-se no gelo liso para evitar a queda, mas não conseguiu. O paleontologista escorregou e caiu na escuridão do poço.

A queda foi rápida, mas, assim que sua cabeça mergulhou na água gélida, pareceu que tinha se chocado contra concreto a 80 quilômetros por hora. O líquido em volta era tão frio que dava a mesma sensação de ácido corroendo a pele. Provocou um espasmo de pânico instantâneo.

De cabeça para baixo na escuridão, ele ficou temporariamente desorientado, sem saber para onde se virar em direção à superfície. O casaco grosso protegeu seu corpo do choque térmico, mas apenas durante um ou dois segundos. Quando conseguiu se ajeitar e colocar a cabeça para fora, tentando respirar, a água já havia chegado às suas costas e ao seu peito, engolfando todo o corpo em um torniquete de gelo que esmagava seus pulmões.

– So...corro – tentou gritar, mas sua voz saiu engasgada. Mal conseguia puxar ar suficiente para soltar um gemido. Sentia-se como se todo o ar houvesse sido sugado dele.

– Sooo...coor... – Seus gritos eram tão fracos que nem ele mesmo conseguia ouvi-los. Ming lutou para chegar à extremidade do poço e tentou puxar seu corpo para fora. A parede à sua frente era de gelo vertical. Não havia onde se segurar. Debaixo da água, chutava o gelo com as botas, tentando encontrar um ponto de apoio. Nada. Estendeu o braço para cima, tentando alcançar a borda, mas ela estava uns 30 centímetros além de seu alcance.

Seus músculos estavam começando a não responder. Mexeu as pernas com mais força, tentando levantar-se um pouco para conseguir alcançar a borda. Seu corpo parecia feito de chumbo e seus pulmões pareciam ter se contraído a zero, como se esmagados por uma jibóia. Seu casaco encharcado estava ficando cada vez mais pesado, puxando-o para baixo. Ming tentou tirá-lo, mas sentiu o tecido grudado no corpo.

– Socorro...

O medo tomou conta dele.

Ming havia lido uma vez que a morte por afogamento era a pior que se podia imaginar. Nunca imaginara que estaria tão próximo de passar por essa experiência. Seus músculos se recusavam a cooperar com sua mente, e o esforço para manter a cabeça fora da água parecia sobre-humano. Suas roupas encharcadas o puxavam para baixo e seus dedos dormentes arranhavam as paredes de gelo.

Seus gritos só podiam ser ouvidos em sua mente. Ele já não tinha mais voz.

Então, finalmente, submergiu. Estar consciente da proximidade da própria morte era algo terrível. No entanto, ele estava ali, afundando lentamente em um buraco de 60 metros de profundidade no gelo. Milhares de pensamentos cruzavam sua mente. Lembranças da infância. Sua carreira. Pensou se o encontrariam flutuando na água ou se iria afundar até o fim do poço e ficar congelado. Uma tumba eterna nas profundidades da geleira.

Seus pulmões gritavam por oxigênio. Segurou a respiração, ainda tentando subir à superfície. *Respire!* Lutou contra o reflexo, trincando os dentes para manter os lábios cerrados. *Respire!* Tentava em vão nadar para cima. *Respire!* Naquele momento, numa luta mortal entre instinto e razão, a necessidade de respirar ultrapassou sua capacidade de manter a boca fechada.

Wailee Ming inalou.

A água que invadiu seus pulmões parecia óleo fervendo e ele sentiu-se como se estivesse sendo queimado de dentro para fora. A água é cruel, não mata instantaneamente. Ming passou sete pavorosos segundos inalando a água gélida, de forma cada vez mais dolorosa, sem que seu corpo pudesse extrair dali o ar de que desesperadamente necessitava.

No final, quando deslizou rumo às profundezas escuras, sentiu sua consciência se esvaindo. Em torno dele, na água, pôde ver pequenos traços reluzentes.

A visão mais bela de toda a sua vida.

CAPÍTULO 37

O Portão de Encontros da Ala Leste da Casa Branca fica localizado na Avenida Executiva Leste, entre o Departamento do Tesouro e o Parque Leste. A cerca reforçada e os blocos de concreto faziam com que essa entrada tivesse um ar quase intimidador.

Do lado de fora do portão, Gabrielle Ashe olhou para o relógio, sentindo-se cada vez mais nervosa. Eram 16h45 e ninguém havia feito contato ainda.

PORTÃO DE ENCONTROS DA ALA LESTE, 16h30. VENHA SOZINHA.

Aqui estou, pensou ela. *Cadê você?*

Gabrielle analisava os rostos dos turistas que passavam, esperando alguma reação. Alguns homens olhavam para ela e depois continuavam andando. Ela estava começando a pensar se aquilo tinha sido uma idéia sensata quando percebeu que o agente do serviço secreto dentro da guarita estava observando-a. Olhando uma última vez para a Casa Branca através da grande cerca, Gabrielle suspirou e virou-se, decidida a partir.

– Gabrielle Ashe? – chamou o agente do serviço secreto atrás dela.

Gabrielle virou-se, seu coração aos saltos.

O homem fez sinal para que ela se aproximasse. Era magro e tinha um rosto sem expressão.

– Seu contato já pode recebê-la. – Ele destrancou o portão principal para que entrasse.

Os pés de Gabrielle ficaram colados ao chão.

– Devo entrar?

O guarda assentiu.

– Disseram-me que lhe pedisse desculpas por fazê-la esperar.

Ela olhou para a porta aberta e ainda assim não conseguia se mover. *O que está acontecendo?* Aquilo certamente não era o que ela esperava.

– Você é Gabrielle Ashe, não é? – perguntou o guarda, com ar de impaciência.

– Sim, senhor, mas...

– Então sugiro que me acompanhe.

Gabrielle achou que não tinha muita alternativa. Assim que passou pelo portão, ele fechou-se atrás dela.

CAPÍTULO 38

Dois dias sem ver a luz do sol haviam reajustado o relógio biológico de Tolland. Apesar de ser apenas fim de tarde, seu corpo insistia em lhe dizer que já estavam no meio da noite. Tolland já fizera os últimos ajustes em seu documentário, transferira todo o arquivo digital para um DVD e estava atravessando o domo. Quando chegou à área iluminada onde iria ocorrer a coletiva, entregou o disco para o técnico de mídia da NASA encarregado de supervisionar a apresentação.

– Obrigado, Mike – disse o técnico, piscando enquanto olhava o DVD em suas mãos. – Acho que isso vai redefinir o que chamamos de "imperdível" na TV, não é?

Tolland deu um risinho cansado.

– Espero que o presidente também pense assim.

– Não tenho dúvida. De qualquer forma, seu trabalho está feito, então sente-se, relaxe e aproveite o espetáculo.

– Obrigado! – Tolland estava de pé na área de imprensa, observando a animação do pessoal da NASA, que continuava celebrando a descoberta do meteorito com latas e mais latas de cerveja canadense. Por mais que desejasse se juntar a eles, sentia-se física e emocionalmente exausto. Olhou em volta para ver se encontrava Rachel, mas aparentemente ela ainda estava conversando com o presidente.

Ele quer colocá-la no ar, pensou Tolland. Não tinha razões para censurá-lo: Rachel seria a pessoa ideal para completar o elenco da apresentação do meteorito. Além de ser bonita, ela emanava uma autoconfiança e um equilíbrio que Tolland poucas vezes sentira nas mulheres que encontrava. Por outro lado, é claro, muitas das mulheres que conhecia eram de televisão, o que significava que eram dominadoras sedentas de poder ou então belas apresentadoras, "personalidades" a quem faltava justamente personalidade própria.

O apresentador afastou-se em silêncio da comemoração e foi andando em meio à teia de caminhos estendida pelo domo, pensando onde estariam os outros cientistas civis. Se estivessem tão cansados quanto ele, certamente estariam na área de repouso, tirando uma soneca antes do grande momento. Mais à frente, ele viu o círculo de cones colocados em volta do poço de extração. O espaço vazio do domo acima dele parecia ecoar vozes de memórias distantes. Tolland tentou não lhes dar ouvidos.

Não dê atenção aos fantasmas, pensou consigo mesmo. Muitas vezes eles voltavam, em momentos como aquele, em que estava cansado ou sozinho – momentos de triunfo ou celebração pessoal. *Ela deveria estar com você agora*, ouviu a voz dizer-lhe. Sozinho na escuridão, sentiu-se puxado em direção às lembranças que queria esquecer.

Celia Birch tinha sido sua namorada na época da faculdade. Num Dia dos Namorados, Tolland a levou ao restaurante predileto dela. Conforme o combinado, na hora da sobremesa, o garçom trouxe numa bandeja uma rosa e um anel de diamantes para Celia. Com lágrimas nos olhos, ela disse uma única palavra que deixou Tolland imensamente feliz: "Sim."

Os dois compraram uma casa pequena, perto de Pasadena, onde Celia tinha arrumado emprego como professora de ciências. Apesar do salário modesto, já era um começo. A casa também era próxima ao Instituto Scripps de Oceanografia, em San Diego, onde Tolland conseguira o trabalho de seus sonhos a bordo de um navio de pesquisas geológicas. Por conta disso, Tolland precisava passar dias longe de casa, mas seus reencontros com Celia eram sempre apaixonados e empolgantes.

Enquanto estava longe, no mar, ele começou a fazer vídeos de suas aventuras para Celia, criando minidocumentários de seu trabalho. Após uma determinada viagem, ele voltou com um vídeo caseiro granulado que gravara de dentro de um submersível de pesquisa em águas profundas. Era a primeira filmagem já feita de uma estranha lula quimiotrópica até então desconhecida. Enquanto narrava as imagens que filmava, Tolland quase não cabia dentro daquele pequeno submarino, tamanha era sua animação.

"Literalmente milhares de espécies desconhecidas vivem nestas profundezas! Nós apenas começamos a investigar. Há mistérios aqui que nenhum de nós sequer consegue imaginar", dizia ele, entusiasmado, no vídeo.

Celia ficou encantada com a empolgação do marido e também com sua explicação científica didática. Decidiu mostrar o vídeo para sua turma de ciências e o minidocumentário tornou-se um sucesso imediato. Os outros professores queriam usá-lo também. Os pais dos alunos queriam fazer cópias. De um momento para outro, todos passaram a aguardar ansiosamente a próxima aventura de Michael. Foi então que Celia teve uma idéia. Ligou para uma amiga que trabalhava para a cadeia de televisão NBC e enviou-lhe a fita.

Dois meses depois, Michael Tolland chamou Celia para dar uma volta com ele na praia de Kingman. Era o lugar preferido deles, aonde sempre iam para compartilhar seus sonhos e desejos.

– Há algo que quero lhe contar – disse Tolland.

– O que é? – perguntou Celia.

Tolland mal podia se conter.

– Recebi um telefonema da NBC semana passada. Eles acham que eu poderia ser o apresentador de uma série de documentários sobre os oceanos. Isso é perfeito! Querem fazer um piloto para o próximo ano. Não é inacreditável?

– É ótimo! Você vai se sair muito bem – ela o beijou, feliz.

Seis meses depois, o casal estava velejando perto de Catalina quando Celia se queixou de uma dor na lateral do corpo. Nenhum dos dois deu muita atenção ao assunto durante algumas semanas, mas a dor piorou. Celia resolveu ir ao médico e fazer exames.

De repente, a vida de Tolland desmoronou, tornando-se um pesadelo horrível. Celia estava gravemente doente. "Estágios avançados de um linfoma", disse o médico. "É raro em alguém tão jovem, mas pode acontecer."

Celia e Tolland foram a várias clínicas e hospitais, consultaram especialistas, mas a resposta era sempre a mesma: não havia cura.

Não vou aceitar isso! Tolland largou seu trabalho no Instituto Scripps, deixou de lado o documentário da NBC e concentrou sua energia e seu amor para ajudar Celia a se restabelecer. Ela lutou bravamente, suportando as dores com uma graça que só fazia aumentar o amor que o marido sentia por ela.

Michael traçava planos para quando ela melhorasse. Mas não era isso que o destino lhes reservava. Sete meses depois, ele se viu sentado ao lado da mulher, já em estado terminal, numa enfermaria sombria de hospital. Já nem reconhecia mais seu rosto. A brutalidade do câncer só encontrava paralelo na brutalidade da quimioterapia. Sobrara apenas um corpo devastado. As horas finais foram as piores.

Celia morreu num domingo de céu azul em junho. Tolland sentiu-se como um navio arrancado de suas amarras e jogado sem rumo num mar tempestuoso, seu compasso destruído. Passou semanas completamente fora de controle. Os amigos tentaram ajudar, mas ele não podia aceitar que sentissem pena dele.

Preciso tomar uma decisão, ele finalmente se conscientizou. *Trabalhar ou morrer.*

Obstinadamente, lançou-se de volta ao trabalho. O programa *Maravilhas dos mares* literalmente salvou sua vida. Nos quatro anos que se seguiram, o documentário se tornou um sucesso. Apesar dos esforços bem-intencionados dos amigos, Tolland não conseguia iniciar nenhum novo relacionamento. Todos os encontros com mulheres terminavam em decepção mútua ou em completo fracasso, até que ele finalmente desistiu e culpou suas constantes viagens por seu isolamento. Seus melhores amigos, porém, sabiam que no fundo Michael ainda não estava pronto.

Sem perceber, Tolland havia caminhado até chegar perto do poço de extração do meteorito. De repente, algo chamou sua atenção, tirando-o de seus devaneios. Ele afastou sua mente dos antigos fantasmas e aproximou-se do buraco. Sob o domo escurecido, a água do poço tinha adquirido uma beleza mágica, quase surreal. A superfície estava reluzindo como se fosse um lago enluarado. O olhar de Tolland foi atraído por pequenos fios de luz na camada superior da água, como se alguém houvesse salpicado faíscas azul-esverdeadas sobre ela. Olhou durante um bom tempo para aquela cintilação.

Algo ali lhe parecia peculiar.

À primeira vista, achou que a água estava apenas refletindo o brilho dos focos de luz do outro lado do domo. Depois, percebeu que não era nada disso. As cintilações possuíam uma coloração esverdeada e pulsavam com um ritmo definido, como se a superfície da água estivesse viva e iluminada de dentro.

Preocupado, Tolland ultrapassou a área demarcada pelos cones para olhar mais de perto.

Do outro lado da habisfera, Rachel Sexton saiu de dentro do trailer e mergulhou na escuridão. Ela parou por um instante, procurando alguma referência ao seu redor. A habisfera era agora uma enorme caverna, iluminada apenas pelo fulgor incidental que se espalhava, vindo das fortes luzes projetadas contra a parede norte. Como o escuro a deixava um pouco tensa, dirigiu-se para a área de imprensa.

Rachel tinha ficado feliz com o resultado de sua apresentação para a equipe da Casa Branca. Depois que retomara o controle após a manobra inesperada do presidente, tinha conseguido transmitir de forma direta tudo o que sabia sobre o meteorito. Enquanto estava falando, via as expressões no rosto da equipe presidencial passando da completa incredulidade para uma crença esperançosa, até chegar, finalmente, a uma aceitação repleta de espanto.

– Vida extraterrestre? – tinha ouvido um deles dizer. – Você sabe o que isso significa?

– Sim – respondeu um outro. – Significa que vamos ganhar a eleição.

Rachel aproximou-se da área de imprensa pensando no anúncio que viria em breve. Não pôde deixar de pensar se seu pai realmente merecia o rolo compressor que estava prestes a passar por cima dele, esmagando sua campanha com um único golpe.

A resposta, claro, era sim.

Todas as vezes que Rachel sentia algum tipo de piedade por seu pai, tudo o que tinha a fazer era lembrar-se da mãe, Katherine. A dor e a vergonha que Sedgewick Sexton causara à esposa – chegando tarde em casa todas as noites, com um ar feliz e cheiro de perfume – eram imperdoáveis, assim como o pretenso zelo religioso atrás do qual ele se ocultava, enquanto mentia e traía Katherine, sabendo que ela jamais o deixaria.

Sim, ela concluiu, *o senador Sexton vai receber aquilo que realmente merece.*

Na área de imprensa, as pessoas continuavam a comemorar alegremente, latas de cerveja em punho. Rachel passou entre as pessoas como alguém de fora que estivesse em meio a uma grande festa de família. Estava procurando Tolland.

Corky apareceu subitamente ao lado dela.

– Procurando Mike?

Rachel se surpreendeu.

– Ah, bem, mais ou menos...

Corky balançou a cabeça, desapontado.

– Eu sabia. Ele acabou de sair daqui. Achei que tinha ido descansar. – Corky percorreu o domo com o olhar. – Ainda assim, acho que vai ser fácil alcançá-lo. – Ele sorriu e apontou. – Mike fica absolutamente fascinado toda vez que vê água.

Rachel olhou na direção em que Corky estava apontando, para o centro do domo, onde podia ver a silhueta de Michael Tolland de pé, olhando para o poço de extração.

– Mas o que ele está fazendo? – perguntou ela. – É perigoso ficar assim tão perto.

Corky deu outro sorrisinho.

– Provavelmente fazendo pipi. Vamos dar um empurrão nele.

Rachel e Corky atravessaram o domo em direção ao poço. Quando chegaram mais perto, Corky gritou:

– Ei, Aquaman, esqueceu a roupa de mergulho?

Tolland virou-se. Mesmo na penumbra, Rachel percebeu que ele estava com uma cara séria. Parecia também que seu rosto estava estranhamente iluminado, como se houvesse luz vindo de baixo.

– Tudo bem, Mike? – ela perguntou.

– Na verdade, não – respondeu Tolland, apontando para a água.

Corky passou pelos cones e juntou-se a Tolland próximo à beira do poço. Seu humor jovial pareceu dissipar-se assim que olhou para a água. Rachel juntou-se a eles e ficou surpresa de ver os pequenos filetes de luz azul-esverdeada cintilando na superfície. Como se fossem partículas de poeira de néon flutuando na água. Pareciam pulsar em um tom de verde. O efeito era lindo.

Tolland pegou uma lasca de gelo do chão e atirou-a no poço. A água ficou fosforescente no ponto de impacto, espirrando com um brilho esverdeado.

– Mike – disse Corky, agitado –, por favor, me diga que você sabe o que é isso.

Tolland franziu a testa.

– Sei exatamente o que é. Minha pergunta é: que diabos está fazendo *aqui*?

CAPÍTULO 39

– **Há flagelados aqui** – disse Tolland, olhando para a água. – Não sei como isso pode ter acontecido, mas essa água contém dinoflagelados bioluminescentes.

– Contém o *que* bioluminescentes? – perguntou Rachel. *Me diga algo simples...*

– Plâncton unicelular capaz de oxidar um catalisador luminescente chamado luciferina.

Isso foi a versão simples?

Tolland suspirou e voltou-se para o amigo.

– Corky, alguma possibilidade de que o meteorito retirado do poço contivesse organismos vivos?

Corky começou a rir.

– Mike, não brinque!

– Não estou brincando.

– Não há a menor possibilidade! Acredite, se a NASA tivesse a mais vaga suspeita de que havia organismos extraterrestres vivos nessa rocha, você pode estar absolutamente certo de que jamais a teriam retirado em um ambiente aberto.

Tolland não ficou completamente convencido com a explicação. Havia algo misterioso ali que ainda o perturbava.

– Não posso afirmar nada sem um microscópio, mas me parece que isso é um plâncton bioluminescente do filo *Pyrrophyta* – disse ele. – O nome significa "planta de fogo". O oceano Ártico está cheio disso.

Corky ficou confuso.

– Então por que você está me perguntando se eles vieram do espaço?

– Porque o meteorito estava soterrado em gelo glacial, ou seja, água *doce* resultante de neve precipitada. A água que está neste buraco é gelo derretido que esteve congelado durante três séculos. Como essas criaturas do oceano poderiam ter ido parar aí dentro?

O argumento de Tolland deixou Corky em silêncio durante algum tempo.

Rachel estava de pé na borda do poço, tentando entender o que estava vendo. *Plâncton bioluminescente no poço de extração. O que aquilo significava?*

– Tem que haver uma rachadura lá embaixo em algum lugar – disse Tolland. – É a única explicação possível. O plâncton deve ter entrado no poço através de uma fissura no gelo que permitiu à água do oceano se infiltrar aí.

Rachel não entendeu aquela última parte.

– Como assim, se infiltrar? Vindo de onde? – Ela se lembrava de sua longa viagem no IceRover, a partir da costa. – O mar fica a quase três quilômetros daqui.

Tanto Corky quanto Tolland olharam para Rachel com um ar condescendente.

– Na verdade – disse Corky –, o oceano está bem abaixo de nós. Essa placa de gelo está flutuando.

Rachel olhou espantada para os dois.

– Flutuando? Mas... estamos em uma geleira!

– É verdade, estamos em uma geleira – disse Tolland –, mas não em terra firme. As geleiras muitas vezes se desprendem de uma massa de terra e deslizam para o oceano. Como o gelo é mais leve do que a água, a geleira continua flutuando tranqüilamente sobre o oceano, como uma enorme balsa de gelo. Esta é exatamente a definição de uma plataforma de gelo: a seção flutuante de uma geleira. – Fez uma pausa antes de continuar. – Na verdade, no momento estamos cerca de um quilômetro e meio oceano adentro.

Rachel ficou surpresa com essa revelação e também desconfiada. Enquanto ajustava sua imagem mental do ambiente à sua volta, a idéia de estar flutuando sobre o oceano Ártico deixou-a com medo.

Tolland percebeu seu desconforto e bateu com o pé fortemente sobre o chão para acalmá-la.

– Não se preocupe. Este gelo tem 90 metros de espessura, sendo que 60 metros estão embaixo d'água, flutuando como um cubo de gelo em um copo. Isso faz com que a plataforma seja muito estável. Você poderia até construir um arranha-céu aqui.

Rachel balançou ligeiramente a cabeça, mas não parecia estar totalmente convencida. Pelo menos, agora ela entendia a teoria de Tolland sobre as origens do plâncton. *Ele acha que há uma rachadura indo até o oceano, lá no fundo, que permitiria ao plâncton subir pela fenda.* Era possível, concluiu ela, mas ainda assim envolvia um paradoxo que a perturbava. Norah Mangor confirmou explicitamente a integridade da geleira e disse ter feito dezenas de testes com amostras para confirmar sua solidez.

Ela perguntou para Tolland:

– Achei que a perfeita integridade da geleira era um dos dados fundamentais para todos os registros de datação de camadas. A doutora Mangor afirmou que a geleira não possuía nenhuma rachadura ou fissura, não é?

Corky fez uma careta.

– Parece que a rainha do gelo errou feio nessa.

Não diga isso muito alto, pensou Rachel, *ou você vai acabar levando um furador de gelo nas costas.*

Tolland coçou o queixo enquanto observava os organismos fosforescentes.

– Não vejo nenhuma outra explicação. Tem que haver uma fissura. O peso da plataforma de gelo acima do oceano deve estar sugando água do mar rica em plâncton para dentro da rachadura.

Deve ser uma rachadura e tanto, pensou Rachel. Se o gelo tinha 90 metros e o buraco à frente deles 60, então essa fissura hipotética tinha que atravessar 30 metros de gelo sólido. *Os testes de Mangor não encontraram nenhuma fissura.*

– Corky, por favor, vá procurar Norah. Vamos rezar para que ela saiba algo sobre esta geleira que ainda não tenha nos contado. Encontre Ming também, talvez ele nos diga exatamente o que são essas coisas na água.

Corky saiu à procura dos outros.

– Melhor correr – gritou Tolland, olhando novamente para o buraco. – Posso jurar que a bioluminescência está desaparecendo.

Rachel olhou para dentro do poço. Realmente, o brilho verde já não estava tão intenso agora.

Michael tirou sua parca e deitou-se no gelo ao lado do poço.

Rachel olhou, confusa.

– Mike?

– Quero descobrir se há água salgada entrando.

– E pretende fazer isso se deitando no gelo sem um casaco?

– Exato.

Tolland escorregou aos poucos, apoiado na barriga, até a borda do buraco. Segurando uma das mangas do casaco sobre a abertura, deixou a outra manga descer no poço até tocar a água.

– Este é um teste altamente preciso de salinidade usado pelos melhores oceanógrafos do planeta. Chama-se "lambendo um casaco molhado".

◆ ◆ ◆

Do lado de fora, sobre o platô, Delta-Um brigava com os controles, tentando manter o microrrobô, danificado pelo impacto, sobre o grupo que estava reunido em torno do poço de extração. Pelo tom das conversas lá embaixo, sabia que as coisas estavam se desenrolando rapidamente.

– Chame o controlador – disse. – Temos um problema sério.

CAPÍTULO 40

Gabrielle Ashe havia participado das visitas públicas à Casa Branca várias vezes quando era jovem, sonhando secretamente que um dia iria trabalhar na mansão presidencial e tornar-se parte da equipe de elite que traçava os rumos da nação. Naquele exato momento, porém, ela teria preferido estar em qualquer outro lugar do mundo.

O agente do serviço secreto levou Gabrielle para um saguão ricamente ornamentado. Olhando em volta, ela tentava entender exatamente o que seu informante anônimo queria provar. Convidar Gabrielle a entrar na Casa Branca era loucura. *E se me virem?* Ela se tornara uma figurinha fácil na mídia por ser o braço-direito do senador Sexton. Certamente seria reconhecida.

– Senhorita Ashe? – disse o vigia de aparência cordial, dando-lhe um sorriso de boas-vindas.

– Olhe para cá, por favor – apontou.

Gabrielle olhou na direção indicada e um flash foi disparado.

– Obrigado, senhora. – O sentinela a levou até uma mesa e entregou-lhe uma caneta. – Queira assinar o registro de entradas – disse ele, empurrando um pesado fichário de couro na direção dela.

Gabrielle olhou para o registro. A página estava em branco. Ela se lembrou de ter ouvido alguém dizer que todos os visitantes da Casa Branca assinavam em uma página separada, sempre em branco, para preservar seu anonimato. Ela assinou.

Bem, lá se foi o encontro secreto.

Gabrielle passou por um detector de metais e foi revistada rapidamente. O vigia sorriu.

– Aproveite a visita, senhorita Ashe.

A assessora de Sexton seguiu o agente ao longo de uns 15 metros de corredor ladrilhado até chegar a um segundo posto de segurança. Lá, outro vigia estava dando os toques finais em um crachá de visitante que tinha acabado de ser plastificado. Ele fez um buraco no passe, colocou um cordão para pendurá-lo no pescoço e colocou-o por sobre a cabeça de Gabrielle. O plástico ainda estava quente. A foto na identificação era a mesma que havia sido tirada segundos antes no hall.

Gabrielle ficou impressionada. *Quem é que diz que o governo não é eficiente?*

Prosseguiram, com o agente do serviço secreto levando-a cada vez mais para dentro do complexo da Casa Branca. Ela se sentia mais insegura a cada passo. Fosse lá quem fosse que lhe fizera o misterioso convite, certamente não estava nem um pouco preocupado em manter o encontro privado. Gabrielle havia recebido um passe oficial, assinado o livro de visitantes e agora estava sendo conduzida à vista de todos através do primeiro andar da mansão presidencial, onde as visitas públicas começam.

– Este aqui é o Salão das Porcelanas – um guia estava explicando a um grupo de turistas. – Cada uma destas peças com detalhes vermelhos custa 955 dólares. Elas foram compradas por Nancy Reagan, o que gerou um longo debate sobre gastos excessivos do governo em 1981.

O agente passou com Gabrielle pelos visitantes e conduziu-a até uma enorme escadaria de mármore, por onde outro grupo de visitantes subia.

– Agora vamos entrar no Salão Leste, que tem 300 metros quadrados – narrava o guia. – Foi aqui que Abigail Adams pendurou, certa vez, a roupa lavada de John Adams. Depois iremos passar pelo Salão Vermelho, onde Dolley Madison embriagava os chefes de estado visitantes antes que entrassem para negociar com James Madison.

Os turistas riram.

Gabrielle seguiu em frente deixando a escadaria para trás e atravessando uma série de cordões e barreiras em direção a uma parte mais privada do prédio. Entraram em uma sala que, até então, ela só vira em livros e na televisão. Ela quase perdeu o fôlego.

Este é o Salão dos Mapas!

Nenhuma visita guiada entrava ali. Os painéis embutidos na parede daquela sala podiam girar para mostrar diversas camadas de mapas de todo o mundo. Foi ali que Roosevelt traçou os cursos da Segunda Guerra Mundial. Estranhamente, tinha sido também a sala na qual Clinton havia admitido seu caso com Monica Lewinsky. Gabrielle achou melhor apagar esse fato de sua mente. Mais importante do que tudo isso, o Salão dos Mapas era a passagem para a Ala Oeste, a área da Casa Branca onde os verdadeiros senhores do poder trabalhavam. Aquele era o último lugar para o qual a assistente de Sexton esperava ser levada. Havia imaginado que seus e-mails vinham de algum ousado jovem estagiário ou de uma secretária que trabalhasse em uma das salas menos importantes do complexo. Aparentemente estava errada.

Estou entrando na Ala Oeste...

O agente do serviço secreto conduziu-a até o fim de um corredor e parou na frente de uma porta sem nenhuma identificação. Bateu. O coração de Gabrielle dava saltos.

– Está aberta – disse alguém lá de dentro.

O homem abriu a porta e fez sinal para que ela entrasse, depois fechou a porta e se afastou.

As cortinas estavam abaixadas e a sala, escurecida. Ela podia ver a silhueta de uma pessoa sentada em uma mesa na penumbra.

– Senhorita Ashe? – A voz veio de trás de uma nuvem de fumaça de cigarro. – Seja bem-vinda.

Quando os olhos de Gabrielle se acostumaram à pouca luminosidade, ela conseguiu discernir um rosto inesperadamente familiar e ficou paralisada com a surpresa. *Foi ELA quem me mandou os e-mails?*

– Obrigada por ter vindo – disse Marjorie Tench com uma voz seca.

– Senhora... Tench? – Gabrielle balbuciou, a respiração suspensa diante daquela revelação.

– Pode me chamar de Marjorie – disse a pavorosa mulher, levantando-se e soltando fumaça pelo nariz, como um dragão. – Você e eu estamos prestes a nos tornarmos grandes amigas.

CAPÍTULO 41

Norah Mangor estava de pé, próxima ao poço de extração, ao lado de Tolland, Rachel e Corky. Ela olhava para o buraco escuro de onde tinha saído o meteorito.

– Mike, você tem um lindo rosto, mas está maluco. Não há luminescência alguma aqui.

Tolland lamentava não ter se lembrado de filmar aquilo. Enquanto Corky tinha ido buscar Norah e Ming, a bioluminescência começara a desaparecer bem rápido. Em poucos minutos havia sumido completamente.

Tolland jogou outro pedaço de gelo no poço, mas nada aconteceu. Nenhum brilho esverdeado na água.

– Mas aonde eles foram? – perguntou Corky.

O oceanógrafo tinha uma tese. Bioluminescência – um dos mecanismos de defesa natural mais engenhosos – era uma resposta do plâncton quando estava em apuros. Ao sentir que corria o perigo de ser engolido por um organismo maior, o plâncton começava a piscar, na esperança de atrair predadores ainda maiores que afugentassem aquele que os ameaçava. Neste caso, o plâncton, tendo penetrado no poço através de uma fenda, viu-se em um ambiente composto sobretudo por água doce e gerou a bioluminescência por pânico, enquanto a água doce lentamente o matava.

– Creio que morreram – disse Tolland.

– É, foram assassinados – disse Norah, desdenhosa. – O coelhinho da Páscoa entrou aí e comeu todos eles.

Corky olhou para ela, irritado.

– Norah, também vi a luminescência.

– Isso foi antes ou depois de tomar LSD?

– Por que mentiríamos para você? – perguntou Corky.

– Sei lá. Homens mentem.

– Sim, tudo bem, mentimos a respeito de outras mulheres, mas nunca sobre plâncton bioluminescente.

Tolland suspirou.

– Norah, você certamente sabe que *há* plâncton vivo sob o gelo.

– Mike – respondeu ela, perdendo a paciência –, não tente ensinar o padre a rezar a missa. Para seu conhecimento, há mais de 200 espécies de diatomáceas que vivem sob as plataformas de gelo do Ártico. Quatorze espécies de nanoflagelados autotróficos, 20 flagelados heterotróficos, 40 dinoflagelados heterotróficos e muitos metazoários, incluindo poliquetas, anfípodes, copépodes, eufausiáceos e peixes. Alguma dúvida?

Tolland fechou a cara.

– Você certamente conhece bem melhor que eu a fauna do Ártico, e ambos concordamos que há uma grande abundância de vida abaixo de nós. Então por que você é tão cética a respeito de termos visto plâncton bioluminescente?

– Por um motivo simples, Mike: este poço está *selado*. É um ambiente fechado de água doce. Seria impossível encontrar plâncton marinho aí dentro.

– Eu senti gosto de sal na água – insistiu Tolland. – Leve, mas definitivamente presente. A água marinha de alguma forma entrou aí.

– Certo – respondeu Norah, cética. – Então vamos dizer que você tenha mesmo sentido gosto de sal. Você lambeu o punho de uma velha parca suada e depois disso concluiu que as varreduras de densidade do PODS e 15 diferentes amostras do núcleo estão incorretas.

Tolland levantou a manga molhada de sua parca como prova.

– Olha, eu não vou lamber sua maldita jaqueta. – Ela olhou para o poço. – Posso perguntar por que uma súbita multidão de suposto plâncton decidiu vir nadar aqui dentro através da suposta fenda?

– Calor? – especulou Tolland. – Muitas criaturas marinhas são atraídas pelo calor. Quando extraímos o meteorito, nós o esquentamos. O plâncton pode ter sido atraído instintivamente na direção do ambiente temporariamente mais quente do poço.

Corky concordou.

– Isso me parece lógico.

– Lógico? – Norah olhou para cima, com desdém. – Você sabe, para um físico premiado e um oceanógrafo de fama mundial, vocês dois formam uma dupla bastante obtusa. Já ocorreu a vocês que, mesmo que haja uma fissura – e eu posso garantir-lhes que não há –, é fisicamente impossível que a água do mar esteja *entrando* no poço? – Olhou para os dois com desdém.

– Mas, Norah... – Corky ia dizer algo, mas foi interrompido.

– Cavalheiros! Estamos *acima* do nível do mar, não é? – Ela bateu o pé no gelo. – Então? Esta plataforma está algumas dezenas de metros acima do mar. Vocês se lembram do grande penhasco no final da plataforma, não lembram? Estamos *muito* acima do nível do mar. Se houvesse uma fissura nesse poço, a água estaria *saindo* do poço e não entrando. O nome disso é "gravidade".

Tolland e Corky olharam um para o outro.

– Droga! – disse Corky. – Me esqueci completamente disso.

Norah apontou para o poço cheio de água.

– Talvez vocês tenham notado que o nível de água também não está mudando.

Tolland sentiu-se um idiota completo. Norah tinha toda a razão. Se houvesse uma fenda, a água estaria saindo e não entrando. Ele ficou em silêncio durante algum tempo, pensando sobre o que dizer em seguida.

– Certo – suspirou Tolland. – Aparentemente, a teoria da fissura não faz sentido. Mas vimos bioluminescência na água. A única conclusão é que este não é um ambiente fechado, no fim das contas. Eu compreendo que seus dados relativos à datação das amostras são baseados no pressuposto de que a geleira é um bloco sólido, mas...

– Pressuposto? – Norah estava ficando visivelmente irritada. – Lembre-se, Mike, de que não são só os *meus* dados. A NASA chegou à mesma conclusão. *Todos nós* confirmamos que esta geleira é sólida. Não há rachaduras.

Mike olhou para o outro lado do domo, em direção à área de imprensa.

– Não sei o que está ocorrendo, mas acho com toda a honestidade que precisamos informar o administrador e...

– Isso é uma grande besteira! – protestou Norah, indignada. – Estou afirmando que esta geleira é completamente pura. Não vou permitir que os dados que extraí das amostras sejam questionados por uma lambida na manga do casaco e um punhado de alucinações absurdas. – Ela andou até uma estação de trabalho próxima e começou a pegar alguns instrumentos. – Vou pegar uma amostra real dessa água e provar que ela não contém nenhum plâncton de água marinha – vivo ou morto!

◆◆◆

Rachel e os outros ficaram observando enquanto Norah usava uma pipeta estéril presa a um fio para recolher uma amostra da água do poço. Em seguida, ela colocou diversas gotas em um pequeno dispositivo que se parecia com um telescópio em miniatura. Então observou pela ocular, apontando o dispositivo em direção à luz que vinha do outro lado do domo. Pouco depois ela estava xingando, irritada.

– Não é possível! – Norah sacudiu o dispositivo e olhou novamente. – Mas que diabos! Tem que haver algo de errado com esse refratômetro.

– Água salgada? – provocou Corky.

Norah franziu o rosto.

– Parcialmente. Está indicando 3% de salinidade – o que é totalmente impossível. Esta geleira é uma pilha de neve, feita inteiramente de água doce. Não poderia haver sal algum.

Ela levou a amostra até um microscópio próximo e examinou-a. Soltou um grunhido.

– Plâncton? – foi a vez de Tolland perguntar.

– *G. polyhedra* – respondeu ela, agora com uma voz séria. – É um dos tipos de plâncton que nós, glaciologistas, encontramos com freqüência nos oceanos sob as plataformas de gelo. – Norah olhou para Tolland. – Estão mortos agora. Obviamente não sobreviveram durante muito tempo num ambiente com apenas 3% de água salgada.

Os quatro ficaram em silêncio diante do poço.

Rachel estava refletindo sobre quais eram exatamente as implicações daquele paradoxo em relação à descoberta como um todo. O dilema parecia ser algo pequeno quando comparado à questão maior do meteorito. Ainda assim, como analista de inteligência, ela já havia presenciado situações em que teorias inteiras haviam desmoronado por conta de problemas menores do que aquele.

– O que está acontecendo aqui? – disse uma voz grave.

Todos olharam para trás. O corpulento administrador da NASA surgiu do meio da escuridão.

– Uma pequena questão em relação à água no poço – disse Tolland. – Estamos tentando chegar a uma conclusão.

Corky falou quase feliz:

– Os dados de Norah sobre o gelo estão furados.

– Você me paga! – respondeu ela em voz baixa.

O administrador aproximou-se, olhando para eles com uma cara preocupada.

– E o que há de errado com os dados sobre o gelo?

Tolland suspirou, ainda em dúvida, e disse:

– Encontramos 3% de água salina dentro do poço do meteorito, o que contradiz o relatório da glaciologia de que o meteorito estava completamente isolado em uma geleira totalmente formada por água doce. – Fez uma pausa. – Também encontramos plâncton.

Ekstrom parecia estar quase zangado.

– É óbvio que isso é impossível. Não há fissura nesta geleira. As varreduras do PODS confirmaram isto. O meteorito estava confinado em uma matriz sólida de gelo.

Rachel concordava com o ponto de vista de Ekstrom. De acordo com as varreduras de densidade feitas pela NASA, a plataforma de gelo era sólida. Dezenas de metros de gelo se estendendo para todos os lados em torno do meteorito. Sem rachaduras. Ainda assim, quando Rachel começou a pensar em como as varreduras de densidade eram feitas, uma idéia estranha lhe ocorreu...

– Além disso, as amostras da doutora Mangor confirmaram a integridade do gelo – Ekstrom continuou.

– Exatamente! – disse Norah, jogando o refratômetro sobre uma mesa. – Os dados foram duplamente corroborados. Não havia indicação de linhas de falha no gelo. O que não nos deixa nenhuma explicação para o sal e o plâncton.

– Eu estive pensando – disse Rachel, surpreendendo-se com a própria ousadia – e *há* uma outra possibilidade. – A sucessão de idéias lhe havia ocorrido a partir de uma lembrança bem peculiar.

Todos olharam para ela, obviamente céticos. Rachel sorriu.

– Há um outro raciocínio para explicar a presença de sal e plâncton. – Deu um sorrisinho malicioso para Tolland antes de acrescentar: – E francamente, Mike, estou surpresa que você não tenha pensado nisso.

CAPÍTULO 42

— **Plâncton *congelado* na geleira?** — Corky não parecia nem um pouco convencido da explicação de Rachel. — Não quero ser grosseiro, mas em geral as coisas morrem quando congelam, e o que vimos estava piscando na nossa cara, lembra-se?

— É possível, no entanto — interrompeu Tolland, olhando para Rachel com admiração —, que a teoria dela faça sentido. Há muitas espécies que entram em "animação suspensa" quando seu meio ambiente as obriga a isso. Eu fiz um episódio sobre esse fenômeno uma vez.

— Isso. Você mostrou o lúcio, um peixe que fica congelado em lagos e espera o degelo para poder nadar novamente. Também falou sobre microorganismos conhecidos como "tardígrados", que se desidratam completamente no deserto e podem permanecer assim durante décadas, voltando ao normal quando há chuva — disse Rachel.

Tolland deu uma risada.

— Então você *realmente* é fã do meu programa, não é?

Rachel sacudiu os ombros, um pouco envergonhada.

— O que exatamente você está querendo dizer, senhorita Sexton? — perguntou Norah.

— Ela está dizendo algo em que eu deveria ter pensado antes. Uma das espécies que mencionei nesse episódio era um tipo de plâncton que fica congelado na calota polar todo o inverno, hiberna no gelo e depois volta a nadar no verão, quando a calota se torna menos espessa. — Tolland fez uma pausa. — É verdade que a espécie que eu mostrei na TV não era a mesma que vimos, mas não deixa de ser uma possibilidade.

— Se o plâncton estivesse congelado — prosseguiu Rachel, feliz porque Michael tinha gostado de sua idéia —, isso explicaria o que descobrimos aqui. Em algum momento do passado, fissuras poderiam ter se aberto na geleira, permitindo a penetração de água marinha rica em plâncton, e depois congelado novamente. E se houvesse bolsões de *água marinha congelada* dentro da geleira? Especificamente, água contendo plâncton congelado? Vamos supor que, enquanto vocês estavam içando o meteorito aquecido, ele tenha passado por um desses bolsões. O gelo formado por água do mar congelada teria se dissolvido, liberando o plâncton da hibernação e resultando em uma pequena porcentagem de sal misturada à água doce.

– Ah, pelo amor de Deus! – exclamou Norah, resmungando de forma visivelmente irritada. – Agora *todo mundo* virou glaciologista aqui?

Corky continuava cético.

– Mas, neste caso, o PODS não teria mapeado os bolsões de gelo salinizado ao fazer suas varreduras? Afinal, o gelo salinizado e o gelo de água doce têm densidades diferentes.

– *Minimamente* diferentes – disse Rachel.

– Quatro por cento é uma diferença substancial – contrapôs Norah.

– Sim, em um *laboratório* – respondeu Rachel. – Mas o PODS faz suas medidas a uma altitude de 200 quilômetros no espaço. Seus computadores foram projetados para diferenciar coisas óbvias: gelo e neve derretida, granito e calcário. – Virou-se para o administrador. – O senhor concorda com minha suposição de que, ao medir densidades lá de cima, o PODS não possui resolução suficiente para distinguir gelo marinho de gelo de água doce?

O administrador concordou.

– Você está certa. Um diferencial de apenas 3% está abaixo do limite de tolerância do PODS. O satélite veria os dois tipos de gelo como sendo iguais.

Tolland agora estava curioso.

– Isso também explicaria o nível de água estático no poço. – Virou-se novamente para Norah e perguntou: – Você disse que a espécie de plâncton que encontrou no poço de extração se chamava...

– *G. polyhedra* – declarou Norah. – E sua próxima pergunta, claro, é se *G. polyhedra* é capaz de hibernar no gelo. Você ficará feliz em saber que sim. Com toda a certeza. A espécie é encontrada em abundância em torno de plataformas de gelo, é bioluminescente e pode hibernar dentro do gelo. Alguém tem mais alguma pergunta?

Trocaram olhares. Pelo tom de voz de Norah, obviamente havia um "porém". Mas ela parecia ter confirmado a teoria de Rachel.

– Então – arriscou Tolland – você está dizendo que isso seria possível? A teoria faz sentido?

– Claro – disse Norah. – Desde que você seja um idiota completo.

Rachel olhou para ela, furiosa.

– O que você *disse*?

Norah Mangor olhou fixamente para Rachel.

– Suponho que, em sua área, ter informações parciais seja perigoso, não? Pois é. A mesma coisa vale em glaciologia. – Norah desviou o olhar, examinando as outras três pessoas ao seu redor. – Permitam-me deixar algo bem claro de uma vez por todas. As concentrações de gelo salinizado que a senhorita Sexton propôs de fato ocorrem. Em minha área, são chamadas de "interstícios". Os interstícios, porém, não se formam como bolsões de água salgada, mas como vastas redes de gelo salinizado cujas ramificações têm a espessura de um fio de cabelo humano. Aquele meteorito teria que ter passado através de uma série incrivelmente densa desses interstícios para liberar uma quantidade de água salgada suficiente para criar uma mistura de 3% em um poço tão profundo.

Ekstrom ainda estava com uma cara fechada.

– Afinal, é possível ou não?

– De jeito nenhum – respondeu Norah, seca. – É completamente impossível. Eu teria me deparado com essas redes de gelo salinizado ao analisar minhas amostras.

– As amostras foram retiradas de locais escolhidos aleatoriamente, não? – perguntou Rachel. – Haveria alguma possibilidade de os locais de coleta das amostras, por mero azar, não terem esbarrado em nenhum bolsão de água marinha?

– Perfurei exatamente *acima* do meteorito. Depois peguei amostras de vários outros locais a poucos metros do meteorito, nos dois lados. Não daria para chegar mais perto.

– Estava só perguntando...

– Não há o que discutir – disse Norah. – Os interstícios de gelo marinho ocorrem apenas quando o gelo é *sazonal* – ou seja, quando ele se forma e se dissolve a cada estação. A plataforma Milne é constituída de gelo de formação *rápida*: gelo que se forma nas montanhas e fica lá até migrar para a zona de fragmentação e cair no mar. Por mais que a teoria do plâncton congelado seja conveniente para explicar esse fenômeno, posso lhes garantir que não há nenhuma rede de plâncton congelado escondida nesta geleira.

O grupo ficou novamente em silêncio.

Apesar de sua teoria ter sido cabalmente refutada, o método de análise sistemática de dados que Rachel sempre empregava não a deixava aceitar essa contestação. Instintivamente, ela sabia que a presença de plâncton congelado na geleira abaixo deles era a solução mais simples para aquela charada. *A Lei da Parcimônia*, pensou ela. Algo que seus instrutores no NRO haviam implantado bem no fundo de sua consciência. *Quando houver mais de uma explicação, a mais simples em geral é a certa.*

A reputação de Norah Mangor obviamente estava em jogo, e ela tinha muito a perder se seus dados estivessem errados. Rachel estava pensando se Norah teria visto o plâncton, percebido que cometera um erro ao dizer que a geleira era um bloco maciço e agora estava tentando encobri-lo.

– Tudo o que sei – disse Rachel – é que acabo de fazer uma exposição para toda a equipe da Casa Branca afirmando que este meteorito foi descoberto em uma matriz intacta de gelo e depois selado dentro dela, ficando sem nenhum contato com o exterior desde 1716. Parece que este fato está sendo questionado agora.

O administrador da NASA ficou em silêncio, com uma expressão preocupada. Tolland limpou a garganta.

– Tenho que concordar com Rachel. Havia água marinha e plâncton no poço. Não importa qual seja a explicação, obviamente não se trata de um ambiente inteiramente fechado. Não podemos afirmar isso.

Corky estava se sentindo incomodado.

– Ei, pessoal, será que essa confusão a respeito do plâncton e da mistura com água do mar é realmente tão importante assim? Quero dizer, a perfeição do gelo em torno do meteorito não afeta em nada o meteorito em si, não é? Ainda temos os fósseis. Ninguém está questionando *sua autenticidade*. Se por acaso concluirmos que cometemos um erro ao analisar as amostras de gelo, ninguém vai se importar. As pessoas vão se concentrar nas provas que encontramos de que há vida em outro planeta.

Rachel foi categórica.

– Lamento dizer isso, doutor Marlinson, mas tenho que discordar do seu ponto de vista. Como profissional da área de análise de dados, posso dizer que qualquer erro mínimo nos dados que a NASA apresentar esta noite tem o potencial de gerar dúvidas sobre a credibilidade de toda a descoberta. Até mesmo sobre a autenticidade dos fósseis.

Corky olhou para ela, espantado.

– Como assim? Aqueles fósseis são irrefutáveis!

– Eu sei disso e você também. Mas, se surgirem boatos de que a NASA conscientemente apresentou dados questionáveis a respeito das amostras de gelo, acredite, o público irá começar imediatamente a pensar sobre o que mais a agência mentiu.

Norah deu um passo na direção dela, fulminando-a com o olhar.

– Meus dados sobre o gelo *não estão* em questão! – Virou-se para o administrador. – Posso *provar*, categoricamente, que não há gelo salinizado preso em lugar algum desta plataforma.

O administrador olhou para ela durante algum tempo.

– Como?

Norah explicou seu plano. Quando acabou, Rachel teve que admitir que a idéia parecia razoável. Ekstrom, porém, não estava tão seguro assim.

– E seus resultados serão definitivos?

– Você terá 100% de garantia. Se houver um maldito grama de água do mar congelada em qualquer ponto próximo ao poço do meteorito, você será capaz de vê-la. Mesmo algumas gotas isoladas aparecerão iluminadas em meus instrumentos como se fossem um outdoor de néon.

O administrador concordou:

– Não temos muito tempo. A coletiva vai ao ar dentro de poucas horas.

– Estarei de volta em 20 minutos.

– Até que ponto da geleira você disse que precisará ir?

– Não muito longe. Duzentos metros devem bastar.

– E você tem certeza de que é seguro?

– Levarei foguetes sinalizadores – respondeu Norah. – E Mike irá comigo.

Tolland olhou para ela, surpreso.

– Vou?

– Mas que droga, Mike, claro que vai! Vamos estar unidos por cordas. Vou precisar de um par de braços fortes lá fora se houver uma rajada de vento.

– Mas...

– Ela está certa – disse o administrador, virando-se para Tolland. – Se ela for, alguém deve ir junto. Eu mandaria alguns de meus homens, mas, francamente, preferia manter essa história toda entre nós até concluirmos se é ou não um problema real.

Tolland não teve outra saída senão aceitar.

– Quero ir também – disse Rachel.

Norah virou-se para ela como uma cobra dando um bote.

– De jeito nenhum! Você fica!

– Pensando bem – disse o administrador –, eu me sentiria mais seguro se usássemos o grupo-padrão de quatro pessoas amarradas. Se forem em dupla e Mike escorregar, você não será capaz de segurá-lo. Quatro pessoas estarão mais seguras que duas. – Fez uma pausa, olhando para Corky. – Isso significa que o quarto neste grupo será você ou o doutor Ming. – Ekstrom olhou em volta na habisfera. – Aliás, onde está ele?

– Faz algum tempo que não o vejo – respondeu Tolland. – Talvez esteja tirando uma soneca.

Ekstrom virou-se novamente para Corky.

– Doutor Marlinson, não posso *exigir* que vá com eles, mas...

– Bom, fazer o quê? – disse Corky. – Já que estamos todos nos dando tão bem...

– Não! – protestou Norah. – Um grupo de quatro irá nos atrasar. Mike e eu vamos sozinhos.

– Vocês *não vão* sozinhos – ordenou o administrador. – Há um motivo pelo qual os grupos são sempre de quatro e vamos trabalhar da forma mais segura possível. A última coisa que quero é um acidente poucas horas antes da maior coletiva de imprensa em toda a história da NASA.

CAPÍTULO 43

Gabrielle Ashe sentia-se insegura e assustada, sentada ali, no ar esfumaçado do escritório de Marjorie Tench. *O que esta mulher quer comigo?* Do outro lado da única mesa da sala, Tench estava recostada em sua cadeira, aparentemente sentindo um certo prazer com a situação desconfortável de Gabrielle.

– A fumaça está incomodando? – perguntou Tench, pegando mais um cigarro em seu maço.

– Não – mentiu Gabrielle.

Tench já estava acendendo outro cigarro, sem se importar com a resposta.

– Você e seu candidato parecem ter se interessado bastante pela NASA durante esta campanha.

– Sim – respondeu Gabrielle, seca, sem fazer nenhum esforço para esconder sua raiva –, graças a um estímulo criativo que recebemos. Você poderia me explicar o que está havendo?

Tench fez uma cara de inocência calculada.

– Você quer saber por que eu tenho lhe enviado munição por e-mail para seus ataques à NASA?

– A informação que você me enviou prejudicou o seu presidente.

– A curto prazo, sim.

O tom de voz arrogante de Tench deixava Gabrielle nervosa.

– O que você quer dizer com isso?

– Relaxe, Gabrielle. Meus e-mails não mudaram muita coisa. O senador Sexton já estava ridicularizando a NASA muito antes que eu entrasse em cena. Eu só o ajudei a esclarecer sua mensagem. Solidificar sua posição.

– Solidificar sua posição?

– Exatamente – Tench sorriu, mostrando os dentes amarelados. – Coisa que, devo dizer, ele fez de forma muito eficaz esta tarde na CNN.

Gabrielle lembrou-se da resposta do senador à questão provocadora de

Tench. Ele havia deixado claro que, se necessário, não hesitaria em abolir a agência espacial. Sexton tinha ficado imprensado contra a parede, mas saiu daquela posição difícil com determinação e firmeza. Tinha feito a coisa certa, não tinha? Pela aparência feliz de Marjorie Tench, Gabrielle sentia que algo estava sendo ocultado.

A consultora do presidente levantou-se subitamente. Com o cigarro entre os lábios, foi até um cofre na parede, pegou um grande envelope de papel pardo, retornou à mesa e sentou-se novamente. Gabrielle ficou olhando para o envelope.

Tench sorria, acariciando o papel pardo como um jogador de pôquer com um *royal straight flush* nas mãos. Ficou passando um de seus dedos amarelados na ponta do envelope, fazendo um som agudo e desagradável, como se estivesse saboreando a expectativa.

Gabrielle sabia que era apenas sua consciência pesada, mas a primeira coisa que lhe veio à mente era que o envelope continha algum tipo de prova sobre sua relação sexual com o senador. *Ridículo*, pensou em seguida. O encontro havia ocorrido no escritório de Sexton, a portas fechadas, após o expediente. Sem falar que, se a Casa Branca tivesse alguma prova concreta, já teria exposto ao público.

Podem ter suspeitas, pensou ela, *mas não têm provas.*

Tench pegou outro cigarro.

– Senhorita Ashe, você provavelmente não sabe disso, mas foi parar no meio de uma batalha que está se desenrolando por trás dos panos em Washington desde 1996.

Isso não era o que Gabrielle esperava ouvir.

– O que você quer dizer?

Marjorie acendeu outro cigarro. Seus lábios finos se comprimiram em torno dele.

– O que você sabe a respeito do Space Commercialization Promotions Act?

Gabrielle nunca tinha ouvido falar naquilo. Deu de ombros, sem ter o que dizer.

– É mesmo? Mas que surpresa, considerando-se a plataforma de seu candidato. O projeto de promoção da comercialização do espaço foi proposto em 1996 pelo então senador Walker. O projeto, resumindo muito, cita a incapacidade da NASA de fazer qualquer coisa de útil desde que levou o homem à Lua. Pede que a NASA seja privatizada imediatamente, vendendo todos os seus ativos para as companhias privadas do setor aeroespacial e permitindo que o sistema de mercado aberto explore o espaço de forma mais eficiente, removendo assim o custo que a agência espacial representa hoje no orçamento e, claro, nos impostos.

Gabrielle tinha ouvido os críticos da NASA sugerirem a privatização como solução para as dificuldades da agência, mas não tinha a menor idéia de que a coisa havia chegado ao ponto de se tornar oficial.

– Esse projeto de lei – prosseguiu Tench – já foi apresentado ao Congresso quatro vezes ao todo. É bastante similar a outras leis que privatizaram, com sucesso, indústrias estratégicas, como a da produção de urânio. O Congresso aprovou o projeto nas quatro vezes em que ele foi colocado em votação. Felizmente, a Casa Branca vetou-o todas as vezes. Zach Herney já teve que vetá-lo duas vezes.

– Aonde você quer chegar?

– Simples. O senador Sexton certamente dará apoio a um projeto desse tipo, caso se torne presidente. Me parece que Sexton não teria o menor escrúpulo de vender os ativos da NASA ao setor privado na primeira oportunidade. Em outras palavras, seu candidato iria preferir apoiar a privatização a manter o financiamento governamental para a exploração do espaço.

– Até onde sei, o senador jamais comentou em público sua posição em relação a esse projeto de lei para promoção da comercialização do espaço.

– É verdade. Ainda assim, conhecendo seu pensamento político, creio que você não ficaria muito surpresa se ele o fizesse, não?

– Sistemas baseados em livre competição e regras de mercado tendem a estimular a eficiência.

– Vou entender isso como um "sim". Infelizmente, privatizar a NASA é uma idéia abominável e há um sem-número de razões pelas quais todos os ocupantes da Casa Branca vetaram essa lei desde que ela foi proposta inicialmente.

– Já ouvi os argumentos contra a privatização do espaço – respondeu Gabrielle – e entendo sua preocupação com o assunto.

– Entende mesmo? – Tench inclinou-se, chegando mais perto. – E *quais* foram esses argumentos que você ouviu?

Gabrielle mexeu-se, intimidada.

– Ouvi as tradicionais reclamações dos acadêmicos. Eles temem que, se privatizarmos a NASA, nossas atuais pesquisas para obter conhecimento sobre o espaço sejam rapidamente substituídas por empreitadas mais lucrativas.

– Com certeza. As ciências ligadas ao espaço iriam morrer em pouquíssimo tempo. Em vez de gastar dinheiro explorando nosso universo, as companhias aeroespaciais iriam buscar formas de minerar asteróides, construir hotéis no espaço e oferecer serviços comerciais de lançamento de satélites. Afinal, por que empresas privadas se preocupariam com o estudo das origens de nosso universo quando isso iria custar-lhes bilhões e não traria qualquer retorno financeiro?

– Provavelmente abandonariam as pesquisas, de fato. Mas certamente poderíamos criar um Fundo Nacional para as Ciências do Espaço, a fim de custear as missões acadêmicas, não?

– Ah. Já temos isso. Chama-se NASA.

Gabrielle ficou em silêncio.

– Abandonar a ciência em busca de lucros não é a questão central. Na verdade, isso é quase irrelevante quando comparado ao completo caos que iria resultar da permissão para que o setor privado atuasse livremente no espaço. Teríamos uma nova corrida do ouro, um outro "Velho Oeste", com pioneiros reivindicando posses na Lua e em asteróides, assim como o direito de proteger suas posses por meio da força. Já soube de pedidos de companhias que pretendem construir outdoors em néon para piscar anúncios no céu à noite. Também soube de pedidos para hotéis no espaço e atrações turísticas cujos planos de implementação envolvem ejetar o lixo gerado no vazio do espaço, criando depósitos de lixo em órbita. Na verdade, ontem mesmo eu li uma proposta de uma companhia que deseja transformar uma parte do espaço em um mausoléu, lançando os cadáveres em órbita. Você pode imaginar o que aconteceria com nossos satélites de comunicações, que iriam passar a colidir com caixões espaciais? Semana passada, um bilionário, presidente de uma grande corporação, esteve em meu escritório pedindo permissão para lançar uma missão a um asteróide próximo, a fim de trazê-lo para mais perto da Terra e minerá-lo, buscando metais preciosos. Eu tive que lembrar a esse cidadão que alterar a órbita de asteróides pode causar uma catástrofe planetária sem precedentes! Senhorita Ashe, pode ter certeza de que, se esse projeto for aprovado, a multidão de empreendedores nessa corrida ao espaço não será composta por cientistas. Serão investidores com vastos recursos e pouca inteligência.

– Seus argumentos são convincentes – disse Gabrielle. – E estou certa de que o senador avaliaria essas questões cuidadosamente se estivesse em posição de votar a emenda. Mas o que isso tudo tem a ver comigo?

O olhar de Tench se fixou nela através da fumaça do cigarro.

– Há muita gente querendo ganhar muito dinheiro no espaço, e o lobby político está crescendo no sentido de remover todas as restrições e abrir as comportas. O poder de veto presidencial é a única barreira que resta contra a privatização... contra a anarquia completa no espaço.

– Então devo congratular Zach Herney por ter vetado a emenda.

– Meu medo é que seu candidato não teria tantos escrúpulos se fosse eleito.

– Devo dizer, novamente, que o senador com certeza iria avaliar essas questões se estivesse na posição de decidir sobre a emenda.

Tench não parecia nada convencida.

– Você tem alguma idéia de quanto o senador vem gastando em propaganda? A questão surgiu do nada, pegando Gabrielle desprevenida.

– Esses números são públicos – respondeu ela.

– Mais de três milhões de dólares por mês.

Gabrielle deu de ombros.

– Se é o que você diz... – O valor estava bem próximo do real.

– É uma quantia considerável para se gastar.

– Ele *tem* uma quantia considerável para gastar.

– Sim, acho que ele planejou bem as coisas. Ou melhor, *casou-se* bem. – Tench fez uma pausa para dar uma longa tragada. – Eu sinto pela morte da mulher dele, Katherine. Foi muito duro para o senador – disse, com um suspiro trágico e irônico. – Não faz muito tempo que ela morreu, não é mesmo?

– Diga o que você quer ou vou me retirar.

Tench tossiu forte e depois pegou o envelope pardo. Tirou de dentro dele um pequeno bloco de papéis grampeados e passou-os para a assessora do senador.

– São os registros financeiros de Sexton.

Gabrielle analisou os documentos, espantada. Os registros cobriam vários anos. Ainda que ela não tivesse acesso direto aos detalhes das finanças de Sexton, percebeu que os dados eram autênticos: contas de banco, cartões de crédito, empréstimos, carteira de ações, imóveis, dívidas, ganhos e perdas de capital.

– Estes dados são pessoais. Onde conseguiu isto?

– Minha fonte não importa. Contudo, se você passar algum tempo analisando os números, verá que o senador Sexton não possui a quantidade de dinheiro que tem gasto atualmente. Depois da morte de Katherine, ele desperdiçou quase toda sua herança em investimentos malsucedidos, luxos pessoais e na compra do que parecia ser uma vitória certa nas primárias. Há cerca de seis meses, seu candidato estava falido.

Gabrielle achou que aquilo era um blefe. Se Sexton estava falido, certamente não estava agindo como tal. A cada semana ele comprava blocos maiores de tempo para sua propaganda na TV.

– Seu candidato – prosseguiu Tench – está atualmente gastando quatro vezes mais do que o presidente. E ele não tem mais recursos próprios.

– Nós recebemos muitas doações.

– Sim. Algumas delas são até mesmo legais.

Gabrielle olhou para ela, irritada.

– O *que* você disse?

Tench inclinou-se sobre a mesa, exalando seu bafo de fumante sobre Gabrielle.

– Gabrielle Ashe, vou lhe fazer uma pergunta e sugiro que pense bem antes de responder. Sua resposta pode decidir se você irá ou não passar os próximos anos na cadeia. Você está ciente de que o senador Sexton tem recebido dinheiro ilegal para a sua campanha, enormes subornos de companhias do setor aeroespacial que têm bilhões a ganhar com a privatização da NASA?

Gabrielle olhou para ela, confusa.

– Essa alegação é absurda!

– Você está me dizendo que não sabe nada a respeito dessas atividades?

– Eu acho que *saberia* se o senador estivesse aceitando subornos da magnitude que você está sugerindo.

Tench deu um sorriso sarcástico.

– Gabrielle, eu sei que o senador já compartilhou *muitas coisas* com você, mas ainda assim há muito sobre ele que você desconhece.

– Chega! Esta reunião está encerrada – disse a assessora, levantando-se.

– Pelo contrário – disse Tench, tirando o restante do conteúdo do envelope e espalhando-o sobre a mesa. – A reunião está apenas começando.

CAPÍTULO 44

Dentro da sala de preparação da habisfera, Rachel estava se sentindo como um astronauta, vestindo um dos macacões Mark IX da NASA para sobrevivência em microclimas. O macacão preto com capuz de proteção, totalmente vedado, parecia uma roupa de mergulho inflada. Era feito com duas camadas de viscoelástico e equipado com tubos ocos, através dos quais um gel denso era bombeado para manter a temperatura do corpo de seu usuário estável em ambientes quentes ou frios.

Rachel estava ajustando seu capuz apertado sobre a cabeça e viu o administrador da NASA como um sentinela silencioso na porta, claramente incomodado com a necessidade daquela pequena missão.

Norah Mangor andava de um lado para o outro, murmurando palavrões enquanto verificava o equipamento de cada um. Tolland já estava quase acabando de se vestir.

Quando Rachel terminou de fechar os zíperes, Norah pegou a válvula do lado de seu macacão e conectou-a a um tubo injetor que saía de um cilindro prateado, similar a um grande tanque de oxigênio.

– Encha bem os pulmões – disse Norah, abrindo a válvula.

Rachel ouviu um som sibilante e sentiu o gel sendo injetado dentro da veste. O tecido de viscoelástico se expandiu e o macacão se comprimiu em torno de seu corpo, pressionando a camada interna de roupas. Era como mergulhar a mão na água usando uma luva de borracha. Quando o capuz se inflou ao redor da cabeça, ele pressionou seus ouvidos, fazendo com que tudo soasse meio abafado. *Estou dentro de um casulo.*

– A melhor coisa dos Mark IX – disse Norah – é que são acolchoados. Você pode cair com a bunda no chão sem sentir nada.

Rachel estava certa que sim. Parecia que estava presa dentro de um colchão.

Norah passou-lhe diversas ferramentas – uma piqueta de gelo, fitas tubulares e mosquetões –, prendendo-as ao cinturão de Rachel.

– Tudo isso? – perguntou Rachel, observando o equipamento. – Para percorrer 200 metros?

Norah olhou para ela, seca, e perguntou:

– Você quer vir ou não?

Tolland deu uma olhada para Rachel e disse:

– Norah está apenas sendo precavida.

Corky conectou seu traje ao tanque de infusão e inflou-o, achando aquilo bem divertido.

– Ei, parece que estou dentro de uma camisinha gigante!

A glaciologista resmungou:

– Como se você já tivesse experimentado...

Com um sorriso amigável, Tolland sentou-se ao lado de Rachel enquanto ela vestia suas pesadas botas e crampons.

– Tem certeza de que quer vir conosco?

Nos olhos de Tolland havia uma preocupação carinhosa e aconchegante.

Rachel assentiu, esperando que o gesto confiante não tivesse deixado transparecer seu medo crescente. *Duzentos metros... é logo ali.*

– E você pensava que só poderia encontrar aventuras em alto-mar...

Tolland riu. Continuou a conversa enquanto ajustava seus crampons:

– Cheguei à conclusão de que gosto de água em estado líquido bem mais do que dessa coisa congelada.

– Nunca tive uma grande atração por ela, nem de um jeito, nem de outro. Eu caí em um buraco no gelo quando era garota e, desde então, fico nervosa perto de água.

Tolland lançou-lhe um olhar compreensivo.

– Sinto muito. Quando essa história acabar, você tem que ir me visitar no *Goya*. Vou mudar sua forma de ver a água. Prometo.

O convite pegou-a de surpresa. O *Goya* era o navio de pesquisas de Tolland, bem conhecido por sua presença constante em *Maravilhas dos mares*, assim como por sua reputação como um dos barcos mais estranhos a cruzar os oceanos. Ainda que uma visita ao *Goya* não fosse exatamente o programa ideal para Rachel, era um convite difícil de recusar.

— Ele está ancorado a 12 milhas da costa de Nova Jersey agora — prosseguiu Tolland, brigando com as travas de seus crampons.

— Me parece um lugar meio estranho.

— Nem tanto. A costa do Atlântico é um lugar fantástico. Estávamos nos preparando para filmar um novo documentário quando fui interrompido pelo presidente.

Rachel riu.

— E sobre o que era o documentário?

— *Sphyrna mokarran* e megaplumas.

Rachel fez uma cara de quem não estava entendendo nada.

— Que bom que eu perguntei.

Tolland conseguiu, finalmente, travar os crampons e olhou para ela.

— Sério, eu vou passar umas duas semanas filmando por lá. Washington não é tão longe assim da costa de Jersey. Vá me visitar quando você voltar para casa. Não há nenhum motivo para passar o resto da vida com medo da água. Minha equipe certamente irá lhe estender um tapete vermelho de boas-vindas.

A voz de Norah Mangor soou como uma trombeta.

— Então, vamos sair ou vocês preferem que eu traga velas e champanhe?

CAPÍTULO **45**

Gabrielle não tinha a menor idéia de como reagir diante dos documentos que Marjorie havia espalhado na mesa à sua frente. A pilha de papéis incluía fotocópias de cartas, faxes, transcrições de conversas telefônicas, e tudo parecia corroborar a afirmação de que o senador Sexton estava mantendo um diálogo secreto com companhias privadas do setor espacial.

Tench empurrou algumas fotos granuladas, em preto e branco, na direção de Gabrielle.

— Suponho que isto também seja novidade para você.

Gabrielle olhou as fotos. A primeira delas mostrava o senador saindo de um táxi numa garagem subterrânea desconhecida. *Sexton nunca anda de táxi*. A segunda era uma foto tirada com uma teleobjetiva, mostrando Sexton entrando numa van branca estacionada num canto da garagem. Aparentemente havia um homem idoso esperando por ele no carro.

– Quem é este? – perguntou Gabrielle, suspeitando que as fotos podiam ter sido forjadas.

– Alguém muito importante na SFF.

– A Space Frontier Foundation?

A SFF era como uma "entidade de classe" agregando as companhias particulares do setor espacial. Representava indústrias aeroespaciais, empreendedores, investidores... Qualquer um que tivesse interesses no espaço. Eram grandes críticos da NASA e argumentavam que o programa espacial americano se valia de práticas de mercado injustas a fim de impedir que a iniciativa privada pudesse lançar suas próprias missões ao espaço.

– A SFF – disse Tench – representa hoje mais de 100 grandes corporações, algumas das quais são empresas muito ricas que estão esperando ansiosamente que o Space Commercialization Promotions Act seja sancionado.

Gabrielle pensou a respeito. Por motivos óbvios, a SFF estava apoiando a campanha de Sexton, ainda que o senador tivesse sempre o cuidado de manter uma distância adequada devido às práticas de lobby bastante controvertidas usadas pela fundação. Recentemente, a entidade havia publicado uma crítica explosiva acusando a NASA de ser, na prática, um "monopólio ilegal", cuja capacidade de operar em constante prejuízo e ainda assim se manter funcionando representava uma competição injusta com as empresas privadas.

De acordo com a SFF, sempre que a AT&T precisava que um novo satélite de telecomunicações fosse lançado, recebia ofertas de diversas empresas do setor privado para executar o serviço pela quantia razoável de 50 milhões de dólares. Mas, antes que o negócio fosse fechado, a NASA sempre aparecia e oferecia-se para lançar o satélite por míseros 25 milhões, ainda que a operação custasse cinco vezes mais do que isso. Os advogados da SFF acusavam a agência de operar no vermelho como uma das formas de manter-se no controle do espaço. A conta restante era paga pelos impostos dos contribuintes.

– Esta foto deixa claro – disse Tench – que seu candidato tem se encontrado às escondidas com uma organização que representa empresas privadas do setor espacial. – A consultora de Zach Herney apontou então para diversos outros documentos sobre a mesa. – Temos ainda vários memorandos internos da SFF pedindo que grandes quantias sejam coletadas das empresas pertencentes ao grupo, proporcionalmente ao valor de mercado de cada uma delas, e transferidas para contas controladas por Sexton. Na prática, essas companhias privadas estão pagando para colocar o senador na Casa Branca. A conclusão natural é que ele tenha concordado em aprovar o projeto de lei de comercialização do espaço e também em privatizar a NASA se for eleito.

Gabrielle olhou para a pilha de papéis, em dúvida.

– Você quer que eu acredite que a Casa Branca possui evidências de que seu oponente está envolvido com um financiamento de campanha profundamente ilegal, mas, mesmo assim, decidiu manter tudo em segredo?

– O que você me diria, então?

– Francamente, levando em conta sua capacidade de manipular as pessoas, seria mais lógico pensar que você preparou uma armadilha para mim, reunindo documentos falsos e algumas fotos adulteradas por uma pessoa, digamos, "criativa" da Casa Branca. Algo simples de fazer com um computador e um programa de manipulação de imagens.

– É uma possibilidade, devo admitir. Pena que não seja verdade.

– Não? Então como você teve acesso a toda essa documentação interna das corporações? Os recursos necessários para roubar todas as provas que estão nesta mesa estão além até mesmo da Casa Branca.

– Você está certa neste ponto. Todas essas informações chegaram aqui como um presente inesperado.

Gabrielle ficou em silêncio, surpresa com a resposta.

– Pois é – prosseguiu Tench –, recebemos muitas coisas desse tipo. O presidente possui muitos aliados políticos poderosos que desejam que ele seja reeleito. Lembre-se, também, de que seu candidato tem proposto cortes em diversos orçamentos, muitos dos quais afetam diretamente setores do governo sediados em Washington. O senador Sexton nunca teve qualquer pudor em citar o orçamento inchado do FBI como um exemplo dos excessos do governo. Creio que ele andou atacando a Receita Federal também. Talvez alguém de alguma dessas áreas tenha ficado um pouco magoado com ele.

Gabrielle percebeu aonde ela queria chegar. Funcionários do FBI e da Receita não teriam a menor dificuldade em obter aquelas informações. Poderiam, então, enviá-las à Casa Branca como um favor discreto para auxiliar a reeleição do presidente. Mas o que Gabrielle não podia acreditar era que o senador Sexton estivesse envolvido em financiamentos ilegais para sua campanha.

– Se os seus dados estão mesmo corretos – respondeu ela, em tom de desafio –, e eu duvido muito que estejam, por que vocês simplesmente não divulgam isso tudo?

– O que você acha?
– Porque obtiveram todos os dados ilegalmente.
– A forma como foram obtidos não faz a menor diferença.
– Mas claro que faz! Seriam inadmissíveis como provas em um inquérito.
– *Inquérito?* Quem falou em inquérito? Nós simplesmente deixaríamos isso vazar para a imprensa, que publicaria a história como sendo procedente de "fontes anônimas", incluindo as fotos e a documentação. Sexton passaria a ser culpado até provar sua inocência. Sua forte posição anti-NASA subitamente se tornaria uma evidência clara de que vinha aceitando subornos.

Gabrielle não tinha o que responder.

– Está bem – disse ela, sem se deixar intimidar. – É sua vez, então, de me dizer por que vocês não deixaram vazar a informação.

– Simples: porque é publicidade negativa. O presidente prometeu não usar publicidade negativa na campanha, e ele vai se manter fiel a esse princípio enquanto for possível.

Ah, deixa disso!

– Não venha me dizer que o presidente é tão "certinho" a ponto de não querer revelar essas informações porque seriam vistas como publicidade negativa!

– A questão é que seria negativo para o *país*. Há dezenas de empresas privadas envolvidas, muitas das quais são gerenciadas por pessoas honestas. Um escândalo assim denigre a imagem do Senado norte-americano, além de ser ruim para o moral do país. Políticos desonestos afetam negativamente *toda* a classe política, e os americanos precisam confiar em seus líderes. Revelar as informações iria desencadear uma investigação muito dura e provavelmente levaria à cadeia um senador, além de vários executivos importantes do setor aeroespacial.

O raciocínio tinha uma certa lógica, mas ainda assim Gabrielle duvidava que as acusações fossem verdadeiras.

– E o que isso tem a ver comigo?

– Colocando a coisa toda de forma bem simples, senhorita Ashe, se esses documentos vierem a público, seu candidato será indiciado pelo financiamento ilegal de sua campanha, terá seu mandato cassado e, muito provavelmente, terminará na cadeia. – Tench fez uma pausa. – A menos, é claro...

Gabrielle viu um brilho traiçoeiro no olhar da consultora.

– A menos quê...

Marjorie deu uma longa tragada em seu cigarro.

– A menos que você nos ajude a resolver as coisas de outra maneira.

Um silêncio pesado envolveu a sala.

Tench tossiu.

– Gabrielle, preste atenção. Há três razões pelas quais decidi compartilhar essas informações desagradáveis com você. A primeira foi para lhe mostrar que Zach Herney é um homem decente, que coloca o bem-estar do governo acima de seus ganhos pessoais. A segunda foi para lhe informar que seu candidato não é tão confiável quanto você poderia estar pensando. E, por último, para convencê-la a aceitar a proposta que tenho a lhe fazer.

– Que é...?

– Gostaria de lhe dar uma chance de agir da forma correta. Da forma *patriótica*. Quer perceba ou não, você está numa posição única, que lhe permite evitar diversos escândalos desagradáveis aqui em Washington. Se puder fazer o que vou lhe pedir, talvez até consiga um lugar na equipe do presidente.

Um lugar na equipe do presidente? Ela está brincando.

– Senhora Tench, seja lá o que for que tem em mente, não gosto de ser chantageada, ameaçada ou coagida. Trabalho na campanha do senador porque acredito em seus princípios políticos. E, se isso que você está me mostrando é uma indicação clara de como Zach Herney costuma conduzir suas negociações políticas, não tenho o menor interesse em me associar a ele! Se você tem algo contra o senador Sexton, eu sugiro que deixe vazar para a imprensa. Sinceramente, acredito que tudo não passa de uma grande armação.

Tench soltou um suspiro pesaroso.

– Gabrielle, o financiamento ilegal de seu candidato é um fato. Lamento, pois sei que você confia nele. – Ela baixou o tom de voz. – Olhe, deixe-me simplificar isso. O presidente e eu levaremos a questão do financiamento a público se formos obrigados a tal, mas vai ser um escândalo de grandes proporções, envolvendo diversas empresas que estão agindo ilegalmente. Muitas pessoas inocentes terão que pagar por isso. – Tragou novamente seu cigarro e soprou a fumaça. – O que eu e o presidente estamos tentando é... encontrar uma *outra* maneira de desacreditar a ética do senador. Uma solução mais... contida, digamos. Algo que não cause problemas para os inocentes. – Ela apagou o cigarro e cruzou os braços. – De forma bem direta, gostaríamos que você admitisse publicamente que teve um caso com o senador.

Gabrielle congelou. Tench parecia absolutamente segura do que dizia. *Impossível.* Gabrielle sabia que era impossível. Não havia provas. Só tinham feito sexo uma vez, atrás das portas trancadas do escritório do senador. *Ela não tem provas. Está blefando.* Gabrielle lutou para manter um tom firme na voz.

– Você presume muitas coisas, senhora Tench.

– É? Em relação ao seu caso com Sexton? Ou quanto a abandonar seu candidato?

– Ambos.

Tench deu um sorrisinho irônico e levantou-se.

– Bem, acho que é melhor esclarecermos pelo menos uma dessas hipóteses agora, não é? – Andou novamente até o cofre na parede e retornou com um envelope vermelho. Trazia impresso o selo da Casa Branca. Ela abriu o fecho, virou o envelope e deixou o conteúdo cair sobre a mesa, na frente de Gabrielle.

Dúzias de fotos coloridas se espalharam pela mesa, e Gabrielle viu toda a sua breve carreira indo por água abaixo na frente de seus olhos.

CAPÍTULO 46

Do lado de fora da habisfera, o vento catabático que descia furiosamente pela geleira era bem diferente dos ventos que Tolland estava acostumado a enfrentar. No oceano, o vento era uma função das marés e de frentes de pressão, batendo em rajadas, com fluxos e refluxos. O vento catabático, contudo, obedecia a uma física mais simples: ar frio e pesado descendo por uma inclinação na geleira como uma enorme onda. Era a tempestade mais violenta que o oceanógrafo já havia enfrentado. Se estivesse descendo a 20 nós, seria o sonho de qualquer velejador. Em sua velocidade atual de 80 nós, podia facilmente tornar-se um pesadelo até mesmo para alguém em solo firme. Michael percebeu que, se ficasse parado e se inclinasse para trás, a força da ventania poderia facilmente jogá-lo para cima.

O vento se tornava ainda pior, deixando Tolland mais preocupado, porque o terreno onde estavam era ligeiramente inclinado. A plataforma descia lentamente em direção ao oceano, cerca de três quilômetros abaixo. Apesar dos crampons afiados presos às suas botas, ele tinha a desagradável sensação de que qualquer passo em falso poderia fazer com que fosse derrubado por uma lufada de vento e escorregasse pela ladeira de gelo sem fim. O curso-relâmpago de Norah Mangor sobre segurança em geleiras agora parecia ter sido perigosamente breve.

Piqueta de gelo, ela havia dito, amarrando uma ferramenta leve em formato de T no cinto de cada um deles enquanto se preparavam na habisfera. *Tudo de que precisam se lembrar é que, se alguém escorregar ou for pego de surpresa por uma rajada de vento, segurem a piqueta com as duas mãos – uma na cabeça e a outra no cabo –, depois enfiem a lâmina no gelo e caiam sobre ela, plantando seus crampons na neve.*

Após dizer essas palavras tranqüilizadoras, Norah havia amarrado um cinturão de seguraça em cada um deles. Usando óculos protetores, todos saíram para a escuridão da tarde.

Naquele momento, os quatro percorriam seu caminho geleira abaixo em linha reta, com 10 metros de corda entre cada um deles. Norah liderava a equipe, seguida por Corky, depois vinha Rachel, e Tolland, no final, como âncora.

À medida que foram se afastando da habisfera, Tolland sentiu uma ansiedade crescente. Em seu traje inflado, apesar de estar confortavelmente aquecido, sentia-se como um astronauta desajeitado andando por um planeta distante. A Lua havia desaparecido por trás de nuvens de tempestade grossas e ameaçadoras, mergulhando toda a plataforma numa escuridão impenetrável. O vento catabático parecia se tornar mais forte a cada minuto, fazendo uma pressão constante nas suas costas. Forçando a vista através de seus óculos de proteção para distinguir as formas na imensidão deserta que os cercava, Michael começou a compreender o quanto aquele lugar era de fato perigoso. Mesmo levando em conta as precauções redundantes da NASA, ele estava um pouco surpreso com a decisão do administrador de arriscar quatro vidas lá fora em vez de apenas duas. Especialmente quando as outras duas pessoas envolvidas eram a filha de um senador e um famoso astrofísico. Tolland preocupava-se com Rachel e Corky, o que era normal para alguém que, como capitão de um navio, estava acostumado a sentir-se responsável por aqueles que o cercavam.

— Fiquem atrás de mim — Norah gritou, sua voz imediatamente engolida pelo vento. — Deixem que o trenó nos conduza.

O trenó de alumínio no qual Norah estava transportando seu equipamento de testes parecia-se com um trenó para crianças em maior escala. Nele haviam sido colocados equipamentos de diagnóstico e acessórios de segurança que ela usara na geleira durante aqueles últimos dias. Toda a parafernália — incluindo a bateria, os sinalizadores de segurança e um poderoso farol acoplado à frente do trenó — estava amarrada sob uma cobertura plástica forte e impermeável. Apesar da carga pesada, o trenó deslizava montanha abaixo por contra própria. Norah apenas o segurava ligeiramente, quase deixando que ele os conduzisse.

Tolland sentiu que a distância entre eles e a habisfera estava crescendo. Olhou para trás, por sobre os ombros. Tinham percorrido apenas 50 metros, mas a curvatura pálida do domo estava quase sumindo na escuridão tempestuosa.

— Alguém mais está preocupado em achar o caminho de volta? — gritou Tolland. — A habisfera está quase invisí... — Suas palavras foram cortadas pelo som alto e sibilante de um sinalizador que Norah acabara de acender. O brilho avermelhado iluminou um círculo com uns 10 metros de raio ao redor deles. Norah usou seu calcanhar para cavar um pequeno buraco no gelo da superfície, fazendo uma pilha protetora de neve do lado que estava soprando o vento. Em seguida enfiou o sinalizador ali dentro.

– São migalhas high-tech – ela gritou.

– Migalhas? – perguntou Rachel, protegendo os olhos da luz forte.

– João e Maria – gritou Norah. – Os sinalizadores duram cerca de uma hora, o que nos dará tempo para encontrar o caminho de volta.

Ela virou-se e continuou andando, levando-os cada vez mais fundo na escuridão da geleira.

CAPÍTULO 47

Gabrielle Ashe saiu furiosa do escritório de Marjorie Tench e quase derrubou uma secretária que estava passando. Humilhada, tudo o que podia ver eram as imagens nas fotos: braços e pernas enroscados, rostos em pleno êxtase.

Ela não tinha a menor idéia de como aquelas fotos tinham sido tiradas, mas sabia muito bem que eram reais. Devia haver uma câmera oculta dentro do escritório do senador, em algum lugar acima deles. *Que Deus me proteja.* Uma das fotos mostrava Gabrielle e Sexton transando em cima da mesa, seus corpos entrelaçados sobre diversos documentos oficiais.

Marjorie alcançou Gabrielle antes que ela entrasse no Salão dos Mapas. Ela trazia nas mãos o envelope vermelho com as fotos.

– Devo presumir, por sua reação, que desta vez as fotos são autênticas? – Ela parecia estar se divertindo com aquilo. – Espero que elas possam convencê-la de que nossos outros dados também são verídicos. Vieram da mesma fonte.

Gabrielle podia sentir seu rosto vermelho e todo o seu corpo pulsando enquanto andava pelo corredor a passos rápidos. *Onde diabos fica a saída?*

Com suas longas pernas, Tench não tinha a menor dificuldade para acompanhar a jovem assessora.

– O senador Sexton jurou para o mundo que vocês dois mantêm apenas uma relação platônica. Sua declaração na televisão foi bem convincente. – Tench fez um gesto rápido, apontando para trás, e disse: — Na verdade, tenho uma cópia em VHS na minha sala, caso você queira refrescar sua memória.

Gabrielle não tinha se esquecido de nada. Lembrava-se muito bem da entrevista coletiva. As palavras de Sexton negando o ocorrido foram tão firmes quanto emocionadas.

— Eu realmente sinto muito por isso — continuou a consultora, com ironia —, mas o senador Sexton olhou para os americanos através das câmeras e disse uma mentira nua e crua. O público tem o direito de saber. E *vai* saber. Vou cuidar disso pessoalmente. A única questão agora é de que forma o público descobrirá. Achamos que a melhor maneira é que você mesma conte tudo.

Gabrielle estava furiosa.

— Você realmente acredita que vou ajudá-la a crucificar meu próprio candidato?

O rosto de Tench se endureceu.

— Estou lhe dando uma chance de sair disso com a cabeça erguida, Gabrielle. Uma chance de poupar muita gente de uma grande humilhação, sendo honesta e dizendo a verdade. Tudo de que preciso é que você assine uma declaração admitindo que teve um caso com Sexton.

Gabrielle encarou-a, espantada.

— O quê?

— Só isso. Uma declaração assinada nos daria aquilo de que precisamos para lidar com o senador de forma discreta, evitando que todo o país seja envolvido nessa confusão desagradável. Minha oferta é bem simples: assine uma declaração e ninguém jamais verá as fotos.

— Você quer uma declaração?

— Tecnicamente, eu precisaria de um depoimento com testemunhas, mas temos um tabelião aqui no prédio que poderia...

— Você é louca — disse Gabrielle, continuando a andar.

Tench não saiu do lado dela, soando mais agressiva agora.

— O senador Sexton vai ser jogado aos leões de uma forma ou de outra, Gabrielle, e estou lhe dando uma chance de sair disso sem ter que ver seu belo traseiro nu na primeira página dos jornais! O presidente é um homem íntegro e não gostaria de publicar essas fotos. Basta me dar uma declaração oficial, confessando o caso com suas próprias palavras, para que todos nós possamos manter um pouco de dignidade.

— Não estou à venda.

— Talvez não, mas parece que seu candidato está. Ele é um homem perigoso e está agindo de forma ilegal.

— *Ele* está agindo de forma ilegal? Foram vocês que entraram ilegalmente em um escritório no prédio do Senado e tiraram fotos usando câmeras ocultas! Já ouviu falar em Watergate?

– Ah, mas não temos nada a ver com essa sujeirada. As fotos vieram da mesma fonte que nos entregou as informações sobre o financiamento da SFF para a campanha de Sexton. Alguém tem prestado muita atenção em vocês dois.

Gabrielle passou como uma flecha pela mesa do segurança que lhe entregara a identificação. Ela arrancou o crachá e jogou-o sobre o vigia, que assistia à cena espantado. Tench continuou atrás dela.

– Não lhe resta muito tempo, senhorita Ashe – disse ela quando chegaram perto da saída. – Ou me traz uma declaração assinada admitindo ter dormido com o senador ou então hoje, às oito da noite, o presidente será forçado a expor tudo em público: as propinas que Sexton recebeu, suas fotos, as conexões ilícitas. E, acredite, quando o público souber que você não abriu a boca enquanto Sexton mentia descaradamente sobre o que aconteceu entre vocês, seu nome será jogado na lama junto com o dele.

Gabrielle finalmente encontrou a porta e foi em sua direção.

– Na minha mesa, até às oito. Seja esperta – disse Tench pouco antes de Gabrielle sair, colocando nas mãos dela o envelope com as fotografias. – Pode guardá-las como recordação, querida. Tenho muitas outras.

CAPÍTULO 48

Rachel sentiu um arrepio de medo enquanto descia a plataforma de gelo em direção à noite que se adensava. Imagens inquietantes percorriam sua mente – o meteorito, o poço de extração, o plâncton fosforescente. Quais seriam as implicações se Norah tivesse cometido um erro na análise das amostras de gelo?

Uma matriz sólida de água doce, insistira a glaciologista, argumentando que tinha perfurado e retirado amostras em volta de toda a área do poço, assim como da camada que ficava diretamente acima do meteorito. Se a geleira contivesse interstícios de água salgada cheios de plâncton, ela os teria visto. Teria mesmo? De qualquer forma, a intuição de Rachel continuava retornando para a solução mais simples.

Há plâncton congelado nesta geleira.

Dez minutos e quatro sinalizadores mais tarde, Rachel e os outros estavam a uns 250 metros da habisfera. Sem nenhum aviso, Norah parou subitamente.

– É aqui – disse ela, como se fosse uma daquelas pessoas supostamente mágicas que dizem "sentir" o local ideal para cavar um poço.

Rachel virou-se e olhou para a subida atrás deles. A habisfera já havia desaparecido há muito na noite fracamente iluminada pela Lua pálida, mas a linha de sinalizadores podia ser vista claramente, o mais distante deles piscando de forma tranqüilizadora, como uma estrela longínqua. Os sinalizadores estavam em uma linha perfeitamente reta, como uma pista de pouso cuidadosamente calculada. Rachel estava impressionada com a habilidade de Norah.

– Esse foi outro motivo para usarmos o trenó – ela explicou quando notou que Rachel estava observando os sinalizadores. – As lâminas são paralelas. Se deixarmos a gravidade conduzi-lo sem interferirmos, temos a garantia de que estamos andando em linha reta.

– Um bom truque – gritou Tolland. – Eu queria que tivéssemos algo assim em mar aberto.

Nós ESTAMOS em mar aberto, pensou Rachel, lembrando-se do oceano abaixo deles. Por um curto segundo a chama mais distante chamou sua atenção. Ela havia desaparecido, como se a luz tivesse sido tapada por uma forma passando na frente dela, mas reapareceu logo em seguida. Rachel ficou preocupada.

– Norah – bradou sobre o ruído do vento –, você disse que havia ursos polares aqui?

A glaciologista estava preparando o último sinalizador e não ouviu o que Rachel disse ou preferiu ignorá-la.

– Os ursos polares – gritou Tolland – se alimentam de focas. Só atacam humanos quando invadimos seu espaço.

– Mas *estamos* na terra dos ursos polares, não estamos? – Rachel nunca conseguia se lembrar em qual pólo havia ursos e em qual havia pingüins.

– Estamos. O Ártico se chama assim por causa dos ursos: *Arktos* é "urso" em grego – Tolland respondeu.

Que ótimo! Rachel olhou nervosamente para a escuridão em torno dela.

– A Antártica não tem ursos polares – prosseguiu Tolland. – Então é chamada de Anti-*arktos*.

– Obrigada, Mike – gritou Rachel. – Chega dessa conversa sobre ursos.

Ele riu.

– Tudo bem. Desculpe.

Norah enfiou um último sinalizador na neve. Mais uma vez os quatro se viram engolfados em um brilho avermelhado, parecendo balões inflados dentro de seus trajes pretos de proteção. Além do círculo de luz projetado pelo sinalizador, o resto do mundo se tornou completamente invisível, um manto de escuridão que os envolvia.

Rachel e os outros observaram enquanto Norah plantou os pés no gelo e puxou com cuidado o trenó para trazê-lo até onde eles estavam, alguns metros acima. Então, mantendo a corda tensionada, ajoelhou-se e ativou manualmente as garras que serviam de freio para o trenó: quatro pontas curvas que penetravam no gelo para imobilizá-lo. Feito isso, levantou-se e tirou a neve do corpo, deixando a corda em torno de sua cintura se afrouxar.

– Vamos lá – disse ela. – Mãos à obra.

A glaciologista andou até o lado do trenó que estava protegido do vento e começou a abrir os ilhoses que mantinham a cobertura protetora sobre o equipamento. Rachel, achando que havia sido muito dura com Norah, aproximou-se para ajudar a abrir a parte traseira da cobertura.

– Por Deus, NÃO! – gritou Norah, levantando a cabeça. – Jamais faça isso!

Rachel ficou rígida, sem entender.

– *Jamais* abra o lado que está contra o vento! Você iria criar um bolsão de ar e este trenó sairia voando como se fosse um guarda-chuva em um túnel de vento.

Rachel afastou-se.

– Perdão, eu...

Norah fulminou-a com os olhos.

– Você e o menino-prodígio não deveriam estar aqui fora.

Nenhum de nós deveria, pensou Rachel.

◆ ◆ ◆

Amadores, Norah pensou, irritada, xingando o administrador por sua insistência em mandar Corky e Sexton com ela. *Esses idiotas vão acabar fazendo com que alguém morra aqui fora*. A última coisa que ela desejava naquele momento era ter que bancar a babá.

– Mike, preciso de ajuda para retirar o GPR do trenó.

Tolland ajudou-a a remover o GPR, um radar de penetração do solo, e a posicioná-lo sobre o gelo. O instrumento se parecia com três pequenas pás de trator que tivessem sido fixadas em paralelo a uma armação de alumínio. O dispositivo inteiro não ocupava mais que um metro de comprimento e era conectado através de cabos a um transformador e a uma bateria marinha que estavam no trenó.

– Isso é um radar? – perguntou Corky, gritando em meio ao vento.

Norah balançou a cabeça, em silêncio. O GPR era muito mais adequado para visualizar gelo salinizado do que o PODS. O transmissor do GPR emitia pulsos eletromagnéticos através do gelo, e esses pulsos eram refletidos de forma diferenciada por substâncias com estruturas cristalinas distintas. A água doce pura congelava numa estrutura plana e estratificada. Mas a água marinha congelava numa estrutura contendo mais tramas ou ramos, por conta de seu conteúdo de sódio, fazendo com que os pulsos do GPR retornassem de forma irregular, reduzindo muito o número de reflexões.

Norah ligou a máquina.

– Isto vai me dar um corte transversal da geleira a partir do eco da camada de gelo em torno do poço de extração – ela gritou. – O software interno da máquina irá desenhar a imagem conforme o modelo tridimensional e depois imprimi-la. Qualquer gelo resultante de água marinha será visto como uma sombra.

– Você vai imprimir? – Tolland estava surpreso. – Você tem como *imprimir* aqui?

Ela apontou para um cabo saindo do GPR e indo até um dispositivo ainda protegido dentro da cobertura do trenó.

– Nesses casos, não temos muita escolha. As telas de computador consomem muita energia da bateria, sempre preciosa; então os glaciologistas que fazem pesquisa de campo imprimem os dados usando impressoras térmicas. As cores não ficam muito boas, mas o toner de uma laser se solidifica em temperaturas de -20°. Aprendi isso da pior forma no Alasca.

Norah pediu que todos ficassem num plano mais baixo que o GPR, enquanto se preparava para alinhar o transmissor de forma que ele fizesse uma varredura da área onde estava o buraco do meteorito, a duas centenas de metros deles. Mas, quando Norah olhou na direção de onde haviam vindo, não conseguiu ver nada.

– Mike, preciso alinhar o transmissor do GPR com o local onde estava o meteorito, mas este sinalizador está me cegando. Vou subir um pouco a encosta, só o suficiente para sair da luz. Então levantarei as mãos em linha com os sinalizadores e você completará o alinhamento no GPR.

Tolland assentiu, ajoelhando-se ao lado do dispositivo.

Norah firmou seus crampons no gelo e curvou-se contra o vento, subindo o aclive em direção à habisfera. O vento catabático naquele dia estava muito pior do que imaginara, e ela podia sentir que uma tempestade estava se aproximando. Não importava. Terminariam aquilo em poucos minutos. *Eles vão ver que estou certa.* Ela andou 10 metros de volta, na direção da habisfera. Chegou ao limite da escuridão exatamente quando sua corda ficou esticada ao máximo.

Olhou na direção de onde vieram. Quando seus olhos se acostumaram com o escuro, a linha de sinalizadores apareceu lentamente, alguns graus à sua esquerda. Ela ajustou sua própria posição até ficar perfeitamente alinhada com eles. Então estendeu os braços como um compasso, virando o corpo e indicando o vetor exato.

– Estou alinhada agora!

Tolland ajustou o GPR e acenou.

– Tudo pronto!

Norah deu uma última olhada para a colina, feliz por ter uma linha iluminada indicando o caminho de casa. De repente, uma coisa estranha aconteceu. Por um instante, um dos sinalizadores mais próximos desapareceu totalmente. Antes mesmo que ela tivesse tempo de pensar que ele se apagara, o sinalizador reapareceu. Se ela não tivesse certeza de que era completamente impossível, pensaria que alguma coisa havia passado entre o sinalizador e sua posição. Certamente não havia mais ninguém lá fora... a menos, claro, que o administrador tivesse começado a se sentir culpado e enviado uma equipe da NASA atrás deles. Norah não achava que ele fosse fazer isso. Provavelmente não foi nada, concluiu. Uma rajada de vento deve ter levado a chama temporariamente.

Norah voltou para o GPR.

– Está alinhado?

– Creio que sim – disse Tolland.

Ela foi até o dispositivo de controle que estava no trenó e apertou um botão. O GPR emitiu um zunido estridente e depois parou.

– É isso, acabou.

– Só isso? – perguntou Corky.

– O trabalho todo está na configuração adequada. O disparo em si só demora um segundo.

Dentro do trenó, a impressora térmica já tinha começado a traçar a imagem. Ela estava coberta por um plástico transparente e, aos poucos, ejetava um papel denso e enrolado. Norah esperou até que a impressão houvesse terminado, depois colocou a mão por baixo do plástico e pegou a folha impressa. *Eles vão ver*, pensou ela, levando a impressão até bem perto do sinalizador para que todos pudessem examiná-la. *Não vai ter nenhuma água salinizada.*

Todos se juntaram em torno de Norah enquanto ela se posicionava perto do sinalizador, agarrando firmemente a impressão com suas luvas. Ela respirou fundo e desenrolou o papel para examinar os dados. A imagem impressa, contudo, fez com que tremesse, horrorizada.

– Meu Deus!

Norah olhou para a folha, sem acreditar no que estava vendo. Como era esperado, a impressão revelou uma seção transversal bastante nítida do poço de extração cheio d'água. O que ela jamais teria imaginado ver, contudo, eram os contornos acinzentados e pouco nítidos de uma forma humanóide flutuando a meio caminho do fundo do poço. Seu sangue gelou.

– Meu Deus, há um corpo dentro do poço.

Todos olharam assustados, sem dizer uma palavra.

Como um fantasma, o corpo flutuava de cabeça para baixo no poço estreito. Envolvendo-o, como uma espécie de capa, havia uma estranha aura. Norah entendeu, então, o que era aquilo. O GPR capturara um traço vago do pesado casaco da vítima: um grosso, longo e familiar casaco de lã de camelo.

– É o Ming – sussurrou. – Ele deve ter escorregado...

Norah Mangor nunca pensou que ver o corpo de Ming dentro do poço seria o menor dos dois choques que aquela impressão iria revelar, mas, quando seus olhos continuaram descendo em direção ao fundo do poço, ela viu algo mais.

O gelo sob o poço de extração...

Norah observou, pensativa. Sua primeira idéia era de que algo tinha dado errado na varredura. Depois, conforme estudou a imagem mais atentamente, uma compreensão perturbadora começou a crescer dentro dela, como a tempestade se formando em torno deles. As pontas do papel sacudiam-se fortemente ao vento enquanto ela virava a folha e olhava mais intensamente para aquele ponto.

Mas... isto é impossível!

A verdade atravessou-a como um raio. E o que ela descobriu parecia querer devorá-la, a tal ponto que se esqueceu completamente de Ming.

A glaciologista compreendeu de onde vinha a água salgada no poço. Caiu de joelhos na neve, ao lado do sinalizador. Mal podia respirar. Segurando o papel em suas mãos, começou a tremer.

Meu Deus, isso nem passou pela minha cabeça.

Em um súbito ataque de raiva, ela virou-se na direção da habisfera da NASA.

– Seus calhordas! – gritou, sua voz sumindo no vento. – Seus calhordas filhos-da-mãe!

◆◆◆

Na escuridão, a apenas 15 metros dali, Delta-Um aproximou seu dispositivo CrypTalk da boca e disse apenas duas palavras para seu controlador: "Eles descobriram."

CAPÍTULO 49

Norah Mangor continuava ajoelhada no gelo quando Michael Tolland, sem entender o que tinha acontecido, pegou a impressão do GPR que ela estava segurando, trêmula. Ainda abalado com a descoberta do corpo de Ming flutuando no poço, Tolland tentou concentrar-se para decifrar a imagem.

Viu o corte transversal do poço do meteorito descendo da superfície por 60 metros dentro do gelo. Viu também o corpo de Ming flutuando no poço. Depois seus olhos foram descendo pelo papel e ele sentiu que algo estava incorreto. Diretamente *abaixo* do poço de extração, uma coluna negra de água do mar congelada se estendia para baixo até atingir o oceano. O diâmetro da coluna de gelo marinho era grande. Na verdade, era o mesmo diâmetro do poço em si.

– Minha nossa! – Rachel gritou, olhando por cima dos ombros de Tolland. – Parece que o poço do meteorito *atravessa* a plataforma de gelo até atingir o oceano!

Tolland permaneceu em silêncio, estarrecido, incapaz de aceitar aquilo que sabia ser a única explicação possível. Corky parecia igualmente inquieto.

Norah gritou:

– Alguém cavou um buraco sob a plataforma! – Seus olhos estavam dilatados de raiva. – Alguém *inseriu intencionalmente* essa rocha por baixo do gelo!

Apesar do lado idealista de Tolland querer rejeitar as palavras de Norah, seu pragmatismo científico indicava que provavelmente ela estava certa. A plataforma de gelo Milne estava flutuando sobre o oceano a uma distância suficiente para permitir a passagem de um submarino. Uma vez que as coisas são bem mais leves sob a água, mesmo um pequeno submarino, não muito maior do que o submersível de pesquisa *Triton* de Michael, que carregava apenas um homem, poderia ter transportado o meteorito em suas garras de transporte de carga. O submarino poderia ter vindo pelo oceano, submergido abaixo da plataforma e perfurado o gelo em direção à superfície. Depois, teria usado um braço extensível ou balões infláveis para empurrar o meteorito para cima no poço. Quando o meteorito estivesse posicionado, a água do oceano, que teria preenchido novamente o poço por trás do meteorito, iria começar a congelar. Assim que o poço se fechasse o suficiente para manter o meteorito firme, o submarino poderia retrair seu braço mecânico e sumir, deixando que a Mãe Natureza se encarregasse de fechar o restante do túnel e apagar todos os traços da armação.

— Mas *por quê?* – perguntou Rachel, tirando a impressão da mão de Tolland e olhando para ela. – Por que alguém faria isso? Você tem certeza de que o GPR está funcionando bem?

— Claro que está! E essa impressão explica perfeitamente a presença de bactérias fosforescentes na água!

Tolland tinha de admitir que a lógica de Norah era assustadoramente impecável. Dinoflagelados fosforescentes teriam nadado para cima, por instinto, para dentro do poço do meteorito, ficando depois presos sob o meteorito e congelando. Mais tarde, quando Norah esquentou o meteorito, o gelo imediatamente abaixo dele derreteu, libertando o plâncton. Mais uma vez, os dinoflagelados teriam nadado para cima, desta vez chegando até à superfície dentro da habisfera, onde acabariam morrendo por falta de água salgada.

— Isso é completamente absurdo! – gritou Corky. – A NASA tem um meteorito com fósseis extraterrestres dentro dele. Quem se importaria com o local onde foi encontrado? Por que se dariam ao trabalho de enterrá-lo sob uma geleira?

— Isso é algo que eu não sei – retrucou Norah –, mas a impressão do GPR é clara. Fomos enganados. Aquele meteorito não é um fragmento do que Jungersol avistou em 1716. Foi inserido aqui *recentemente*, há cerca de um ano, talvez. Do contrário o plâncton já teria morrido! – Ela já começara a recolocar seu equipamento de GPR de volta no trenó e a amarrá-lo. – Temos que voltar e contar a alguém! O presidente está prestes a dar uma coletiva de imprensa com dados totalmente errados! A NASA o enganou!

— Espere! – gritou Rachel. – Não deveríamos fazer ao menos uma segunda varredura para confirmar isso? Nada do que descobrimos faz sentido. Quem irá acreditar em nós?

— Todo mundo – disse Norah. – Quando eu entrar na habisfera, coletar uma amostra do fundo do poço do meteorito e constatar que é gelo marinho, posso lhe garantir que *todos* vão acreditar!

Norah soltou os freios do trenó com o equipamento e virou-o na direção do domo. Começou a subir a colina, enterrando seus crampons no gelo e puxando o trenó com uma facilidade surpreendente. Agora ela era uma mulher com uma missão.

— Vamos! – anunciou em voz alta, liderando a cordada em direção ao perímetro do círculo iluminado. – Não sei o que a NASA está aprontando aqui, mas com certeza não gosto nem um pouco de ser usada como um peão em seu...

O pescoço de Norah curvou-se violentamente para trás, como se ela tivesse sido atingida na testa por um objeto invisível. Ela soltou um grito gutural de dor, cambaleou e caiu para trás no gelo. Quase no mesmo instante, Corky deu um berro e girou de lado como se seu ombro tivesse sido impulsionado para trás. Caiu no gelo, também gritando de dor.

◆ ◆ ◆

Rachel se esqueceu imediatamente da impressão que estava em suas mãos, de Ming, do meteorito e daquele túnel peculiar sob o gelo. Havia sentido um projétil passar por sua orelha, errando por pouco sua têmpora. Instintivamente, jogou-se de joelhos no chão, puxando Tolland para baixo com ela.

– O que está acontecendo? – gritou Tolland.

Rachel pensou que fosse uma tempestade de granizo. Mesmo assim, pela força com que Corky e Norah haviam sido atingidos, ela estimou que a velocidade do granizo teria que ser de centenas de quilômetros por hora. Misteriosamente, aquela súbita saraivada de objetos do tamanho de bolas de gude parecia estar direcionada para Rachel e Tolland, caindo ao redor deles por toda parte, levantando pequenos jatos de gelo. Ela rolou o corpo por cima do estômago, enfiou os crampons frontais de suas botas no gelo e se lançou na direção da única proteção disponível: o trenó. Tolland chegou em seguida, arrastando-se e agachando-se ao lado dela.

Ele olhou para Norah e Corky, que estavam desprotegidos sobre o gelo.

– Puxe-os pela corda! – gritou, fazendo força para puxá-los. De nada adiantou, pois a corda estava emaranhada em torno do trenó.

Rachel enfiou o papel impresso no bolso de velcro de seu macacão Mark IX, depois engatinhou ao redor do trenó, tentando desembaraçar a corda de suas lâminas. Tolland foi logo atrás.

A tempestade subitamente caiu sobre o trenó, como se a Mãe Natureza houvesse abandonado Corky e Norah e agora tivesse decidido mirar em Rachel e Tolland. Um dos projéteis bateu no topo da cobertura do trenó, afundando parcialmente, e depois ricocheteou, indo cair na manga do macacão de Rachel.

Quando ela viu o que era, entrou em pânico. Em um instante a perplexidade que estava sentindo transformou-se em terror. Aquelas "pedras de granizo" haviam sido fabricadas pelo homem. A bola de gelo que caíra em sua manga era uma esfera perfeita do tamanho de uma grande cereja. A superfície era polida e lisa, marcada apenas por um sulco linear ao redor da circunferência, como uma velha bala de mosquetão torneada em uma prensa. Aqueles projéteis de gelo haviam sido sem dúvida alguma manufaturados.

Balas de gelo...

Como tinha acesso a documentos militares, Rachel estava a par dos novos armamentos que utilizavam munições improvisadas, conhecidas pela sigla IM. Iam desde rifles que compactavam a neve em balas de gelo até rifles para o deserto capazes de transformar a areia em projéteis de vidro, sem falar nas armas com jatos d'água capazes de atirar pulsos de líquido com tanta força que podiam quebrar ossos. As armas IM tinham uma grande vantagem sobre as tradicionais, pois dispunham de recursos em abundância e literalmente fabricavam seus próprios projéteis no campo de batalha, fornecendo aos soldados uma quantidade infinita de munição sem que eles tivessem que transportar muito peso. Rachel sabia que aquelas bolas de gelo atiradas contra eles estavam sendo comprimidas na hora, usando neve colocada na coronha do rifle.

Como ocorria freqüentemente no mundo da inteligência, quanto mais alguém sabia sobre um assunto, mais terrível o cenário ficava. Aquele caso não era uma exceção. Rachel teria preferido um estado de ignorância tranqüilo, mas seus conhecimentos de armamentos IM apontavam para um fato estarrecedor: eles estavam sendo atacados por uma das forças de Operações Especiais dos Estados Unidos, as únicas no país que tinham permissão, naquele momento, para usar aquelas armas experimentais em campo.

A presença de uma força militar secreta trazia consigo uma segunda conclusão ainda pior: a probabilidade de sobreviver àquele ataque era quase nula.

O pensamento mórbido foi interrompido quando um dos projéteis de gelo encontrou uma passagem por entre a parede de equipamentos no trenó e bateu direto em seu estômago. Mesmo dentro do acolchoamento de seu Mark IX, Rachel sentiu-se como se um peso-pesado invisível houvesse acertado um soco em seu estômago. Sua visão periférica ficou borrada e ela balançou para trás, agarrando o trenó para manter o equilíbrio. Michael Tolland largou a corda que o prendia a Norah e pulou para segurar Rachel, mas chegou tarde. Ela caiu para trás, puxando uma pilha de equipamentos consigo. Ela e Tolland caíram sobre o gelo junto com os aparelhos eletrônicos.

– São... balas... – ela disse, com a voz entrecortada, tentando respirar em meio à dor. – Corra!

CAPÍTULO 50

O metrô ganhou velocidade ao sair da estação Federal Triangle, mas Gabrielle gostaria de poder se afastar ainda mais rápido da Casa Branca. Sentou em um canto vazio do vagão, rígida como uma estátua, observando as sombras escuras passarem como um borrão veloz do lado de fora. O envelope vermelho que Marjorie Tench lhe dera estava em seu colo, pesando como se tivesse 10 toneladas.

Tenho que falar com Sexton!, pensou enquanto o trem avançava na direção do prédio onde ficava o escritório do senador. *Imediatamente!*

Na luz fria e entrecruzada por sombras do vagão, Gabrielle sentia-se como se houvesse tomado alucinógenos e estivesse no meio de uma grande viagem química. Luzes difusas corriam pelo teto como estroboscópios piscando em câmera lenta em uma discoteca. O grande túnel subia por todos os lados como um cânion cada vez mais profundo.

Isso não pode estar acontecendo.

Olhou para o envelope em seu colo. Abriu o fecho, colocou a mão lá dentro e pegou uma das fotos. As luzes internas do trem piscaram brevemente, iluminando com sua tonalidade fria uma imagem escandalizante – Sedgewick Sexton deitado, nu, em seu gabinete, seu rosto extasiado virado diretamente para a câmera, com Gabrielle deitada, também nua, a seu lado.

Ela estremeceu, jogou a foto de volta para dentro do envelope e rapidamente fechou-o.

Está tudo acabado.

Assim que o trem saiu do túnel e passou para um trecho na superfície, perto da L'Enfant Plaza, Gabrielle pegou o celular e ligou para o número pessoal do senador. A ligação caiu na caixa postal. Confusa, ela telefonou para o escritório. A secretária atendeu.

– Oi, é Gabrielle. Ele está aí?

A secretária parecia irritada.

– Onde você se meteu? Ele esteve procurando você.

– Tive uma reunião que demorou bem mais do que eu pretendia. Preciso falar com ele, é urgente.

– Você vai ter que esperar até amanhã. Ele está em Westbrooke.

Westbrooke Place Luxury Apartments era o prédio onde Sexton residia quando estava em Washington.

– Ele não está atendendo a linha pessoal – disse Gabrielle.

– A noite de hoje foi bloqueada como A.P. – lembrou a secretária. – Ele saiu daqui mais cedo.

Gabrielle fez uma careta. *Assuntos pessoais*. No meio de toda a confusão, ela havia se esquecido completamente de que Sexton tinha agendado aquela noite para ficar sozinho em casa. Ele fazia muita questão de não ser perturbado durante os horários que bloqueava como A.P. "Só batam na minha porta se o prédio estiver pegando fogo", costumava dizer. "Qualquer outra coisa pode esperar até a manhã seguinte." Gabrielle decidiu que o prédio de Sexton definitivamente estava pegando fogo.

– Preciso que você entre em contato com ele.

– Impossível.

– Isso é muito sério, eu realmente...

– O que eu quis dizer é que é *literalmente* impossível. Ele deixou o pager em cima da minha mesa ao sair e pediu que ninguém o perturbasse esta noite. Foi bastante enfático – ela fez uma pausa antes de prosseguir. – Mais do que o normal.

Merda.

– Tudo bem, obrigada. – Gabrielle desligou o telefone.

"L'Enfant Plaza", uma voz gravada anunciou no alto-falante. "Conexões para todas as linhas."

Fechando os olhos, Gabrielle tentou clarear as idéias, mas imagens terríveis não paravam de atormentá-la... aquelas fotos tórridas com o senador... a pilha de documentos mostrando que Sexton estava recebendo propinas. Ela ainda podia ouvir as exigências ríspidas de Tench martelando em sua mente. *Faça a coisa certa. Assine a declaração. Admita que tiveram um caso.*

O barulho dos freios encheu o vagão enquanto o trem parava na estação. Gabrielle tentava imaginar o que o senador faria se as fotos fossem publicadas. A primeira coisa que cruzou seus pensamentos deixou-a ao mesmo tempo chocada e envergonhada.

Sexton mentiria.

Era realmente este o seu primeiro instinto em relação ao seu candidato?

Sim. Ele iria mentir de forma brilhante.

Se aquelas fotos chegassem à mídia sem que Gabrielle tivesse admitido o caso entre os dois, o senador iria declarar que eram uma falsificação abominável. Não havia nada de surpreendente na edição digital de imagens. Qualquer um que tivesse navegado por mais de 15 minutos pela internet já teria visto uma das muitas fotos perfeitamente retocadas onde se viam cabeças de celebridades digitalmente montadas no corpo de outras pessoas, em geral atrizes ou atores de filmes pornôs cometendo atos obscenos. Gabrielle já tinha presenciado a habilidade do senador de olhar para uma câmera de TV e mentir convincentemente sobre o caso que tiveram. Não tinha dúvidas, agora, de que ele poderia persuadir todo mundo de que aquelas fotos eram um golpe baixo para tentar deturpar sua carreira. Sexton iria se revoltar diante daquele ultraje repugnante e talvez chegasse mesmo a insinuar que o próprio presidente estava por trás daquela falsificação.

Não era de espantar que a Casa Branca não tivesse levado nada a público. As fotos, pensou Gabrielle, poderiam ser outro tiro pela culatra, assim como a acusação inicial havia sido. Por mais que parecessem reais, não constituíam de forma alguma uma prova conclusiva.

Sentiu sua esperança renovar-se. *A Casa Branca não pode provar nada disso!*

O golpe de Tench para cima de Gabrielle tinha sido simples, porém brutal: admitir o caso ou ver o senador indo para a prisão. Agora tudo fazia sentido. A Casa Branca *precisava* que ela admitisse o caso, do contrário as fotos de nada valeriam. Ao recobrar sua autoconfiança, Gabrielle ficou subitamente animada.

O trem parou e as portas se abriram. Ao mesmo tempo, uma outra porta se abriu na mente de Gabrielle, mostrando-lhe de imediato uma possibilidade encorajadora.

Talvez tudo o que Tench me disse sobre o suborno tenha sido uma mentira.

Afinal, o que exatamente ela tinha visto? Mais uma vez, nenhuma prova conclusiva: algumas fotocópias de documentos bancários, uma foto granulada de Sexton em uma garagem. Tudo aquilo podia perfeitamente ser falsificado. Usando uma tática perspicaz, a consultora de Zach Herney teria mostrado os documentos falsos e, ao mesmo tempo, as fotos reais de Gabrielle com o senador, esperando que ela "engolisse" o pacote inteiro como verdade. Era algo que os políticos chamavam de "autenticação por associação" e que usavam o tempo todo para fazer com que conceitos duvidosos parecessem verdadeiros.

Sexton é inocente, Gabrielle disse para si mesma. A Casa Branca estava desesperada e tinha decidido tentar uma jogada arriscada, assustando-a com a possibilidade de tornar público o caso com o senador. Precisavam que ela denunciasse Sexton publicamente, escandalosamente. *Saia enquanto é tempo*, Tench havia dito. *Você tem até oito da noite.* O velho truque de pressionar para convencer. *Tudo se encaixa perfeitamente*, ela pensou.

Exceto por uma coisa...

A única peça que não se encaixava bem nesse quebra-cabeça era que Tench estivera mandando e-mails para Gabrielle com conteúdo prejudicial à NASA. Aquilo claramente sugeria que o governo queria que Sexton consolidasse sua posição contra a agência de forma que pudesse usar isso contra ele. Ou não? Gabrielle concluiu que havia uma explicação perfeitamente lógica até mesmo para os e-mails.

E se não viessem de Tench?

Era possível que Marjorie tivesse descoberto que havia um traidor em sua equipe mandando dados para Gabrielle por e-mail. Ela teria demitido o traidor e assumido seu papel, enviando aquela última mensagem chamando a assessora de Sexton para uma reunião. Tench poderia, então, fazer de conta que deixara vazar todas as informações da NASA de propósito, preparando uma cilada para ela.

O sistema hidráulico do metrô começou a emitir um silvo agudo, preparando o fechamento das portas em L'Enfant Plaza.

Gabrielle olhou para a plataforma, do lado de fora, sua mente girando a mil. Não sabia se suas suspeitas faziam sentido ou se eram apenas uma grande justificativa que havia montado. Fosse como fosse, tinha que falar com o senador imediatamente, não importando se era uma noite A.P. ou não.

Segurando firme o envelope com as fotografias, Gabrielle saiu correndo do vagão, com as portas se fechando atrás dela. Ela tinha um novo destino.

Westbrooke Place Apartments.

CAPÍTULO 51

Lutar ou fugir.

Como biólogo, Tolland conhecia bem as enormes mudanças fisiológicas que ocorriam quando um organismo sentia que estava em perigo. A adrenalina inundava o córtex cerebral, aumentando os batimentos cardíacos e ordenando ao cérebro que tomasse a mais antiga e mais profundamente enraizada de todas as decisões biológicas: lutar ou fugir.

O instinto de Tolland lhe dizia para fugir, mas a lógica o lembrava de que ainda estava amarrado a Norah Mangor. De qualquer forma, não havia para onde fugir. O único abrigo possível seria a habisfera, e os agressores tinham se posicionado na parte mais alta do terreno, eliminando essa possibilidade. Atrás dele, o terreno de gelo aberto abria-se numa planície de três quilômetros que terminava em uma queda abrupta no mar glacial. Fugir naquela direção significava morte por exposição ao frio. Independentemente de todas as barreiras práticas à fuga, Tolland sabia que não podia deixar os outros para trás. Norah e Corky ainda estavam em terreno aberto, unidos pela cordada a Rachel e a ele mesmo.

Tolland ficou abaixado próximo a Rachel enquanto os projéteis de gelo continuavam a bater na lateral do trenó de equipamento que havia virado. Ele remexeu o conteúdo espalhado, tentando encontrar alguma arma, um sinalizador, um rádio... qualquer coisa.

– Corra! – gritou Rachel, ainda com dificuldades para respirar.

Naquele momento a saraivada de projéteis de gelo cessou sem razão aparente. Mesmo com o vento cortante, a noite agora parecia calma – como se uma tempestade houvesse se dissipado.

Espreitando com cuidado pelo canto do trenó, Tolland presenciou uma terrível cena.

Saindo do perímetro externo de escuridão para a zona iluminada surgiram três figuras fantasmagóricas, deslizando sem nenhum esforço sobre esquis. Os homens usavam roupas térmicas completamente brancas. Não carregavam bastões de esqui, e sim grandes rifles que não se pareciam com nenhuma arma que Tolland já tivesse visto. Mesmo seus esquis eram estranhos: futurísticos e curtos, pareciam-se mais com *rollerblades* alongados do que com esquis.

Com tranqüilidade, como se já soubessem que haviam vencido aquela batalha, as figuras pararam ao lado da vítima mais próxima, Norah Mangor, que jazia inconsciente na neve. Tremendo, Tolland apoiou-se nos joelhos e olhou por cima do trenó para os agressores. Eles o olharam de volta através de seus complexos óculos eletrônicos. Não pareciam estar muito preocupados com ele.

Pelo menos não naquele momento.

❖❖❖

Delta-Um não sentia o menor remorso ao olhar para a mulher inconsciente no gelo à sua frente. Havia sido treinado para obedecer ordens e não para questionar motivos.

A mulher vestia um macacão grosso e preto, de proteção térmica. Tinha uma marca de impacto em seu rosto, e sua respiração era curta e penosa. Um dos rifles de gelo IM a tinha acertado em cheio, deixando-a inconsciente.

Hora de terminar o trabalho.

Delta-Um se ajoelhou ao lado da mulher inconsciente enquanto seus dois companheiros de equipe mantinham os outros alvos sob a mira de seus rifles.

Um deles apontava para o homem baixo e inconsciente estirado sobre o gelo próximo a eles; e o outro, para o trenó virado onde se escondiam mais duas pessoas. Eles podiam se mover facilmente e terminar logo o trabalho, mas as três vítimas restantes estavam desarmadas e não tinham como escapar. Apressar-se para matá-las seria um descuido. *Nunca disperse o foco a menos que seja absolutamente necessário. Enfrente um adversário de cada vez.* Seguindo o mote de seu treinamento, a Força Delta mataria aquelas pessoas uma de cada vez. O mais impressionante era que não deixaria nenhum rastro que revelasse como elas haviam morrido.

Agachado ao lado da mulher, Delta-Um tirou suas luvas térmicas e juntou um montinho de neve. Comprimindo a neve com as mãos, abriu a boca da mulher e começou a enfiar a neve garganta abaixo. Encheu toda a boca, empurrando a neve o mais fundo que podia. Ela estaria morta em menos de três minutos.

Aquela técnica, inventada pela máfia russa, era chamada de *byelaya smert*, a morte branca. A vítima sufocava muito antes que a neve em sua garganta se dissolvesse. E, depois que morria, o corpo se mantinha quente durante tempo suficiente para que o gelo derretesse. Mesmo que alguém suspeitasse de algo, não haveria uma arma ou qualquer evidência de violência imediatamente perceptível. Após um exame mais detalhado, alguém iria entender o que havia acontecido, mas isso lhes daria algum tempo. As balas de gelo, por sua vez, iriam se misturar ao restante da neve e sumir, e a ferida no rosto da mulher daria a impressão de que ela havia levado um grande tombo no gelo, o que não seria improvável naquela ventania.

As outras três pessoas seriam incapacitadas e mortas da mesma forma. Então Delta-Um iria colocá-las todas no trenó, arrastá-las algumas centenas de metros para fora de sua rota original, reatar as cordas de segurança e arrumar os corpos de forma adequada. Algumas horas mais tarde, os quatro seriam encontrados congelados na neve, aparentemente vítimas de superexposição e hipotermia. Quem descobrisse os corpos provavelmente se perguntaria o que estavam fazendo fora da rota, mas ninguém ficaria surpreso por estarem mortos. Afinal, seus sinalizadores haviam se apagado, as condições atmosféricas eram ruins e ficar perdido na plataforma de gelo Milne era morte certa.

Delta-Um havia acabado de enfiar a neve na garganta da mulher. Antes de passar à próxima vítima, ele desatou o mosquetão do boldrié dela. Iria reconectá-lo mais tarde. Contudo, por enquanto, não queria que as duas pessoas escondidas atrás do trenó tentassem puxar Norah para um local seguro.

◆ ◆ ◆

Michael Tolland havia acabado de assistir a um assassinato grotesco. Nem sua imaginação mais sombria poderia ter inventado algo tão sórdido. E o pior é que, depois de soltar a corda de Norah Mangor, os três agressores se voltaram para Corky.

Tenho que fazer algo!

Corky havia recobrado os sentidos e estava gemendo, tentando sentar-se, mas um dos soldados empurrou-o de volta para o gelo, subiu em cima dele e manteve seus braços presos ao chão ajoelhando-se sobre eles. O astrofísico soltou um grito de dor que foi imediatamente engolfado pelo vento raivoso.

Tomado por um terror enlouquecido, Tolland começou a revirar todo o material do trenó que estava espalhado à sua volta. *Tenho que encontrar algo aqui! Uma arma! Qualquer coisa!* Tudo o que via, entretanto, era equipamento de análise do gelo, sendo que a maior parte dele fora destruída quase completamente pelos projéteis de neve. Ao lado dele, ainda grogue, Rachel tentava sentar-se, usando sua piqueta de gelo para apoiar-se.

– Fuja, Mike...

Tolland olhou para a piqueta amarrada ao cinturão de Rachel e lembrou-se de que Norah também lhe dera uma daquelas. Poderia ser usada como uma arma. Ou quase. Tolland pensou rapidamente quais seriam suas chances de atacar três homens armados com aquele pequeno martelo.

Suicídio.

Rachel virou-se de lado e sentou-se. Foi então que Tolland viu uma coisa ao lado dela. Uma grande bolsa de plástico. Rezando para que, contra todas as possibilidades, houvesse uma arma de sinalização ou um rádio lá dentro, ele se arrastou até a bolsa e a pegou. Dentro encontrou uma grande folha de tecido Mylar, cuidadosamente dobrada. Inútil. Ele tinha algo similar em seu navio. Era um pequeno balão de observação atmosférica, projetado para levantar pequenas cargas de equipamento não muito mais pesadas do que um computador pessoal. O balão de Norah não iria ajudar em nada, especialmente sem um tanque de hélio por perto.

Ouvindo Corky se debater sem ter como escapar, Tolland foi tomado por uma sensação de impotência que há muito não sentia. Completo desespero. Completo senso de inutilidade. Como no clichê segundo o qual as pessoas vêem a vida passar perante seus olhos antes da morte, Tolland começou a se lembrar de imagens de sua infância. Por um breve momento, lá estava ele, velejando em San Pedro, aprendendo um divertido esporte náutico, o *parasail*

– puxado por uma corda amarrada a um barco, elevando-se sobre o mar, mergulhando risonho na água, subindo e descendo como uma criança suspensa por uma corda de sino de igreja, seu destino determinado por um pára-quedas ondulante e os ensejos da brisa oceânica.

Os olhos de Tolland voltaram-se imediatamente para o balão de Mylar em suas mãos. Ele compreendeu que sua mente não estava divagando, e sim tentando lhe fornecer uma saída! *Parasail.*

Corky ainda estava lutando contra o homem que o atacava quando Tolland rasgou a bolsa protetora em volta do balão. Michael não tinha muitas dúvidas de que seu plano era completamente insano, mas permanecer ali seria morte certa para todos. Ele agarrou o balão de Mylar dobrado. No grampo destinado à carga havia um aviso: CUIDADO! NÃO USAR COM VENTOS ACIMA DE 10 NÓS.

Que se dane! Segurando o balão firmemente para impedir que se abrisse, Tolland arrastou-se até Rachel, que estava apoiada de lado no chão. Quando ele chegou bem perto, gritando: "Segure isto!", ela o olhou confusa, sem entender o que pretendia fazer.

Tolland lhe entregou o tecido dobrado e, com as mãos livres, prendeu a garra de carga do balão em um dos mosquetões de seu boldrié. Em seguida, rolando para o lado, prendeu a garra em um dos mosquetões de Rachel também.

Agora os dois formavam um só corpo, unidos pela cintura.

Entre eles, a corda solta seguia pela neve até Corky, que ainda estava se debatendo... e mais 10 metros até o mosquetão solto ao lado do corpo de Norah Mangor.

Tarde demais para salvar Norah, pensou Tolland. *Não há nada que eu possa fazer.*

Os soldados estavam agachados ao lado de Corky, que se contorcia desesperadamente. Um deles havia juntado um montinho de neve e preparava-se para enfiá-lo na garganta do cientista. Tolland sabia que não lhe restava muito tempo. Pegou o balão dobrado que estava com Rachel. O tecido era leve como papel, mas indestrutível. *Lá vamos nós.*

– Segure-se!
– Mike? O que você está...

Tolland jogou o Mylar dobrado no ar, acima de suas cabeças. O vento abriu-o como um pára-quedas em um ciclone, inflando o tecido na mesma hora com um estalido alto.

Michael sentiu um puxão violento em seu cinturão e percebeu rapidamente que havia subestimado – e muito – a força do vento catabático. Em menos de um segundo, ele e Rachel estavam deslizando um pouco acima do gelo, sendo arrastados geleira abaixo. Um instante depois, Tolland sentiu sua corda de segurança tensionar-se ao puxar Corky Marlinson. Dez metros atrás, seu amigo apavorado foi arrancado de baixo de seus agressores perplexos, fazendo com que um deles saísse rolando pelo gelo. Corky soltou um grito horripilante quando ganhou velocidade sobre a neve quase acertando o trenó derrubado e depois debatendo-se para os lados. Um segundo pedaço de corda frouxa foi puxado atrás de Corky... a corda que antes estava conectada a Norah Mangor.

Nada a fazer, Tolland repetiu para si mesmo.

Como uma massa embolada de marionetes humanas, os três corpos deslizavam pela geleira, descendo em direção ao oceano. Alguns projéteis de gelo passaram por perto, mas Tolland sabia que os agressores tinham perdido sua oportunidade. Atrás dele, os soldados vestidos de branco foram aos poucos sumindo na distância, reduzindo-se a manchas fracamente iluminadas pelo brilho do sinalizador.

Tolland agora podia sentir o gelo correndo por baixo de seu macacão acolchoado cada vez mais rápido. O alívio de ter escapado dissipou-se rapidamente. À sua frente, a menos de três quilômetros de distância, a plataforma de gelo Milne terminava abruptamente em um precipício. Logo depois havia uma queda de 30 metros e o impacto letal das ondas do oceano Ártico.

CAPÍTULO 52

Marjorie Tench sorria consigo mesma ao descer as escadas em direção ao Setor de Comunicações da Casa Branca, a sala de transmissões toda informatizada que era usada para distribuir releases elaborados no andar de cima, no Gabinete de Imprensa. A reunião com Gabrielle Ashe tinha corrido bem. Ela não estava certa se a assessora ficara apavorada o bastante para entregar uma declaração admitindo seu caso com o senador, mas com certeza tinha sido uma boa tentativa.

Seria sensato da parte dela pular fora da campanha, pensou Tench. Aquela garota não tinha idéia do tombo que seu candidato estava prestes a levar.

Dentro de poucas horas, a meteórica coletiva de imprensa do presidente iria deixar seu adversário de joelhos. Aquilo já era um fato. Se a jovem assessora cooperasse, seria a humilhação final, o golpe mortal na candidatura de Sexton. Pela manhã, Tench poderia liberar a confissão assinada por Gabrielle para a imprensa, junto com a fita da entrevista em que o senador negava tudo.

Um golpe duplo.

Política, afinal, não se limitava a ganhar uma eleição. Era preciso vencer de forma esmagadora a fim de ter poder suficiente para levar adiante a sua visão. Historicamente, qualquer presidente que chegava ao cargo com uma margem apertada de votos não conseguia realizar grandes projetos, pois já começava o mandato enfraquecido, e isso era algo que o Congresso parecia não perdoar.

Idealmente, a destruição da campanha do senador Sexton deveria ser abrangente: um ataque por duas vertentes que o destruísse política e eticamente *ao mesmo tempo*. Uma estratégia clássica da arte da guerra. *Force o inimigo a lutar em duas frentes simultâneas*. Quando um candidato conhecia algum detalhe negativo a respeito de seu oponente, muitas vezes esperava até que tivesse um segundo fato para ir a público apresentar os dois. Investir em duas frentes era sempre mais eficaz do que mirar em um único ponto, particularmente se o ataque duplo incorporasse aspectos diversos da campanha: um primeiro contra a atuação política, um segundo contra o *caráter* do candidato. Negar um ataque *político* requer lógica, ao passo que negar um ataque ao caráter requer uma reação emocional. Contrapor-se simultaneamente aos dois era um ato de equilíbrio quase impossível.

Naquela noite, o senador Sexton teria que pensar desesperadamente sobre como sair do pesadelo político de um impressionante triunfo da NASA. Seus problemas, contudo, seriam bem maiores se fosse forçado a defender sua posição contra a NASA enquanto estivesse sendo chamado de mentiroso por uma mulher importante de sua equipe.

Tench cruzou a entrada do Setor de Comunicações, eletrizada pela proximidade da batalha. Política era guerra. Ela respirou fundo e olhou seu relógio: 18h15. A primeira rajada seria disparada em breve.

Entrou.

O Setor de Comunicações era pequeno não por falta de espaço, mas simplesmente porque não havia necessidade de uma estrutura maior. Era uma das estações de comunicação em massa mais eficientes do planeta, mas sua equipe contava com apenas cinco pessoas. Naquele momento, todas estavam de pé na frente de seus equipamentos eletrônicos, como nadadores se preparando para o tiro de largada.

Tench sentiu a expectativa da equipe. *Eles estão prontos*, pensou.

Era impressionante que, a partir daquela pequena sala, com apenas duas horas de antecedência, fosse possível entrar em contato com mais de um terço da população do mundo. O Setor de Comunicações da Casa Branca tinha conexões eletrônicas com literalmente dezenas de milhares de veículos de comunicação do planeta, desde os maiores conglomerados de televisão até os menores jornais de cidades do interior. Com o equipamento que havia lá, era possível atingir o mundo inteiro simplesmente pressionando alguns botões.

Computadores cuspiam releases nas caixas de entrada de jornais, revistas, empresas de rádio, televisão e notícias via internet do Maine até Moscou. Sistemas de discagem telefônica automática ligavam para milhares de gerentes de conteúdo de empresas jornalísticas e tocavam anúncios de voz previamente gravados. Uma página na web com "últimas notícias" fornecia atualizações constantes e conteúdo pré-formatado. As redes de televisão com capacidade para receber imagens em tempo real – CNN, NBC, ABC, CBS e outras empresas estrangeiras – eram bombardeadas de todas as formas a fim de lhes garantir tempo de transmissão gratuito na TV, ao vivo. Seja lá o que for que essas cadeias estivessem transmitindo, num dado momento seria interrompido para um pronunciamento presidencial urgente.

Como um general inspecionando suas tropas, Tench caminhou em silêncio até à mesa de edição e pegou uma cópia impressa do "comunicado urgente" que seria disparado por todos os equipamentos disponíveis.

Quando Tench terminou de ler, riu para si mesma. Pelos padrões habituais, o release era um tanto ou quanto exagerado – parecia-se mais com um anúncio do que com um pronunciamento –, mas o presidente havia ordenado ao Setor de Comunicações que fosse o mais veemente possível. E foi exatamente o que fizeram. Aquele texto estava perfeito: muitas palavras-chave e pouco conteúdo. Uma combinação que sempre funcionava. Até mesmo as agências de notícias que usavam programas capazes de detectar palavras-chave nos e-mails que recebiam iriam marcar diversos pontos relevantes naquele texto.

> De: Setor de Comunicações da Casa Branca
> Assunto: Comunicado Urgente do Presidente
> *O Presidente dos Estados Unidos* fará um pronunciamento *urgente* à imprensa hoje, às 20h00, horário-padrão de Washington, a partir da Sala de Imprensa da Casa Branca. O assunto a ser abordado é, até o momento, *secreto*. Transmissões ao vivo de áudio e vídeo estarão disponíveis pelos canais habituais.

Colocando o papel de volta na mesa, Marjorie Tench olhou ao redor da sala e acenou levemente com a cabeça para a equipe, demonstrando que estava satisfeita.

Acendeu um cigarro e deu uma tragada, deixando o suspense crescer. Então deu um pequeno sorriso e disse: "Senhoras e senhores, podem ligar os motores."

CAPÍTULO 53

Rachel já não era capaz de mais nenhum raciocínio lógico. Não estava mais pensando no meteorito, na misteriosa impressão de GPR que carregava no bolso, em Ming ou no terrível ataque que tinham acabado de sofrer. Só havia um pensamento em sua mente.

Sobrevivência.

Escorregando sobre o gelo como se estivesse numa estrada lisa e sem fim, ela não sabia se seu corpo estava dormente por causa do medo ou se havia simplesmente sido protegido pelo macacão, mas de toda forma não sentia dor. Não sentia nada.

Ainda.

Deslizando sobre a lateral de seu corpo, unida a Tolland pela cintura, Rachel estava frente a frente com ele num abraço inusitado. Um pouco mais adiante, o balão agitava-se, inflado pelo vento, como um pára-quedas na traseira de um carro de corrida. Corky estava sendo puxado logo atrás, ziguezagueando abruptamente, como um trailer fora de controle. O sinalizador que marcava o ponto onde tinham sido atacados estava quase sumindo ao longe.

O chiado de seus macacões Mark IX roçando contra o gelo ficava cada vez mais agudo conforme aceleravam. Ela não tinha idéia de quão rápido estavam indo agora, mas aquele vento estava soprando a pelo menos 90 km/h, e a neve sem atrito abaixo deles parecia estar passando mais rapidamente a cada segundo. O indestrutível balão de Mylar não estava dando nenhum sinal de que fosse se rasgar ou abandonar sua carga.

Precisamos nos soltar, ela pensou. Estavam fugindo a toda de uma força mortífera e indo diretamente para outra. *Provavelmente estamos a menos de dois quilômetros do oceano agora!* A água gelada lhe trazia lembranças terríveis.

O vento começou a soprar ainda mais forte e a velocidade aumentou. Em algum lugar atrás deles, ela ouviu Corky gritando apavorado. Se continuassem àquela velocidade, Rachel calculou que tinham apenas mais alguns minutos antes que caíssem do penhasco nas águas do oceano gélido.

Tolland parecia estar pensando na mesma coisa, porque lutava bravamente contra o fecho de carga amarrado a seus corpos.

– Não estou conseguindo nos soltar! – ele gritou. – A tensão é forte demais.

Rachel esperava que uma pequena redução na força do vento fosse dar alguma chance a Tolland, mas o catabático os arrastava com uma violência constante. Tentando ajudar, ela girou seu corpo e enfiou a trava da ponta de um de seus crampons na neve, espirrando um jato de gelo fino no ar.

– Agora! – gritou ela, levantando o pé.

Por um breve instante, a corda que os unia ao balão afrouxou-se ligeiramente. Tolland puxou-a com força para baixo, tentando tirar proveito da redução da tensão para remover a presilha de carga de seus mosquetões. Não chegou nem perto.

– De novo! – gritou ele.

Desta vez os dois giraram um contra o outro e enfiaram as pontas de metal de seus crampons no gelo, espirrando dois jatos de fragmentos no ar. O efeito foi mais forte e desaceleraram um pouco.

– Agora!

Ao comando de Tolland, os dois soltaram os pés. Quando o balão começou a acelerar de novo, ele enfiou seu polegar no fecho do mosquetão e girou o gancho, tentando liberar a presilha. Apesar de ter sido melhor desta vez, ainda precisavam que a corda ficasse mais frouxa. Os mosquetões, como Norah havia afirmado presunçosamente, eram de excelente qualidade, presilhas de alta segurança projetadas especificamente com uma volta dupla de metal de tal forma que nunca se desprendessem enquanto houvesse qualquer tensão aplicada sobre elas.

Mortos por causa de ganchos de segurança, pensou Rachel, não achando graça alguma na ironia.

– Mais uma vez! – gritou Tolland.

Reunindo suas forças e esperanças, Rachel girou o corpo o máximo que pôde e enfiou as duas pontas das botas no gelo. Arqueando as costas, tentou colocar todo o seu peso sobre a ponta dos pés. Tolland repetiu o movimento, até que os dois se curvaram ao máximo e a conexão em suas cinturas tensionou os boldriés. Tolland enfiou a ponta da bota com mais força ainda no gelo e Rachel arqueou-se ainda mais. A vibração causada pelo esforço fazia com que suas pernas tremessem. Parecia que seus tornozelos iam quebrar.

– Segure... mais um pouco... – Tolland contorceu-se para soltar o mosquetão assim que a velocidade deles diminuiu. – Estou quase conseguindo...

Os crampons de Rachel se soltaram. Os grampos de metal foram arrancados da bota e saíram quicando na escuridão, batendo em Corky. O balão projetou-se para a frente no mesmo instante, fazendo com que Rachel e Tolland girassem para o lado. Michael não conseguiu segurar o mosquetão.

– Merda!

O balão de Mylar, como se estivesse enraivecido por ter sido refreado durante aquele tempo, puxou-os com força ainda maior geleira abaixo, na direção do mar. Estavam se aproximando rapidamente do precipício, mas havia um outro perigo antes da queda de 30 metros até o oceano Ártico. Teriam que transpor as três grandes barragens de neve em seu caminho. Mesmo contando com a proteção do enchimento de gel do Mark IX, a idéia de serem projetados em alta velocidade sobre aquelas elevações era apavorante.

Rachel estava lutando desesperadamente com os boldriés, tentando encontrar uma forma de soltar o balão, quando ouviu o ruído rítmico de algo batendo contra o gelo. Uma pulsação seca de metal leve chocando-se contra a superfície da neve.

A piqueta de gelo.

Em meio ao pânico, esquecera-se da piqueta que estava amarrada por uma corda a seu cinturão. A ferramenta de alumínio leve estava quicando ao lado de sua perna. Olhou para o cabo de carga que os prendia ao balão. Era feito de nylon grosso e trançado, de alta resistência. Estendendo a mão, agarrou a piqueta pelo cabo e puxou-a em sua direção, esticando a corda elástica que a mantinha presa ao cinto. Ainda virada de lado, Rachel esforçou-se para elevar seus braços acima da cabeça, posicionando a ponta serrilhada contra a corda grossa. Desajeitadamente, começou a serrar o cabo tensionado.

– É isso! – gritou Tolland, mexendo-se para pegar também a sua piqueta.

Deslizando de lado, Rachel estava toda esticada, seus braços acima do corpo, cortando o cabo grosso e resistente. O nylon trançado estava se esfiapando lentamente. Depois de pegar sua piqueta, Tolland também virou, levantou os braços e tentou serrar o cabo no mesmo ponto, pegando-o por baixo. As duas lâminas se chocavam enquanto eles trabalhavam juntos como lenhadores. A corda começou a esfiapar-se de ambos os lados.

Nós vamos conseguir, pensou Rachel. *Vamos romper a corda!*

De repente a bolha prateada de Mylar na frente deles descreveu uma curva e subiu, como se o balão tivesse sido puxado por uma corrente de ar vertical. Rachel percebeu rapidamente, horrorizada, que ele estava apenas seguindo o contorno do terreno.

Tinham chegado às barragens de neve.

A parede branca agigantou-se à sua frente e, logo em seguida, já estavam sendo puxados para cima. A pancada na lateral do corpo de Rachel, quando se chocaram contra a rampa, fez com que ela ficasse sem ar e arrancou a piqueta de sua mão. Sentiu seu corpo ser puxado pela face da barragem de gelo e depois jogado no ar. Ela e Tolland foram subitamente cuspidos para cima, em um salto vertiginoso. O vale entre as duas elevações se abria bem abaixo deles, mas o cabo esfiapado que os unia ao balão continuava firme, levantando seus corpos, puxando-os para cima, fazendo com que sobrevoassem o primeiro canal. Em meio à confusão daquele momento, ela viu que os outros dois paredões de gelo se erguiam logo a seguir. Depois havia um curto platô e, então, a queda livre até o oceano.

Aterrorizada com aquela visão, Rachel ouviu o grito agudo de Corky Marlinson cortando o ar. Em algum lugar atrás deles, Corky também voava acima da primeira elevação. Naquele momento, todos os três estavam no ar, o balão subindo ferrenhamente, como um animal selvagem tentando romper as correntes que o aprisionam.

De repente, um forte estalo, como um tiro, ecoou acima deles. A corda esfiapada finalmente se rompeu e o pedaço rasgado bateu no rosto de Rachel. No mesmo instante começaram a cair. Acima deles, o balão de Mylar, solto, ziguezagueava sem controle em direção ao mar.

Envoltos num emaranhado de mosquetões e boldriés, Rachel e Tolland caíram. Rachel viu de relance o cume da segunda barragem aproximando-se e preparou-se para o choque. Passando perto do topo, caíram do outro lado, com o impacto parcialmente reduzido por suas roupas e pelo contorno de descida do terreno. O mundo em volta de Rachel girava, numa confusão de braços e pernas e gelo, enquanto ela descia a inclinação a toda a velocidade em direção ao canal central. Instintivamente, ela afastou os braços e as pernas, tentando diminuir sua velocidade antes de chegar à próxima elevação. Notou que estava escorregando um pouco mais devagar, mas só um pouco, e, numa questão de segundos, ela e Tolland começaram a subir a rampa da última barragem. No topo, ficaram suspensos no ar por um instante enquanto passavam para o outro lado. Em pânico, Rachel sentiu que começavam sua descida mortífera rumo ao platô final – os últimos 25 metros da geleira Milne.

Escorregaram em direção ao penhasco, sentindo o peso de Corky sendo arrastado pela corda. A velocidade estava diminuindo, mas não o suficiente para pará-los. Era tarde demais. O final da geleira estava se aproximando velozmente, e Rachel soltou um grito de desespero.

Logo depois o inevitável aconteceu.

A borda do gelo escorregou por baixo deles. A última lembrança de Rachel foi a sensação da queda.

CAPÍTULO 54

O edifício Westbrooke Place Apartments fica num dos endereços mais badalados de Washington. Gabrielle entrou correndo pela porta giratória de metal dourado e chegou no saguão todo de mármore, onde uma cascata ensurdecedora ressoava.

O porteiro que estava de serviço pareceu surpreso ao vê-la.

– Senhorita Ashe? Não sabia que viria aqui esta noite.

– Já estou atrasada. – Gabrielle falou rapidamente, olhando para o relógio acima do porteiro, que marcava 18h22.

O homem coçou a cabeça.

– O senador deixou uma lista, mas você não está...

– Ah, eles vivem esquecendo as pessoas que mais ajudam. – Deu um sorriso tristonho e saiu andando em direção ao elevador.

O porteiro não sabia bem como agir.

– Acho melhor eu ligar para ele.

– Obrigada – disse Gabrielle entrando no elevador e apertando o botão para subir. *O telefone do senador está fora do gancho.*

O elevador parou no nono andar. Gabrielle saiu e andou pelo corredor elegante. Do lado de fora da porta de Sexton, ela viu um de seus enormes "acompanhantes para segurança pessoal" – um nome bonito para guarda-costas – sentado com ar entediado. Gabrielle ficou surpresa de encontrar um segurança de plantão, mas aparentemente ele estava ainda mais admirado com sua presença. O homem levantou-se imediatamente quando ela se aproximou.

– Eu sei – Gabrielle foi logo dizendo, ainda no meio do corredor. – É uma noite de A.P. Ele não quer ser interrompido.

O segurança assentiu enfaticamente.

– Ele me deu ordens bastante estritas de que nenhum visitante...

– É uma emergência.

– Ele está em uma reunião privada – respondeu o homem, bloqueando fisicamente a porta.

– É mesmo? – Gabrielle tirou o envelope vermelho debaixo do braço. Mostrou rapidamente o selo da Casa Branca ao segurança. – Acabei de chegar do Salão Oval. Preciso entregar estes papéis ao senador. Seja lá quais forem os velhos amigos com os quais ele está se divertindo esta noite, ele vai precisar deixá-los sozinhos por alguns minutos. Agora, deixe-me entrar.

O guarda-costas hesitou um pouco ao ver o selo da Casa Branca no envelope. *Não me faça abrir isto*, pensou Gabrielle.

– Deixe o envelope comigo – respondeu o segurança. – Eu o levo até ele.

– De jeito nenhum! Tenho ordens diretas da Casa Branca para entregar isto pessoalmente. Se eu não conseguir falar com Sexton imediatamente, estaremos todos procurando um novo trabalho amanhã pela manhã. Entende?

O homem parecia estar em profundo conflito, e Gabrielle sentiu que o senador devia ter sido muito enfático a respeito de não receber visitas naquela noite. Ela resolveu desferir o golpe fatal. Segurando o envelope da Casa Branca bem na frente da cara dele, a assessora disse quase num sussurro a frase que todos os seguranças de Washington mais temiam.

– Você *não* entende a situação.

Os seguranças que trabalhavam para políticos *nunca* entendiam a situação e odiavam esse fato. Eram meros peões, a quem ninguém contava nada, sempre indecisos entre obedecer firmemente suas ordens ou arriscar-se a perder o emprego pela teimosia em ignorar uma crise óbvia.

Ele engoliu em seco, olhando mais uma vez para o envelope da Casa Branca.

– Tudo bem, você vai entrar, mas eu direi ao senador que você *exigiu* isso.

O guarda-costas destrancou a porta e Gabrielle entrou rapidamente, antes que ele mudasse de idéia. Dentro do apartamento, ela fechou silenciosamente a porta, trancando-a logo em seguida.

Na ante-sala, ela podia ouvir vozes abafadas que vinham do escritório de Sexton, um pouco à frente no corredor. Eram vozes de homens conversando. A noite de A.P. obviamente não era o encontro pessoal que a chamada pelo celular, mais cedo, parecia indicar.

Andando pelo corredor em direção ao escritório, Gabrielle passou por um armário aberto, dentro do qual estavam pendurados uns seis casacos masculinos, todos visivelmente caros. Diversas maletas estavam no chão. Aparentemente os papéis de trabalho também tinham sido deixados na entrada. Ela teria passado direto pelas malas, mas uma delas chamou sua atenção. A plaqueta de metal afixada à mala mostrava uma logomarca conhecida. Um foguete em tom vermelho reluzente.

Ela parou e ajoelhou-se para ler o que estava escrito.

SPACE AMERICA, INC.

Intrigada, olhou as outras maletas.

BEAL AEROSPACE. MICROCOSM, INC.
ROTARY ROCKET COMPANY. KISTLER AEROSPACE.

A voz rouca de Marjorie Tench ecoou em sua mente. *Você está ciente de que Sexton tem recebido enormes subornos de companhias privadas do setor aeroespacial?*

Gabrielle sentiu seu coração bater mais rápido quando olhou, através do corredor apagado, na direção da passagem em arco que levava ao escritório do senador. Ela deveria dizer algo para anunciar sua presença, mas, em vez disso, aproximou-se pé ante pé do local onde o grupo estava reunido. Chegou o mais perto possível da passagem, parou no escuro, em silêncio, e ficou ouvindo a conversa.

CAPÍTULO 55

Delta-Três ficou para trás, a fim de recolher o corpo de Norah Mangor e o trenó, enquanto os outros dois soldados aceleraram geleira abaixo em direção às suas presas.

Eles estavam usando esquis motorizados, um modelo secreto criado pela ElektroTread que era essencialmente um esqui de neve com esteiras miniaturizadas acopladas, como jet-skis de neve colocados sob os pés. A velocidade era controlada por dois contatos de pressão que ficavam dentro da luva da mão direita. Eram acionados por um pequeno movimento em conjunto do polegar e do indicador. Uma poderosa bateria de gel ficava em torno dos pés, servindo de isolamento térmico e, ao mesmo tempo, fornecendo energia para o funcionamento silencioso dos esquis. Uma solução perspicaz fazia com que a energia cinética gerada pela gravidade quando o usuário dos esquis descia um terreno fosse reaproveitada para alimentar as baterias para vencer a próxima subida.

Com o vento nas suas costas, Delta-Um esquiava agachado, deslizando em direção ao mar enquanto examinava o terreno ao seu redor. Seu sistema de visão noturna era muito superior ao modelo Patriot usado pelos *marines*. O visor acoplado à sua face podia ser operado sem o uso das mãos, era composto por lentes 40 x 90 mm de seis elementos, com um zoom de três elementos e um dispositivo infravermelho de distância ultralonga. Do outro lado do visor eletrônico, o mundo tinha uma coloração translúcida de azul suave em vez do verde habitual. Aquele esquema de cores havia sido especialmente projetado para terrenos com alta reflexividade, como o solo ártico.

Quando se aproximou da primeira barragem, o visor de infravermelho lhe mostrou várias linhas na neve recentemente remexida subindo como setas brilhantes na noite. Aparentemente os três fugitivos ou não tinham pensado em desenganchar o balão improvisado ou não tinham sido capazes de fazê-lo. De qualquer forma, se não tivessem se soltado até à última elevação, teriam caído no oceano. Delta-Um calculou que as roupas protetoras que usavam iriam aumentar um pouco sua expectativa de vida no mar gelado, mas as fortes correntes iriam levá-los para mar aberto. A morte por afogamento seria inevitável.

Apesar da lógica da situação, o soldado havia sido treinado para nunca presumir nada. Precisava ver os corpos. Agachou-se e pressionou os dedos da mão direita, acelerando e subindo o primeiro aclive.

◆◆◆

Michael Tolland estava imóvel, tentando verificar a extensão de seus ferimentos. Sentia dor em vários pontos do corpo, mas não parecia ter nenhuma fratura. Aparentemente o enchimento de gel do Mark IX evitara ferimentos mais graves. Abriu os olhos. Sua mente estava confusa pelo choque e ele levou algum tempo para se localizar. Tudo parecia mais calmo ali, mais silencioso. O vento continuava uivando, mas de forma menos violenta.

Nós caímos do penhasco... não caímos?

Olhando em volta, Tolland percebeu que estava deitado no gelo, jogado por cima de Rachel, quase na transversal, seus mosquetões retorcidos ainda presos um ao outro. Podia sentir que ela respirava, mas não podia ver seu rosto. Rolou para sair de cima dela, sua musculatura mal respondendo.

– Rachel...? – ele disse, sem saber muito bem se estava emitindo algum som.

Michael lembrou-se dos últimos segundos daquele apavorante passeio: o balão sendo puxado para cima, o cabo se partindo com um estalo, seus corpos descendo vertiginosamente a rampa da segunda barragem, escorregando por cima do último monte e finalmente deslizando pela borda da plataforma, precipício abaixo. Tolland e Rachel haviam despencado, mas a queda tinha sido inesperadamente rápida e curta. Em vez do esperado mergulho no mar, caíram apenas uns três metros, sendo aparados por outra placa de gelo. Finalmente pararam, com o peso morto de Corky a reboque.

Tolland levantou a cabeça e olhou para o mar. Não muito longe dali, a placa de gelo terminava num despenhadeiro, e podia-se ouvir o ruído da água vindo lá de baixo. Virando-se para a geleira, Michael tentava discernir algo em meio à escuridão. Cerca de 20 metros atrás, viu uma alta parede de gelo, que parecia suspensa acima deles. Então compreendeu o que acontecera. Eles haviam deslizado da geleira e caído em um terraço de gelo situado um pouco abaixo. Aquele pedaço liso, mais ou menos do tamanho de uma quadra de basquete, tinha desabado parcialmente e estava pronto para desprender-se da plataforma principal e cair no oceano a qualquer momento.

Fragmentação da geleira, pensou ele, olhando em volta do precário bloco de gelo sobre o qual estavam agora. A enorme placa estava pendurada na geleira, como uma monumental varanda, abrindo-se em três lados para precipícios que iam dar no oceano. Só havia uma ligação com a geleira principal na parte posterior, e Tolland podia ver que essa conexão não era exatamente confiável. A borda que unia aquele terraço à plataforma de gelo Milne estava marcada por uma fissura, causada pela pressão, de quase um metro e meio de largura. A gravidade estava bem perto de vencer aquela batalha.

Quase tão apavorante quanto a visão da rachadura era o corpo inerte de Corky Marlinson espatifado sobre o gelo. Ele estava a cerca de 10 metros de distância, com a corda esticada ao máximo ainda amarrada a seu corpo.

Tolland tentou levantar-se, mas estava preso a Rachel. Mudou de posição para desconectar os dois mosquetões entrelaçados. Rachel parecia enfraquecida, mas tentou sentar.

– Nós não caímos? – perguntou, espantada.

– Caímos em outro bloco de gelo, um pouco abaixo – disse Tolland, conseguindo finalmente se desvencilhar dela. – Tenho que ver como Corky está.

Dolorosamente, ele tentou colocar-se de pé, mas suas pernas doíam demais e estavam sem força. Michael pegou a corda de segurança e começou a puxar. Corky foi deslizando pelo gelo na direção deles até ficar a poucos centímetros de distância dos dois.

O astrofísico parecia em mau estado. Havia perdido os óculos protetores, tinha um grande corte na bochecha e seu nariz estava sangrando. Porém, a preocupação de Tolland de que o amigo estivesse morto foi rapidamente dissipada quando Corky se virou para ele com uma cara feia.

– Deus – balbuciou. – Que maluquice foi aquela que *você inventou?*

Tolland sentiu-se aliviado. Rachel, por sua vez, já havia conseguido sentar e estava olhando em volta.

– Nós precisamos sair daqui. Este bloco de gelo parece prestes a cair.

Tolland concordava plenamente. O único problema era saber como.

Não tiveram muito tempo para pensar numa solução. Um zumbido agudo característico se fez ouvir, vindo da geleira acima deles. Tolland olhou rapidamente para o alto e viu duas figuras de branco esquiarem sem esforço até a borda e pararem em perfeita sincronia. Os dois homens ficaram imóveis durante alguns instantes, olhando para suas presas como dois mestres do xadrez saboreando o xeque-mate antes da jogada final.

◆ ◆ ◆

Delta-Um ficou impressionado ao ver que os três fugitivos ainda estavam vivos. Essa era, é claro, apenas uma situação temporária. As vítimas tinham caído em um bloco da geleira que já começara seu inevitável mergulho em direção ao mar. Elas poderiam ser neutralizadas e mortas exatamente como a outra mulher, mas havia surgido uma opção muito mais limpa. Uma solução que não deixaria qualquer vestígio – os corpos nunca seriam encontrados.

Espiando pela borda, Delta-Um centrou seu olhar na rachadura que estava se abrindo entre a plataforma e a placa de gelo ainda grudada a ela. A parte do gelo na qual os três fugitivos estavam sentados debruçava-se perigosamente sobre o oceano, pronta para rachar de vez e cair no mar a qualquer momento.

E por que não agora?

Na plataforma, a noite permanente era perturbada periodicamente por estouros ensurdecedores – o som do gelo se quebrando em diferentes partes da geleira e caindo no oceano. Quem iria notar?

Sentindo a descarga de adrenalina que sempre acompanhava a preparação de um assassinato, Delta-Um abriu sua mochila de equipamentos e pegou um objeto pesado em formato de limão. Era um item-padrão para equipes militares de ataque e chamava-se "granada explosiva de luz e som" – uma granada de concussão, geralmente não letal, que desorientava temporariamente o inimigo gerando um flash de luz ofuscante e uma onda de choque ensurdecedora. Naquela noite, contudo, Delta-Um estava pensando que sua granada seria letal.

Posicionou-se na beirada do precipício e pensou o quanto a falha descia antes de juntar-se à parede principal da geleira. Cinco metros? Quinze metros? Não importava muito. Seu plano funcionaria de qualquer forma.

Com a calma de quem já levou a cabo muitas execuções, Delta-Um programou um retardo de 10 segundos no controle giratório da granada, puxou o pino e jogou-a na rachadura. O explosivo caiu na escuridão e desapareceu.

Delta-Um e seu parceiro correram até o topo da última barragem. Seria um espetáculo imperdível.

Mesmo completamente desnorteada, Rachel tinha uma idéia bastante razoável do que seus agressores haviam acabado de jogar dentro da fissura. Ela não estava certa se Michael também sabia ou se apenas estava refletindo o medo que via nos olhos dela, mas ele ficou pálido, olhando horrorizado para o gigantesco bloco de gelo em que estavam ilhados, percebendo com clareza o inevitável.

Como uma nuvem de tempestade iluminada por um raio, o gelo abaixo de Rachel se acendeu, propagando um branco translúcido e cinematográfico em todas as direções. Num raio de 100 metros ao redor deles, a geleira irradiou aquele flash de luz. A concussão veio a seguir. Não um ruído surdo como num terremoto, mas uma onda de choque avassaladora cuja força era capaz de revirar as entranhas. Rachel sentiu o impacto rasgando o gelo e invadindo seu corpo.

Instantaneamente, como se uma cunha tivesse sido enfiada entre a geleira e o bloco onde estavam, o gelo começou a desprender-se com um grande estrondo. Os olhos de Rachel procuraram os de Tolland, paralisados de terror. Perto deles, Corky gritou.

A placa se soltou e começou a cair.

Rachel flutuou no ar por um instante, pairando acima do bloco de gelo de milhões de toneladas. Então o grupo despencou junto com o iceberg rumo ao mar gélido.

CAPÍTULO 56

O colossal bloco de gelo deslizou pela plataforma Milne, lançando uma nuvem de fragmentos no ar. O barulho do gelo se rompendo e se atritando contra a geleira era insuportável. Ao descer e penetrar na água, a placa perdeu a aceleração por um momento, e o corpo de Rachel, que flutuava, bateu com força na superfície. Tolland e Corky também se chocaram dolorosamente contra o gelo, próximos a ela.

Mas, com o impulso da queda, o bloco mergulhou fundo no mar. Rachel podia ver a superfície espumante do oceano subindo rapidamente, como o chão se aproximando de alguém que estivesse fazendo bungee-jump com uma corda demasiado comprida. A água veio subindo até chegar no nível deles. O pesadelo infantil de Rachel estava de volta. *Gelo... água... escuridão.* Era um medo primitivo, instintivo.

A superfície da placa desceu abaixo da linha-d'água, e o gélido oceano Ártico invadiu-a com força pelas extremidades. Com o mar avançando por todos os lados, Rachel sentiu-se sugada para baixo. A pele exposta de seu rosto ficou rígida e ardida quando foi atingida pela água salgada. De repente, o chão sumiu debaixo dela. Rachel lutou para manter-se acima da superfície, flutuando com a ajuda do gel de sua roupa. Ela afundou brevemente, engoliu uma porção de água e, tossindo, conseguiu voltar à superfície. Podia ver os outros debatendo-se ali perto, ainda presos às cordas. Rachel havia acabado de se equilibrar na água quando Tolland gritou:

– Está voltando!

Suas palavras se misturaram à confusão do momento, e Rachel sentiu a água subindo por baixo dela. Como uma enorme locomotiva revertendo sua marcha, o bloco de gelo havia parado de afundar e começara a se elevar. Poucos metros abaixo, um ronco medonho e grave ressoou pelo mar, à medida que a gigantesca placa submersa rasgava seu caminho de volta à superfície.

O bloco emergiu rápido, acelerando ao chegar mais próximo da superfície e surgindo em meio à escuridão. Rachel sentiu seu corpo ser levantado, e o oceano se transformou num turbilhão ao seu redor quando o gelo finalmente a atingiu. Ela debateu-se em vão, tentando encontrar equilíbrio enquanto era empurrada para cima, junto com milhões de litros de água do mar. Boiando, a enorme massa de gelo oscilou sobre as ondas, subindo e balançando, procurando seu centro de gravidade. Com água pela cintura, Rachel se remexia sentindo uma extensa superfície plana logo abaixo dela. Quando a água começou a ser drenada, a corrente engolfou Rachel e puxou-a em direção à borda. Escorregando, estendida no chão, ela podia ver a extremidade da placa se aproximando rapidamente.

Segure firme!, dizia a voz de sua mãe dentro de sua cabeça, exatamente como no dia em que ela ficou submersa no lago gelado. *Segure firme! Não afunde!*

A puxada forte em seu boldrié pressionou a barriga de Rachel, fazendo-a expelir o pouco ar que ainda tinha. Parou a poucos metros da borda. O movimento fez com que seu corpo girasse. A 10 metros dali, podia ver que o corpo flácido de Corky, ainda unido a ela pela cordada, havia parado também. Eles tinham sido empurrados para fora do gelo em direções opostas e acabaram freando um ao outro. A água continuava escorrendo de volta para o mar, e ela viu uma outra forma surgir na escuridão ao lado de Corky. Estava de quatro sobre a superfície, segurando a corda de Corky e vomitando água do mar.

Era Michael Tolland.

Quando o último refluxo escorreu de volta para o oceano, Rachel ficou parada, em um silêncio aterrorizado, ouvindo o som do mar. Logo depois, sentindo o princípio de uma onda de frio, apoiou as mãos e os joelhos sobre o iceberg, que ainda balançava de um lado para outro, como um gigantesco cubo de gelo. Sentindo muitas dores e num estado meio delirante, engatinhou na direção dos outros dois.

Lá em cima, bem alto na geleira, Delta-Um olhou o mar com seus óculos de visão noturna. Viu o Ártico agitando-se em torno de seu mais novo iceberg. Não viu nenhum corpo na água, mas isso não chegava a ser surpresa. Estava escuro e as vítimas vestiam roupas e capuzes pretos.

Examinou cuidadosamente a superfície do bloco de gelo. Era difícil manter o foco, pois ele se afastava rapidamente, puxado para o alto-mar por fortes correntes oceânicas. O soldado estava quase desistindo quando viu algo inesperado: três pequenos pontos pretos no gelo. *São corpos?* Delta-Um tentou melhorar o foco.

– Você está vendo alguma coisa? – perguntou Delta-Dois.

Delta-Um não respondeu, ampliando a imagem com seu zoom. Ficou impressionado ao distinguir três formas humanas imóveis sobre o iceberg. Era impossível saber se estavam vivos ou mortos. Já não importava mais. Se estivessem vivos, mesmo usando roupas térmicas, morreriam dentro de uma hora, no máximo. Estavam molhados, uma tempestade se aproximava e eles flutuavam sem rumo num dos oceanos mais mortíferos do planeta. Seus corpos nunca seriam encontrados.

– Apenas sombras – respondeu por fim Delta-Um, virando-se. – Vamos voltar para a base.

CAPÍTULO 57

O senador Sedgewick Sexton deixou sua taça de conhaque Courvoisier sobre a prateleira acima da lareira em seu apartamento de Westbrooke. Depois remexeu o fogo durante algum tempo, coordenando as idéias. Os seis homens em seu escritório esperavam sentados em silêncio. As apresentações e conversas introdutórias tinham terminado. Era hora de o senador vender seu peixe. Eles sabiam disso. Ele também.

Estabeleça uma relação de confiança. Deixe que saibam que você compreende os problemas deles.

– Como vocês provavelmente já sabem – disse Sexton, virando-se para o grupo –, ao longo dos últimos meses eu me encontrei com muitos outros na mesma posição que vocês se encontram agora. – Ele sorriu e sentou-se para se colocar no mesmo nível deles. – Vocês são os únicos que recebi em minha casa. São todos homens extraordinários e estou honrado em conhecê-los.

O senador entrecruzou as mãos e deixou seus olhos circularem pelo escritório, estabelecendo contato visual com cada um de seus convidados. Então focalizou seu primeiro alvo: um grandalhão usando chapéu de caubói.

– Space Industries of Houston – disse Sexton. – Estou feliz de recebê-lo aqui.

O texano resmungou:

– Odeio esta cidade.

– Não o culpo. Washington tem sido muito injusta com você.

O homem olhou para ele por baixo da borda do chapéu, mas não falou nada.

– Há 12 anos você fez uma oferta ao governo – prosseguiu Sexton. – Propôs a construção de uma estação espacial americana por apenas cinco bilhões de dólares.

– É isso aí. Ainda tenho todos os planos.

– Porém, a NASA convenceu o governo de que uma estação espacial americana deveria ser um projeto da *NASA*.

– Exatamente. E a NASA começou a construção há cerca de 10 anos.

– Uma década. E, não bastasse o fato de que a estação espacial ainda não está funcionando plenamente, o projeto já custou até agora *20 vezes* o valor que você havia proposto. Como cidadão e contribuinte, isso me revolta.

Um rumor de aprovação circulou pela sala. O candidato percorreu novamente o grupo com os olhos.

– Estou perfeitamente ciente – disse, dirigindo-se agora a todos – de que várias de suas empresas se ofereceram para lançar ônibus espaciais privados por apenas 50 milhões de dólares por vôo.

Mais sinais de concordância.

– Ainda assim, a NASA promove um dumping no mercado cobrando apenas 38 milhões por vôo, mesmo que seu custo *real* seja superior a 150 milhões de dólares!

– É assim que eles têm conseguido nos manter longe do espaço – disse um dos homens. – O setor privado não tem condições de competir com uma organização que pode se dar ao luxo de lançar vôos com 300% de prejuízo sem quebrar.

– É *totalmente* injusto.

Todos assentiram.

Sexton virou-se então para o indivíduo de aspecto austero que estava ao seu lado, cujo perfil ele havia lido com particular interesse. Como muitos dos executivos que estavam financiando sua campanha, esse homem era um engenheiro militar que se cansara dos salários baixos e da burocracia do governo e abandonara sua posição no Exército para buscar riqueza no setor aeroespacial.

— Kistler Aerospace. — O senador sacudiu a cabeça como se estivesse lamentando algo. — Sua empresa projetou e fabricou um foguete que pode lançar cargas por um preço muito baixo, cerca de quatro mil dólares por quilo, o que é excelente quando comparado aos custos da NASA de *16 mil dólares por quilo*. — Sexton fez uma pausa dramática. — Ainda assim, você não tem clientes.

— E *por que* teria? — questionou o executivo. — Na semana passada a NASA ganhou uma concorrência cobrando da Motorola apenas 1.600 dólares por quilo para lançar um satélite de telecomunicações. Em outras palavras, o governo lançou aquele satélite com um prejuízo de 900%!

Sexton balançou a cabeça, num gesto de compreensão. Os contribuintes estão subsidiando, sem saber, uma agência que é quatro vezes menos eficiente do que a concorrência.

— Acho que está claro — disse ele, com uma voz preocupada — que a NASA vem trabalhando consistentemente no sentido de impedir a competição no espaço. Ela mantém as empresas particulares do setor aeroespacial à distância oferecendo serviços abaixo do preço de mercado.

— Estou de saco cheio e cansado de ser forçado a pagar milhões de dólares em impostos sobre meus negócios para que o Tio Sam possa usar esse mesmo dinheiro para roubar meus clientes! — reclamou o texano.

— Entendo seu ponto — disse o senador.

— No caso da Rotary Rocket — disse um homem vestido impecavelmente —, o que está nos matando é a impossibilidade de usar patrocínio comercial. As leis contra o patrocínio são criminosas!

— Mais uma vez, estou plenamente de acordo. — Sexton ficara impressionado ao descobrir que, como parte da estratégia para manter seu monopólio no espaço, a NASA tinha conseguido a aprovação de leis federais proibindo a colocação de anúncios em veículos espaciais. As companhias privadas do setor aeroespacial não podiam levantar fundos através de patrocínio ou propaganda de outras empresas, como acontecia nas competições de automobilismo, por exemplo. Qualquer veículo espacial estava limitado, por lei, a exibir apenas as palavras ESTADOS UNIDOS DA AMÉRICA e o nome do próprio fabricante. Num país em que os gastos com publicidade chegam a 185 bilhões de dólares por ano, jamais um dólar sequer de propaganda foi parar nos cofres das empresas aeroespaciais particulares.

— É uma roubalheira — interveio outro executivo. — Minha empresa espera lançar o primeiro protótipo de ônibus espacial para turismo do país dentro de alguns meses. Teremos uma enorme cobertura na imprensa. A Nike acabou de nos oferecer sete milhões de dólares de patrocínio só para pintarmos seu logo e o slogan "*Just do it!*" na lateral do veículo. Depois veio a Pepsi e nos ofereceu o dobro para colocarmos "Pepsi: para uma nova geração". Mas, de acordo com as leis federais, se nossa nave tiver qualquer propaganda, seremos proibidos de lançá-la.

— De fato, é o que diz a lei — respondeu Sexton. — Mas, se eu for eleito, vou trabalhar para que essa legislação antipropaganda seja abolida. Isso é uma promessa. O espaço deveria estar tão disponível para publicidade quanto cada milímetro da Terra.

O candidato parou e olhou para sua audiência, seus olhos travando contato com cada um deles, sua voz tornando-se solene.

— Temos que estar cientes, contudo, de que o maior obstáculo à privatização da NASA não são as leis. É a percepção do grande público. Muitas pessoas ainda têm uma visão romântica do programa espacial americano. Ainda acreditam que a NASA é uma agência *necessária* ao funcionamento de nosso governo.

— Culpa desses malditos filmes de Hollywood! — queixou-se outro homem. — Afinal, quantas toneladas de lixo no estilo NASA-salva-o-mundo-de-um-asteróide-mortal esses idiotas conseguem produzir? Isso é propaganda!

O boom de filmes sobre a NASA era uma simples questão econômica, como Sexton bem sabia. Depois do grande sucesso de *Top Gun: Ases Indomáveis*, um dos primeiros filmes de Tom Cruise, que mais parecia uma propaganda de duas horas da Marinha norte-americana, a NASA compreendeu o enorme potencial de Hollywood como centro de divulgação e relações públicas. Discretamente, a agência espacial começou a oferecer aos estúdios de cinema acesso *gratuito* para filmagens em todas as suas impressionantes locações: torres de lançamento, controle de missões, locais de treinamento de pilotos, etc. Acostumados a pagar caro para obter esse tipo de autorização, os produtores aproveitaram a oportunidade de economizar milhões em seus orçamentos fazendo filmes de ação que se passam nos cenários "gratuitos" da NASA. Claro que Hollywood só tinha acesso aos locais depois que a NASA aprovasse o roteiro.

— Fazem lavagem cerebral em larga escala — reclamou outro executivo. — A pior parte não são os filmes, mas as jogadas publicitárias. Qual o objetivo de enviar um idoso ao espaço? E agora a NASA está pensando em montar uma equipe só de mulheres para o próximo vôo do ônibus espacial. Tudo isso de olho na publicidade!

O senador soltou um suspiro e depois disse em tom trágico:

— Senhores, creio que é hora de fazer com que os americanos compreendam a verdade, pelo bem de nosso futuro comum. – Ele parou teatralmente na frente do fogo. – É hora de os americanos entenderem que a NASA não está nos levando para o infinito, e sim atrasando a exploração do espaço, um negócio igual a todos os outros. Manter o setor privado fora do jogo é quase um crime. Pensem no setor de informática, onde os avanços são tão grandes que tudo muda de uma semana para a outra! E por que isso acontece? Porque o setor de informática funciona com base nas leis de livre mercado: gera maiores *lucros* para os que são mais eficientes e que têm melhor visão. Imaginem se esse segmento fosse gerenciado pelo governo! Ainda estaríamos nas trevas. Estamos estagnados no espaço. Devemos colocar a exploração espacial nas mãos do setor privado, que é onde ela já deveria estar. O povo ficará admirado com o crescimento, a geração de empregos e os sonhos que se tornarão realidade. Devemos deixar que as leis de mercado nos levem a novos patamares nos céus. Se for eleito, assumirei o compromisso pessoal de abrir as portas rumo à fronteira final, deixando a passagem aberta e desimpedida.

Sexton levantou sua taça de conhaque.

– Amigos, vocês vieram aqui esta noite para decidir se sou merecedor de sua confiança. Espero que eu tenha sido capaz de conquistá-la. Da mesma forma como é necessário ter investidores para criar uma empresa, é necessário ter investidores para chegar à presidência. E, da mesma forma como os acionistas de uma corporação, vocês, como investidores políticos, também esperam retorno. Minha mensagem é simples: invistam em mim e jamais irei esquecer disso. Jamais. Eu e vocês estamos unidos pelos mesmos interesses e os mesmos ideais.

O senador levantou seu copo em direção a eles num brinde.

– Com sua ajuda, meus amigos, em breve estarei na Casa Branca... e vocês estarão colocando seus sonhos em rampas de lançamento.

◆◆◆

A alguns passos do escritório, Gabrielle Ashe continuava de pé, imóvel nas sombras. Ouvia os sons alegres de pessoas brindando com taças de cristal e o crepitar da lareira.

CAPÍTULO 58

Em pânico, um jovem técnico da NASA correu pela habisfera. *Algo terrível aconteceu!* Ele encontrou o administrador Ekstrom sozinho perto da área de imprensa.

– Senhor, houve um acidente – disse o rapaz, sem fôlego.

Ekstrom virou-se com um olhar distante, como se seus pensamentos já estivessem muito conturbados por outros assuntos.

– Como assim? Um acidente? Onde?

– No poço de extração. Um corpo acabou de emergir. É o doutor Wailee Ming.

O rosto de Ekstrom ficou branco.

– O doutor Ming? Mas...

– Nós o retiramos imediatamente, mas era tarde demais. Ele está morto.

– Meu Deus. Vocês acham que ele estava lá dentro há quanto tempo?

– Cerca de uma hora, talvez. Parece que ele caiu, submergiu e, quando seu corpo se inchou, flutuou de volta à superfície.

O rosto avermelhado de Ekstrom ficou roxo.

– Mas que diabos! Quem mais sabe disso?

– Ninguém, senhor. Apenas dois de nós. Resolvemos tirá-lo do poço, mas achamos melhor contar ao senhor antes de...

– Fizeram bem – disse Ekstrom, soltando um suspiro pesado. – Guardem o corpo do doutor Ming imediatamente. Não digam nada sobre isso.

O técnico ficou perplexo.

– Mas, senhor, eu...

Ekstrom colocou sua larga mão no ombro do homem.

– Preste atenção. Este foi um acidente trágico e lamento profundamente por isso. Obviamente irei lidar com o problema de forma apropriada quando for a hora. A questão, justamente, é que agora não é a hora.

– O senhor deseja que eu *esconda* o corpo?

Os olhos frios de Ekstrom se fixaram no homem.

– Pense. Poderíamos contar a todos agora, mas o que iríamos estar fazendo? Estamos a cerca de uma hora da coletiva de imprensa. Anunciar que tivemos um acidente fatal iria ofuscar a descoberta que fizemos e teria um efeito moral devastador. O doutor Ming cometeu um descuido mortal e não tenho a intenção de fazer com que a NASA pague por isso. Esses cientistas civis já ganharam uma importância maior do que deveriam, e eu não desejo que um de seus erros, causado por negligência, manche nosso momento público de glória. O acidente sofrido por Wailee Ming permanecerá, portanto, um segredo até que a coletiva tenha terminado. Fui claro?

O jovem assentiu, pálido.

– Vou esconder o corpo.

CAPÍTULO 59

Michael Tolland já havia passado tempo suficiente no mar para saber que o oceano matava sem remorsos nem hesitação. Estava deitado, exausto, sobre o iceberg e mal podia ver o contorno fantasmagórico da imponente plataforma Milne se afastando cada vez mais. Sabia que a forte corrente do Ártico, formada nas ilhas Elizabeth, criava uma imensa espiral em torno da calota de gelo polar para mais tarde se aproximar novamente da costa no norte da Rússia. Não que importasse muito, já que isso levaria meses.

Temos cerca de 30 minutos, no máximo 45.

Sem o isolamento protetor de seus macacões preenchidos com gel, já estariam mortos. Felizmente, com os Mark IX, os três se mantiveram secos, o fator mais crítico para a sobrevivência em baixas temperaturas. O gel térmico ao redor de seus corpos não só havia amortecido a queda, mas também os ajudava a conservar qualquer resto de calor ainda existente.

Em breve o processo de hipotermia iria começar. No início seria apenas uma ligeira dormência nos braços e pernas, à medida que o sangue se retraísse para o centro do corpo a fim de proteger os órgãos vitais. Depois viriam as alucinações, quando o pulso e a respiração se reduzissem, retirando oxigênio do cérebro. Por último, o corpo faria um esforço final para reter o que restasse de calor, desativando tudo, exceto o coração e a respiração. Ficariam inconscientes a partir desse ponto. No final, até mesmo os centros nervosos responsáveis pela respiração e pelo coração iriam parar de funcionar completamente.

Tolland virou-se para Rachel, desejando que pudesse ao menos fazer algo por ela.

❖❖❖

A dormência que se espalhava pelo corpo de Rachel era menos dolorosa do que ela teria imaginado. Quase que uma anestesia bem-vinda. *Morfina natural.* Ela havia perdido seus óculos protetores quando o gelo se partiu e mal podia abrir os olhos naquele frio.

Podia ver Tolland e Corky próximos a ela. Tolland estava olhando na sua direção, com uma expressão triste. Corky se movia, mas parecia estar com fortes dores. O osso logo abaixo de seu olho direito parecia quebrado e o rosto estava sangrando.

O corpo de Rachel tremia incontrolavelmente enquanto sua mente procurava respostas. *Quem? Por quê?* Seus pensamentos estavam embaralhados pelo peso que parecia crescer dentro dela. Nada fazia sentido. Era como se seu corpo estivesse aos poucos se desligando, aquietado por uma força invisível que a chamava para um sono profundo. Rachel resolveu lutar contra isso. Sentiu uma enorme raiva fervendo dentro dela e tentou manter suas chamas acesas.

Tentaram nos matar! Olhou para o mar ameaçador e sentiu que seus agressores haviam sido bem-sucedidos. *Já estamos mortos.* Mesmo naquele momento, sabendo que provavelmente não viveria para conhecer a verdade oculta por trás do jogo mortal que estava se desenrolando na plataforma Milne, Rachel suspeitava que já sabia quem era o culpado.

O administrador Ekstrom era quem tinha mais a ganhar. Ele os mandara lá para fora, para o gelo. Tinha ligações com o Pentágono e com as tropas de elite. *Mas o que Ekstrom teria a ganhar inserindo aquele meteorito sob o gelo? O que qualquer um teria a ganhar com aquilo?*

Rachel voltou seus pensamentos para Zach Herney, conjeturando se o presidente também era parte da conspiração ou apenas uma peça no tabuleiro? *Herney não está sabendo de nada. Ele é inocente.* O presidente obviamente fora enganado pela NASA. Em breve ele iria anunciar a descoberta do meteorito, com a ajuda de um documentário em vídeo no qual quatro cientistas civis respaldavam a descoberta.

Quatro cientistas civis *mortos.*

Rachel já não tinha mais como impedir a coletiva, mas jurou que o responsável pelo ataque não sairia impune.

Juntando todas as suas forças, tentou sentar-se. Seus membros pareciam feitos de pedra, e todas as suas juntas gritavam de dor enquanto ela dobrava braços e pernas. Lentamente, conseguiu ficar de quatro, equilibrando-se sobre o gelo escorregadio. Sua cabeça girava, enquanto ouvia o mar batendo vigorosamente contra o iceberg. Tolland estava deitado bem perto, olhando para ela, sem entender. *Talvez ele ache que estou me ajoelhando para rezar*, pensou ela. O que não era verdade, lógico, ainda que rezar fosse provavelmente um método tão eficaz para salvá-los quanto o que ela iria tentar.

Com a mão direita, tateou até achar a piqueta de gelo ainda presa em seu cinto. Seus dedos enrijecidos agarraram o cabo. Ela inverteu a piqueta, como um T invertido. Então, com toda a força que lhe restava, bateu com a cabeça da ferramenta contra o gelo. *Tum.* De novo. *Tum.* O sangue parecia uma pasta gelada fluindo em suas veias. *Tum.* Tolland olhou para ela, obviamente perplexo. Rachel bateu de novo com a piqueta. *Tum.*

Ele tentou apoiar-se sobre o cotovelo.

– Ra... chel?

Ela não respondeu. Precisava de toda a energia disponível. *Tum. Tum.*

– Eu não acredito... – disse Tolland – ...que um sinal tão ao norte... possa ser captado pela SAA...

Rachel virou-se para ele, surpresa. Ela se esquecera de que Mike era oceanógrafo e poderia ter compreendido o que ela estava fazendo. *Sim, a idéia é essa, mas não estou tentando me comunicar com a SAA.*

Continuou batendo.

A SAA (Suboceanic Acoustic Array) era uma rede de 59 microfones submarinos espalhados pelo planeta. Relíquia da Guerra Fria, a SAA vinha sendo usada nos últimos tempos por oceanógrafos do mundo inteiro para ouvir as baleias. Como os sons se propagavam por centenas de quilômetros sob a água, a rede era capaz de captar sinais numa enorme área em todos os oceanos. Infelizmente, aquele setor remoto do Ártico não estava dentro da área de cobertura, mas Rachel sabia que outros dispositivos estariam monitorando os sons no fundo dos oceanos, sistemas cuja existência era conhecida apenas por um punhado de pessoas no planeta. Ela continuou batendo. Sua mensagem era simples e clara.

TUM. TUM. TUM.

TUM... TUM... TUM...

TUM. TUM. TUM.

Rachel não tinha nenhuma ilusão de que aquilo salvaria suas vidas. Ela já podia sentir seu corpo enrijecendo com o frio, como se estivesse congelando pouco a pouco. Duvidava que fosse resistir a outros 30 minutos naquelas condições e sabia que não havia uma chance real de serem socorridos. Mas ela não estava pensando em resgate.

– Não vai dar tempo... – disse Tolland.

Isto não tem nada a ver conosco, ela pensou. *Tem a ver com a informação no meu bolso.* Rachel imaginou a impressão incriminadora do GPR que estava no bolso de velcro de seu macacão Mark IX. *Preciso fazer com que esta impressão chegue às mãos do NRO... e rápido.*

Mesmo em seu estado quase delirante, Rachel tinha certeza de que sua mensagem seria recebida. Em meados dos anos 1980, o NRO havia substituído a SAA por uma matriz 30 vezes mais poderosa. O NRO tinha agora cobertura total do globo através do Classic Wizard, seu ouvido de 12 milhões de dólares no fundo dos oceanos. Dentro de algumas horas, os supercomputadores Cray do posto de escuta do NRO e da NSA em Menwith Hill, na Inglaterra, iriam indicar uma seqüência anômala de sons em um dos hidrofones do Ártico. Depois decifrariam os batimentos como um S.O.S., triangulariam as coordenadas e um avião de resgate seria despachado da Base da Força Aérea em Thule, na Groenlândia. O avião iria encontrar três corpos em um iceberg. Congelados. Mortos. Um deles seria de uma funcionária do NRO... e ela estaria com um estranho pedaço de papel de impressão térmica em seu bolso.

A impressão de um GPR.

O último legado de Norah Mangor.

Quando aqueles que viessem resgatá-los estudassem a impressão, o misterioso túnel de inserção sob o meteorito seria revelado. A partir daí, Rachel não tinha idéia do que iria ocorrer, mas ao menos o segredo não morreria com ela ali, no gelo.

CAPÍTULO 60

Toda vez que há uma transição na Casa Branca, o novo presidente faz uma visita a três armazéns muito bem guardados que contêm uma preciosa coleção de móveis e objetos já usados pelos seus antecessores, como mesas, prataria, escrivaninhas, camas e outros itens, voltando no tempo até à época de George Washington. Durante essa visita, o novo presidente é convidado a escolher qualquer objeto do qual ele goste para usá-lo na decoração da Casa Branca durante seu mandato. A única coisa que não pode ser mexida é a cama que fica no Quarto de Lincoln. Ironicamente, o próprio Abraham Lincoln jamais dormiu nela.

A mesa em que Zach Herney estava agora sentado no Salão Oval havia pertencido anteriormente a seu ídolo, Harry Truman. Apesar de ser pequena pelos padrões contemporâneos, essa mesa servia como um lembrete diário de que as decisões finais saíam dali e de que Herney era, em última instância, responsável por qualquer deficiência ou problema de sua administração. Ele aceitava essa responsabilidade como uma honra e fazia o melhor que podia para transmitir à sua equipe a motivação para fazer tudo o que fosse necessário para que as coisas saíssem a contento.

– Senhor presidente? – sua secretária chamou, olhando para dentro do escritório. – Sua ligação acabou de ser completada.

– Obrigado – disse ele, acenando.

Pegou o telefone. Gostaria de ter aquela conversa em particular, mas estava claro que privacidade era algo que não teria nas próximas horas. Dois maquiadores moviam-se ao seu redor como mosquitos, mexendo e remexendo em seu rosto e em seu cabelo. Bem em frente à sua mesa, uma equipe de TV estava preparando seu equipamento e havia um enxame de pessoas de RP e conselheiros andando de um lado para o outro, discutindo estratégias de comunicação.

Falta apenas uma hora...

Herney apertou um botão em seu telefone pessoal.

– Lawrence? Você está na linha?

– Sim, estou aqui – disse o administrador da NASA com uma voz distante e parecendo muito desgastado.

– Tudo certo por aí?

– A tempestade continua crescendo, mas os técnicos garantiram que a conexão com o satélite não será afetada. Estamos prontos. A contagem já começou...

– Ótimo! Todos animados, eu espero.

– Muito animados. Toda a minha equipe está ansiosa, esperando pelo momento. Aliás, acabamos de tomar algumas cervejas.

O presidente riu.

– É bom saber. Bem, só queria dar este último telefonema e lhe agradecer antes que a coisa toda comece. Faz tempo que estamos esperando por este momento. Esta noite vai ser absolutamente fantástica.

O administrador ficou em silêncio, parecendo estranhamente inseguro.

– Com certeza será, senhor. Há tempos que estamos esperando por algo assim.

Herney hesitou, depois disse:

– Você me parece exausto.

– Esta noite sem fim e a falta de sono estão começando a pesar.

– Vamos lá, falta só uma hora. Sorria para as câmeras, aproveite o momento e logo em seguida mandaremos um avião até aí para trazer vocês de volta a Washington.

– Mal posso esperar – respondeu Ekstrom, ficando depois novamente em silêncio.

Como um negociador hábil, Herney havia sido treinado para ouvir com atenção e perceber o que estava acontecendo nas entrelinhas. Havia algo de errado na voz do administrador.

– Você tem certeza de que está tudo bem por aí?

– Absolutamente. Todos os sistemas a postos. – O administrador parecia querer mudar logo de assunto. – O senhor assistiu à última edição do documentário de Tolland?

– Acabei de ver – disse Herney. – Ele fez um excelente trabalho.

– Sim. O senhor fez bem em mandá-lo para cá.

– Ainda está zangado comigo por ter envolvido os civis no assunto?

– Claro que sim! – resmungou Ekstrom de maneira bem-humorada, a voz firme como de hábito.

Isso fez com que Herney se despreocupasse. *Ele está bem*, pensou. *Apenas um pouco cansado.*

– Bem, nos vemos em uma hora, via satélite. Vai ser um impacto.

– Isso.

– E... Lawrence? – O presidente mudou o tom de voz, falando agora de forma solene. – O que você fez por aí foi fantástico. Não vou me esquecer disso.

◆◆◆

Do lado de fora da habisfera, castigado pelo vento, Delta-Três tinha desvirado o trenó e lutava para recolocar e ajeitar o equipamento de Norah Mangor sobre ele. Quando terminou, puxou de volta a cobertura de vinil e jogou o corpo de Norah por cima, amarrando-o. Estava se preparando para puxar o trenó para fora de seu curso quando seus dois parceiros voltaram esquiando.

– Houve uma mudança de planos – gritou Delta-Um no meio da ventania. – Os outros três caíram do penhasco.

Delta-Três não se surpreendeu com a notícia. Sabia também que isso significava que o plano original da Força Delta de encenar um acidente deixando quatro corpos na geleira não seria mais uma opção.

– Limpamos?

Delta-Um assentiu.

– Vou recolher os sinalizadores enquanto vocês dois se livram do trenó.

Enquanto Delta-Um cuidadosamente percorria de volta a trilha dos cientistas, recolhendo qualquer evidência de que eles tivessem passado por ali,

Delta-Três e seu parceiro se moveram em direção à costa com o trenó cheio de equipamentos e o corpo. Depois de vencer as três elevações, chegaram ao penhasco no final da geleira Milne. Deram um forte empurrão, e Norah Mangor e seu trenó deslizaram silenciosamente pela borda, mergulhando no oceano Ártico.

Limpeza perfeita, pensou Delta-Três.

Enquanto voltavam para a base, ele ficou feliz ao ver que o vento estava apagando completamente os rastros deixados por seus esquis.

CAPÍTULO 61

O submarino nuclear USS *Charlotte* estava estacionado no oceano Ártico há cinco dias. Sua presença ali era altamente secreta.

O *Charlotte* era um submarino da classe Los Angeles, projetado para "ouvir sem ser ouvido". Suas turbinas de 42 toneladas eram instaladas sobre molas para amortecer sua vibração. Embora um dos seus pré-requisitos fosse a discrição, era um dos maiores submarinos de reconhecimento em operação. Com um comprimento próximo a 110 metros da proa à popa, era do tamanho de um campo de futebol oficial. Era sete vezes maior que o primeiro submarino da classe Holland da Marinha norte-americana e, quando completamente submerso, deslocava 6.927 toneladas de água e chegava à velocidade de 35 nós.

A profundidade normal de cruzeiro dessa embarcação era logo abaixo da termoclina, uma camada de transição térmica abrupta que distorcia os sinais de radar vindos de cima, tornando o submarino invisível para os radares de superfície. Comportando uma tripulação de 148 homens e podendo atingir uma profundidade máxima de submersão de mais de 1.500 pés, o submarino era um dos mais avançados e também um dos mais usados pela Marinha dos Estados Unidos. Seu sistema de oxigenação por eletrólise de evaporação, os dois reatores nucleares e o estoque de comida desidratada permitiam que circunavegasse o globo 21 vezes sem nunca ter que subir à superfície.

O técnico que estava sentado diante da tela do sonar era um dos melhores do mundo. Sua mente era um dicionário de sons e formas de onda. Podia distinguir os diferentes sons de dezenas de propulsores de submarinos russos, o ruído de centenas de criaturas marinhas e até mesmo localizar vulcões submarinos do outro lado do planeta.

No momento, contudo, ele estava ouvindo um eco repetitivo e desinteressante. O som, apesar de facilmente discernível, era completamente inesperado.

– Você não vai acreditar no que estou captando – disse para seu assistente, passando-lhe os fones.

O outro marinheiro colocou os fones e olhou para ele, estupefato.

– Nossa. Absolutamente claro. O que vamos fazer?

O responsável pelo sonar já estava interfonando para o comandante.

Quando o comandante do submarino chegou à sala do sonar, o técnico transferiu o sinal de áudio do equipamento para um par de caixas de som.

O comandante ouviu impassível.

TUM. TUM. TUM.

TUM... TUM... TUM...

Mais lento. Cada vez mais lento. O padrão estava se tornando confuso e se enfraquecendo.

– Quais são as coordenadas? – perguntou o comandante.

O técnico limpou a garganta.

– A parte mais curiosa, senhor, é que está vindo da superfície, cerca de três milhas a estibordo.

CAPÍTULO 62

Na escuridão do corredor, do lado de fora do escritório do senador Sexton, as pernas de Gabrielle tremiam, não tanto pela exaustão de ficar de pé, parada, mas pela desilusão com aquilo que estava ouvindo. A reunião na sala ao lado prosseguia, mas ela não precisava ouvir mais nada. A verdade estava bem clara.

O senador está recebendo suborno de empresas espaciais do setor privado. Marjorie Tench lhe dissera a verdade.

Gabrielle sentiu-se nauseada com a traição de Sexton. Ela havia acreditado nele. Lutado por ele. *Como seu candidato podia estar fazendo aquilo?* Gabrielle tinha visto o senador mentir publicamente, aqui e ali, para proteger sua vida pessoal, mas sabia que aquilo fazia parte do jogo político. Isso, porém, era completamente ilegal.

Ele nem foi eleito ainda e já está vendendo a Casa Branca!

Estava claro que ela não poderia mais apoiar o senador. A promessa de aprovar o projeto de privatização da NASA era algo que significava não apenas um profundo desrespeito pela lei, mas também por todo o sistema democrático. Mesmo que o senador *acreditasse* que era o melhor a fazer, vender aquela decisão antecipadamente fechava a porta para todos os mecanismos de controle e equilíbrio do governo, ignorando as argumentações do Congresso, de conselheiros, eleitores e lobistas. Pior que isso, ao garantir a privatização da NASA, Sexton teria aberto caminho para uma quantidade enorme de abusos para os que tinham conhecimento prévio de tudo, sendo a venda de informações privilegiadas o mais comum. Isso favoreceria de forma grosseira aquela patota de ricos e poderosos em detrimento de investidores públicos honestos.

Sentindo um profundo enjôo, Gabrielle ficou pensando no que faria.

Um telefone tocou bem alto ao lado dela, quebrando o silêncio do corredor. Assustada, olhou para ver o que era. O som vinha do armário na ante-sala: um celular estava tocando no bolso de um dos casacos pendurados.

– Com licença, amigos – disse alguém com um sotaque texano arrastado –, esse é o meu.

Gabrielle ouviu o homem se levantando. *Ele vem para cá!* Virou-se e começou a andar em direção à porta de entrada. No meio do corredor, entrou bruscamente à esquerda, agachando-se na cozinha escura bem a tempo. Ficou ali congelada, imóvel nas sombras.

O texano passou sem notar sua presença.

Junto com o som de seu próprio coração em disparada, ela podia ouvi-lo mexendo nos casacos à procura do telefone. Finalmente encontrou o aparelho e atendeu.

– Oi?... Quando?... Mesmo? Bom, vamos ligar para ver. Obrigado.

O homem desligou e retornou ao escritório, gritando para os outros enquanto andava.

– Ei! Liguem a televisão. Parece que Zach Herney vai dar uma coletiva de imprensa urgente agora à noite. Oito horas, em todos os canais. Ou estamos declarando guerra à China ou então a Estação Espacial Internacional acabou de cair no oceano.

– Este seria um grande motivo para um brinde! – alguém bradou de volta.

Todos riram.

Gabrielle sentiu a cozinha girando em volta dela. *Uma coletiva às oito da noite?* Parece que Tench não estava blefando, afinal. Aquele era o horário que a consultora havia estabelecido para que Gabrielle entregasse sua declaração assinada, admitindo o caso com Sexton. "Afaste-se do senador antes que seja tarde demais", dissera Marjorie. Gabrielle presumira que aquele prazo era para que a Casa Branca pudesse vazar a informação para os jornais do dia seguinte, mas aparentemente o presidente pretendia levar o assunto a público diretamente.

Uma coletiva urgente? Quanto mais Gabrielle pensava naquilo, mais estranha a coisa lhe parecia. *Herney vai denunciar pessoalmente toda essa confusão? Ao vivo?*

A televisão foi ligada no escritório, com o volume bem alto. O apresentador mal podia conter sua agitação.

– A Casa Branca não emitiu nenhum pronunciamento prévio sobre a surpreendente coletiva do presidente esta noite e, no momento, há muitas especulações. Alguns analistas políticos acreditam que, depois de se ausentar recentemente dos palanques de campanha, Zach Herney pode estar se preparando para anunciar oficialmente que não irá se candidatar a um segundo mandato.

Uma torcida animada se fez ouvir no escritório.

Isso é absurdo, pensou Gabrielle. Ela sabia que, com toda a sujeira que a Casa Branca tinha contra Sexton, o presidente não ia jogar a toalha naquela noite. *O assunto da coletiva é outro.* E Gabrielle tinha um mau pressentimento de que já sabia do que se tratava.

Com um sentimento de urgência crescente, ela olhou para o relógio. Restava menos de uma hora. Ela tinha uma decisão a tomar e sabia exatamente com quem precisava falar. Agarrando-se ao envelope de fotos, saiu do apartamento em silêncio. Deu de cara com o segurança, que parecia aliviado.

– Ouvi o pessoal comemorando aí dentro. Parece que você fez bastante sucesso.

Ela deu um sorriso rápido e foi direto para o elevador.

Na rua, a noite que estava começando lhe trazia uma sensação especialmente amarga. Ela pegou um táxi e tentou assegurar-se de que realmente sabia o que estava fazendo.

– Estúdios de TV da ABC – disse ao motorista. – E rápido.

CAPÍTULO 63

Michael Tolland estava deitado de lado no gelo, a cabeça apoiada sobre o braço jogado acima do corpo. Já não podia mais sentir seu braço. Suas pálpebras estavam pesadas, mas ele lutava para mantê-las abertas. Dessa perspectiva peculiarmente inclinada, Tolland observava o mundo – agora reduzido a mar e gelo – pela última vez. Parecia um final adequado para um dia no qual tudo tinha sido estranho.

Uma calma assustadora havia se espalhado sobre a balsa de gelo flutuante. Rachel e Corky estavam em silêncio, e ela tinha parado de bater contra o gelo. À medida que se afastavam da geleira, o vento ia se acalmando. Tolland ouvia seu corpo se aquietar também. Com o capuz apertado contra os ouvidos, podia escutar a própria respiração, amplificada. Estava ficando mais lenta... mais superficial. Seu corpo já não conseguia lutar contra a sensação de compressão provocada pelo sangue abandonando as extremidades como quem foge de um navio condenado, fluindo instintivamente para seus órgãos vitais num último e desesperado esforço para mantê-lo consciente.

Era uma batalha perdida.

Estranhamente, não havia dor alguma. Já tinha passado daquele estágio. A sensação agora era a de estar inflado. Dormente. Flutuando. O primeiro de seus reflexos motores começou a não obedecer: já não podia piscar. Sua visão estava ficando embaçada. O humor aquoso, que circula entre a córnea e o cristalino, estava se congelando. Tolland olhou para o borrão em que se transformara a plataforma de gelo Milne, uma vaga forma branca sob a lua enevoada.

Sentiu que sua alma admitia a derrota. Flutuando entre a presença e a ausência, contemplou as ondas do oceano ao longe. O vento soprava em torno delas.

Foi então que começou a ter alucinações. Estranhamente, nos últimos segundos de consciência, não fantasiou que estava sendo resgatado. Não teve pensamentos calorosos e reconfortantes. Sua última ilusão foi assustadora.

Um leviatã estava saindo das águas ao lado do iceberg, irrompendo na superfície com um ruído avassalador. Como um mitológico monstro dos mares, emergiu – esguio, preto e de aparência mortífera, cuspindo espuma à sua volta. Tolland fez força para piscar e sua visão melhorou um pouco. A besta estava próxima, chocando-se contra o gelo como um enorme tubarão golpeando um pequeno bote. Imponente, erguia-se bem alto diante dele com a pele cintilante e molhada.

A imagem borrada ficou preta e só sobraram os sons. Metal sobre metal. Dentes abocanhando o gelo. Aproximando-se. Carregando os corpos.

Rachel...

Tolland sentiu quando o pegaram com vigor.

Depois o mundo em volta se apagou.

CAPÍTULO 64

Gabrielle Ashe estava quase correndo ao entrar no departamento de jornalismo da ABC News, no terceiro andar. Mesmo assim, seu ritmo era mais lento do que o de todas as pessoas lá dentro. A redação era um frenesi 24 horas por dia, mas naquele momento o conjunto de cubículos na frente dela parecia uma versão acelerada da bolsa de valores. Editores de olhos esbugalhados gritavam uns com os outros por cima de suas divisórias; repórteres corriam de um lado para o outro, sacudindo faxes e comparando suas informações, e estagiários frenéticos comiam barras de cereais e tomavam bebidas energéticas entre suas tarefas.

Gabrielle tinha vindo falar com Yolanda Cole.

Em geral Yolanda estaria num dos aquários da redação – os escritórios privados com paredes de vidro reservados aos executivos que precisavam de algum silêncio para pensar. Naquela noite, contudo, ela estava com o resto da plebe, no meio da confusão. Quando viu Gabrielle, soltou seu tradicional grito histérico.

– Gabi! – Yolanda estava usando um xale com estampa indiana e óculos com armação de tartaruga. Como sempre, estava coberta de jóias extravagantes. Ela caminhou na direção de Gabrielle, acenando. – E o meu abraço?

Yolanda Cole estava há 16 anos em Washington trabalhando como editora de conteúdo para a ABC News. Polonesa, de rosto sardento, ela era baixinha, gorducha e tinha cabelos ralos. Todos a chamavam afetuosamente de "Mãe". Seu jeito matronal e bem-humorado disfarçava uma certa frieza para desencavar os fatos adquirida com os anos de prática. Gabrielle conheceu Yolanda num seminário sobre mulheres na política de que havia participado logo depois de chegar a Washington. Tinham conversado sobre a experiência prévia de Gabrielle, os desafios de ser mulher no distrito federal e, finalmente, sobre uma paixão em comum: Elvis Presley. A editora colocara Gabrielle sob sua tutela, ajudando-a a fazer contatos na capital. Gabi costumava fazer visitas mensais à amiga para bater papo.

As duas trocaram um forte abraço, e o bom astral de Yolanda fez com que Gabrielle se sentisse um pouco melhor.

Yolanda deu um passo para trás e olhou para ela de cima a baixo.

– Você parece ter envelhecido 100 anos, querida! O que aconteceu?

– Estou em apuros, Yolanda – Gabrielle falou em voz baixa.

— Não é bem o que estão dizendo por aí. Parece que o seu homem está com tudo.

— Há algum lugar onde possamos conversar a sós?

— Puxa, este é um péssimo momento. O presidente vai dar uma coletiva dentro de meia hora e ainda não sabemos do que se trata. Tenho que preparar comentários de especialistas, mas estou voando às cegas.

— Eu sei sobre o que é a coletiva.

Yolanda abaixou seus óculos, olhando para ela com ceticismo.

— Gabrielle, mesmo nosso correspondente *dentro* da Casa Branca não sabe nada a respeito. Você está me dizendo que o pessoal da campanha de Sexton foi informado com antecedência?

— Não, estou dizendo que *eu* fui informada com antecedência. Me dê cinco minutos e eu lhe conto tudo.

Yolanda viu o envelope vermelho da Casa Branca na mão de Gabrielle.

— Ei, isso é material interno da Casa Branca! Onde você conseguiu isso?

— Numa reunião privada com Marjorie Tench hoje à tarde.

A editora ficou olhando para ela.

— Bem, então venha aqui.

Na privacidade do aquário de Yolanda, Gabrielle revelou à amiga que tinha ido para a cama com o senador e que Tench conseguira fotos do tórrido encontro dos dois.

Yolanda abriu um largo sorriso e balançou a cabeça, rindo. Ela já estava trabalhando como jornalista em Washington há tanto tempo que aparentemente nada mais a surpreendia.

— Ah, Gabi, eu tinha mesmo um palpite de que algo tinha ocorrido entre você e Sexton. Não me espanta. Ele tem uma longa reputação e você é uma moça bonita. Pena que haja evidências fotográficas. Ainda assim, eu não me preocuparia com isso.

Não se preocuparia com isso?

Gabrielle explicou que Tench também havia acusado Sexton de receber suborno de empresas do setor espacial, e contou que ela mesma começara a desconfiar de que era verdade depois de bisbilhotar uma reunião secreta da Space Frontier Foundation com o senador. Mais uma vez, Yolanda olhou para a amiga com uma expressão despreocupada e não demonstrou nenhuma surpresa. Ao menos não até ouvir o que ela tinha em mente.

Yolanda ficou preocupada e disse:

— Gabrielle, se você quer entregar um documento com valor jurídico dizendo que transou com um senador dos EUA e ficou calada enquanto ele mentia a respeito, isso é problema seu. Mas devo lhe avisar que é uma péssima idéia, com conseqüências ruins para você. É melhor pensar bem no que isso significaria para a sua vida.

– Você não está me ouvindo! Meu tempo está quase acabando!

– Sim, querida, eu *estou* ouvindo, e com muita atenção. Não importa se o relógio está correndo, algumas coisas são simplesmente contra as regras do jogo. *Não se entrega* um senador americano em meio a um escândalo sexual. É suicídio. Estou lhe dizendo, mocinha, se você vai derrubar um candidato presidencial, é melhor entrar no carro e dirigir para bem longe de Washington, D.C. Você ficará marcada. Muitas pessoas disponibilizam enormes somas para que os candidatos vençam eleições. Há pesos pesados das finanças e do poder envolvidos na campanha – o tipo de gente que não se importa de mandar matar alguém quando necessário.

Gabrielle ficou em silêncio.

– Minha impressão é de que Tench forçou a barra esperando que você entrasse em pânico e fizesse alguma idiotice, como confessar que teve mesmo esse caso – disse Yolanda. Depois de uma pausa, ela apontou para o envelope vermelho nas mãos de Gabrielle. – Essas imagens não significam nada a menos que você ou ele admitam que são verdadeiras. A Casa Branca sabe que, se deixar vazar isso, Sexton vai a público dizer que as fotos foram forjadas e irá virar a mesa em cima do presidente.

– Eu pensei nisso, mas ainda assim há a questão dos subornos de campanha, que são...

– Querida, raciocine. Se a Casa Branca ainda não foi a público com alegações de suborno, provavelmente é porque não pretende fazer isso. O presidente tem levado muito a sério essa história de não usar propaganda negativa em sua campanha. Eu diria que ele resolveu evitar um grande escândalo envolvendo a indústria aeroespacial e mandou Tench atrás de você com esse blefe para ver se conseguia pressioná-la a assumir o caso publicamente. Em outras palavras, esfaquear seu candidato pelas costas.

Gabrielle refletiu um pouco. O que a amiga estava dizendo fazia sentido, mas ainda assim havia algo que a perturbava. Ela apontou para a parede de vidro que separava a sala de Yolanda da redação em completo tumulto.

– Yolanda, vocês estão se preparando para uma grande coletiva presidencial. Se o presidente não vai falar em público sobre sexo ou suborno, então do que se trata?

A editora olhou para ela, perplexa.

– Ah, espera aí... Você acha que esta coletiva tem a ver com você e Sexton?

— Ou a história do suborno. Ou ambos. Tench me disse que eu tinha até às oito da noite para assinar uma confissão ou então o presidente iria anunciar...

A gargalhada estrondosa de Yolanda fez o vidro da sala tremer.

— Ah, não, pare... Assim não consigo nem respirar... Vou ficar com soluços!

Gabrielle não estava achando graça.

— O que foi agora?!

— Gabi, querida, escute... – disse Yolanda, segurando o riso. – Acredite em mim. Eu lido há 16 anos com a Casa Branca e posso garantir que é impossível que Zach Herney tenha convocado a imprensa do *mundo inteiro* para dizer que ele suspeita que o senador Sexton esteja aceitando financiamentos questionáveis para sua campanha ou transando com você. Isso é o tipo de informação que se deixa *vazar*. Presidentes não ganham nada em popularidade se interromperem a programação normal para reclamar e resmungar a respeito de sexo ou de supostas infrações das obscuras regras de financiamento de campanha.

— Como assim? – retrucou Gabrielle. – Vender uma decisão presidencial sobre um projeto de lei em troca de investimentos milionários na campanha não me parece exatamente uma questão obscura!

— E você tem certeza de que é isso que ele está fazendo? – Yolanda falou em um tom mais sério. – Você está certa o suficiente para se expor em cadeia nacional? Pense bem. Nos dias de hoje, muitas alianças são necessárias para que as coisas avancem, e o financiamento das campanhas é sempre uma questão complexa. É possível que a reunião de Sexton seja completamente legal.

— Ele está violando a lei – insistiu Gabrielle. *Não está?*

— Pelo menos é o que Marjorie quer que você pense. Os candidatos aceitam doações de grandes corporações por trás dos panos o tempo todo. Pode não ser ético, mas não é necessariamente ilegal. Na verdade, muitas das questões sobre a legalidade dos financiamentos não têm a ver com a origem do dinheiro, mas sim sobre *como* ele é gasto pelo candidato.

Gabrielle hesitou, sentindo-se insegura.

— Gabi, a Casa Branca tentou enganá-la esta tarde. Tentaram fazer com que atacasse seu próprio candidato e, até agora, você está engolindo o blefe deles. Se eu tivesse que escolher em quem confiar, acho que não trocaria Sexton por alguém como Marjorie Tench.

O telefone de Yolanda tocou. Ela atendeu, sacudindo a cabeça e dizendo "ah-ah" enquanto fazia algumas anotações.

— Interessante – disse finalmente. – Já estou indo aí. Obrigada.

Yolanda desligou e virou-se para a amiga, pensativa.

— É, parece que você estava mesmo por fora, como eu havia previsto.

— O que está acontecendo?

— Não tenho os detalhes ainda, mas o que posso dizer é que a coletiva não tem nada a ver com escândalos sexuais ou financiamento de campanha.

Gabrielle ficou animada com a notícia; ela desejava fortemente que aquilo fosse verdade.

— E como você sabe disso?

— Alguém lá de dentro acabou de vazar que a coletiva de imprensa é sobre a NASA.

Gabrielle sentou-se, abruptamente.

— A NASA?

Yolanda deu uma piscadela.

— Esta pode ser uma grande noite para você. Eu diria que o presidente Herney está se sentindo tão pressionado por Sexton que não teve outra escolha senão abortar o projeto da Estação Espacial Internacional. Isso explicaria a cobertura da imprensa mundial.

Uma coletiva para dizer que o projeto da estação será abortado? Gabrielle não conseguia imaginar tal coisa.

Yolanda levantou-se.

— Sobre a história com Tench, hoje à tarde... Era provavelmente uma última tentativa desesperada de obter algo contra Sexton antes que o presidente tivesse que ir a público com as más notícias. Não há nada como um escândalo sexual para distrair a atenção de mais um fracasso presidencial. Bom, de qualquer maneira, Gabi, tenho um monte de trabalho para fazer. Meu conselho é que você pegue uma xícara de café, sente-se aqui mesmo, ligue minha TV e veja para onde isso vai caminhar. Ainda temos 20 minutos até a coisa toda começar, e eu lhe garanto que não há a menor chance de que o presidente vá tirar a noite para lavar roupa suja. O mundo inteiro está olhando. Não sei o que ele vai dizer, mas garanto que é algo de impacto – concluiu, com uma piscadela. – Agora me dê esse envelope.

— Como?

Yolanda estendeu a mão e ficou mexendo os dedos, pedindo o envelope.

— Essas fotos vão ficar trancadas na minha mesa até que tudo isso termine. Quero ter certeza absoluta de que você não vai fazer besteira.

Relutantemente, Gabrielle entregou-lhe o envelope.

A editora trancou o envelope em uma gaveta de sua mesa e guardou as chaves no bolso.

— Você ainda vai me agradecer por isso, Gabi. Te juro. – Mexeu de brincadeira no cabelo da amiga enquanto saía. – E fique firme, porque acho que há boas notícias a caminho para você.

Gabrielle ficou sentada sozinha no cubículo de vidro, buscando ânimo no jeitão alegre e confiante de Yolanda. Tudo em que ela podia pensar, contudo, era no sorriso afetado de Marjorie Tench algumas horas antes. Gabrielle não podia imaginar o que o presidente estava prestes a anunciar, mas definitivamente achava que as notícias não seriam boas para o senador Sexton.

CAPÍTULO 65

Rachel Sexton sentia-se como se estivesse sendo queimada viva.
Está chovendo fogo!
Tentou abrir os olhos, mas tudo o que conseguiu enxergar foram algumas formas vagas e luzes ofuscantes. Estava chovendo. Uma chuva terrivelmente quente. Batendo em sua pele nua. Ela estava deitada de lado e podia sentir o chão quente sob seu corpo. Curvou-se o máximo que pôde em posição fetal, tentando proteger-se do líquido escaldante que caía sobre ela. Sentiu o cheiro de um agente químico, talvez cloro, e tentou arrastar-se para longe, mas não conseguiu. Mãos fortes seguravam seus ombros, mantendo-a no lugar.
Deixem-me sair, estou em chamas!
Instintivamente, lutou para escapar, mas foi novamente detida pelas mãos que não a deixavam sair.
– Fique onde está – disse um homem. O sotaque era de um americano, e o tom, profissional. – Já vai terminar.
O que vai terminar?, pensou Rachel. *A dor? Minha vida?* Ela tentou ajustar o foco. As luzes daquele lugar eram fortes. Viu que a sala era pequena e atulhada. Teto baixo.
– Estou queimando! – o grito de Rachel saiu como um sussurro.
– Você está bem – assegurou-lhe a voz. – A água está apenas morna. Confie em mim.
Ela percebeu que estava seminua, vestida apenas com suas roupas de baixo encharcadas. Não conseguia sequer se sentir envergonhada: havia outras questões muito mais importantes.
Sua memória começou a voltar numa torrente de imagens. A geleira. O GPR. O ataque. *Quem? Onde estou?* Tentava juntar as peças, mas sua mente estava entorpecida, como um conjunto de engrenagens enferrujadas. Em meio à con-

fusão completa surgiu um pensamento claro: *Michael e Corky... onde eles estão?*

Com a visão ainda turva, só conseguia enxergar os homens que estavam de pé diante dela. Todos usavam os mesmos macacões azuis. Ela queria falar, mas sua boca não se movia. A sensação de ardência em sua pele estava cedendo agora, dando lugar a profundas e pontiagudas ondas de dor que passavam por seus músculos como tremores sísmicos.

– Não tente lutar – disse o homem que a segurava. – O sangue precisa voltar a fluir por seus músculos. – Falava como um médico. – Tente mover seus membros o máximo que puder.

O corpo de Rachel estava sendo dilacerado por uma enorme dor, como se cada um de seus músculos estivesse sendo espancado com um martelo. Continuava deitada no chão, sentindo seu tórax se contrair e mal conseguindo respirar.

– Mexa seus braços e pernas – insistiu o homem. – Não importa o quanto isso doa.

Ela tentou. Cada movimento era como uma faca sendo enfiada em suas juntas. Os jatos d'água se tornaram novamente mais quentes, como se sua pele estivesse sendo escaldada. A dor avassaladora não cedia. Quando achou que não iria mais agüentar, alguém lhe deu uma injeção. A dor se dissolveu rapidamente, cada vez menos intensa, retrocedendo. Os tremores diminuíram. Ela sentiu sua respiração se normalizar.

Uma nova sensação se espalhou por seu corpo: estranhas alfinetadas. Em toda parte. Agulhas sendo espetadas, mais pontiagudas a cada vez. Milhões de golpes de pequenos objetos muito afiados que se intensificavam quando se mexia. Tentou ficar imóvel, mas os jatos d'água continuavam a golpeá-la. O homem que estava de pé segurou seus braços e começou a movê-los.

Deus, como isso dói! Rachel estava fraca demais para lutar. Lágrimas de dor e de exaustão rolavam por seu rosto. Fechou os olhos com força, tentando se esquecer do mundo.

Finalmente, as alfinetadas começaram a se dissipar. A chuva parou. Quando ela reabriu os olhos, sua visão estava mais clara.

Pôde ver Corky e Tolland deitados perto dela, trêmulos, seminus e ensopados. Pela angústia em seus rostos, Rachel sentiu que haviam passado por uma experiência similar. Os olhos castanhos de Tolland estavam injetados e sem brilho. Quando ele viu Rachel, conseguiu dar um sorriso pálido. Seus lábios, ainda roxos, tremiam.

Rachel tentou sentar-se para entender que lugar estranho era aquele. Todos os três estavam deitados no chão de um pequeno banheiro com chuveiros.

CAPÍTULO 66

Rachel foi levantada do chão e sentiu braços vigorosos secarem seu corpo e colocarem um cobertor em volta dela. Depois de ser acomodada numa espécie de mesa de exames, seus braços, pernas e pés foram vigorosamente massageados. Tomou outra injeção no braço.

– Adrenalina – disse uma voz.

A droga percorreu suas veias como uma força vital, revigorando seus músculos. Apesar de ainda sentir um vazio gélido contraindo suas entranhas, o sangue parecia retornar gradualmente aos seus membros.

De volta do mundo dos mortos.

Tolland e Corky estavam deitados perto dela, tremendo dentro de cobertores enquanto os homens massageavam seus corpos e lhes aplicavam injeções também. Não havia dúvida de que aquele estranho grupo de homens salvara suas vidas. Muitos deles estavam completamente molhados, provavelmente por terem entrado vestidos nos chuveiros para ajudá-los. Quem eram ou como tinham conseguido resgatá-los a tempo era um enigma. Não fazia muita diferença naquele momento. *Estamos vivos.*

– Onde... estamos? – Rachel conseguiu balbuciar, sentindo uma terrível dor de cabeça simplesmente por ter falado.

O homem que a massageava respondeu:

– Você está na cabine médica de um...

– *Comandante presente!* – gritou alguém.

Rachel sentiu uma agitação ao seu redor, enquanto tentava sentar-se. Um dos homens de uniforme azul ajudou-a, segurando-a e puxando o cobertor para cobri-la.

O homem que havia entrado era um negro altivo. Bonito e imponente no seu uniforme cáqui.

– À vontade – disse ele, aproximando-se de Rachel e fitando-a com seus olhos pretos e cheios de vitalidade. – Sou Harold Brown – continuou com uma voz grave. – Comandante do *USS Charlotte*. E vocês são?

USS Charlotte, pensou Sexton. O nome era vagamente familiar.

– Sexton... – ela respondeu. – Sou Rachel Sexton.

O homem olhou para ela intrigado. Chegou mais perto e examinou-a atentamente.

– Mas que diabos. É você mesma.

Rachel ficou confusa. *Ele me conhece?* Ela estava bastante segura de que nunca o vira antes. Quando seus olhos desceram do rosto do comandante para as insígnias em seu peito, ela reconheceu o emblema familiar da águia segurando uma âncora com as palavras U.S. NAVY ao redor.

Lembrou-se de onde conhecia o nome *Charlotte*.

– Bem-vinda a bordo, senhorita Sexton – disse o comandante. – Você compilou muitos dos relatórios de reconhecimento deste submarino. Eu sei quem você é.

– Mas o que vocês estão fazendo nestas águas? – ela balbuciou.

– Para ser sincero, eu ia lhe fazer a mesma pergunta – ele respondeu.

Ao ver que Tolland tinha se sentado e estava abrindo a boca para dizer alguma coisa, Rachel sacudiu firmemente a cabeça, fazendo-lhe sinal para que ficasse em silêncio. *Não aqui. Não agora.* Ela tinha certeza de que Tolland e Corky iriam querer falar logo sobre o meteorito e o ataque que haviam sofrido, mas certamente não eram tópicos que devessem ser discutidos na frente da equipe de um submarino da Marinha. No mundo da inteligência, independentemente da dimensão da crise, manter segredo vinha antes de tudo. Todas as questões relativas ao meteorito continuavam sendo informações confidenciais.

– Preciso falar com o diretor do NRO, William Pickering – ela disse ao comandante. – Em local privado e imediatamente.

Ele levantou as sobrancelhas, surpreso por alguém lhe dar ordens, sobretudo em seu próprio submarino.

– Tenho informações confidenciais de que ele precisa ser notificado.

O oficial olhou para ela durante algum tempo.

– Certo. Vamos trazer seu corpo de volta à temperatura normal e então eu coloco você em contato com o diretor do NRO.

– Mas é urgente, senhor, eu... – Rachel parou no meio da frase. Ela havia acabado de ver um relógio na parede em cima do armário de remédios.

Marcava 19h51.

Ela piscou, olhando para ele.

– Aquele... aquele relógio está *certo*?

– Este é um submarino da Marinha, senhorita Sexton. Nossos relógios são pontuais.

– E este é o fuso de Washington?

– Correto, 19h51, horário de Washington.

Meu Deus!, ela pensou, espantada. São só 19h51? Rachel tinha a nítida impressão de que muitas horas tinham se passado desde que havia desmaiado. Então não eram nem oito horas ainda? *O presidente ainda não entrou no ar para falar sobre o meteorito! Ainda posso tentar detê-lo!* Ela deslizou na mesma hora para fora da cama, agarrando o cobertor e enrolando-o em torno do corpo. Suas pernas tremiam.

– Preciso falar com o presidente agora mesmo.

O comandante ficou confuso.

– O presidente de quê?

– Dos Estados Unidos!

– Achei que você queria falar com William Pickering.

– Não há tempo. Preciso falar com o presidente.

O comandante não se moveu. Era um homem grande e seu corpo bloqueava o caminho.

– Até onde sei, o presidente está prestes a dar uma coletiva muito importante ao vivo. Duvido que possa receber chamadas pessoais.

Rachel ficou tão séria e ereta quanto suas pernas trêmulas lhe permitiam e encarou-o.

– Comandante, o senhor não tem uma posição dentro da hierarquia de segurança que me permita entrar em detalhes sobre a situação, mas o presidente está prestes a cometer um terrível engano. Tenho informações urgentes para ele. Acredite em mim.

O comandante olhou para ela novamente, inquisitivo. Depois consultou o relógio.

– Nove minutos? Não consigo estabelecer uma ligação segura com a Casa Branca em um tempo tão curto. Tudo o que posso lhe oferecer é um radiofone. Em linha aberta. Ainda assim teríamos que emergir até profundidade de antena, o que levaria alguns...

– Faça o que for preciso! Agora!

CAPÍTULO 67

A central de atendimento da Casa Branca ficava no térreo da Ala Leste. Havia sempre três telefonistas de plantão. Naquele momento, apenas duas estavam sentadas diante do painel. A terceira estava correndo a toda a velocidade em direção à Sala de Imprensa, carregando nas mãos um telefone sem fio. Ela tentou passar a ligação para o Salão Oval, mas o presidente já havia saído em direção ao local da coletiva. Ela havia tentado ligar para os celulares de seus auxiliares diretos, mas, antes de pronunciamentos televisionados, todos os telefones celulares dentro da sala eram desligados para evitar interrupções.

Sair correndo com um telefone sem fio diretamente para o presidente numa hora daquelas parecia no mínimo questionável. Ainda assim, quando a agente de ligação entre a Casa Branca e o NRO ligou dizendo que tinha informações urgentes de que o presidente precisava tomar conhecimento antes de entrar em cadeia nacional, a telefonista não pensou muito e saiu em disparada. A pergunta agora era se ela chegaria ou não a tempo.

♦♦♦

No pequeno gabinete médico a bordo do *Charlotte*, Rachel estava com o fone agarrado ao ouvido, esperando para falar com o presidente. Sentados ali perto, Tolland e Corky ainda pareciam bastante atordoados. Corky estava com uma escoriação profunda no rosto e tinha recebido cinco pontos na ferida. Todos os três haviam recebido roupas de baixo térmicas e grossos macacões de vôo da Marinha, além de grandes meias de lã e botas militares. Segurando uma xícara quente de café requentado, Rachel estava quase se sentindo humana novamente.

– Por que a demora? – perguntou Tolland, agitado. – Faltam só quatro minutos!

Rachel não sabia o que estava acontecendo do outro lado. Ela havia conseguido falar com uma das telefonistas da Casa Branca, explicado quem era e que aquilo era uma emergência. A telefonista pareceu simpática, colocou a chamada em espera e agora, supostamente, estava tentando, com prioridade máxima, passá-la para o presidente.

Quatro minutos, pensou Rachel. *Vamos, depressa!*

Fechando os olhos, ela tentou se concentrar. Tinha sido um dia daqueles. *Estou em um submarino nuclear,* pensou consigo mesma, sabendo quanta sorte tinha de estar ali. De acordo com o comandante do submarino, o *Charlotte* estava em missão de rotina, patrulhando o mar de Bering dois dias antes, quando havia captado estranhos sons vindos da plataforma de gelo Milne – perfurações, ruído de jatos, várias comunicações codificadas por rádio. Tinham sido redirecionados para lá e instruídos a manter silêncio e ouvir. Há cerca de uma hora, captaram uma explosão na geleira e se aproximaram para averiguar. Foi então que ouviram o S.O.S. de Rachel.

– Faltam só três minutos! – Tolland estava bastante ansioso, olhando seu relógio sem parar.

Rachel também estava ficando nervosa agora. Por que estava demorando tanto? Por que o presidente não tinha aceitado seu chamado? Se Zach Herney fosse a público com os dados da forma que eles haviam sido enviados...

Ela evitou pensar naquilo e sacudiu o fone. *Vamos, atenda!*

♦♦♦

Quando a telefonista da Casa Branca chegou a poucos metros da Sala de Imprensa, deu de cara com uma barreira humana de membros da equipe do presidente. Todos estavam falando, entusiasmados, e fazendo os últimos preparativos. Ela viu o presidente a uns 20 metros de distância esperando para entrar em cena. O pessoal da maquiagem continuava em volta dele, fazendo retoques.

– Abram caminho! – disse a telefonista, tentando passar no meio daquele monte de gente. – Telefonema para o presidente. Com licença, me deixem passar!

– *Entramos no ar em dois minutos!* – gritou um coordenador de operações.

Agarrada ao telefone, a moça forçou caminho em direção ao presidente.

– Chamada para o presidente! – ela disse, ofegante. – Abram caminho!

Deu de cara com um poste de concreto bloqueando a passagem à sua frente: Marjorie Tench. Ela olhou para a telefonista com uma expressão crítica:

– O que está acontecendo?

– É uma chamada de emergência... – a telefonista estava sem ar – para o presidente.

Tench olhou para ela, incrédula.

– Agora não, de jeito nenhum!

– É Rachel Sexton. Ela diz que é urgente.

A expressão da consultora parecia ser mais de espanto do que de raiva. Ela olhou para o telefone sem fio.

– Esta é uma linha comum. Não é uma ligação segura.

– Não, senhora. Mas a ligação está vindo através de uma linha aberta de qualquer forma. Ela está em um radiofone. E precisa falar com o presidente imediatamente.

– *No ar em 90 segundos!*

Os olhos frios de Tench fulminaram a telefonista.

– Me dê este telefone – disse, estendendo a mão como uma aranha.

A funcionária estava com o coração na mão.

– A senhorita Sexton deseja falar com o presidente Herney diretamente. Ela me disse que a coletiva deveria ser adiada até que ela tivesse falado com ele. E eu prometi que...

Marjorie Tench deu um passo ameaçador na direção da moça, falando num sussurro sibilante:

— Deixe que eu lhe explique como as coisas funcionam por aqui. Não é a filha do adversário do presidente quem dá as ordens, sou eu. E posso garantir que você não passará deste ponto até que eu descubra o que está acontecendo.

A telefonista olhou na direção do presidente, que naquele momento estava cercado por técnicos de som e diversos membros da sua equipe que repassavam com ele as últimas mudanças feitas no discurso.

— *Sessenta segundos!* — gritou o supervisor de TV.

❖ ❖ ❖

A bordo do *Charlotte*, Rachel estava andando freneticamente pelo espaço restrito da cabine quando ouviu um ruído na linha.

Uma voz áspera falou do outro lado.

— Alô?

— Presidente Herney? — disse Rachel.

— Marjorie Tench — corrigiu a voz. — Sou a conselheira sênior do presidente. Seja você quem for, devo avisá-la de que passar trotes para a Casa Branca é uma violação da...

Pelo amor de Deus!

— Isto não é um trote! Eu sou Rachel Sexton. Sou sua agente de ligação com o NRO e...

— Eu sei muito bem quem é Rachel Sexton. E tenho sérias dúvidas de que você seja ela. Você ligou para a Casa Branca em uma linha aberta, me pedindo para interromper um importante pronunciamento do presidente. Isso dificilmente é procedimento-padrão para alguém que...

— Ouça — disse Rachel, irritada —, eu fiz uma videoconferência para toda a sua equipe há poucas horas sobre o meteorito. Você estava na fileira da frente. Minha apresentação foi feita por meio de um telão colocado sobre a mesa do presidente! Alguma dúvida?

Tench ficou em silêncio por alguns segundos.

— Senhorita Sexton, qual o sentido desta ligação?

— O sentido é que você precisa deter o presidente! Os dados que ele tem sobre o meteorito estão errados! Acabamos de descobrir que o meteorito foi inserido *por baixo* da plataforma de gelo. Não sei quem fez isso e não sei o motivo! Mas as coisas não são bem o que parecem por aqui. O presidente está prestes a anunciar dados que estão seriamente comprometidos e eu sugeriria fortemente que...

— Pare imediatamente! — Tench passou a falar em voz baixa. — Você tem alguma idéia do que está dizendo?

— Sim! Suspeito que o administrador da NASA organizou uma fraude em grande escala e que o presidente Herney vai ser colocado bem no meio disso tudo. Você tem que retardar o pronunciamento pelo menos por 10 minutos para que eu possa explicar a ele o que está acontecendo aqui. Alguém tentou me matar... mas que inferno!

A voz de Tench soou mais fria do que gelo.

— Senhorita Sexton, vou lhe dar um aviso. Se você está arrependida de ter ajudado a Casa Branca nessa campanha, o problema é seu. Deveria ter pensado nisso bem antes de sancionar pessoalmente os dados do meteorito para o presidente.

— O quê? — *Essa mulher ouviu alguma coisa do que eu disse?*

— Sua atitude é revoltante. Usar uma linha aberta é um truque baixo. E dizer que os dados sobre o meteorito foram falsificados! Que tipo de agente de inteligência usa um radiofone para ligar para a Casa Branca e falar a respeito de informações consideradas secretas? É óbvio que você está esperando que alguém intercepte esta mensagem.

— Norah Mangor foi morta por causa disso. O doutor Ming também está morto. Você tem que alert...

— Não diga mais uma palavra sequer! Não sei que tipo de jogo é este, mas devo lembrar-lhe — assim como a *qualquer* pessoa que possa estar interceptando esta conversa — que a Casa Branca possui depoimentos gravados em vídeo dos principais cientistas da NASA, de diversos cientistas civis de renome, além do *seu próprio comunicado*, senhorita Sexton. E todos eles dizem a mesma coisa: que os dados sobre o meteorito estão certos. Não posso imaginar por que você resolveu mudar sua versão da história subitamente. Seja qual for o motivo, contudo, considere-se dispensada de seu posto junto à Casa Branca a partir deste momento. E, se tentar macular essa descoberta com qualquer outra alegação de fraude, posso assegurá-la de que a Casa Branca e a NASA irão processá-la por difamação tão rápido que você não terá nem mesmo tempo de fazer uma mala antes de ir parar na prisão.

Rachel abriu a boca para dizer algo, mas nenhuma palavra saiu.

— Zach Herney foi generoso com você — prosseguiu Tench — e, francamente, isso me cheira a uma das jogadas tolas de publicidade do senador Sexton. Melhor parar agora, antes que a coisa chegue aos tribunais. Acredite em mim.

A linha ficou muda.

Rachel ainda estava de boca aberta quando o comandante bateu na porta.

— Senhorita Sexton? — disse ele, abrindo ligeiramente a porta. — Estamos captando um sinal fraco da Rádio Nacional do Canadá. O presidente Zach Herney acabou de começar sua coletiva de imprensa.

CAPÍTULO 68

De pé sobre o palanque da Sala de Imprensa da Casa Branca, Zach Herney sentia o calor da iluminação de estúdio e sabia que o mundo inteiro estava grudado diante da TV naquele momento. A estratégia de divulgação criada por seu gabinete de imprensa havia gerado uma reação em cadeia na mídia. Qualquer um que não tivesse tomado conhecimento do seu pronunciamento pela televisão, por rádio ou em sites na internet teria ouvido algum comentário de vizinhos, colegas de trabalho ou parentes. Nos bares, em salas e escritórios de todo o mundo, milhões de pessoas estavam aguardando ansiosamente o que o homem mais poderoso do planeta tinha a dizer.

Era em momentos como aquele, quando estava só diante do mundo, que Zach Herney realmente sentia o peso de seu posto. Só quem nunca experimentara o poder podia dizer que ele não viciava.

Contudo, ao começar seu discurso, Herney sentiu que havia algo errado. Ele jamais tivera medo de falar em público; por isso o pequeno formigamento de apreensão que pulsava dentro dele o preocupava.

Deve ser por causa da magnitude do evento, disse para si mesmo. Ainda assim, sabia que havia algo mais. Instinto. Algo que ele tinha visto.

Uma coisa muito pequena, mas...

Disse a si mesmo que esquecesse. Nada demais. No entanto, era algo que não ia embora.

Tench.

Poucos instantes antes, quando Herney estava se preparando para subir ao palanque, ele vira de relance Marjorie Tench no corredor amarelo falando em um telefone sem fio. Isso já seria um fato estranho, mas ficou ainda mais esquisito porque havia uma telefonista da Casa Branca de pé ao lado da consultora, lívida de medo. Herney obviamente não podia ouvir a conversa, mas percebeu que era uma discussão. Tench estava falando com uma veemência e uma raiva que o presidente jamais testemunhara – mesmo da parte de Tench. Ele fez uma breve pausa e olhou-a nos olhos, curioso.

Marjorie levantou o polegar, fazendo sinal de positivo. Herney nunca vira Tench fazer aquilo. Para ninguém. Foi a última imagem que ficou na sua mente antes que avisassem que era hora de subir ao palco.

◆◆◆

O administrador Lawrence Ekstrom estava sentado no centro de uma longa mesa, na área de imprensa montada dentro da habisfera da NASA, na ilha de Ellesmere. Tinha ao seu lado funcionários e cientistas importantes da NASA. Diante deles, em um grande monitor, o discurso de abertura do presidente estava sendo transmitido ao vivo. O restante do pessoal da agência estava espremido na frente de outros monitores, sem conseguir conter seu entusiasmo com a participação de seu comandante-em-chefe naquela coletiva.

– Boa noite – disse Herney, soando mais sério do que o normal. – A meus compatriotas e a nossos amigos em todo o planeta...

Ekstrom contemplou a enorme rocha carbonizada que tinha sido colocada de forma destacada à sua frente. Depois olhou para um pequeno monitor no qual podia ver a si mesmo, ao lado de seus austeros companheiros, tendo como pano de fundo uma enorme bandeira americana e o logotipo da NASA. A luz forte fazia com que aquilo tudo se parecesse com uma pintura neomodernista: os 12 apóstolos na última ceia. Zach Herney havia transformado a coisa toda em um grande show político. *Ele não teve escolha.* O administrador ainda se sentia como um pastor de televisão, empacotando Deus para o consumo das massas.

Dentro de mais cinco minutos o presidente apresentaria Ekstrom e a equipe da NASA. Então, numa espetacular conexão via satélite a partir do topo do planeta, a NASA iria se juntar ao presidente, dividindo as notícias com o mundo. Após um pequeno relato de como a descoberta fora feita, o que significava para a exploração do espaço e uma troca de congratulações mútuas, a agência espacial americana e o presidente iriam dar a palavra ao célebre cientista Michael Tolland, cujo documentário durava cerca de 15 minutos. Logo em seguida, com a credibilidade e o entusiasmo do público no auge, Ekstrom e Herney dariam boa-noite a todos, prometendo que mais informações seriam liberadas pela NASA nos próximos dias em sucessivas coletivas de imprensa.

Enquanto Ekstrom estava sentado lá, esperando sua vez de falar, sentia uma enorme vergonha se avolumando dentro de si. Sabia que iria se sentir assim. Já era esperado.

Ele havia contado mentiras... apoiado falsidades.

Apesar de tudo, as mentiras pareciam quase irrelevantes naquele momento. Ekstrom tinha um peso bem maior com que lidar.

◆◆◆

No completo caos da redação da ABC, Gabrielle Ashe estava se acotovelando com dezenas de estranhos, todos esticando o pescoço para ver melhor o painel com vários monitores de TV suspenso no teto. Um silêncio profundo tomou conta da sala quando o momento chegou. Gabrielle fechou os olhos, rezando para que, quando os abrisse, não fosse obrigada a ver imagens de seu próprio corpo nu na TV.

◆◆◆

No escritório do senador Sexton, o ar estava cheio de eletricidade. Todos os seus convidados estavam agora de pé, os olhos fixos no enorme aparelho de televisão de Sexton.

Zach Herney estava ali, diante de milhões de espectadores de todo o mundo e, surpreendentemente, sua saudação havia sido vacilante. Ele pareceu hesitar por alguns instantes.

Ele está abalado, pensou Sexton. *Ele nunca se deixa abalar.*

– Olhem a cara dele – alguém falou em voz baixa. – Só podem ser más notícias.

A estação espacial?, conjeturou Sexton.

Herney olhou diretamente para a câmera e respirou fundo.

– Prezados amigos, passei muitos dias refletindo sobre a melhor maneira de fazer este pronunciamento...

Bastam duas palavras, pensou o senador. *Falhamos miseravelmente.*

O presidente falou brevemente sobre como era lamentável que a NASA tivesse se transformado numa questão política diante das futuras eleições e que, devido a essa situação, sentia que era preciso acrescentar um rápido pedido de desculpas ao que se seguiria.

– Eu teria preferido que esta declaração fosse feita em qualquer outro momento da história – disse ele. – O peso das questões políticas deste momento tende a transformar os sonhadores em incrédulos, mas, ainda assim, como presidente dos Estados Unidos, não tenho outra escolha senão compartilhar com todos algo que descobri há pouco tempo – completou, sorrindo. – Tudo leva a crer que a magia do cosmo não obedece aos desígnios dos homens... nem mesmo aos de um presidente.

Todos na sala de Sexton se retesaram ao mesmo tempo. *O quê?*

– Há duas semanas – Herney disse – o novo satélite da NASA, o Polar Orbiting Density Scanner, que chamamos de PODS, passou sobre a plataforma de gelo Milne, na ilha de Ellesmere, uma região remota acima do paralelo 80, em meio ao oceano Ártico.

Sexton e os outros trocaram olhares confusos.

– Esse satélite da NASA detectou uma grande rocha enterrada a 60 metros de profundidade no gelo – Herney sorriu, mais relaxado, encontrando seu ritmo. – Ao receber os dados, a NASA suspeitou de imediato que o PODS havia encontrado um meteorito.

– Um meteorito? – disse Sexton para a TV, indignado. – E isso agora virou notícia?

– A NASA enviou uma equipe para a geleira com o objetivo de coletar amostras do meteorito. Foi então que a NASA fez... – ele parou um instante. – Francamente, a NASA fez a maior descoberta científica de nosso século.

Sexton deu um passo incrédulo em direção à televisão. *Não...* Seus convidados se agitaram, preocupados.

– Senhoras e senhores – Herney anunciou –, há algumas horas a NASA retirou do gelo do Ártico um meteorito de oito toneladas que contém... – o presidente fez mais uma pausa, dando ao mundo tempo suficiente para se inclinar em direção às telas de TV – ...um meteorito que contém *fósseis* de uma forma de vida. Dezenas deles. Prova irrefutável da existência de vida extraterrestre.

Imediatamente após suas palavras, uma imagem brilhante surgiu na tela atrás do presidente: um fóssil perfeitamente delineado de uma enorme criatura com aparência de um artrópode gigante incrustado numa rocha carbonizada.

No escritório do senador, os seis empresários arregalaram os olhos, aterrorizados com a notícia. Sexton ficou paralisado.

– Meus amigos – prosseguiu o presidente –, o fóssil que estão vendo atrás de mim tem 190 milhões de anos. Foi descoberto dentro de um fragmento do meteorito Jungersol, que caiu no oceano Ártico há quase três séculos. Graças à incrível tecnologia de seu novo satélite, a NASA encontrou esse fragmento enterrado em uma plataforma de gelo. Tanto a agência espacial quanto a minha equipe de governo tiveram um enorme cuidado, durante as duas últimas semanas, para confirmar cada detalhe dessa monumental descoberta antes de torná-la pública. Durante os próximos 30 minutos vocês irão ouvir os depoimentos de diversos cientistas da NASA e de cientistas civis, além de assistir a um pequeno documentário, preparado por alguém que todos conhecem bem e do qual, tenho certeza, irão gostar. Antes de prosseguirmos, no entanto, tenho o enorme prazer de lhes apresentar, numa transmissão via satélite ao vivo do Ártico, o homem cuja liderança, visão e esforços incansáveis são responsáveis por este momento histórico. É com grande honra que lhes apresento o administrador da NASA, Lawrence Ekstrom.

Herney virou-se para a tela em perfeita sincronia.

Com um belo efeito visual, a imagem do meteorito se dissolveu, dando lugar à pomposa equipe de cientistas da NASA acomodada numa longa mesa, no centro da qual estava o corpulento Ekstrom.

– Obrigado, senhor presidente – disse Ekstrom, com ar solene e altivo, levantando-se e olhando diretamente para a câmera. – É um grande orgulho estar aqui e compartilhar com todos vocês este momento de glória para a NASA.

O administrador discursou apaixonadamente sobre a NASA e sobre a descoberta. Com uma fanfarra de patriotismo e triunfo, fez uma transição perfeita para o documentário estrelado pelo misto de celebridade e cientista Michael Tolland.

Olhando para a TV, sem acreditar, o senador Sexton jogou-se de joelhos no chão, agarrando seus cabelos grisalhos com os dedos cerrados. *Não! Meu Deus, não!*

CAPÍTULO **69**

Marjorie Tench estava lívida quando marchou de volta para seu escritório na Ala Oeste, deixando para trás o clima de euforia do lado de fora da Sala de Imprensa. Ela não estava com a menor vontade de celebrar. O telefonema de Rachel Sexton tinha sido totalmente inesperado.

Tench bateu a porta, andou até à sua mesa e ligou para a telefonista da Casa Branca.

– William Pickering. NRO.

Ela acendeu um cigarro e andou pelo escritório enquanto esperava a telefonista encontrar Pickering. Normalmente ele já estaria em casa àquela hora, mas, por conta do frisson criado pela Casa Branca que culminara com a bombástica coletiva de imprensa, Tench achou que Pickering teria ficado em seu escritório, grudado à televisão, pensando no que poderia estar acontecendo que não fosse de conhecimento prévio do diretor do NRO.

A consultora estava se amaldiçoando. *Deveria ter confiado em meus instintos.* Quando o presidente disse que queria enviar Rachel Sexton para Milne, Tench ficou preocupada, achando que era um risco desnecessário. Mas o presidente tinha sido convincente, persuadindo-a de que a própria equipe da Casa Branca tornara-se incrédula nas últimas semanas e iria suspeitar da descoberta da NASA se a notícia viesse de alguém do seu gabinete. Como Herney previra, o fato de Rachel ter confirmado os dados acabou com qualquer suspeita, evitando um debate entre eventuais céticos dentro da Casa Branca e fazendo com que toda a equipe fosse impelida a seguir adiante em ordem unida. Uma contribuição inestimável, ela tinha que admitir. Ainda assim, agora Rachel havia mudado de idéia.

Aquela filha-da-mãe me ligou em uma linha aberta.

Rachel Sexton obviamente tinha a intenção de destruir a credibilidade daquela descoberta, e o único consolo de Tench era saber que o presidente gravara em vídeo o relatório apresentado horas antes pela agente do NRO. *Felizmente.* Ao menos Herney tinha tomado essa precaução. Tench estava começando a achar que poderiam precisar da fita.

No momento, porém, ela estava tentando conter os danos de outra forma. Rachel era uma mulher esperta e, se realmente pretendia se colocar diretamente contra a Casa Branca e a NASA, teria que recrutar alguns aliados poderosos. A escolha lógica seria Pickering, é claro. Tench já sabia das opiniões dele sobre a NASA. Precisava, portanto, falar com o diretor antes que Rachel o fizesse.

– Senhora Tench? – disse uma voz suave na linha. – William Pickering falando. A que devo a honra?

Ela podia ouvir a televisão ligada do outro lado da linha, transmitindo os comentários da NASA. Podia sentir pelo tom do diretor que ele ainda estava abalado com a coletiva.

– Podemos conversar um pouco, diretor?

– Achei que você estaria ocupada, celebrando. Uma grande noite para você. Parece que a NASA e o presidente estão de volta ao páreo.

Tench podia notar uma certa surpresa em sua voz, combinada com uma pitada de rancor, o que certamente podia ser creditado ao lendário ódio que Pickering tinha de ser informado de coisas importantes ao mesmo tempo que o restante do mundo.

– Peço-lhe desculpas – disse Tench, tentando rapidamente criar uma ponte – pelo fato de a Casa Branca e a NASA terem sido forçadas a não informá-lo antes.

– Você sabe, é claro – cortou Pickering –, que o NRO detectou as atividades da NASA no Ártico há algumas semanas e deu início a uma investigação.

Tench fechou o rosto. *Ele está furioso.*

– Sim, eu sei. Mas mesmo assim...

– A NASA nos disse que não era nada, que estava realizando alguns exercícios de treinamento em ambientes extremos. Testando equipamentos e coisas do gênero – o diretor fez uma pausa. – Nós engolimos a mentira.

– Não chegou a ser uma *mentira* – disse Tench. – Foi uma ocultação necessária. Considerando-se a magnitude da descoberta, creio que você compreenderá por que a NASA tinha que manter isso tudo em segredo.

– Do público, talvez.

Tench percebeu que a conversa estava tomando um rumo que não iria levar a lugar nenhum e resolveu ir direto ao assunto.

– Não tenho muito tempo, mas achei que deveria ligar para você e avisá-lo – disse ela, buscando manter sua posição de superioridade.

– Avisar-me? – Pickering ironizou. – Por acaso Zach Herney decidiu designar um novo diretor para o NRO? Alguém com maior paixão pela NASA, talvez?

– Claro que não. O presidente entende que suas críticas à NASA são apenas questões de segurança e ele está trabalhando para resolver isso. Na verdade, estou ligando para falar sobre uma de suas subordinadas. – Fez uma pausa. – Rachel Sexton. Você teve contato com ela esta tarde?

– Não. Eu a enviei à Casa Branca pela manhã a pedido do presidente. Vocês obviamente a mantiveram ocupada, já que ela não retornou até o momento.

Mais tranqüila ao descobrir que tinha conseguido falar com Pickering primeiro, Tench deu um trago no seu cigarro e continuou a falar da forma mais calma possível.

– Eu tenho a impressão de que ela irá telefonar para você em breve.

– Bom. Estou esperando que ela me ligue, de fato. Devo admitir que, quando a coletiva do presidente começou, cheguei a pensar que Zach Herney tivesse convencido a senhorita Sexton a participar disso tudo publicamente. Fiquei feliz ao ver que ele resistiu a essa tentação.

– Zach Herney joga limpo – disse Tench. – Pena que eu não possa dizer o mesmo a respeito de Rachel Sexton.

Houve um longo silêncio na linha.

– Espero ter entendido errado essa última frase.

Tench soltou um longo suspiro.

– Não, meu caro, creio que me ouviu corretamente. Prefiro não dar os detalhes por telefone, mas sua agente, ao que parece, decidiu que deseja minar a credibilidade dessa importante descoberta. Não tenho idéia quanto a seus motivos, mas, após ter revisado e endossado os dados da NASA hoje à tarde, ela resolveu virar o jogo e está fazendo alegações absurdas a respeito de traição e fraude por parte da NASA.

Pickering se irritou.

– Como disse?

– Sim, é perturbador. Odeio ser a portadora dessas más notícias, mas a senhorita Sexton me contatou dois minutos antes da coletiva começar, tentando me convencer a cancelar tudo.

– Baseada em quais alegações?

– As mais improváveis, sinceramente. Ela disse que encontrou sérias falhas nos dados.

O longo silêncio de Pickering demonstrou mais desconfiança do que Tench esperava.

– Falhas? – ele perguntou depois de algum tempo.

– Completamente ridículo, após duas semanas inteiras de experiências da NASA e...

– Acho muito difícil que uma pessoa como Rachel fosse lhe pedir para adiar a coletiva do presidente a menos que tivesse fortes razões para tal. – Pickering parecia preocupado. – Talvez você devesse ter ouvido o que ela tinha a dizer.

– Não me venha com essa! – retrucou Tench, tossindo. – Você assistiu à coletiva. Os dados do meteorito foram verificados e confirmados mais de uma vez por diversos especialistas. Incluindo civis. Não lhe parece suspeito que Rachel Sexton, filha do único homem diretamente atingido pela divulgação desses fatos, resolva mudar de idéia subitamente?

– Não me parece nem um pouco suspeito, senhora Tench, porque eu sei que Rachel e seu pai mal se falam. Não posso imaginar por que a senhorita Sexton, depois de anos servindo o presidente, iria subitamente mudar de time e inventar mentiras para apoiar o pai.

– Ambição, talvez? Realmente não sei. Talvez a oportunidade de se tornar "primeira-filha"... – Tench deixou a frase no ar.

Pickering engrossou na mesma hora.

– Tench, você está pisando em gelo fino. Gelo *muito* fino.

Do outro lado da linha, a consultora fechou a cara. *Que diabos eu esperava?* Ela estava acusando uma profissional importante da equipe de Pickering de trair o presidente. Claro que o homem iria se colocar na defensiva.

– Passe o telefone para ela – pediu ele. – Gostaria de falar com a senhorita Sexton pessoalmente.

– Não posso. Ela não está na Casa Branca. O presidente enviou-a para Milne esta manhã a fim de examinar os dados diretamente. Ela ainda não voltou.

O diretor ficou enfurecido.

– Eu não fui informado em momento algum...

– Não tenho tempo para falar sobre seu orgulho ferido, diretor. Estou ligando apenas por cortesia. Queria que soubesse que Rachel Sexton decidiu trilhar seu próprio caminho em relação à descoberta divulgada esta noite. E certamente irá buscar aliados. Se ela contatá-lo, creio que é bom que saiba que a Casa Branca possui uma gravação em vídeo, feita hoje à tarde, na qual ela confirmou todos os dados relativos ao meteorito em frente ao presidente, seu gabinete e toda a sua equipe. Se ela decidir agora, por qualquer motivo que seja, que vai tentar manchar o nome de Zach Herney ou da NASA, então posso lhe garantir que a Casa Branca irá tomar as providências necessárias para que sua queda seja feia – disse Tench, fazendo uma pausa para dar mais ênfase à sua declaração. – Espero que retorne minha cortesia me informando imediatamente se ela entrar em contato com você. Essa moça está atacando diretamente o presidente, e a Casa Branca deseja detê-la para que preste alguns esclarecimentos antes que possa causar maiores transtornos. Estarei esperando seu telefonema, diretor. Era tudo o que eu tinha a dizer. Boa noite.

Marjorie desligou, certa de que ninguém havia se dirigido a William Pickering daquele jeito em toda a sua vida profissional. Pelo menos ele teria certeza de que ela estava falando sério.

◆ ◆ ◆

No último andar do NRO, Pickering estava de pé olhando para o céu da Virgínia através de sua janela. Aquela ligação de Marjorie Tench fora profundamente perturbadora. Ele mordia levemente o lábio enquanto tentava juntar as peças em sua mente.

– Diretor? – chamou a secretária, batendo suavemente na porta. – Há uma outra chamada para o senhor.

– Agora não – respondeu ele automaticamente.

– É Rachel Sexton.

Pickering virou-se. Tench parecia estar vendo o futuro.

– Certo. Transfira para meu telefone imediatamente.

– Senhor, é uma transmissão codificada de áudio e vídeo. Quer transferi-la para a sala de reuniões?

Uma transmissão codificada?

– De onde ela está chamando?

A secretária lhe disse.

Pickering ficou pasmo. Saiu correndo em direção à sala de reuniões. Aquilo era algo inacreditável.

CAPÍTULO 70

A "sala morta" do *Charlotte* – inspirada num espaço similar na Bell Laboratories – era, tecnicamente, uma câmara anecóica: uma sala acusticamente isolada que não continha superfícies paralelas ou reflexivas, absorvendo o som com 99,4% de eficiência. Como o metal e a água são bons condutores acústicos, as conversas a bordo dos submarinos sempre são suscetíveis de interceptação por alguma escuta próxima ou por microfones de sucção "parasitas" colocados na parte externa do casco. Fisicamente, a sala morta era uma pequena câmara dentro do submarino da qual nenhum som poderia escapar. Todas as conversas dentro dessa caixa isolada eram completamente seguras.

A sala se parecia com um pequeno closet cujos teto, paredes e chão tivessem sido totalmente recobertos com uma espuma espiralada que se projetava para dentro em todas as direções. Para Rachel, parecia ser uma estreita caverna submarina cujas estalagmites tivessem proliferado de forma selvagem, crescendo em todas as superfícies. O mais estranho, no entanto, era a aparente ausência de chão.

O "chão" era feito de uma trama de arame gradeado, firmemente presa às quatro paredes do quarto na horizontal, como uma rede de pescar, dando aos ocupantes da sala a sensação de que estavam suspensos a meia altura das paredes. A teia era emborrachada e rígida quando se pisava nela. Rachel entrou, sentindo-se como se estivesse cruzando uma ponte de cordas sobre uma paisagem surrealista de geometria fractal. A floresta de espuma descia por mais um metro abaixo dela.

Dentro da sala, Rachel ficou desorientada no ar absolutamente morto, como se toda a energia houvesse sido retirada dali. Sentia uma pressão nas orelhas, como se tivessem sido preenchidas com algodão. Podia ouvir sua respiração dentro de sua cabeça. Falou seu nome em voz alta e foi como falar com a cabeça enfiada num travesseiro. As paredes absorviam todas as reverberações, de forma que o som da própria voz não retornava aos ouvidos.

Depois que o comandante saiu, fechando a porta acusticamente vedada atrás de si, Rachel, Corky e Tolland sentaram-se no centro da sala, diante de uma pequena mesa em forma de U fixada sobre longas pernas de metal que desciam através da trama. Sobre a mesa havia pequenos microfones, fones de ouvido e um console de vídeo com uma câmera e uma lente grande-angular em cima.

Por trabalhar na comunidade de inteligência dos Estados Unidos e ter acesso aos mais avançados equipamentos, como microfones a laser, escutas parabólicas subaquáticas e outros dispositivos de captação hipersensíveis, Rachel sabia muito bem que havia poucos lugares na Terra onde era possível ter uma conversa realmente segura. Aquela sala morta era um deles. Os microfones e fones de ouvido ligados à mesa permitiam que fossem feitas chamadas em grupo nas quais as pessoas podiam falar livremente, sabendo que a vibração de suas vozes não poderia ser ouvida fora daquele quarto. Suas vozes, ao entrarem nos circuitos dos microfones, seriam criptografadas com total segurança para uma longa viagem através da atmosfera.

– Verificação de volume – disse uma voz materializando-se subitamente dentro de seus fones e fazendo com que os três levassem um susto. – Está me ouvindo, senhorita Sexton?

Rachel aproximou-se de seu microfone.

– Sim, obrigada.

Seja lá quem você for.

– O diretor Pickering já está na linha e recebendo o sinal de áudio e vídeo. Estou saindo do circuito agora. Vocês poderão transmitir em poucos instantes.

Rachel ouviu a linha ficar em silêncio. Depois seguiu-se um zumbido de estática e uma série de bipes e cliques nos fones. Com uma nitidez impressionante, a tela de vídeo na frente deles se acendeu e Rachel viu Pickering na sala de reuniões do NRO. Ele estava sozinho. Levantou a cabeça e olhou para ela.

A agente se sentiu estranhamente aliviada ao revê-lo.

– Senhorita Sexton – ele disse, com uma expressão atônita e preocupada. – Que diabos está acontecendo?

– É o meteorito, senhor – respondeu Rachel. – Creio que temos um sério problema.

CAPÍTULO 71

Dentro da sala morta do *Charlotte*, Rachel apresentou Michael Tolland e Corky Marlinson a Pickering. Depois retomou a palavra e fez um breve relato da inacreditável seqüência de eventos do dia.

O diretor do NRO ficou sentado, imóvel, ouvindo tudo.

Rachel lhe contou a história completa, desde o plâncton bioluminescente no poço de extração, passando pela jornada deles na plataforma de gelo, até à descoberta de um poço de inserção localizado sob o meteorito. Finalmente, falou sobre o ataque executado por uma equipe militar que pertencia, ela suspeitava, às forças de Operações Especiais dos EUA.

William Pickering era conhecido por sua capacidade de ouvir informações perturbadoras sem nem mesmo piscar. Ainda assim, parecia cada vez mais preocupado ao tomar ciência da história de Rachel. Ela sentiu que ele ficou impressionado e depois enfurecido ao saber do assassinato de Norah Mangor e da perigosa fuga do restante do grupo, que quase acabara em morte também. Apesar de Rachel ter vontade de falar sobre sua suspeita a respeito do envolvimento do administrador da NASA, conhecia Pickering o bastante para não fazer acusações sem evidências. Ela limitou-se a narrar os fatos, sem emitir opiniões pessoais. Quando terminou, Pickering ficou mudo durante algum tempo.

– Senhorita Sexton, todos vocês... – disse finalmente, olhando para a imagem de cada um deles na tela. – Se o que estão me contando é verdade, e não posso imaginar por que os três iriam mentir sobre esse assunto, vocês têm muita sorte por ainda estarem vivos.

Os três concordaram, em silêncio. O presidente havia convocado quatro cientistas civis. Agora dois deles estavam mortos.

William Pickering soltou um suspiro inquieto, como se não soubesse bem o que dizer em seguida. Os eventos claramente não faziam muito sentido.

– Há alguma possibilidade de que esse poço de inserção que surgiu na impressão do GPR seja um fenômeno natural?

Rachel sacudiu a cabeça.

– É perfeito demais – respondeu, desdobrando a impressão encharcada do GPR e colocando-a frente à câmera. – Sem falhas.

Pickering estudou a imagem, franzindo o rosto.

– Concordo. Não deixe que ninguém pegue esse papel.

– Eu liguei para Marjorie Tench, tentando avisá-la para que impedisse a coletiva do presidente – prosseguiu Rachel. – Mas ela mandou que eu me calasse e desligou.

– Eu sei. Ela me disse.

Rachel olhou para ele, chocada.

– Marjorie Tench ligou para você?

Ela foi rápida.

– Acabou de ligar. Está muito preocupada. Ela acredita que você está tentando dar um golpe para desacreditar o presidente e a NASA. Talvez para ajudar seu pai.

Indignada, Rachel levantou-se, sacudindo a impressão do GPR e apontando para seus dois companheiros.

– Nós quase fomos mortos! Isso por acaso tem cara de um golpe? E por que eu iria...

Pickering levantou as mãos, pedindo calma.

– Fique tranqüila. O que Tench *não* me disse é que vocês eram três.

Rachel não se lembrava se a consultora sequer lhe dera tempo para mencionar Corky e Tolland.

– Nem que havia uma prova material – continuou Pickering. – Eu já estava um pouco cético quanto às alegações dela antes de falar com você. Agora estou convencido de que Tench está enganada. Não duvido do que você me contou. A questão é saber o que tudo isso significa.

Houve um longo silêncio. Era raro o diretor do NRO ficar confuso, mas ele sacudiu a cabeça, aparentemente sem saber o que pensar.

– Vamos presumir, por enquanto, que alguém *de fato* inseriu esse meteorito sob o gelo. Isso nos leva à seguinte pergunta: *por quê?* Se a NASA tinha um meteorito com fósseis, por que iria se preocupar com o local onde ele seria encontrado?

– Aparentemente – disse Rachel –, a inserção foi executada de tal forma que o PODS fizesse a descoberta e que o meteorito parecesse ser um fragmento de um impacto documentado.

– O meteorito de Jungersol – acrescentou Corky.

– Mas qual o *valor* de associar o meteorito a um impacto registrado? – perguntou Pickering, aflito, enlouquecendo com as hipóteses. – Esses fósseis não seriam uma descoberta impressionante em qualquer lugar, a qualquer tempo? Independentemente de qual fosse o evento de queda de meteoro ao qual ele estivesse associado?

Todos os três assentiram. Pickering hesitou, parecendo descontente.

– A menos, é claro...

Rachel podia perceber as engrenagens se movendo por trás dos olhos do diretor. *Por que alguém se daria ao trabalho de colocar o meteorito numa posição equivalente, no substrato geológico, à queda do Jungersol?* Pickering havia encontrado a explicação mais simples – e mais perturbadora – para aquela questão.

– A menos que esse posicionamento cuidadoso pretendesse dar credibilidade a dados completamente falsos – concluiu ele, voltando-se para Corky com uma dúvida: – Doutor Marlinson, é possível que esse meteorito tenha sido forjado?

– Forjado, senhor?

– Sim. Falsificado. Fabricado artificialmente.

– Um meteorito *falso?* – Corky deu uma risadinha estranha. – Totalmente impossível! Aquele meteorito foi examinado por profissionais. *Eu mesmo* o examinei. Fizemos análises químicas, espectrográficas e uma datação por rubídio-estrôncio. Não se parece com nenhum tipo de rocha encontrado na Terra. O meteorito é autêntico. Qualquer astrogeólogo concordará com isso.

Pickering pensou no assunto algum tempo, alisando sua gravata enquanto isso.

– Ainda assim, considerando-se o quanto a NASA se beneficia dessa descoberta no momento, os sinais aparentes de manipulação das provas e o fato de que vocês foram atacados, a primeira e única conclusão lógica que posso tirar é que o meteorito é uma fraude bem executada.

– Impossível! – disse Corky, zangado. – Com todo o respeito, senhor, meteoritos não são como os efeitos especiais de Hollywood, que podem ser criados num laboratório para enganar um bando de astrofísicos inocentes. São objetos quimicamente complexos com estruturas cristalinas e composição química absolutamente únicas!

– Não estou duvidando de sua análise, doutor Marlinson. Estou apenas seguindo uma cadeia lógica de pensamento. Considerando-se que alguém achou necessário matar vocês para evitar que revelassem que ele foi inserido sob o gelo, estou inclinado a formular algumas hipóteses improváveis no momento. O que, especificamente, faz com que tenha tanta certeza de que a rocha é, de fato, um meteorito?

– Especificamente? Bem, uma crosta de fusão homogênea, a presença de côndrulos, uma taxa de níquel que não pode ser encontrada na Terra. Se você está sugerindo que alguém nos enganou fabricando aquela rocha num laboratório, então tudo o que posso lhe dizer é que o laboratório teria que ter 190 milhões de anos. – Corky enfiou a mão no bolso e puxou um fragmento do formato de um CD. Colocou-o em frente à câmera. – Datamos amostras como esta através de vários métodos. A datação por rubídio-estrôncio *não é* algo que possa ser falsificado!

Pickering parecia surpreso.

– Você tem uma amostra?

Corky deu de ombros.

– A NASA tem dezenas delas soltas por lá.

– Você está me dizendo – retomou Pickering, olhando em seguida para Rachel – que a NASA descobriu um meteorito que acredita que contenha vestígios de vida e não adotou qualquer procedimento de segurança para impedir que as pessoas saiam livremente com amostras?

– O importante – disse Corky – é que a amostra em minhas mãos é genuína. – Segurou a rocha ainda mais perto da câmera. – Você pode dar isto a qualquer petrólogo ou geólogo ou astrônomo do planeta. Eles farão testes e vão lhe dizer duas coisas: primeiro, que isto aqui tem 190 milhões de anos; segundo, que é quimicamente diferente de qualquer rocha que tenhamos na Terra.

Pickering inclinou-se para a frente, estudando o fóssil incrustado na rocha. Ficou hipnotizado por um momento. Finalmente, soltou um suspiro e disse:

– Não sou cientista. Tudo o que posso dizer é que, se o meteorito é genuíno, como de fato parece ser, não compreendo por que a NASA não o apresentou ao mundo de forma direta. Por que alguém se deu ao trabalho de inseri-lo cuidadosamente sob o gelo como se estivesse tentando nos *persuadir* de sua autenticidade?

◆ ◆ ◆

Naquele momento, na Casa Branca, um agente de segurança estava ligando para Marjorie Tench.

Ela atendeu ao primeiro toque.

– Sim?

– Senhora Tench – disse o agente –, tenho a informação que me pediu há pouco. A chamada radiofônica que Rachel Sexton fez anteriormente já foi localizada.

– Qual a origem?

– O serviço secreto disse que o sinal veio de um submarino da Marinha, o *USS Charlotte*.

– O quê?

– Eles não possuem as coordenadas, senhora, mas garantem que veio desse submarino.

– Ah, que droga! – disse Tench, batendo o telefone sem dizer mais uma palavra.

CAPÍTULO 72

A absorção acústica total da sala morta do *Charlotte* estava começando a deixar Rachel levemente enjoada. Na tela, o semblante preocupado de Pickering voltou-se para Michael.

– Você ainda não disse nada, senhor Tolland.

Como um aluno que não estivesse prestando atenção, Tolland ergueu o olhar para o diretor do NRO.

– Senhor?

– Você acabou de apresentar um documentário muito convincente na televisão – disse Pickering. – Qual a sua visão sobre o meteorito agora?

– Bem, senhor – respondeu Tolland, obviamente sentindo-se mal com aquilo tudo –, devo concordar com o doutor Marlinson. Acredito que os fósseis e o meteorito são autênticos. Tenho uma boa experiência com técnicas de datação, e a idade daquela rocha foi confirmada por diversos testes, assim como seu conteúdo de níquel. Esses dados não podem ser forjados. Não há dúvida de que a rocha tem 190 milhões de anos, exibe uma taxa de níquel inexistente na Terra e contém dezenas de fósseis cuja formação também foi datada como sendo de 190 milhões de anos atrás. Não consigo pensar em qualquer outra hipótese senão que a NASA encontrou um meteorito autêntico.

A sala ficou novamente em silêncio. A expressão no rosto de Pickering era de total incerteza, algo que Rachel nunca tinha visto antes.

– O que devemos fazer, senhor? – perguntou ela. – Obviamente precisamos alertar o presidente de que há problemas com os dados.

Pickering franziu a testa.

– Vamos torcer para que ele *ainda* não saiba.

Rachel sentiu um nó na garganta. A implicação era clara. *O presidente Herney pode estar envolvido.* Ela duvidava fortemente daquela hipótese, mas tanto o presidente quanto a NASA tinham muito a lucrar.

– Infelizmente – disse o diretor –, com exceção dessa análise impressa de GPR que nos mostra um poço de inserção, todos os demais dados científicos apontam para uma descoberta autêntica da NASA. – Ele parou, preocupado.

– E quanto ao ataque que vocês sofreram? – perguntou para Rachel. – Você mencionou Operações Especiais.

– Sim, senhor. – Ela contou novamente sobre as IMs e as táticas operacionais.

Pickering parecia cada vez mais tenso. Rachel percebeu que ele estava pensando em quantas pessoas poderiam ter acesso a uma pequena equipe militar de ataque. Certamente o presidente teria. Provavelmente Marjorie Tench também, já que era a conselheira sênior. Muito possivelmente o administrador da NASA, Lawrence Ekstrom, devido a seus vínculos com o Pentágono. Enquanto pensava nas diversas possibilidades, Rachel percebeu que o ataque poderia ter sido engendrado por qualquer um com poder político e conexões adequadas.

– Eu poderia ligar para o presidente agora mesmo – disse o diretor –, mas não acho que isso seja sábio, ao menos enquanto não soubermos quem está envolvido. Minha capacidade de protegê-los se torna bastante limitada se eu acionar a Casa Branca neste momento. Além do mais, não estou bem certo do que dizer ao presidente. Se o meteorito é real, como afirmam, então as alegações de que há um poço de inserção e de que vocês sofreram um ataque não fazem sentido. O presidente teria todo o direito de questioná-las. – Fez uma pausa, avaliando suas opções. – Mas, seja qual for a verdade ou quem estiver por trás disso, há pessoas muito poderosas que irão sofrer um baque se essa informação vier a público. Creio que a prioridade é colocar vocês num lugar seguro antes de começar a fazer barulho.

Colocar num lugar seguro? Aquele comentário surpreendeu Rachel.

– Acho que estamos bem seguros dentro de um submarino nuclear, senhor.

Pickering olhou para ela, cético.

– Sua presença nesse submarino não vai permanecer secreta por muito tempo. Vou tirar vocês daí agora mesmo. Francamente, só me sentirei tranqüilo quando os três estiverem sentados em minha sala.

CAPÍTULO 73

O senador Sexton estava jogado sobre o sofá, sentindo-se isolado. Seu apartamento em Westbrooke Place, que minutos antes estivera cheio de novos amigos e partidários, agora parecia abandonado, com taças de conhaque pela metade e cartões de visita largados para trás por homens que saíram quase literalmente correndo pela porta.

Sexton estava deitado, solitário, em frente à TV, desejando profundamente desligá-la, mas ainda assim incapaz de parar de assistir às infindáveis análises da mídia. Não demorou muito para que os analistas passassem das hipérboles pseudocientíficas e filosóficas para se aterem ao que importava de fato – política. Como mestres da tortura esfregando ácido nas feridas de Sexton, os jornalistas estavam repetindo infinitas vezes o óbvio.

"Há poucas horas, Sexton estava alçando vôo rumo à presidência", disse um analista. "Agora, com a descoberta feita pela NASA, a campanha do senador caiu das alturas e sofreu um duro impacto."

Sexton virou a cara, pegou o Courvoisier e tomou um gole direto da garrafa. Aquela noite seria a mais longa e mais solitária de sua vida. Tinha ódio de Marjorie Tench por ter preparado uma cilada para ele durante a entrevista. Tinha ódio de Gabrielle Ashe por um dia ter mencionado os gastos da NASA. Tinha ódio do presidente por ter tirado a sorte grande. E tinha ódio do mundo por estar rindo dele agora.

"É óbvio que isso terá um efeito devastador no senador", prosseguia o analista. "O presidente e a NASA obtiveram um triunfo incalculável com essa descoberta. Uma notícia dessas iria dar um novo fôlego à campanha de Herney independentemente da posição que Sexton tivesse sobre a agência espacial, mas com sua admissão hoje cedo de que chegaria ao ponto de abolir completamente o financiamento da NASA se necessário... Bem, esse pronunciamento presidencial foi um baque do qual o senador não irá se recuperar."

Fui enganado, pensou Sexton. *Aqueles sacanas da Casa Branca me ferraram.*

O analista estava sorrindo agora. "Toda a credibilidade que a NASA havia perdido junto ao povo americano voltou com força total. Há um verdadeiro sentimento de orgulho nacional aqui, nas ruas de Washington. E não é para menos. Zach Herney é amado por todos, embora seus admiradores já estivessem perdendo a fé. É preciso reconhecer que o presidente estava na lona e recebeu alguns golpes duros recentemente, mas ele deu a volta por cima de forma gloriosa."

Sexton pensou no debate na CNN naquela tarde e abaixou a cabeça, nauseado. Toda a antipatia contra a NASA que ele havia cuidadosamente construído ao longo dos últimos meses não apenas havia sido desfeita como também se transformara numa corda em volta de seu pescoço. Agora parecia um idiota completo. Tinha sido vergonhosamente manipulado pela Casa Branca. Estava com medo de ver as charges nos jornais do dia seguinte. Seu nome seria motivo de risadas em todo o país. Obviamente não receberia mais nenhum financiamento discreto da SFF para a campanha. Tudo havia mudado. Os homens que estavam em seu apartamento naquela noite viram seus sonhos correrem pelo ralo. A privatização do espaço tinha acabado de bater de frente contra um muro.

Tomando outro gole de conhaque, o senador se levantou e andou, cambaleando, até à sua mesa. Olhou para o telefone fora do gancho. Sabia que era um ato masoquista de autoflagelação, mas lentamente recolocou o fone no lugar e começou a contar os segundos.

Um... dois... O telefone tocou. Deixou que a secretária eletrônica atendesse.

"Senador Sexton, é Judy Oliver, da CNN. Gostaria de lhe dar uma oportunidade de dizer algo sobre a descoberta da NASA. Por favor, ligue de volta", disse a moça, e desligou.

Sexton começou a contar de novo. *Um...* O telefone começou a tocar. Ele ignorou-o, deixando a máquina atender. Era outro repórter.

Agarrado à sua garrafa de Courvoisier, Sexton foi andando até à porta corrediça de sua varanda. Abriu-a e saiu para sentir o ar frio da noite. Apoiado no parapeito, olhou para fora, para a cidade, até chegar à fachada iluminada da Casa Branca ao longe. As luzes pareciam piscar alegremente ao vento.

Canalhas, pensou. Durante séculos estiveram procurando provas de que há vida no espaço. *Tinham que encontrar essa droga justo no ano da minha eleição?* Aquilo não era coincidência, só podia ser uma profecia! Em todas as janelas, até onde o senador podia ver, as televisões estavam ligadas. Pensou onde Gabrielle estaria naquela noite. Era tudo culpa dela. Ela o havia informado sobre cada uma das falhas da NASA.

Levantou a garrafa para dar mais um gole.

Maldita Gabrielle, é por culpa dela que estou nesta situação.

◆ ◆ ◆

Do outro lado da cidade, em meio ao caos da redação da ABC, Gabrielle Ashe sentia-se desligada do mundo. O pronunciamento do presidente tinha surgido do nada, deixando-a sem ação, num estado quase catatônico. Apenas ficou onde estava, de pé, imóvel no centro daquela agitação, o olhar fixo num dos monitores de televisão enquanto um pandemônio se desenrolava à sua volta.

Nos instantes iniciais do discurso de Herney o salão tinha ficado em completo silêncio. A tranqüilidade durou pouco, antes que o local irrompesse em um delírio ensurdecedor de repórteres correndo por todos os lados. Eram profissionais e não tinham tempo para reflexões pessoais. Poderiam refletir com calma depois de terminar o trabalho. Naquele exato momento, o mundo queria mais informações e a ABC tinha que fornecer o conteúdo. Aquele evento reunia muitos elementos de interesse público: ciência, história, o cenário político. Era um grande filão. Ninguém ligado à imprensa ou a qualquer veículo de comunicação iria dormir naquela noite.

– Gabi? – chamou Yolanda, com uma voz carinhosa. – Vamos voltar para meu escritório antes que alguém perceba quem você é e comece a lhe fazer perguntas sobre o impacto disso na campanha de Sexton.

Como se estivesse no meio de um sonho, Gabrielle sentiu a amiga guiando-a até seu aquário. Yolanda fez com que ela se sentasse e lhe deu um copo d'água.

– Veja o aspecto positivo, Gabi. A campanha do seu candidato está ferrada, mas você, não – disse a editora com um sorriso forçado.

– Obrigada. Muito reconfortante.

Yolanda adotou um tom de voz mais sério.

– Gabrielle, sei que você está se sentindo um zero à esquerda. Seu candidato acabou de ser atropelado por um trator e não acho que vá se levantar. Ao menos não a tempo de virar a mesa nessa eleição. Mas pelo menos ninguém espalhou suas fotos na TV. É sério. Isso é uma boa notícia. Herney não vai mais precisar divulgar um escândalo sexual. Ele está no auge de sua postura presidencial de "bom moço" e não vai se rebaixar.

Aquilo parecia um pequeno consolo para Gabrielle.

– E sobre as alegações de Tench quanto ao financiamento ilegal da campanha... – Yolanda balançou a cabeça. – Eu ainda tenho minhas dúvidas. É verdade que Herney tem mantido sua postura de não usar propaganda negativa. É verdade também que uma investigação sobre corrupção seria ruim para todo o país. Mas você acha mesmo que Herney é tão patriótico assim a ponto de desperdiçar a chance de esmagar a oposição apenas para proteger a moral da nação? Tenho a impressão de que Tench exagerou um pouco os fatos sobre as finanças de Sexton para tentar criar pânico. Ela jogou com o que tinha, esperando que você se assustasse e entregasse de bandeja, para o presidente, um escândalo sexual. Você sabe que *esta noite* seria fatal para o senador se sua moral também fosse questionada.

Gabrielle concordou, meio ausente. Um escândalo sexual seria um golpe duplo do qual a carreira de Sexton não iria se recuperar.

– Você não caiu na cilada de Marjorie Tench, Gabi. Ela jogou a isca, mas você não engoliu. Está livre agora. Haverá outras eleições.

A jovem assessora mais uma vez concordou vagamente, sem saber muito o que pensar.

– Olhe, a Casa Branca armou o tabuleiro para Sexton de forma brilhante: atraiu seu foco para a NASA e fez com que se comprometesse em público, obrigando-o a apostar tudo o que tinha nessa questão espacial.

Foi tudo culpa minha, pensou Gabrielle.

– E essa coletiva, meu Deus, foi genial! Deixando de lado a importância da descoberta em si, a produção foi brilhante. Uma conexão direta com o Ártico, um documentário de Michael Tolland... Nossa, como competir com isso? Zach Herney acertou na mosca esta noite. Não é à toa que o homem é presidente.

E vai continuar sendo por mais quatro anos...

– Bom, tenho que voltar para o trabalho, amiga. Você pode ficar sentada aqui quanto tempo quiser. Deixe as idéias se assentarem. – Yolanda dirigiu-se para a porta. – Querida, eu volto para ver como você está daqui a pouco.

Sozinha na sala, Gabrielle bebeu o copo d'água lentamente. O gosto era amargo. Tudo tinha um gosto amargo. *É culpa minha*, pensou, tentando tirar o peso da consciência, lembrando-se de todas as coletivas patéticas da NASA no último ano: os problemas com a estação espacial, o adiamento do X-33, todas as falhas nas sondas enviadas a Marte, rombos infindáveis no orçamento. Ela estava pensando no que poderia ter feito de outra forma.

Nada, disse para si mesma. *Você fez tudo certo.*

Pena que tudo deu errado.

CAPÍTULO 74

O enorme helicóptero SeaHawk da Marinha fora requisitado para uma operação secreta, partindo da Base Aérea de Thule, no norte da Groenlândia. Voava baixo, fora do alcance de radares, enfrentando fortes rajadas de vento para percorrer as 70 milhas de mar aberto. Depois, executando as estranhas ordens que haviam recebido, o piloto e o co-piloto lutaram com o vento até manter a aeronave pairando sobre um conjunto de coordenadas pre-definidas no meio do oceano.

– Onde é nosso ponto de encontro? – gritou o co-piloto, tentando encontrar algo. As ordens diziam para que levassem um helicóptero com um guincho de resgate; então eles esperavam realizar uma operação de busca e salvamento. – Você tem certeza de que as coordenadas estão certas? – Percorreu a superfície agitada do oceano com um forte holofote de busca, mas não havia nada abaixo deles exceto...

– Cacete! – O piloto puxou o manche, fazendo subir o helicóptero.

Uma montanha de aço negro surgiu na frente deles em meio às ondas. Um gigantesco submarino sem identificação emergiu do nada, soltando o lastro e espumando como uma baleia metálica.

Os dois se olharam, impressionados.

– Acho que são eles.

Conforme ordenado, a operação fora executada sem nenhum contato por rádio. A escotilha no alto da torreta abriu-se e um marinheiro usou um sinalizador luminoso para orientar os pilotos. O helicóptero colocou-se exatamente acima do submarino e desceu a bóia de salvamento para três pessoas – essencialmente alças de borracha na ponta de um cabo retrátil.

Um minuto depois, três desconhecidos estavam balançando abaixo do helicóptero, subindo lentamente, golpeados pelo vento que descia das hélices.

Quando o co-piloto puxou os dois homens e a mulher para dentro, o piloto sinalizou que estava pronto para partir. O submarino desapareceu no mar em poucos segundos, sem deixar pistas de que estivera lá.

Com os passageiros a bordo, o piloto do helicóptero virou, mergulhou o nariz e acelerou em direção ao sul para completar sua missão. A tempestade se aproximava rapidamente, e aqueles três estranhos tinham que ser levados em segurança de volta para a base de Thule a fim de seguir viagem num jato. O piloto não fora informado sobre seu destino final. Tudo o que sabia é que suas ordens vinham do alto escalão e que estava transportando uma carga preciosa.

CAPÍTULO 75

Quando a tempestade de Milne finalmente explodiu, lançando-se com toda a força sobre a habisfera da NASA, o domo estremeceu como se estivesse prestes a se soltar do gelo e voar em direção ao mar. Os cabos estabilizadores de aço foram repuxados contra suas amarras, vibrando como enormes cordas de guitarra e emitindo um tom monótono e triste. Do lado de fora, os geradores falhavam intermitentemente, fazendo com que as luzes piscassem e ameaçando mergulhar a enorme câmara em total escuridão.

Lawrence Ekstrom, o administrador da NASA, estava andando pelo domo. Ele queria poder sair logo daquele inferno, mas tinha que ficar mais um dia, dando coletivas adicionais para a imprensa pela manhã e supervisionando os preparativos para transportar o meteorito a Washington. Tudo que ele queria, naquele momento, era dormir um pouco. Os problemas que surgiram ao longo do dia o deixaram esgotado.

Voltou a pensar em Wailee Ming, Rachel Sexton, Norah Mangor, Michael Tolland e Corky Marlinson. Algumas pessoas da equipe da NASA já haviam começado a notar que os civis tinham sumido.

Relaxe, pensou. *Está tudo sob controle.*

Respirou fundo, lembrando-se de que o mundo todo estava animado com a descoberta da NASA e com a exploração do espaço naquele momento. A questão da existência de vida fora da Terra não tinha chamado tanta atenção desde o famoso "caso Roswell", em 1947. Foi quando uma nave supostamente alienígena teria se chocado contra o solo em Roswell, Novo México, que, a partir daquele momento, se tornara um santuário para milhões de amantes de teorias da conspiração e óvnis.

Nos anos em que trabalhou para o Pentágono, acabou sabendo que aquele caso não passara de um acidente militar durante uma operação secreta chamada Projeto Mogul, envolvendo um balão-espião que estava sendo projetado para captar os sons dos testes atômicos dos russos. Durante um dos vôos experimentais, um protótipo havia saído de seu curso e caído no deserto do Novo México. Infelizmente um civil encontrou os destroços antes que os militares conseguissem chegar ao local.

O fazendeiro William Brazel havia se deparado com os pedaços espalhados de um neoprene sintético radicalmente novo e de metais leves que nunca tinha visto, então chamou imediatamente o xerife. Os jornais divulgaram a descoberta dos estranhos destroços, fazendo com que o interesse do público crescesse rapidamente. Alimentados pela negativa oficial dos militares de que o material fosse deles, os repórteres começaram a investigar, ameaçando o segredo em torno do Projeto Mogul. Entretanto, quando parecia que a delicada questão da existência de um balão-espião estava prestes a ser revelada, algo fantástico aconteceu.

A mídia chegou a uma conclusão inesperada: aquelas substâncias futurísticas só podiam ter vindo de outro planeta, fabricadas por criaturas cientificamente mais avançadas do que os humanos. O fato de os militares negarem qualquer envolvimento com o incidente só podia significar uma coisa: um contato secreto com os alienígenas! Apesar de ter ficado bastante surpresa com essa nova hipótese, a Força Aérea não iria reclamar de uma história tão oportuna. Os militares tomaram partido da teoria dos extraterrestres e fizeram com que crescesse. Uma suspeita mundial de que ETs estavam visitando o Novo México era um risco para a segurança nacional muito inferior à possibilidade de os russos saberem algo a respeito do Projeto Mogul.

Para alimentar a história dos alienígenas, a comunidade de inteligência envolveu todo o incidente em completo segredo e começou a planejar "vazamentos de informações" sobre contatos com extraterrestres, espaçonaves recuperadas e até mesmo um misterioso "Hangar 18" na base da Força Aérea de Wright-Patterson, em Daytona, onde o governo estaria mantendo os corpos dos ETs congelados. O mundo inteiro comprou essa versão, e o interesse por Roswell percorreu o planeta. A partir daquele momento, toda vez que um civil acidentalmente avistava uma aeronave militar americana, a comunidade de inteligência precisava apenas tirar o pó da velha teoria da conspiração.

Não era uma aeronave, era um disco voador!

O administrador ficava surpreso por aquele truque continuar funcionando nos dias de hoje. Todas as vezes que a mídia relatava um súbito aumento de aparições de óvnis, Ekstrom ria. Na maioria dos casos, algum civil tinha visto de relance um dos 57 Global Hawks do NRO: aviões de reconhecimento em formato de charuto que eram operados por controle remoto e se moviam a altíssima velocidade e de forma única.

Ekstrom achava patético que muitos turistas ainda fizessem peregrinações até o deserto do Novo México para ficar observando o céu noturno com suas câmeras de vídeo. De vez em quando alguém dava sorte e conseguia uma "prova concreta" de um óvni: luzes fortes cruzando rapidamente o céu e fazendo manobras radicais a velocidades muito superiores às de qualquer avião existente. O que essas pessoas não sabiam é que havia cerca de 12 anos de diferença entre o desenvolvimento de projetos para o governo e sua divulgação para o grande público. Os caçadores de discos voadores estavam apenas tendo uma rápida visão da próxima geração de aeronaves americanas sendo construídas e testadas na Área 51 – muitas das quais eram resultado de idéias de engenheiros da NASA. É claro que o setor de inteligência nunca corrigia esse engano: era preferível que todos acreditassem em outro misterioso objeto voador avistado a que ficassem a par da capacidade real dos novos aviões militares.

Mas tudo mudou agora, pensou Ekstrom. Em poucas horas, o mito dos extraterrestres teria se tornado uma realidade confirmada para sempre.

– Administrador! – Um técnico da NASA veio correndo atrás dele. – Há um chamado de emergência em uma linha segura na cabine de comunicação.

Ekstrom suspirou e virou-se para ir até lá. *Que diabos querem comigo agora?* Ele foi caminhando na direção do trailer enquanto o técnico andava ao seu lado.

– O pessoal que opera o radar está curioso, senhor...

– É? – Ekstrom estava pensando em várias coisas ao mesmo tempo.

– Sabe aquele enorme submarino nuclear que está estacionado a poucos quilômetros da costa? Nós ficamos imaginando por que o senhor não nos contou nada a respeito.

Ekstrom virou-se para ele.
– Como assim?
– O submarino, administrador. O senhor poderia ao menos ter prevenido o pessoal que está operando o radar. É compreensível ter uma cobertura adicional no mar, porém a equipe do radar ficou bastante surpresa.
Ekstrom parou subitamente e disse:
– *Que* submarino?
O técnico também parou, pois não esperava aquela reação.
– Não é parte da nossa operação?
– Não! Onde ele está?
O técnico engoliu em seco.
– A cerca de cinco quilômetros da costa. Nós o pegamos no radar totalmente por acaso. Subiu à superfície apenas alguns minutos. Uma mancha impressionante no radar. Muito provavelmente um submarino nuclear da classe Los Angeles. Pensamos que o senhor tivesse pedido à Marinha para vigiar a operação sem nos informar nada.
O administrador ficou olhando para ele.
– Pode estar certo de que não pedi nada à Marinha!
A voz do técnico tinha ficado trêmula.
– Bem, senhor, então creio que é melhor informá-lo de que um submarino acabou de se encontrar com uma aeronave aqui, bem perto da costa. Pareceu uma troca de pessoal. Na verdade, ficamos bastante impressionados que alguém fosse tentar um resgate vertical com um vento desses.
Ekstrom ficou tenso. *Mas o que um submarino está fazendo bem perto da costa de Ellesmere sem que eu saiba disso?*
– Você viu em que direção a aeronave partiu depois do encontro?
– De volta para a Base Aérea de Thule. Provavelmente para uma conexão com um transporte até o continente, suponho.
Ele não disse mais nada enquanto caminhava rumo à cabine. Quando entrou naquela escuridão atulhada de coisas, a voz áspera na linha era bem familiar.
– Temos um problema – disse Tench, tossindo ao falar. – É a respeito de Rachel Sexton.

CAPÍTULO 76

O senador Sexton não tinha idéia de quanto tempo passara olhando para o infinito. Quando percebeu que aquele barulho não era sua cabeça latejando por conta da bebida, e sim alguém batendo na porta de seu apartamento, levantou-se do sofá, guardou a garrafa de Courvoisier e andou em direção ao hall.

– Quem é? – gritou Sexton, que não queria ver ninguém.

Seu guarda-costas, do outro lado da porta, anunciou o nome do visitante inesperado. O senador ficou instantaneamente sóbrio. *Ele foi rápido*. Achou que só seria forçado a ter aquela conversa na manhã seguinte.

Respirou fundo e ajeitou o cabelo. Abriu a porta. O rosto à sua frente era bem familiar: os dois tinham se encontrado naquela manhã na minivan branca estacionada numa garagem de hotel. *Foi mesmo esta manhã?*, pensou Sexton. *Deus, como as coisas haviam mudado.*

– Posso entrar? – disse o homem.

O senador chegou para o lado, abrindo passagem para o testa-de-ferro da Space Frontier Foundation.

– A reunião correu bem? – perguntou enquanto Sexton fechava a porta.

Se correu bem? Sexton ficou imaginando se o homem tinha se trancado em um casulo durante todo o dia.

– Estava tudo ótimo até o presidente aparecer na televisão.

O velho concordou, com ar descontente.

– É. Uma vitória incrível. Irá atrapalhar bastante a nossa causa.

Atrapalhar a nossa causa? O sujeito definitivamente era um otimista. Com o triunfo da NASA naquela noite, o velho estaria morto e enterrado antes que a SFF pudesse atingir seus objetivos de privatização.

– Durante anos eu suspeitei de que iriam encontrar uma prova – disse o testa-de-ferro. – Não sabia quando ou como, mas era claro que cedo ou tarde teríamos certeza disso.

Sexton ficou espantado.

– Você não está surpreso?

– A matemática do cosmo requer outras formas de vida – continuou o homem, seguindo em direção ao escritório. – Não estou surpreso com essa descoberta. Intelectualmente, estou fascinado. Espiritualmente, abismado. Politicamente, profundamente preocupado. Não poderia ter acontecido num momento pior.

Sexton ainda não entendera o motivo daquela visita. Certamente não tinha sido para animá-lo.

– Como você bem sabe, as companhias que fazem parte da SFF gastaram milhões tentando abrir a fronteira do espaço para o setor privado. Recentemente, boa parte desse dinheiro foi vertido em sua campanha.

O senador ficou na defensiva.

– Eu não tinha como prever o que iria acontecer esta noite. A Casa Branca preparou uma armadilha e me fez atacar a NASA!

– É. O presidente sabe o que faz. Ainda assim, nem tudo está perdido. – Havia um estranho brilho de esperança nos olhos do velho.

Ele está esclerosado, concluiu Sexton. Era claro que estava tudo perdido. Todas as estações de TV naquele momento só falavam do fim da sua campanha.

O testa-de-ferro entrou no escritório sem esperar um convite, sentou-se no sofá e olhou para Sexton.

– Você se lembra dos problemas que a NASA teve inicialmente com o software para detecção de anomalias existente no satélite PODS?

O senador não tinha idéia de onde ele pretendia chegar com aquilo. *E que diferença isso faz agora? O PODS encontrou a porcaria do meteorito com fósseis!*

– Lembre-se bem – continuou o velho. – O software que foi enviado com o satélite não funcionou bem logo no início. Você fez um grande estardalhaço a respeito na imprensa.

– É claro! – disse Sexton, sentando-se em frente ao homem. – Aquilo foi outra falha gritante da NASA!

O visitante assentiu.

– Concordo. Só que pouco depois disso a NASA deu outra coletiva anunciando que tinha encontrado uma solução, algum tipo de correção para o software.

Sexton não tinha visto aquela coletiva específica, mas ouvira dizer que havia sido curta, chata e de pouco interesse para a imprensa. O gerente do projeto PODS tinha dado uma descrição técnica tediosa sobre como a NASA conseguira resolver um pequeno problema com o software de detecção e colocara tudo para funcionar.

– Tenho prestado muita atenção no PODS desde que ele falhou – disse o homem, tirando uma fita de vídeo do casaco, andando até à TV de Sexton e colocando a fita no videocassete. – Acho que você irá gostar disto.

O vídeo começou. Mostrava a Sala de Imprensa da NASA em sua sede em Washington. Um homem bem vestido subiu ao palanque e cumprimentou os jornalistas. Embaixo de sua imagem apareceu a seguinte legenda na TV:

CHRIS HARPER, Gerente de Projeto
Polar Orbiting Density Scanner Satellite (PODS)

Chris Harper era alto, refinado e falava com a afetação sutil de um americano descendente de europeus que fazia questão de deixar clara sua origem. Seu sotaque era erudito e polido. Estava se dirigindo à imprensa com confiança, dando-lhe más notícias sobre o PODS.

– Ainda que o satélite PODS esteja em órbita e funcionando bem, temos um problema com os computadores de bordo. Houve um pequeno erro de programação pelo qual assumo toda a responsabilidade. Especificamente, a tabela de voxels do filtro FIR possui uma falha, o que significa que o software de detecção de anomalias não está funcionando bem. Estamos trabalhando para encontrar uma forma de resolver esse problema.

A audiência soltou um murmúrio de lamento, aparentemente acostumada às falhas da NASA.

– O que isso significa em relação à eficácia atual do satélite? – perguntou um repórter.

Harper respondeu profissionalmente. Impassível e confiante.

– Imaginem olhos perfeitos funcionando sem um cérebro. Basicamente o satélite está com uma visão perfeita, só que não sabe avaliar aquilo que está vendo. O propósito da missão PODS é procurar por bolsões de degelo na calota polar, mas, sem que o computador possa analisar os dados de densidade que recebe ao fazer as varreduras, o PODS não pode discernir onde estão os pontos que interessam. A situação deve ser corrigida após a próxima missão do ônibus espacial, quando serão feitos ajustes no computador de bordo.

O velho voltou-se para Sexton:

– Ele é bom para apresentar notícias ruins, não é?

– Ele é da NASA – resmungou o senador. – É só isso que eles fazem.

A fita ficou sem sinal durante um instante e, de repente, entrou a gravação de outra coletiva da agência espacial.

– Essa segunda coletiva foi dada poucas semanas depois – comentou o homem da SFF. – Bem tarde da noite, de forma que poucas pessoas assistiram às boas notícias dadas pelo doutor Harper.

O vídeo da entrevista começou. Dessa vez Chris Harper parecia desgrenhado e pouco à vontade.

– Tenho o prazer de anunciar – disse ele, com voz de quem não estava tendo o menor prazer – que a NASA encontrou uma forma de contornar o problema no software do satélite PODS.

Ele explicou, meio atabalhoadamente, qual tinha sido a alternativa encontrada: algo como redirecionar os dados diretamente do PODS para computadores na Terra, em vez de usar o computador do próprio satélite. Aparentemente todos ficaram impressionados, pois a solução parecia bem simples e trazia resultados animadores. Quando Harper terminou, recebeu aplausos entusiasmados.

— Para quando podemos esperar os primeiro dados? — perguntou um jornalista.

Harper respondeu, suando.

— Algumas semanas.

Mais aplausos. Vários repórteres levantaram as mãos para fazer perguntas adicionais.

— Isso é tudo o que posso lhes dizer no momento. — Harper começou a juntar seus papéis, visivelmente desconfortável. — O PODS está funcionando e teremos resultados em breve — concluiu, antes de sair praticamente correndo do palco.

Sexton franziu o rosto. Tinha que admitir que aquilo fora estranho. Por que Harper estava tranqüilo ao apresentar notícias ruins e, depois, tão estranho ao falar da solução encontrada? Deveria ser o contrário. O senador não tinha visto essa coletiva quando ela foi ao ar, mas havia lido sobre a alternativa encontrada para o software. Na época, aquilo lhe pareceu irrelevante, pois a percepção do público continuava a mesma: o PODS era mais um projeto da NASA que havia funcionado mal e estava sendo "ajeitado" de qualquer maneira usando uma solução longe do ideal.

O velho desligou a televisão.

— A NASA disse depois que o doutor Harper não estava se sentindo bem naquela noite. Eu acredito que ele estava mentindo.

Mentindo? Sexton ficou olhando para ele, sem conseguir encontrar uma razão para que Chris Harper fosse a público mentir sobre o software. Por outro lado, o senador tinha experiência no assunto — ele já contara muitas mentiras durante sua vida e sabia reconhecer um mau mentiroso. O doutor Harper definitivamente parecia suspeito.

— Talvez você ainda não tenha entendido — prosseguiu o velho. — Essa rápida declaração que você ouviu Harper fazer é provavelmente a coletiva de imprensa mais importante da história da NASA. O "jeitinho" conveniente que ele disse ter encontrado para solucionar o problema no software foi o que permitiu que o PODS encontrasse o meteorito.

Sexton ficou intrigado. *Mas se você acredita que ele estava mentindo...*

— Se Harper mentiu e o software do PODS não está funcionando na prática, então como diabos a NASA pôde encontrar o meteorito?

O velho sorriu.

— Exatamente.

CAPÍTULO 77

Os EUA possuem uma pequena frota de aviões apreendidos em operações de repressão ao tráfico de drogas que são usados para o transporte de figurões das Forças Armadas. A frota reúne uma dúzia de jatos particulares, incluindo três G-4 reformados. Cerca de meia hora antes, um desses G-4 havia decolado da pista de Thule e lutado para subir acima das nuvens em meio à tempestade. Agora o jatinho rumava para o sul, envolto pela noite. Naquele momento sobrevoava o Canadá, dirigindo-se para Washington. A bordo estavam Rachel Sexton, Michael Tolland e Corky Marlinson, sozinhos em uma cabine para oito passageiros, parecendo jogadores exaustos voltando de alguma competição, uniformizados com macacões e bonés com a inscrição *USS Charlotte*.

Na parte de trás da cabine, Corky roncava quase tanto quanto as turbinas Grumman. Tolland estava sentado mais para a frente, completamente esgotado, olhando pela janela para as nuvens abaixo deles. Rachel estava do outro lado do corredor, sabendo que não conseguiria dormir nem mesmo se lhe dessem comprimidos. Sua mente estava girando em torno do mistério do meteorito e da conversa na sala morta do submarino com Pickering. Antes de encerrar a conexão, o diretor tinha transmitido a Rachel duas informações perturbadoras.

Primeiro, Marjorie Tench havia afirmado que possuía uma gravação em vídeo do depoimento privado de Rachel para a equipe da Casa Branca. Tench agora ameaçava usar esse vídeo como prova caso a agente do NRO tentasse voltar atrás e negar a autenticidade dos dados do meteorito. Aquela notícia era particularmente irritante porque Rachel dissera muito claramente ao presidente que seu relatório era destinado somente à equipe da Casa Branca. Aparentemente, Zach Herney ignorara o acordo que fizera com ela.

A segunda revelação inquietante dizia respeito a um debate na CNN ao qual seu pai havia comparecido mais cedo, naquela mesma tarde. Aparentemente, Marjorie Tench fizera uma rara aparição em público e habilmente levara seu pai a definir de forma inequívoca sua posição contra a NASA. Mais especificamente, Tench o obrigara a proclamar de forma crua seu ceticismo quanto à possibilidade de se encontrar vida fora da Terra.

Comer seu chapéu? Foi o que Pickering contou que o senador prometeu fazer se a NASA encontrasse vida extraterrestre. Rachel ficou pensando no que Tench teria feito para conseguir extrair aquela declaração tão conveniente de seu pai. A Casa Branca havia armado o tabuleiro com cuidado, alinhando impiedosamente suas forças e preparando o grande colapso de Sexton. Como uma equipe numa competição de luta livre política, o presidente e Marjorie tinham cercado seu adversário e preparado o ataque final. Enquanto Herney permanecia dignamente fora do ringue, Tench batia pesado, circulando e posicionando o senador para o nocaute do presidente.

Zach Herney dissera a Rachel que tinha pedido à NASA para adiar o anúncio da descoberta com a finalidade de confirmar a veracidade dos dados. Rachel percebia agora que a espera trouxera outras vantagens para o presidente. O adiamento permitiu que a Casa Branca aprontasse cuidadosamente a corda na qual o próprio senador iria se enforcar.

Rachel não sentia pena de seu pai, mas agora enxergava claramente que, por baixo daquela aparência calorosa e gentil do presidente Zach Herney, havia um tubarão astuto. Afinal, para chegar ao cargo mais poderoso do mundo é preciso ter instinto assassino. A questão era saber se esse tubarão era um espectador inocente ou um participante ativo daquele jogo.

Ela se levantou para esticar as pernas. Enquanto andava pelo corredor do avião, sentia-se frustrada porque as informações que possuía eram muito contraditórias. Com sua lógica absoluta, Pickering havia concluído que o meteorito deveria ser falso. Por outro lado, Corky e Tolland, com suas certezas científicas, insistiam que era autêntico. Rachel só podia fiar-se no que tinha visto: uma rocha carbonizada, cheia de fósseis, sendo retirada do gelo.

Passou ao lado de Corky e olhou para ele, ainda bastante machucado depois da fuga no gelo. O inchaço na bochecha estava diminuindo e os pontos tinham boa aparência. Ele dormia com as mãos rechonchudas segurando a amostra do meteorito, como se fosse um ursinho.

Ela inclinou-se e gentilmente retirou a amostra das mãos de Corky. Olhou para o fragmento, observando novamente o fóssil. *Elimine todas as suposições*, repetiu para si mesma, forçando-se a reorganizar seus pensamentos. *Restabeleça a cadeia de provas*. Era um velho ensinamento do NRO. Reconstruir uma prova desde o início, ou "voltar à estaca zero", como costumavam dizer, era algo que todos os analistas faziam quando as peças não se encaixavam perfeitamente bem.

Reconstrua as provas.

Voltou a andar pelo corredor.

Esta pedra de fato representa prova de que há vida extraterrestre?

Uma prova, ela sabia, era uma conclusão construída sobre uma pirâmide de fatos, uma vasta base de informações já aceitas sobre as quais afirmações mais específicas eram feitas.

Elimine todas as suposições básicas. Comece de novo. O que temos?

Uma rocha.

Ela pensou nisso durante algum tempo. *Uma rocha. Uma rocha com criaturas fossilizadas.* Andando de volta para a frente do avião, sentou-se ao lado de Tolland.

– Mike, queria lhe propor um jogo.

Ele olhou para Rachel, mas parecia distante, profundamente imerso em seus pensamentos.

– Um jogo?

Ela entregou-lhe a amostra do meteorito.

– Faça de conta que você está vendo essa rocha fossilizada pela primeira vez. Eu não lhe disse nada sobre sua origem ou sobre como foi encontrada. O que você me diria a respeito?

Tolland soltou um suspiro tristonho.

– Engraçado você me perguntar isso. Eu acabei de pensar em algo bem estranho...

◆◆◆

Centenas de quilômetros atrás do jato que levava Rachel, Tolland e Corky, um avião de aparência peculiar voava bem baixo em direção ao sul, sobre um oceano deserto. A bordo, a equipe da Força Delta estava em silêncio. Aqueles homens já haviam sido retirados de outros lugares às pressas, mas nunca daquela forma.

O controlador estava furioso.

Mais cedo, Delta-Um informara-lhe que eventos inesperados na plataforma deixaram sua equipe sem outra escolha senão exercer a força, o que tinha incluído matar quatro civis, incluindo Rachel Sexton e Michael Tolland.

O controlador ficara chocado ao saber. Apesar de matar ser um ato autorizado como último recurso, aquilo obviamente não fazia parte dos planos.

Mais tarde, a insatisfação do controlador em relação às mortes se transformara em pura raiva quando ele descobriu que os assassinatos não tinham saído como planejado.

– Sua equipe falhou! – disse o controlador. O tom de voz andrógino da máquina não conseguia mascarar a fúria de quem estava do outro lado. – Três de seus quatro alvos ainda estão vivos!

Impossível!, pensou Delta-Um ao ouvir aquilo.

– Mas nós vimos quando...

– Eles fizeram contato com um submarino e agora estão a caminho de Washington.

– O quê?

O controlador prosseguiu num tom mortífero:

– Ouçam bem o que vou dizer. Vou lhes dar novas ordens. E não há espaço para falhas desta vez.

CAPÍTULO 78

O senador Sexton já estava se sentindo mais esperançoso quando foi acompanhar seu visitante até ao elevador. O testa-de-ferro da SFF não viera, afinal de contas, castigá-lo, e sim ter uma boa conversa para restaurar sua confiança e dizer-lhe que a guerra não havia terminado.

Uma possível brecha na armadura da NASA.

A fita de vídeo daquela estranha coletiva de imprensa convenceu Sexton de que o velho estava certo: o diretor da missão PODS, Chris Harper, estava mentindo. *Mas por quê? E, se a NASA não consertara o software do PODS, como é que havia encontrado o meteorito?*

Enquanto andavam em direção ao elevador, o velho disse:

– Algumas vezes, para desmanchar uma trama, basta encontrar uma ponta pela qual puxar a linha. Talvez possamos descobrir uma maneira de tirar proveito da vitória da NASA. Levantar algumas dúvidas. Quem sabe aonde isso poderá nos levar? – Os olhos do homem se fixaram nos de Sexton. – Ainda não estou pronto para cair na lona, senador. E espero que você também não esteja.

– Claro que não – afirmou Sexton, mostrando resolução em seu tom de voz. – Já caminhamos bastante.

– Chris Harper mentiu sobre o conserto do PODS – disse o velho ao entrar no elevador. – E precisamos saber por quê.

– Vou descobrir isso o mais rápido possível – respondeu o senador. *Sei exatamente a quem perguntar.*

— Excelente. Seu futuro agora depende disso.

Sexton voltou para seu apartamento sentindo-se mais leve e com as idéias mais frescas. *A NASA mentiu sobre o PODS.* A única questão era como provar aquilo.

Ele já estava pensando em Gabrielle Ashe. Seja lá onde fosse que ela estivesse naquela hora, provavelmente estaria se sentindo por baixo. Com certeza sua assessora tinha assistido à coletiva e devia estar perto de alguma janela, preparando-se para pular. Sua proposta de tornar a NASA uma questão central para a campanha havia sido o maior erro em toda a carreira de Sexton.

Ela me deve essa, pensou o senador. *E sabe disso.*

Gabrielle já tinha demonstrado que possuía um "jeitinho" para obter informações secretas da NASA. *Ela tem um contato.* Há semanas a assessora vinha conseguindo informações confidenciais. Tinha conexões que não estava compartilhando com Sexton. Conexões que ela poderia acionar para obter informações sobre o PODS. Além disso, naquela noite Gabrielle estaria especialmente motivada: tinha uma dívida a pagar. E o senador acreditava que ela faria de tudo para voltar às boas graças com ele.

Quando Sexton chegou à porta de seu apartamento, o guarda-costas o cumprimentou.

— Boa noite, senador. Fiz bem em ter deixado Gabrielle entrar hoje? Ela disse que era urgente falar com o senhor.

Ele parou.

— Como?

— A senhorita Ashe. Ela apareceu com informações importantes hoje, mais cedo. Foi por isso que eu a deixei entrar.

Sexton ficou paralisado, olhando para a porta de seu apartamento. *O que esse sujeito está falando?*

A expressão do segurança mudou. Ele parecia confuso e preocupado.

— Senador? Está tudo bem? O senhor se lembra, não? Gabrielle entrou enquanto estavam todos reunidos. Ela falou com o senhor, não foi? Tem que ter falado, pois passou um tempão aí dentro...

Sexton sentiu seu pulso subir às alturas. *Esse imbecil deixou a Gabrielle entrar em meu apartamento durante uma reunião fechada com a SFF? Ela ficou andando pela casa e depois saiu sem me dizer nada?* Ele podia imaginar o que sua assessora tinha ouvido. Esforçando-se para controlar a raiva, deu um sorriso forçado para o guarda-costas.

— Ah, sim! Perdoe-me, estou muito cansado. E bebi um pouco, também. A senhorita Ashe falou comigo, claro. Sim, está tudo certo.

O homem relaxou.

– Ahn... Por acaso ela disse para onde ia quando saiu? – perguntou o senador.
– Não, ela estava com muita pressa.
– Tudo bem, obrigado – disse Sexton, entrando em seu apartamento, furioso. *Minhas ordens eram bem simples! Nenhuma visita!* A suposição mais lógica era que, se Gabrielle tinha passado algum tempo lá dentro e saído sem dizer nada, então devia ter ouvido mais coisas do que deveria. *Logo hoje...*

Sexton sabia que, acima de tudo, não podia se dar ao luxo de perder a confiança de Gabrielle. As mulheres muitas vezes se tornavam vingativas e faziam horrores quando se sentiam traídas. Ele precisava dela. Naquela noite mais do que nunca.

CAPÍTULO 79

No quarto andar dos estúdios da ABC, Gabrielle Ashe estava sentada sozinha olhando para o carpete gasto na sala de Yolanda. Ela sempre tinha se vangloriado de ter bons instintos e de saber em quem confiar. Agora, pela primeira vez em muitos anos, sentia-se perdida, sem saber que rumo tomar.

Seu celular tocou, despertando-a de seus devaneios. Relutantemente, pegou-o.
– Gabrielle Ashe.
– Gabrielle? Sou eu.

Reconheceu a voz do senador no mesmo instante, ainda que ele parecesse estar surpreendentemente calmo, considerando-se tudo o que havia acontecido.

– Esta foi uma noite e tanto por aqui, então deixe eu lhe contar as notícias. Com certeza você assistiu à coletiva do presidente. Minha nossa, nós realmente entramos no barco errado. Você provavelmente está se culpando pela coisa toda, mas não faça isso. Quem poderia ter adivinhado? Não é sua culpa mesmo. De qualquer maneira, preste atenção. Acho que há uma forma de nos sairmos bem dessa.

Gabrielle levantou-se, incapaz de imaginar do que Sexton poderia estar falando. Essa definitivamente não era a reação que ela esperava.

– Eu tive uma reunião – prosseguiu o senador – com representantes das indústrias privadas do setor espacial e...

– Você teve? – deixou escapar Gabrielle, surpresa por ouvi-lo admitir aquilo.
– Quero dizer... eu não sabia de nada.

– É, mas não foi nada demais. Eu teria chamado você para se juntar a nós, mas esses caras se preocupam muito com questões de privacidade. Alguns deles estão fazendo donativos para minha campanha e não é algo que eles queiram anunciar por aí.

Gabrielle sentiu-se totalmente desarmada.

– Mas... isso não é ilegal?

– Ilegal? Claro que não! Todas as doações estão abaixo do limite permitido. O dinheiro não é tão relevante para a campanha, mas eu preciso dar atenção a esses caras mesmo assim. Digamos que é um investimento no futuro. Não falo muito disso porque, honestamente, pode parecer estranho. Se a Casa Branca soubesse de algo, com certeza faria um grande estardalhaço. Enfim, olhe, não foi por isso que liguei. É que, logo após a reunião, eu conversei com o dirigente da SFF...

Durante alguns minutos, apesar de Sexton continuar falando, tudo o que Gabrielle conseguia sentir era o sangue subindo por seu rosto, agora vermelho de vergonha. Sem que ela tivesse perguntado, o senador tomara a iniciativa de lhe contar sobre a reunião daquela noite com o setor aeroespacial. *Tudo perfeitamente legal.* E pensar no que ela quase tinha chegado a fazer! Ainda bem que Yolanda estava lá para impedi-la. *Eu quase caí no conto de Marjorie Tench!*

– ...e então eu disse ao dirigente da SFF que você talvez pudesse obter a informação de que precisamos – concluiu Sexton.

Gabrielle voltou à realidade e disse apenas:

– Tudo bem.

– Aquele contato de quem você obteve todas as informações internas da NASA durante esses últimos meses... Devo presumir que você ainda tem acesso a ele?

Marjorie Tench. Gabrielle trincou os dentes, pensando que nunca poderia contar ao senador que fora manipulada por sua informante durante todo aquele tempo.

– Ahn... Acho que sim – mentiu.

– Ótimo. Há informações importantes que você precisa obter. Agora mesmo.

Enquanto ouvia, Gabrielle ficou pensando no quanto ela tinha subestimado o senador Sedgewick Sexton ultimamente. É certo que parte do brilho daquele homem havia se perdido desde que ela começara a seguir de perto os seus passos. Mas naquela noite ele estava em plena forma. Em face do que parecia ser um golpe mortal para sua campanha, Sexton estava planejando um contra-ataque. E, ainda que Gabrielle fosse responsável por ele ter trilhado aquele caminho azarado, o senador não a culpou. Em vez disso, estava lhe dando uma chance de se redimir.

E era exatamente isso que ela pretendia fazer, qualquer que fosse o preço.

CAPÍTULO 80

William Pickering estava olhando pela janela de seu escritório para as luzes dos carros que cruzavam a Leesburg Highway. Muitas vezes pensava nela quando ficava lá, sozinho, no topo do mundo.

Todo este poder... e não consegui salvá-la.

A filha de Pickering, Diana, havia morrido no mar Vermelho enquanto fazia um treinamento a bordo de um pequeno navio de escolta da Marinha. Seu navio estava ancorado num porto seguro em uma tarde ensolarada quando uma pequena embarcação feita à mão, carregada de explosivos e manejada por dois terroristas suicidas, moveu-se lentamente pelo porto e explodiu ao bater no casco. Diana Pickering e 13 outros jovens soldados americanos morreram naquele dia.

William Pickering ficou arrasado. O sofrimento tomou conta dele durante um longo tempo. Quando descobriram que o ataque partira de uma célula terrorista já conhecida que a CIA estava tentando encontrar havia anos, a tristeza de Pickering transformou-se em fúria. Enraivecido, foi até o quartel-general da CIA e exigiu respostas.

O que descobriu era difícil de digerir.

Aparentemente, a CIA estava preparada para atacar aquela célula havia alguns meses e estava apenas esperando pelas fotos de alta resolução de um satélite para planejar um ataque certeiro aos terroristas em seu esconderijo nas montanhas do Afeganistão. As fotos deveriam ter sido tiradas pelo satélite de 1,2 bilhão de dólares do NRO chamado Vortex 2. Mas o satélite tinha sido destruído quando o foguete que iria colocá-lo em órbita explodiu na plataforma de lançamento. Por causa do acidente da NASA, o ataque da CIA fora adiado e, agora, Diana Pickering estava morta.

Racionalmente, o diretor do NRO sabia que a NASA não era diretamente culpada, mas sentimentalmente não conseguia perdoá-la. A investigação sobre a explosão do foguete revelou que os engenheiros da agência responsáveis pelos sistemas de injeção de combustível tinham sido forçados a usar materiais de qualidade inferior para não estourar o orçamento.

– Para missões não-tripuladas – explicou Lawrence Ekstrom numa entrevista coletiva –, a NASA procura acima de tudo uma boa relação custo/benefício. Neste caso, devemos admitir que os resultados foram indesejáveis. Iremos examinar o assunto.

Indesejáveis. Diana estava morta.

Para piorar, como o satélite era obviamente secreto, o público jamais veio a saber que a NASA havia desintegrado um projeto de 1,2 bilhão de dólares do NRO e, junto com ele, indiretamente, diversas vidas de americanos.

– Senhor? – a secretária de Pickering interrompeu suas divagações. – Linha um. É Marjorie Tench.

Pickering deixou de lado seus pensamentos sobre o passado e olhou para o telefone. *De novo?* Uma luz piscava na linha um, parecendo pulsar com uma urgência irritada. Fechando a cara, ele atendeu o telefone.

– Pickering falando.

Tench parecia fora de si do outro lado.

– O que ela lhe disse?

– O quê?

– Rachel Sexton falou com você. O que ela lhe disse? E que diabos ela estava fazendo em um submarino? Explique isso!

O diretor percebeu que não seria possível negar aquele fato. Tench havia feito suas próprias investigações. Ele estava surpreso de que ela tivesse descoberto sobre o *Charlotte*, mas parece que a consultora havia usado seu poder político para obter respostas.

– Sim, a senhorita Sexton entrou em contato comigo.

– E você providenciou para removê-la do submarino sem falar comigo?

– Providenciei um transporte. Isso é um fato.

Faltavam ainda duas horas para que os três passageiros chegassem à base de Bollings, da Força Aérea, ali perto.

– E ainda assim você decidiu não me informar?

– Rachel Sexton fez algumas acusações muito perturbadoras.

– Sobre a autenticidade do meteorito e sobre um suposto ataque contra a vida dela?

– Entre outras coisas.

– É óbvio que ela está mentindo.

– Você está ciente de que ela está em companhia de outras duas pessoas que corroboraram a história dela?

Tench fez uma pausa.

– Sim. É muito constrangedor. A Casa Branca está bastante preocupada com as alegações desses indivíduos.

– A Casa Branca ou você, pessoalmente?

O tom de voz dela tornou-se cortante como uma lâmina.

– Até onde isso lhe diz respeito, diretor, não há diferença alguma hoje à noite.

Pickering não se deixou impressionar. Não era novidade para ele que membros da equipe presidencial ou políticos exaltados tentassem estabelecer uma posição de força junto à comunidade de inteligência. E poucos faziam isso com tanto vigor quanto Marjorie Tench.

– O presidente sabe que você está me ligando?

– Francamente, diretor, estou chocada que você alimente devaneios desse tipo.

Você não respondeu à minha pergunta.

– Não encontrei nenhuma razão lógica para que essas pessoas tenham decidido mentir. Só posso concluir que elas estejam dizendo a verdade ou, então, cometendo um engano de boa-fé.

– Engano? Dizendo que eles foram atacados? Falhas nos dados do meteorito que a NASA deixou escapar? Não me venha com essa! Isso obviamente é uma jogada política.

– Se for, os motivos não estão nada evidentes.

Tench soltou um suspiro profundo e baixou seu tom de voz.

– Diretor, há forças envolvidas nisso sobre as quais você talvez não esteja ciente. Podemos debater o assunto mais tarde, mas neste momento preciso saber onde a senhorita Sexton e os outros estão. Preciso chegar ao fundo dessa história antes que provoque algum dano permanente. Onde eles estão?

– É uma informação que prefiro não compartilhar neste momento. Entrarei em contato depois que eles chegarem.

– Errado. Eu estarei lá para recebê-los quando chegarem.

Você e quantos agentes do serviço secreto?, pensou Pickering.

– Se eu lhe informar a hora e o local da chegada, teremos uma oportunidade de conversar amigavelmente, ou você pretende levar um exército pessoal para colocá-los sob custódia?

– Essas pessoas representam uma ameaça direta ao presidente. A Casa Branca tem o direito de detê-las e questioná-las.

Ela estava certa, e Pickering sabia disso. De acordo com o parágrafo 18, seção 3.056 do Código dos Estados Unidos, agentes do serviço secreto podem usar armas de fogo, matar e realizar prisões sem mandado judicial simplesmente por suspeita de que uma pessoa tenha cometido ou esteja pensando em cometer um crime ou qualquer ato de agressão contra o presidente. O serviço tinha carta-branca. Costumavam ser detidos regularmente mendigos maltrapilhos que vagavam do lado de fora da Casa Branca e crianças em idade escolar que, por brincadeira, mandavam e-mails ameaçadores para o presidente.

Pickering tinha certeza de que o serviço secreto poderia justificar a prisão de

Rachel e dos dois cientistas no subsolo da Casa Branca, assim como também poderia mantê-los lá indefinidamente. Seria uma jogada arriscada, mas Tench parecia querer correr o risco. A questão era o que iria acontecer depois, se Pickering deixasse que Tench tomasse o controle da situação. Ele não tinha a menor intenção de descobrir.

– Farei o que for necessário – declarou a consultora – para proteger o presidente de falsas acusações. A simples implicação de que houve uma ação maliciosa jogaria uma sombra profunda sobre a Casa Branca e a NASA. Rachel Sexton abusou da confiança que o presidente lhe deu e não tenho a menor intenção de deixar que ele pague por isso.

– E se eu requisitar que seja permitido à senhorita Sexton que apresente seu caso frente a uma comissão oficial de inquérito?

– Então você estaria indo contra uma ordem presidencial direta e dando a ela uma plataforma para armar uma grande confusão política! Eu vou lhe perguntar mais uma vez, diretor. Para onde eles estão se dirigindo?

O diretor do NRO soltou um suspiro pesado. Quer ele dissesse ou não que o avião iria aterrissar na base de Bollings, Marjorie tinha seus próprios meios de descobrir. A questão era se faria isso ou não. E, pelo tom de voz dela, Pickering podia perceber que a consultora não iria descansar enquanto não tivesse as respostas. Marjorie Tench estava com medo.

– Marjorie – disse Pickering, com uma clareza na voz que não deixava espaço para dúvidas. – Alguém está mentindo para mim. Disso eu sei. Ou Rachel Sexton e dois cientistas civis, ou então você. Acredito que seja você.

Tench explodiu do outro lado.

– Como você ousa...

– Sua indignação não me afeta, então sugiro que a guarde para outra hora. Você deve saber que tenho provas concretas de que a NASA e a Casa Branca não contaram toda a verdade esta noite.

Tench ficou em silêncio, e Pickering deixou que ela pensasse um pouco.

– Assim como você, não quero começar um conflito político. Mas andaram espalhando mentiras por aí. Mentiras que não vão ficar de pé por muito tempo. Se você quer que eu a ajude, precisa começar a ser honesta comigo.

Tench pareceu tentada a aceitar a oferta, mas ainda cautelosa.

– Se você está tão certo de que alguém está mentindo, por que não se pronunciou?

– Não me meto em assuntos políticos.

Tench murmurou algo que se parecia muito com "vá pro inferno".

– Você está me dizendo, Marjorie, que o pronunciamento do presidente esta noite foi completamente verdadeiro?

Houve um longo silêncio na linha. Pickering sabia que o jogo era dele agora.

– Ouça, nós dois sabemos que isso é uma bomba-relógio que vai explodir alguma hora. Mas não é tarde demais. Certamente podemos chegar a um acordo.

Tench não disse nada durante alguns segundos. Finalmente suspirou e respondeu:

– Temos que nos encontrar.

Na mosca, pensou Pickering.

– Há algo que preciso lhe mostrar – disse Tench. – Acredito que vai esclarecer as coisas.

– Vou até o seu escritório agora mesmo.

– Não – ela respondeu rapidamente. – Já é tarde e sua presença aqui iria gerar boatos. Prefiro manter esse assunto entre nós.

Pickering leu nas entrelinhas. *O presidente não está sabendo de nada.*

– Posso recebê-la aqui, se preferir.

Tench pareceu desconfiada.

– Vamos nos encontrar em algum lugar discreto.

Como Pickering esperava.

– O Memorial de Roosevelt é próximo à Casa Branca – disse ela. – A esta hora da noite deve estar vazio.

Pickering pensou a respeito. O Memorial de Roosevelt ficava entre o Memorial de Jefferson e o de Lincoln, numa parte bastante segura da cidade. Depois de refletir um pouco, ele concordou.

– Dentro de uma hora – disse Tench. – E venha sozinho. – Desligou.

♦♦♦

Imediatamente após desligar, Marjorie ligou para Ekstrom. Sua voz estava tensa.

– Pickering pode se tornar um problema.

CAPÍTULO 81

De pé na sala de Yolanda Cole na ABC, Gabrielle Ashe, radiante, discava para o auxílio à lista telefônica.

Se as suspeitas de Sexton fossem confirmadas, teriam um potencial destrutivo. *A NASA mentiu sobre o PODS?* Gabrielle assistira àquela coletiva de Chris

Harper e se lembrava de que tinha sido realmente estranha. Ainda assim, como já fazia algum tempo, ela havia esquecido os detalhes. O PODS não era uma questão relevante algumas semanas atrás. Naquela noite, porém, tinha se tornado *a questão central*.

Agora o senador precisava de informações – e rápido. Ele esperava que o "informante" de Gabrielle pudesse ajudá-los. E ela prometera fazer todo o possível para conseguir o que ele queria. O problema era que sua informante, Tench, não iria ajudar nem um pouco. Então Gabrielle tinha que encontrar outra saída.

– Auxílio à lista – disse a voz ao telefone.

Gabrielle pediu a informação que desejava, e a telefonista forneceu três números para Chris Harper em Washington. Ela começou a tentar um por um. O primeiro era uma firma de advogados. O segundo não respondeu. O terceiro estava tocando agora.

Uma mulher atendeu.

– Residência dos Harper.

– Senhora Harper? – disse Gabrielle da forma mais educada possível. – Espero não tê-la acordado.

– Ora, claro que não! Acho que ninguém vai dormir hoje. – Ela parecia bastante animada. Gabrielle podia ouvir a televisão ao fundo, ainda noticiando a incrível história do meteorito. – Você está procurando o Chris?

– Sim, ele está? – perguntou Gabrielle, o coração batendo acelerado.

– Lamento, mas ele não está aqui. Saiu correndo assim que o presidente terminou seu pronunciamento. – A mulher deu uma risadinha do outro lado da linha. – Claro que não acho que eles estejam trabalhando por lá. Provavelmente estão todos festejando. O comunicado foi uma grande surpresa para ele. Aliás, para todo mundo. Nosso telefone não parou de tocar a noite inteira. Acho que toda a equipe está celebrando na sede da NASA.

– Obrigada. Vou procurá-lo por lá.

Desligou. Saiu correndo pela redação e encontrou Yolanda. Ela tinha acabado de reunir um grupo de especialistas do setor aeroespacial que entraria no ar dentro de alguns instantes para fazer comentários entusiásticos sobre o meteorito.

Yolanda sorriu quando viu a amiga chegando.

– Ei, você está me parecendo bem melhor – ela disse. – Começou a ver o lado bom das coisas?

– Acabei de falar com o senador. Sua reunião desta noite não foi bem o que eu estava pensando.

– Eu lhe disse que Tench queria fazer você de tola. Como foi que o senador recebeu as notícias sobre o meteorito?

– Bem melhor do que eu imaginava.

Yolanda ficou um pouco surpresa.

– Achei que ele ia se jogar embaixo de um ônibus depois daquilo.

– Ele acha que talvez os dados da NASA sejam falsificados.

– Hum... Você tem certeza de que ele viu a mesma coletiva que a gente? Ele precisa de mais dados e confirmações?

– Vou até à NASA verificar uma coisa.

As sobrancelhas delineadas de Yolanda se arquearam. Ela estava intrigada.

– O braço-direito do senador Sexton vai entrar de peito aberto na sede da NASA? Esta noite? Você tem idéia do que seja "apedrejamento público"?

Gabrielle contou a Yolanda sobre a suspeita de Sexton de que o gerente de projeto do PODS tivesse mentido sobre a solução para os problemas no software. Mas a editora não acreditou muito naquilo.

– Nós fizemos a cobertura daquela coletiva, Gabi. Admito que Harper estava meio esquisito naquela noite, mas a NASA disse que ele estava passando muito mal.

– Sexton está convencido de que ele mentiu. Outras pessoas concordam com o senador. Pessoas poderosas.

– Se o software de detecção do PODS não foi consertado, como o satélite poderia ter encontrado o meteorito?

A questão é exatamente essa, pensou Gabrielle.

– Não sei ainda. Mas o senador quer que eu consiga algumas respostas para ele.

Yolanda sacudiu a cabeça.

– Sexton está mandando você para a toca do dragão em um devaneio desesperado. Não vá. Você não deve nada àquele homem.

– Eu acabei com a campanha dele.

– Não, foi uma terrível falta de sorte que destruiu a campanha do senador.

– Mas, se ele estiver certo e Harper tiver realmente mentido sobre o PODS...

– Querida, se Harper mentiu para o mundo inteiro, por que iria contar a verdade justamente para *você*?

Gabrielle já havia se perguntado a mesma coisa e estava elaborando um plano.

– Se eu encontrar uma boa história por lá, prometo te ligar.

Yolanda deu um risinho cético.

– Se você encontrar uma boa história por lá, eu como meu chapéu!

CAPÍTULO 82

Esqueça tudo o que você sabe sobre essa amostra de rocha.

Michael Tolland vinha lutando contra suas próprias inquietações a respeito do meteorito, mas, com as perguntas de Rachel, ficara ainda mais incomodado com o assunto. Olhou para a amostra na sua mão.

Suponha que alguém lhe deu isso sem qualquer explicação sobre onde foi encontrado ou o que é. Qual seria sua análise?

Aquele era um bom exercício analítico. Se tivesse que descartar todos os dados que recebera ao chegar à habisfera, Tolland teria que concordar que sua análise dos fósseis fora profundamente influenciada por um pressuposto peculiar: o de que a rocha na qual eles se encontravam era um meteorito.

E se NÃO tivessem me dito que era um meteorito?, perguntou a si mesmo. Apesar de ainda não ser capaz de dar qualquer outra explicação, o oceanógrafo decidiu prosseguir com a hipótese e remover "o meteorito" como pressuposto. Ao fazê-lo, os resultados se tornaram um pouco diferentes.

Agora Tolland e Rachel avaliavam as possibilidades. Corky, que havia acordado mas ainda estava meio grogue, se juntou a eles.

– Mike – repetiu Rachel, empolgada –, quer dizer então que, se alguém lhe desse essa rocha fossilizada sem qualquer explicação adicional, você concluiria que ela veio da Terra?

– É claro – respondeu Tolland. – O que mais eu poderia concluir? É muito mais complicado afirmar que você encontrou vida extraterrestre do que dizer que descobriu fósseis de algumas espécies terrestres até então desconhecidas. Os cientistas descobrem dezenas de novas espécies a cada ano.

– Tatuzinhos de 60 centímetros? – indagou Corky, soando cético. – Você pode imaginar um artrópode desse tamanho aqui na Terra?

– Talvez não *agora* – respondeu Tolland –, mas não precisa ser uma espécie que tenha sobrevivido até os dias de hoje. Esse fóssil tem 190 milhões de anos. Corresponderia mais ou menos ao nosso Jurássico. Muitos fósseis pré-históricos são criaturas gigantescas que nos surpreendem quando encontramos seus restos fossilizados: enormes répteis com asas, dinossauros, pássaros.

– Não é porque sou físico, Mike – interveio Corky –, mas há um problema sério em sua argumentação. Todas as criaturas pré-históricas que você acabou de mencionar tinham *esqueletos internos*, o que lhes dava a capacidade de crescer de maneira absurda, apesar da gravidade da Terra. Mas este fóssil... – Ele pegou a amostra e olhou-a novamente. – Estes caras aqui têm *exoesqueleto*. Você sabe que qualquer bicho com esse tamanho só poderia ter evoluído em um ambiente com baixa gravidade. Do contrário, seu esqueleto externo teria colapsado com o próprio peso.

– Correto – respondeu Tolland. – Essa espécie jamais poderia ter andado na superfície da Terra.

Corky olhou para ele sem entender.

– Então, Mike, não vejo como você pode imaginar que este bicho é de origem *terrena*.

Tolland sorriu para si mesmo, achando incrível que Corky não estivesse percebendo algo tão simples.

– É que há uma outra possibilidade. – Fitou o amigo. – Corky, você está acostumado a olhar *para cima* o tempo todo. Olhe *para baixo*. Há um enorme ambiente antigravitacional bem aqui na Terra. E está aqui desde os tempos pré-históricos.

Corky continuou sem entender.

– Do que você está falando?

Rachel também não estava acompanhando o raciocínio de Michael. Ele apontou pela janela para o mar, que agora podia ser visto, iluminado pela Lua, reluzindo abaixo do avião.

– O oceano.

Rachel deu um assobio baixo.

– É claro.

– A água é um ambiente com baixa gravidade – prosseguiu Tolland. – Tudo pesa menos sob a água. O oceano abriga enormes e frágeis estruturas que nunca poderiam existir em terra: anêmonas, lulas gigantes, enguias, etc.

Corky concordou, apesar de ainda não estar inteiramente convencido.

– Tudo bem, mas o oceano pré-histórico nunca teve artrópodes gigantes como esses.

– Claro que teve. Na verdade, ainda tem. As pessoas os comem diariamente. São considerados iguarias em muitos países.

– Mike, quem diabos come esses bichos?

– Qualquer um que coma lagostas, caranguejos e camarões.

Corky ficou parado, olhando para ele.

– Os crustáceos são artrópodes marítimos gigantes. São uma classe do filo dos artrópodes. Por exemplo, tatuzinhos, caranguejos, aranhas, gafanhotos, escorpiões, lagostas e insetos em geral são todos aparentados. São invertebrados com corpo segmentado e exoesqueleto.

Corky parecia estar ficando enjoado.

– Do ponto de vista taxonômico, são bastante similares – explicou Tolland. – O límulo se parece com um trilobita gigante. E as pinças de uma lagosta se parecem muito com as de um grande escorpião.

Corky ficou verde.

– Tudo bem, nunca mais vou comer lagosta.

Rachel parecia fascinada.

– Então os artrópodes que vivem em terra não crescem muito porque a gravidade limita seu tamanho. Mas, na água, seus corpos flutuam, então eles podem crescer bem mais.

– Exatamente. O caranguejo do Alasca poderia ser incorretamente classificado como uma aranha gigante se tivéssemos como evidência apenas um fóssil.

A animação de Rachel transformou-se em preocupação.

– Mike, novamente deixando de lado a questão da aparente autenticidade do meteorito, me diga uma coisa: você acha que os fósseis que vimos em Milne poderiam ter vindo do fundo do mar? De algum oceano *aqui da Terra?*

Tolland sentiu o verdadeiro peso daquela pergunta.

– Hipoteticamente, eu diria que sim. O fundo do mar possui seções que têm 190 milhões de anos. A mesma idade que os fósseis. E, teoricamente, os oceanos poderiam ter acolhido formas de vida que se parecessem com essas.

– Ah, pára com isso! – zombou Corky. – Não posso acreditar no que você está dizendo. *Deixando de lado a questão da autenticidade do meteorito?* A autenticidade do meteorito é irrefutável. Mesmo que a Terra possua locais do oceano formados na mesma época que o meteorito, não temos um fundo do oceano com crosta de fusão, conteúdo anômalo de níquel e côndrulos. Vocês estão procurando sarna para se coçar.

Tolland concordava com Corky, mas, ainda assim, imaginar aqueles fósseis como criaturas marinhas havia tirado um pouco de seu fascínio por eles. Pareciam mais familiares agora.

– Mike, por que nenhum dos cientistas da NASA considerou a possibilidade de que os fósseis fossem de criaturas marinhas, mesmo que de oceanos de outro planeta? – perguntou Rachel.

– Há duas razões básicas. Amostras de fósseis pelágicos, ou seja, aqueles que vêm do oceano, tendem a exibir grande número de espécies misturadas. Qualquer ser que exista nos milhões de metros cúbicos de água do oceano vai morrer um dia e descer até o fundo. Isso significa que, com o tempo, o fundo do oceano se torna um cemitério de espécies de diversas profundidades, níveis de pressão e temperatura. Mas a amostra de Milne era limpa, havia apenas uma espécie. Os fósseis pareciam-se mais com os que podem ser encontrados no deserto. Um grupo de animais similares enterrados durante uma tempestade de areia, por exemplo.

Rachel assentiu.

– E a segunda razão?

Tolland sorriu.

– Puro instinto. Os cientistas sempre acreditaram que, se o espaço fosse povoado, seria por artrópodes terrestres, pois, pelo que já conseguimos observar do espaço, há muito mais poeira e rochas lá fora do que água.

Ela ficou em silêncio.

– Apesar de que... – Tolland acrescentou, refletindo melhor sobre a pergunta de Rachel – ...existem camadas muito profundas do oceano que nós, oceanógrafos, chamamos de "zonas mortas". Não compreendemos inteiramente seu funcionamento, mas são áreas nas quais as condições das correntes e as fontes de alimentação não permitem que quase nada viva, com exceção de umas poucas espécies de animais que vivem no fundo e se alimentam de bichos mortos. Se fôssemos levar isso em conta, suponho que um fóssil contendo uma única espécie não estaria completamente fora de questão.

– Alô? Câmbio? – resmungou Corky. – Vocês já se esqueceram de novo da crosta de fusão? Do conteúdo de níquel e dos côndrulos? Por que continuamos falando nisso?

Tolland não respondeu.

– A respeito do conteúdo de níquel – Rachel disse para Corky –, você poderia me explicar novamente? O conteúdo de níquel em rochas terrestres é muito alto ou muito baixo, mas em meteoritos o níquel se encontra sempre dentro de uma janela de valores intermediários?

Corky balançou a cabeça.

– Exato.

– E o conteúdo de níquel nessa amostra está precisamente dentro do intervalo de valores esperado.

– Está bem próximo.

Rachel ficou surpresa com a resposta.

– Espere aí. *Próximo?* O que você quer dizer com isso?

Corky estava ficando irritado.

– Como eu já expliquei antes, a mineralogia de cada meteorito difere. À medida que vamos encontrando novos meteoritos, nós, cientistas, atualizamos nosso cálculo do que consideramos um nível aceitável de conteúdo de níquel.

Rachel ficou perplexa. Segurou a amostra e perguntou:

– Então *este* meteorito fez com que você reavaliasse o que considera um nível aceitável de conteúdo de níquel num meteorito? Ele ficou fora do intervalo-padrão?

– Apenas ligeiramente – retrucou Corky.

– E por que ninguém mencionou isso antes?

– Isso não está sendo questionado. A astrofísica é uma ciência dinâmica, constantemente atualizada.

– Atualizada durante uma análise especialmente crítica?

– Olhe – disse Corky, exasperado –, posso lhe assegurar que o conteúdo de níquel dessa amostra está absurdamente mais próximo do encontrado em outros meteoritos do que em qualquer rocha do nosso planeta.

Rachel virou-se para Tolland:

– Você sabia disso?

Tolland relutantemente fez que sim. Não parecia ser uma questão importante horas atrás.

– Tudo o que me disseram foi que esse meteorito exibia um conteúdo de níquel ligeiramente mais alto do que o de outros meteoritos, mas os especialistas da NASA não estavam preocupados com isso.

– E não tinham por quê! A prova mineralógica que temos não demonstra que o conteúdo de níquel *caracterize definitivamente* a amostra como sendo um meteorito – interveio Corky. – No entanto, ela caracteriza a amostra como algo que *definitivamente não é* da Terra.

Rachel balançou a cabeça.

– Lamento, mas no meu ramo é esse tipo de lógica falha que faz com que pessoas sejam mortas. Dizer que uma rocha parece não ser da Terra não prova que ela seja um meteorito. Apenas prova que é algo que nunca encontramos na Terra.

– E onde está a diferença?

– Não há nenhuma – ironizou Rachel. – Contanto que você já tenha examinado todas as rochas da Terra.

Corky ficou em silêncio durante algum tempo.

– Certo – disse ele –, vamos ignorar a questão do conteúdo de níquel, já que isso a deixa tão aflita. Ainda temos a crosta de fusão perfeita e os côndrulos.

– Certamente – disse Rachel, sem muita convicção. – Duas provas em três não é de todo mau.

CAPÍTULO 83

O prédio-sede da NASA é um enorme retângulo de vidro localizado na Rua E, 300, em Washington, D.C. O edifício contém um emaranhado de mais de 300 quilômetros de cabos de dados e uma quantidade impressionante de computadores. Abriga também 1.134 funcionários civis que administram os 15 bilhões de dólares do orçamento anual da NASA e o dia-a-dia operacional das 12 bases espalhadas pelos Estados Unidos.

Apesar de já ser tarde, Gabrielle não se surpreendeu ao ver o saguão do prédio cheio de gente. Parecia uma confraternização entre animadas equipes de imprensa e membros da NASA ainda mais eufóricos. Ela entrou. O local parecia um museu, decorado dramaticamente com réplicas em escala natural de cápsulas de missões famosas e de satélites artificiais, todas pendendo do teto. As equipes de televisão estavam coletando depoimentos no enorme saguão de mármore, entrevistando funcionários da NASA que passavam por ali.

Gabrielle correu os olhos pela multidão, mas não viu ninguém parecido com Chris Harper. Metade das pessoas no saguão tinha passes de imprensa e a outra metade, crachás da NASA pendurados no pescoço. Gabrielle não possuía nem um nem outro. Ela viu uma jovem com crachá da NASA e correu até ela.

– Oi. Estou procurando Chris Harper. Você sabe onde ele está?

A mulher olhou para Gabrielle de um jeito estranho, como se a conhecesse de algum lugar, mas não soubesse bem de onde.

– Acho que vi o doutor Harper algum tempo atrás. Talvez ele tenha subido. Conheço você de algum lugar?

– Creio que não – disse Gabrielle, virando-se. – Como eu chego lá em cima?

– Você trabalha para a NASA?

– Não.

– Então você não pode subir.

– Ah. Tem algum telefone que eu possa usar para...

– Ei! – disse a mulher, subitamente se irritando. – Já sei quem você é. Eu a vi na televisão com o senador Sexton. Não acredito que você tenha tido a coragem de...

Gabrielle sumiu no meio da multidão. Atrás dela ainda podia ouvir a mulher contando a outras pessoas que a assessora de Sexton estava ali.

Fantástico. Dois segundos aqui dentro e já estou na lista dos mais procurados.

Mantendo a cabeça baixa, andou rapidamente em direção ao outro extremo do saguão. Uma placa indicando as salas do prédio estava afixada na parede. Ela procurou alguma referência a Chris Harper. Nada. A placa não continha nomes, estava organizada por departamentos.

Ela resolveu então procurar qualquer coisa que tivesse a ver com o PODS. Também não encontrou nada. Estava com medo de olhar para trás e defrontar-se com uma turba de funcionários da NASA vindo apedrejá-la. A indicação mais interessante era de uma sala no quarto andar:

EARTH SCIENCE ENTERPRISE, FASE II
SISTEMA DE OBSERVAÇÃO DA TERRA (EOS)

Escondendo o rosto, Gabrielle andou em direção ao hall de elevadores, onde havia um bebedouro. Ela procurou os botões para chamar os elevadores, mas tudo que encontrou foram fendas. *Droga!* Os elevadores possuíam um sistema de segurança e só podiam ser acionados pelos crachás dos funcionários.

Alguns homens aproximaram-se dos elevadores falando em voz alta e rindo. Todos usavam crachás da NASA. Gabrielle rapidamente curvou-se sobre o bebedouro, prestando atenção aos homens atrás dela. Um deles inseriu seu cartão de identificação na fenda e abriu o elevador. Ele estava rindo, sacudindo a cabeça, impressionado.

– O pessoal do SETI deve estar completamente alucinado! – disse, entrando no elevador. – Seus radiotelescópios vasculharam fluxos abaixo de 200 miliJansky durante 20 anos e a prova física estava enfiada no gelo, bem aqui na Terra, esse tempo todo!

As portas se fecharam e os homens sumiram de vista.

Gabrielle levantou-se, secou a boca e ficou pensando sobre o que faria em seguida. Olhou em volta procurando um interfone. Nada. Pensou se teria alguma chance de roubar um passe de segurança, mas algo lhe dizia que não era uma boa idéia. Tinha que fazer algo rápido, porque a mulher com quem falara ao entrar estava vasculhando a multidão à sua procura, acompanhada de um segurança da NASA.

Um homem bem vestido, careca, caminhou em direção ao hall. Gabrielle mais uma vez inclinou-se sobre o bebedouro. O homem pareceu nem notar sua presença. Ela ficou observando, em silêncio, enquanto ele inseria o cartão na fenda. As portas de outro elevador se abriram e o homem entrou.

Dane-se, pensou Gabrielle, decidida. *É agora ou nunca.*

Quando as portas começaram a se fechar, ela correu e esticou o braço, bloqueando-as. O elevador parou e Gabrielle entrou com uma cara de grande alegria.

– Puxa, você já viu isso aqui assim? – puxou conversa com o careca, que olhava para ela espantado. – Minha nossa, uma loucura completa.

O homem levantou uma sobrancelha.

– O pessoal do SETI deve estar completamente alucinado! – disse ela. – Seus radiotelescópios vasculharam fluxos abaixo de 200 miliJansky durante 20 anos e a prova física estava enfiada no gelo, bem aqui na Terra, esse tempo todo!

O careca parecia confuso.

– É... bom, realmente, isso foi muito... – ele olhou para o pescoço dela, preocupado por não encontrar um crachá. – Perdão, mas você...

– Quarto andar, por favor. Eu saí de casa tão rápido que esqueci meus documentos! – disse, aproveitando para ler rapidamente o crachá do homem: JAMES THEISEN, *Administração Financeira*.

– Você trabalha aqui? – Ele estava ficando desconfiado. – Senhorita...?

Gabrielle deixou cair o queixo.

– Ei, Jim! Estou magoada! Não há nada pior para uma mulher do que saber que ninguém olha para ela!

Theisen ficou pálido por um instante, sem saber bem o que fazer. Passou a mão pela testa, constrangido.

– Desculpe. Toda essa agitação, você sabe... Sim, claro que você me parece familiar. Em que programa está trabalhando?

Merda. Gabrielle deu um sorriso confiante.

– EOS.

Ele apontou para o botão do quarto andar, aceso.

– Obviamente. Eu quis dizer qual *projeto*?

Gabrielle sentiu seu coração bater mais rápido. Só podia pensar em uma resposta.

– PODS.

O homem ficou surpreso.

– É mesmo? Eu achei que já conhecia todo mundo da equipe do doutor Harper.

Ela deu um risinho, com uma expressão envergonhada.

– O Chris tem me mantido um pouco afastada. Eu sou a programadora imbecil responsável pela confusão com a tabela de voxels do software de detecção de anomalias.

O careca ficou de queixo caído.

– Sério? Foi *você*?

Gabrielle fez uma cara triste.

– É, faz semanas que não durmo.

– Mas *Harper* levou toda a culpa pelo que aconteceu.

– Eu sei. O Chris é assim. Mas ele acabou resolvendo tudo. E que grande notícia tivemos esta noite, não é? O meteorito. Estou abismada.

O elevador parou no quarto andar. Gabrielle saiu.

– Bom te ver, Jim. Mande um abraço para o pessoal do financeiro.

– Tá legal – disse ele enquanto as portas se fechavam. – Foi um prazer reencontrá-la.

CAPÍTULO 84

Zach Herney, como a maioria dos presidentes antes dele, sobrevivia com apenas quatro ou cinco horas de sono por noite. Durante as últimas semanas, contudo, ele tinha dormido bem menos. Agora que a empolgação gerada pelos eventos daquela noite começara a diminuir lentamente, Herney sentiu o peso das horas sem sono se avolumando em seu corpo.

Ele e alguns outros membros do alto escalão do governo estavam no Salão Roosevelt tomando champanhe, comemorando e assistindo às incontáveis repetições do pronunciamento, a trechos do documentário de Tolland e aos comentários de especialistas na televisão. Naquele momento um canal de TV mostrava uma exuberante repórter em frente à Casa Branca.

– Além das implicações que isso terá para a humanidade como um todo, esse achado da NASA terá algumas repercussões políticas bem duras aqui em Washington – ela dizia. – A descoberta desse meteorito contendo fósseis não poderia ter chegado num momento mais oportuno para a campanha do presidente. – Adotando um tom mais sombrio, a repórter prosseguiu: – Nem em momento pior para o senador Sexton. – A edição de imagens cortou para um replay do patético debate daquela tarde na CNN.

– Após 35 anos, acho que está bem claro que não vamos encontrar vida extraterrestre.

– E se o senhor estiver errado?

Sexton olhou para cima, com desdém.

– Ah, pelo amor de Deus, senhora Tench, se eu estiver errado, como meu chapéu.

Todos riram no Salão Roosevelt. A forma como Tench havia acuado o senador poderia soar cruel e grosseira após o anúncio do presidente, mas ainda assim os espectadores não pareceram notar. O tom da resposta era tão presunçoso que Sexton parecia ter recebido aquilo que merecia.

O presidente olhou pela sala, procurando sua consultora. Ele não a vira mais desde a coletiva, e Tench também não estava lá agora. *Estranho*, pensou. *Esta comemoração é uma vitória dela, tanto quanto minha.*

A reportagem estava terminando, enfatizando mais uma vez a incrível vantagem política obtida pela Casa Branca e a enorme derrota sofrida por Sexton.

Quanta diferença pode fazer um dia, pensou o presidente. *Na política, seu mundo inteiro pode mudar de uma hora para outra.*

Ao amanhecer ele iria descobrir o quanto aqueles pensamentos tinham sido proféticos.

CAPÍTULO 85

Pickering pode se tornar um problema, Tench lhe dissera.

O administrador Ekstrom estava tão preocupado com isso que nem notou que a tempestade do lado de fora da habisfera se intensificara ainda mais. Os gemidos dos cabos haviam subido de tom, e a equipe da NASA andava de um lado para o outro conversando em pequenos grupos, nervosamente, em vez de dormir. Os pensamentos de Ekstrom estavam perdidos em outro tipo de tempestade – uma que estava se armando para desabar sobre Washington. As últimas horas tinham sido complicadas, e o administrador estava tentando lidar com os imprevistos. Ainda assim havia uma questão que o preocupava mais do que todas as outras juntas.

Pickering pode se tornar um problema.

Não podia haver um adversário pior do que Pickering. Durante anos, aquele homem tinha mantido Ekstrom e a NASA sob rédeas curtas, tentando controlar a política de segurança, fazendo lobby para alterar as prioridades das missões e criticando firmemente o crescente índice de falhas da agência espacial.

Ekstrom sabia muito bem que a birra de Pickering com a NASA ia muito além da recente perda do satélite NRO SIGINT, de mais de um bilhão de dólares, que explodira durante o lançamento. Ou dos vazamentos de informações confidenciais, ou da constante disputa para contratar valiosos profissionais do setor aeroespacial. O descontentamento de Pickering com a NASA tinha a ver com uma seqüência infindável de desilusões e ressentimentos.

O projeto do avião espacial X-33, que deveria substituir os ônibus espaciais, estava cinco anos atrasado, o que significava que dezenas de missões de manutenção e lançamento de satélites do NRO tinham sido abandonadas ou estavam na fila de espera. Recentemente, a raiva de Pickering em relação ao X-33 chegara ao auge quando ele descobriu que a NASA havia cancelado totalmente o projeto, sofrendo um prejuízo estimado em 900 milhões de dólares.

Ao chegar ao seu escritório, o administrador puxou a cortina e entrou. Sentado em sua mesa, apoiou a cabeça nas mãos. Tinha que tomar decisões. Aquele dia, que havia começado tão bem, estava se tornando um grande pesadelo. Ele tentou se colocar no lugar de William Pickering. O que aquele homem faria em seguida? Alguém com a inteligência de Pickering *perceberia claramente* a importância daquela descoberta para a NASA. Ele teria que desculpar algumas escolhas feitas por puro desespero. Teria que compreender o dano irreversível que seria causado se aquele momento triunfal fosse questionado.

O que Pickering faria com as informações que possuía? Deixaria o barco correr ou faria com que a NASA pagasse por seus erros?

Ekstrom fechou a cara. Não tinha muitas dúvidas de qual seria a escolha.

Afinal, o diretor do NRO tinha questões ainda mais profundas com a NASA... Uma antiga dor pessoal que ia muito além de qualquer questão política.

C A P Í T U L O **86**

Na cabine do G-4, Rachel estava em silêncio, perdida em pensamentos. O avião seguia para o sul, ao largo da costa do Canadá, cruzando o golfo de São Lourenço. Tolland estava sentado ali perto, conversando com Corky. Apesar das evidências sugerirem, em sua maioria, que o meteorito era autêntico, a admissão de Corky de que o conteúdo de níquel ficara "ligeiramente fora do intervalo-padrão" tinha servido para reforçar a suspeita inicial de Rachel. Colocar secretamente um meteorito sob o gelo só fazia sentido se fosse parte de uma fraude brilhantemente concebida.

Ainda assim, as provas científicas restantes confirmavam a legitimidade do meteorito.

Rachel voltou a olhar para a amostra em suas mãos. Os pequenos côndrulos brilhavam. Tolland e Corky discutiam há algum tempo sobre os côndrulos metálicos, usando termos científicos que estavam muito acima do conhecimento de Rachel – níveis equilibrados de olivina, matrizes de vidro metastáveis e re-homogeneização metamórfica. Ainda assim, o resultado era claro: Corky e Tolland concordavam que os côndrulos eram *definitivamente* de um meteorito. Esses dados não podiam ser fraudados.

Ela girou o fragmento em forma de disco em sua mão, passando um dedo sobre a borda externa na parte em que a crosta de fusão estava visível. A carbonização parecia relativamente recente e não algo que acontecera 300 anos atrás. Corky explicou que o meteorito ficara hermeticamente selado no gelo, evitando assim a erosão atmosférica. Parecia lógico. Rachel já tinha assistido a um documentário mostrando que pessoas desenterradas do gelo após quatro mil anos ainda possuíam a pele quase perfeita.

Enquanto estudava a crosta de fusão, um pensamento estranho veio à sua mente: um dado importante fora omitido. A analista do NRO pensou se havia sido apenas um descuido em meio à grande quantidade de informações despejadas sobre ela ou se alguém tinha realmente se esquecido de mencionar aquilo.

Virou-se bruscamente para Corky.

– Alguém datou a crosta de fusão?

O astrofísico olhou de volta, meio confuso.

– O quê?

– Alguém datou essa carbonização? Ou melhor, nós podemos afirmar que a carbonização ocorreu no mesmo momento que a queda do Jungersol?

– Lamento – respondeu Corky –, mas isso é impossível de datar. A oxidação invalida todos os marcadores isotópicos necessários. Além disso, as taxas de decaimento de isótopos radioativos são muito lentas para se medir algo mais recente do que 500 anos.

Rachel pensou sobre aquilo por alguns instantes, entendendo então por que a data da queima não fazia parte dos dados.

– Em outras palavras, até onde somos capazes de analisá-la, esta rocha poderia ter sido carbonizada na Idade Média ou no fim de semana passado, certo?

Tolland riu.

– Ninguém aqui disse que a ciência tem todas as respostas.

Ela continuou raciocinando em voz alta:

– Uma crosta de fusão é essencialmente apenas uma queima muito severa. Tecnicamente falando, esta rocha poderia ter sido queimada a qualquer momento durante a última metade do século de várias formas diferentes?

— Errado — retrucou Corky. — De várias formas diferentes? Não. Queimada de uma única forma: caindo através da atmosfera.

— Alguma outra possibilidade? Uma fornalha, talvez?

— Uma fornalha? Você está brincando. Essas amostras foram examinadas com um microscópio eletrônico. Mesmo a fornalha mais limpa do planeta teria deixado resíduos de combustível por toda parte, fosse ela nuclear, química ou à base de combustíveis fósseis. Impossível. E o que dizer das estrias geradas ao cruzar a atmosfera? Não dá para reproduzir isso em uma fornalha.

Rachel tinha se esquecido das estrias direcionais no meteorito. Ele de fato parecia ter atravessado a atmosfera.

— E o que você me diz de um vulcão? — tentou. — Algo ejetado violentamente durante uma erupção?

Corky balançou a cabeça.

— A queima é muito limpa.

Ela virou-se para Tolland, que apenas assentiu.

— Lamento, eu já tive algumas experiências com vulcões, tanto em cima quanto embaixo da água. Corky está certo. Rochas arremessadas numa erupção ficam impregnadas de dezenas de toxinas, como dióxido de carbono, dióxido sulfúrico, sulfeto de hidrogênio, ácido hidroclorídrico; e todas essas substâncias teriam sido detectadas por nossas varreduras com feixes de elétrons. Por mais que eu desejasse encontrar outra explicação, essa crosta de fusão foi causada por pura fricção com a atmosfera.

Rachel suspirou, virando-se para a janela e olhando para fora. *Uma queima limpa.* A frase não saía de sua mente. Ela perguntou a Michael:

— O que você quer dizer com uma queima limpa?

— Nada demais. Apenas que, ao fazer um exame com microscópio eletrônico, não é possível detectar nenhum resíduo de elementos combustíveis, então sabemos que o aquecimento foi causado por energia cinética e fricção, em vez de agentes químicos ou nucleares.

— Se você não achou nenhum elemento combustível estranho à rocha, o que encontrou? Especificamente, qual era a composição da crosta de fusão?

— Encontramos — disse Corky — exatamente o que *esperávamos* encontrar. Elementos puros que compõem nossa atmosfera: nitrogênio, oxigênio, hidrogênio. Nenhum vestígio de petróleo. Nenhum elemento sulfúrico ou ácido vulcânico. Nada anormal, em suma. Apenas as coisas que vemos quando os meteoritos caem na atmosfera.

Rachel recostou-se em sua poltrona. As peças começavam a se juntar em sua cabeça.

Corky inclinou-se para a frente a fim de olhar melhor para ela.

– Por favor, não venha me dizer que sua nova teoria é que a NASA colocou uma rocha fossilizada no ônibus espacial e depois a jogou na Terra, esperando que ninguém notasse a bola de fogo, a enorme cratera ou a explosão!

Rachel não tinha pensado naquilo, embora fosse uma idéia interessante. Impossível de executar, mas interessante ainda assim. O que ela estava pensando era bem mais simples, na verdade. *Elementos que compõem a atmosfera. Uma queima limpa. Estrias direcionais por ter cruzado o ar em alta velocidade.* Uma pequena luz se acendeu num canto distante de sua mente.

– As taxas dos diferentes elementos atmosféricos verificadas – ela continuou. – Elas eram exatamente as mesmas que você costuma encontrar em outros meteoritos com uma crosta de fusão?

– Por que você está perguntando? – quis saber Corky, aparentemente tentando se esquivar da pergunta.

Ao perceber a hesitação dele, Rachel sentiu seu pulso se acelerar.

– As taxas estavam fora do padrão, não é?

– Há uma explicação científica.

O coração de Rachel estava batendo forte agora.

– Por acaso você teria encontrado um conteúdo inesperadamente alto de *um* elemento em particular?

Tolland e Corky se entreolharam, surpresos.

– Sim, mas...

– Teria sido hidrogênio ionizado?

O astrofísico olhou para ela, perplexo.

– Como você sabe disso?

Tolland também estava impressionado.

A agente do NRO olhou para ambos.

– Por que ninguém me disse isso antes?

– Porque há uma explicação científica perfeitamente plausível! – afirmou Corky.

– Estou ouvindo – respondeu ela.

– Há um excesso de hidrogênio ionizado porque o meteorito cruzou a atmosfera sobre o Pólo Norte, onde o campo magnético da Terra gera uma concentração particularmente alta de íons de hidrogênio.

Rachel franziu a testa.

– Infelizmente, tenho outra explicação.

CAPÍTULO 87

O quarto andar da sede da NASA era menos impressionante do que o saguão de entrada. Tinha longos corredores de aparência austera, com as portas dos escritórios espaçadas igualmente ao longo das paredes. O local estava deserto. Placas de alumínio apontavam para os dois lados:

← LANDSAT 7
TERRA →
← ACRIMSAT
← JASON 1
AQUA →
PODS →

Gabrielle seguiu a seta apontando para o PODS. Percorrendo uma série de longos corredores e interseções, chegou a uma pesada porta de aço, onde havia a inscrição:

POLAR ORBITING DENSITY SCANNER (PODS)
GERENTE DE PROJETO, CHRIS HARPER

A porta estava trancada. Só podia ser aberta com a inserção de um crachá e a digitação de uma senha de acesso. Ela pressionou o ouvido contra o metal frio da porta. Achou que tinha ouvido pessoas falando. Discutindo. Talvez não. Pensou se deveria socar a porta até que alguém a deixasse entrar. Infelizmente, seu plano para obter a informação que queria de Chris Harper requeria um pouco mais de sutileza. Olhou em volta, procurando outra entrada, mas não encontrou nada. Havia um quartinho de serviço ao lado da porta, e Gabrielle entrou lá, procurando no escuro algum molho de chaves para faxina ou um passe. Nada. Apenas vassouras e esfregões.

Voltando até à porta, colou o ouvido contra o metal novamente. Desta vez pôde ouvir as vozes distintamente. Estavam ficando mais altas. Ouviu passos e, de repente, a tranca se ativou do lado de dentro.

Gabrielle não teve tempo de se esconder. Quando a porta de metal se abriu, ela se jogou para o lado, apoiando-se contra a parede enquanto um grupo de pessoas passava por ela, andando rápido e falando em voz alta. Os comentários soavam irritados.

– O que deu no Harper? Achei que ele estaria eufórico!

– Numa noite como a de hoje o sujeito quer ficar sozinho? – disse um outro, enquanto o grupo seguia pelo corredor. – Ele deveria estar comemorando!

À medida que os homens se afastavam, a porta de aço, puxada por um mecanismo hidráulico, começou a se fechar, deixando Gabrielle exposta. Ela ficou estática, rígida, torcendo para que ninguém a notasse. Esperou o máximo possível e, quando a porta estava quase se fechando, atirou-se para a frente e segurou a barra poucos centímetros antes que ela se fechasse. Ficou ali, imóvel, até que todos virassem o corredor, envolvidos demais em sua conversa para olhar para trás.

Com o coração sobressaltado, Gabrielle entrou na sala pouco iluminada e fechou a porta silenciosamente.

Era uma grande área de trabalho, a imagem típica dos laboratórios que aparecem nos filmes científicos, com computadores, mesas de trabalho cheias de equipamento e muitos dispositivos eletrônicos. Quando seus olhos se adaptaram à escuridão, Gabrielle viu que havia planos e folhas de cálculos espalhados pelas mesas. Toda a área estava na penumbra, à exceção de um escritório do outro lado do laboratório, de onde uma luz saía por baixo da porta. Ela andou até lá sem fazer barulho. A porta estava fechada, mas, pela janela, reconheceu o homem sentado na frente do computador. Era o mesmo que tinha visto na coletiva de imprensa da NASA sobre o PODS. A placa na porta confirmava:

CHRIS HARPER
Gerente de Projeto, PODS

Embora tivesse conseguido chegar até lá, a assessora de Sexton estava tensa, questionando se realmente conseguiria se sair bem. Lembrou-se do quanto o senador estava certo de que Chris Harper tinha mentido. *Aposto minha campanha nisso*, dissera ele. Parece que outras pessoas também pensavam dessa maneira e contavam com ela para descobrir a verdade. Assim, poderiam intimidar a NASA e recuperar pelo menos um pouco de terreno após os últimos eventos catastróficos. Depois da forma como Tench e o governo Herney haviam tentado manipulá-la naquela tarde, ela estava mais do que feliz em poder ajudar.

Gabrielle levantou a mão para bater na porta, mas parou o gesto em pleno ar. A voz de Yolanda ecoava em sua cabeça: *Se Harper mentiu para o mundo inteiro, por que iria contar a verdade justamente para* você*?*

Por medo, respondeu para si mesma. Gabrielle sabia bem o que era aquela sensação. Quase se deixara levar pelo pânico poucas horas antes. Agora ela tinha um plano. A idéia era usar uma tática que o senador costumava empregar para obter informações contra a vontade de seus oponentes políticos. A jovem assessora havia absorvido muitas coisas sob a tutela de Sexton, embora nem todas fossem bonitas ou éticas. Naquela noite, porém, qualquer vantagem era bem-vinda. Se pudesse convencer Chris Harper a admitir que mentira, não importando qual fosse a razão, ela teria aberto uma nova possibilidade para a campanha do senador. Desse ponto em diante, Sexton era o tipo de homem que poderia livrar-se de praticamente qualquer confusão. Tudo de que precisava era de um milímetro para manobrar.

O plano de Gabrielle para lidar com Harper era algo que Sexton chamava de "indução", uma técnica de interrogatório inventada por antigas autoridades do Império Romano para obter confissões de criminosos que insistiam em mentir. O método era engenhoso e simples:

• Afirmar com segurança a informação que devia ser confessada.
• Em seguida alegar algo muito pior.

O objetivo era dar ao oponente a chance de escolher o menor entre dois males: no caso, a verdade.

O truque essencial estava em mostrar-se extremamente confiante, um desafio e tanto para Gabrielle naquele momento. Respirando fundo, ela repassou mentalmente o script que havia preparado e então bateu com firmeza na porta do escritório.

– Já disse que estou ocupado! – gritou Harper, com seu familiar sotaque britânico.

Ela bateu de novo, mais alto.

– Eu disse que não vou descer!

Desta vez ela socou com força.

Chris Harper levantou-se e abriu a porta, furioso.

– Mas que diabos, você .... – parou no ato, surpreso ao ver Gabrielle.

– Doutor Harper – disse ela, com a voz mais firme que conseguiu.

– Como você chegou até aqui?

A expressão de Gabrielle era impassível.

– Você sabe quem eu sou?

– Claro! Seu chefe vem surrando meus projetos há vários meses. Como você entrou?

– O senador Sexton me enviou.

Harper olhou para o laboratório vazio.

– Quem a trouxe até aqui?

– Não é problema seu. O senador tem muitos contatos.

– Dentro deste prédio? – Harper tinha suas dúvidas.

– Você foi desonesto, doutor. E vim lhe informar que meu candidato convocou, há algum tempo, uma comissão parlamentar de inquérito no Senado para investigar suas mentiras.

O gerente deixou transparecer um profundo cansaço.

– Do que você está falando?

– Pessoas inteligentes como você não podem se dar ao luxo de passar por ignorantes. Você está em apuros, e o senador Sexton me mandou aqui para lhe fazer uma proposta. A campanha do senador sofreu um duro golpe esta noite. Ele não tem nada a perder. Se cair, está disposto a levar outras pessoas com ele, se necessário.

– Mas do que você está falando?

Gabrielle respirou fundo e jogou suas cartas na mesa:

– Você mentiu naquela coletiva de imprensa sobre o software de detecção de anomalias do PODS. Sabemos disso. Muitos outros sabem. A questão não é essa. – Antes que Harper pudesse abrir a boca para contra-argumentar, ela foi em frente: – O senador poderia expor suas mentiras agora mesmo, mas não é isso que ele quer. Ele está interessado em pegar os manda-chuvas por trás disso tudo.

– Não, eu...

– A proposta do senador é a seguinte. Ele não dirá nada a respeito de suas mentiras sobre o funcionamento do software se você lhe disser o nome do alto executivo da NASA que faz parte do esquema de desvio de verbas com você.

Chris Harper ficou totalmente perplexo.

– O quê? Eu não estou desviando verbas!

– Sugiro que tome muito cuidado com o que diz, doutor. A comissão de inquérito está coletando provas há meses. Você e seu cúmplice realmente acreditavam que passariam despercebidos? Alterando a papelada do PODS e redirecionando fundos da NASA para contas pessoais? Mentiras e desvio de verbas são crimes graves.

– Mas eu não fiz nada!

– Você está dizendo que não mentiu sobre o PODS?

– Não, estou dizendo que não faço parte de nenhum esquema de desvio de dinheiro!

– Então você está dizendo que *de fato mentiu* sobre o PODS.

Harper ficou olhando para a frente, sem saber o que dizer.

– Tudo bem, vamos deixar as mentiras de lado por um instante – disse Gabrielle, tentando outro caminho. – O senador Sexton não está interessado no fato de você ter mentido numa coletiva de imprensa. Estamos todos acostumados a isso, não é? A NASA achou um meteorito e ninguém se importa exatamente como isso ocorreu. O que interessa ao senador é a questão do desvio de verbas. Ele precisa atingir alguém no alto escalão da NASA. Apenas me diga com quem você está trabalhando e ele dará um novo rumo à investigação. Você pode fazer isso da maneira mais fácil e nos dizer quem é a outra pessoa, ou Sexton pode complicar as coisas e começar a falar sobre o software de detecção de anomalias e as falsas soluções anunciadas.

– Você está blefando. Não há desvio de verbas algum.

– E você é um péssimo mentiroso, doutor. Eu vi os documentos. Seu nome está em toda parte. Há muita evidência contra você.

– Eu juro que não sei de nada sobre isso!

Gabrielle soltou um suspiro de desapontamento.

– Coloque-se na minha posição. Só há duas conclusões possíveis. Ou você está mentindo para mim, da mesma forma que mentiu naquela coletiva de imprensa; ou então está dizendo a verdade e alguém muito poderoso na agência armou para cima de você, deixando-o como bode expiatório na questão das verbas.

Essa afirmação deixou Harper pensativo.

Ela olhou para o relógio.

– A proposta continua válida durante mais uma hora. Você pode salvar sua carreira e dar ao senador o nome do executivo da NASA que o está ajudando a desviar dinheiro dos contribuintes. Eu lhe asseguro que ele não está atrás de você. Ele quer o figurão por trás de tudo. Seja quem for, obviamente é alguém com muito poder aqui na agência, já que conseguiu manter sua identidade fora de toda a papelada, deixando *você* exposto.

Harper sacudiu a cabeça.

– Você está mentindo.

– Você pretende dizer isso na corte?

– Sim, vou negar tudo.

– Sob juramento? – disse Gabrielle, em tom irônico. – E se jogarmos o software do PODS na balança, também irá negar isso na justiça? – O coração da assessora estava quase explodindo enquanto olhava no fundo dos olhos de Harper. – Avalie com cuidado suas opções, doutor. As prisões americanas não são tão confortáveis quanto este escritório.

O gerente do PODS olhou de volta para ela. Tudo o que Gabrielle queria era que ele se desse por vencido. Por um instante achou que Harper iria render-se, mas, quando ele finalmente falou, sua voz era fria como aço:

– Senhorita Ashe – ele declarou, furioso –, você está caçando fantasmas. Nós dois sabemos que não há qualquer irregularidade financeira aqui na NASA. O único mentiroso nesta sala é você.

Gabrielle sentiu seu corpo inteiro se retesar. O olhar do gerente era duro e penetrante. Ela quis se virar e sair correndo. *Você tentou um blefe contra um cientista da NASA. Que diabos estava esperando?* Forçou-se a manter a cabeça erguida.

– Minha única certeza – prosseguiu, aparentando total confiança em si mesma e completa indiferença quanto ao que Harper dissera – são as provas conclusivas de desvio de verbas que temos contra você. O senador apenas me pediu para vir aqui e lhe oferecer uma saída: ou você diz o nome de seu parceiro ou enfrenta o inquérito sozinho. Eu direi a Sexton que você preferiu tentar a sorte diante de um juiz. Você poderá alegar à corte que não está desviando fundos e que não mentiu sobre o software do PODS. – Ela deu um sorriso sarcástico. – Porém, após aquela patética coletiva de duas semanas atrás, tenho sérias dúvidas de que isso vá funcionar. – Gabrielle virou-se e saiu andando pelo laboratório. Estava pensando se não seria *ela* quem iria conhecer de perto uma cela em vez de Harper.

Ela manteve sua postura ereta enquanto saía, esperando que Harper a chamasse de volta. Silêncio. Abriu a porta de metal e prosseguiu pelo corredor, torcendo para que os elevadores dos andares não fossem acionados também por crachás, como no saguão. Ela tinha perdido o jogo. Harper não mordera a isca. *Talvez ele estivesse dizendo a verdade na coletiva, afinal.*

Um ruído metálico ressoou pelo corredor quando a porta atrás dela foi aberta com vigor.

– Senhorita Ashe – chamou Harper. – Eu juro que não sei nada sobre desvio de verbas. Sou um homem honesto!

Gabrielle sentiu seu coração pular. Concentrou-se e continuou andando. Deu de ombros, casualmente, e disse, olhando para trás:

– E ainda assim você mentiu na coletiva.

Silêncio. Ela seguiu no mesmo passo.

– Espere! – gritou Harper, correndo até ela, pálido. – Sobre as verbas – disse ele, num tom de voz baixo –, acho que sei quem armou isso tudo.

Gabrielle parou de imediato, pensando se havia ouvido direito. Virou-se vagarosamente.

– Você quer que eu acredite que é tudo armação?

Harper suspirou.

– Juro que não sei nada sobre essa questão de dinheiro. Mas, se há evidências contra mim...
– Uma pilha.
– Então foram todas forjadas. Para me desacreditar, se necessário. E só há uma pessoa que poderia ter feito isso – falou o gerente, ainda sem ar.
– Quem?
Ele a fitou, sério.
– Lawrence Ekstrom. Ele me odeia.
Gabrielle ficou atônita.
– O *administrador* da NASA?
Harper assentiu, com uma expressão amarga.
– Foi ele quem me obrigou a mentir naquele coletiva.

CAPÍTULO **88**

Mesmo com o sistema de propulsão de metano da aeronave Aurora sendo usado a meia potência, a Força Delta estava cruzando o céu a Mach 3, ou seja, pouco mais de 3.500 km/h. O ruído repetitivo dos PDEs – propulsores por detonação de ondas em pulsos – que vinha da parte traseira era hipnótico. Trinta metros abaixo deles, o oceano agitava-se fortemente, chicoteado pela onda de vácuo do Aurora, que fazia a água subir em longas lâminas paralelas de 15 metros de altura logo atrás do avião.

Foi por isso que o SR-71 Blackbird foi tirado de serviço, pensou Delta-Um.

O Aurora era um daqueles aviões experimentais a respeito dos quais ninguém deveria saber nada, mas todos sabiam. Até mesmo o Discovery Channel fizera um documentário sobre os testes do Aurora no lago Groom, em Nevada. Ninguém tinha certeza se os vazamentos de informação tinham sido causados pelos repetidos "terremotos celestes", ouvidos até mesmo em Los Angeles, ou pelo profundo azar de uma testemunha ter avistado o avião a partir de uma plataforma de petróleo no mar do Norte. Ou ainda se eram resultado de uma tremenda gafe administrativa, em que algum funcionário desavisado teria deixado passar uma descrição do Aurora numa cópia pública do orçamento do Pentágono. Não importava. As notícias haviam se espalhado: "Os militares americanos possuem um avião capaz de atingir Mach 6 e não é apenas um protótipo, ele voa de fato."

Fabricado pela Lockheed, o Aurora lembrava muito seu predecessor, o SR-71 Blackbird. Tinha 34 metros de comprimento, 18 de largura e sua superfície era formada por placas de cerâmica resistentes a altas temperaturas, como as que são usadas no ônibus espacial. A velocidade era resultado de um novo e exótico sistema de propulsão por detonação de ondas em pulsos, que queimava metano e deixava um rastro de fumaça em forma de anéis facilmente identificável no céu. Por isso, ele só voava à noite.

Naquela noite, graças a essa extrema velocidade, a Força Delta tinha escolhido uma rota mais longa até à base, em meio ao oceano aberto. Mesmo tendo que percorrer uma distância maior, estavam ultrapassando sua presa. Nessa velocidade, a equipe iria chegar à costa leste dos Estados Unidos em menos de uma hora, ou seja, pelo menos duas horas antes de seus alvos. A possibilidade de encontrar e derrubar o avião em questão havia sido debatida, mas o controlador temia que o ataque fosse captado pelos radares ou que os destroços carbonizados pudessem dar início a uma grande investigação. Por isso, ele decidira que seria melhor deixar o avião aterrissar conforme o planejado. Uma vez que estivesse claro onde suas vítimas pretendiam pousar, a Força Delta poderia entrar em ação.

O Aurora estava percorrendo o desolado mar de Labrador quando o CrypTalk de Delta-Um recebeu uma chamada. Ele atendeu.

– A situação mudou – informou a voz eletrônica. – Vocês têm um novo alvo antes que Rachel Sexton e os cientistas pousem.

Um novo alvo. Delta-Um podia sentir que os acontecimentos estavam se desdobrando. Havia ocorrido um novo vazamento e o controlador precisava que fosse contido o mais rápido possível. *Isso não estaria acontecendo,* ele culpou-se, *se tivéssemos acertado nossos alvos na plataforma de Milne.* Delta-Um sabia muito bem que estava limpando sua própria sujeira.

– Um quarto indivíduo entrou no jogo – disse o controlador.

– Quem?

O controlador fez uma pausa antes de dizer o nome.

Os três homens trocaram olhares espantados. Era um nome que todos conheciam bem.

O chefe tinha bons motivos para soar relutante!, pensou Delta-Um. Considerando-se que, originalmente, aquela era uma missão de "fatalidade zero", nada estava saindo como o esperado: a contagem de corpos subia a cada momento e o perfil dos alvos mudara drasticamente. Ele sentiu seus músculos se contraírem enquanto o controlador se preparava para informá-los exatamente como e onde iriam eliminar aquele novo indivíduo.

— As apostas subiram consideravelmente – disse o controlador. – Ouçam com atenção. Vou dar essas instruções uma única vez.

CAPÍTULO 89

Sobrevoando o norte do estado do Maine, o G-4 continuava sua rota em direção a Washington. A bordo, Tolland e Corky olhavam para Rachel. Ela estava explicando aos dois sua teoria sobre o que poderia ter provocado um aumento nos íons de hidrogênio na crosta de fusão do meteorito.

— A NASA possui uma base de testes chamada Estação Plum Brook – disse Rachel, surpresa consigo mesma por estar contando aquilo. Ela jamais havia divulgado informações secretas sem seguir rigidamente o protocolo, mas, considerando-se as circunstâncias, Tolland e Corky tinham o direito de saber. – Plum Brook é basicamente uma área de testes para os sistemas de propulsão mais avançados da NASA. Há dois anos eu preparei um relatório sobre um novo projeto que a agência espacial estava testando. Era chamado de PCE – Propulsor de Ciclo de Expansão.

Corky olhou para ela, desconfiado.

— Os propulsores de ciclo de expansão ainda estão em fase de discussão teórica. No papel. Ninguém está fazendo testes, serão necessárias algumas décadas até que isso seja possível.

Rachel balançou a cabeça.

— Não, Corky. A NASA já tem protótipos em teste.

— O quê? – ele continuava cético. – Os PCEs funcionam à base de uma mistura de oxigênio e hidrogênio líquidos, sendo que ambos congelam no espaço. Esses propulsores não têm valor para a NASA, que disse que somente iria tentar construir um modelo quando a questão do congelamento dos combustíveis estivesse superada.

— Já foi. Tiraram o oxigênio e criaram uma "pasta de hidrogênio", uma combinação de hidrogênio sólido e líquido que resulta num combustível criogênico de hidrogênio puro, em estado semicongelado. É muito poderoso e sua queima é bem limpa. É um forte candidato a ser o sistema de propulsão escolhido quando a NASA enviar missões a Marte.

Corky estava chocado.

– Isso não pode ser real.

– Acho bom que *seja* – respondeu Rachel. – Escrevi um resumo a respeito para o presidente. Pickering, meu chefe, estava revoltado porque a NASA queria anunciar publicamente o sucesso da "pasta de hidrogênio". Ele pediu que a Casa Branca forçasse a NASA a manter os resultados como segredo de estado.

– Por quê?

– Não importa – respondeu Rachel, que não tinha a menor intenção de divulgar mais informações do que o necessário. A verdade era que Pickering queria que o combustível fosse classificado como "secreto" por uma questão de segurança nacional que muitos desconheciam: a alarmante expansão da tecnologia espacial da China. Os chineses estavam desenvolvendo uma plataforma de lançamentos "comercial", que pretendiam alugar para quem fizesse a melhor oferta. A maior parte dos interessados, naturalmente, seria de inimigos dos EUA. As implicações para a segurança da nação eram devastadoras. O NRO sabia, contudo, que a China estava trabalhando com um modelo obsoleto de propulsores para sua plataforma de lançamentos, e Pickering achava que seria bastante sensato manter silêncio completo sobre o promissor sistema da NASA.

– Resumindo – disse Tolland, parecendo preocupado –, quer dizer que a NASA possui um sistema de propulsão limpo que funciona com hidrogênio puro?

Rachel confirmou.

– Não tenho os números de cabeça, mas as temperaturas de exaustão desses propulsores, até onde me lembro, eram muito superiores a qualquer outra coisa já desenvolvida até o momento. Esses propulsores fizeram com que a NASA tivesse que criar novos materiais para os bicos injetores. – Ela fez uma breve pausa. – Uma grande rocha, colocada logo atrás de um desses PCEs, seria queimada pelas chamas de exaustão dos propulsores, ricas em hidrogênio, sendo cuspidas para fora a uma temperatura sem precedentes. Isso criaria uma boa crosta de fusão.

– Ah, de novo, não! – disse Corky. – Vamos voltar àquela história do meteorito falso?

Tolland, no entanto, parecia intrigado.

– Na verdade, a idéia é interessante. Seria aproximadamente o mesmo que deixar uma rocha na plataforma de lançamento de um foguete durante a ignição.

– Meu Deus – murmurou Corky –, estou preso num avião com dois bobalhões...

– Corky – disse Tolland –, pense nisso como uma hipótese, apenas. Se uma rocha fosse colocada na saída de exaustão de um foguete, ela iria exibir características de queima similares às de uma rocha que caiu pela atmosfera, não é?

Veríamos as mesmas estrias direcionais e o deslizamento do material derretido para a parte posterior.

Corky resmungou:

— Suponho que sim.

— E o combustível de hidrogênio de queima limpa que Rachel descreveu não deixaria resíduos químicos, apenas hidrogênio. O que justificaria o aumento dos níveis de hidrogênio na crosta de fusão.

O astrofísico continuava descrente.

— Olhe, se esses propulsores de ciclo de expansão de fato existirem e usarem "pasta de hidrogênio" como combustível, suponho que isso tudo que vocês estão dizendo seja possível. Mas é extremamente implausível.

— Por quê? — perguntou Tolland. — O processo me parece bastante simples.

Rachel concordou.

— Só seria necessário encontrar um fóssil de 190 milhões de anos, que seria colocado na exaustão do PCE e posteriormente escondido no gelo. E, como num passe de mágica, o "meteorito" estaria pronto!

— Para um leigo, com certeza — respondeu Corky —, mas não para um cientista da NASA! Vocês ainda não explicaram os côndrulos!

Rachel tentou se lembrar da explicação exata de Corky para o processo de formação dos côndrulos.

— Você disse que são causados pelo rápido aquecimento e resfriamento no espaço, certo?

Ele suspirou e repetiu a explicação.

— Côndrulos são formados quando uma rocha, esfriada ao extremo no espaço, subitamente se torna superaquecida ao ponto de atingir um estágio de fusão parcial, em torno de 1.550º Celsius. Então a rocha precisa esfriar de novo, muito rapidamente, de forma que os bolsões líquidos sejam enrijecidos sob a forma de côndrulos.

— E esse processo não poderia acontecer na Terra? — perguntou Tolland, observando o amigo.

— Acho impossível. Este planeta não possui a variação de temperaturas necessária para provocar uma mudança tão brusca. Estamos falando de dois extremos: calor termonuclear e o zero absoluto do espaço. Estes dois extremos não existem na Terra.

Rachel pensou um pouco e disse:

— Ao menos não *naturalmente*.

Corky virou-se para ela:

— O que você quer dizer com isso?

— Bem, por que o aquecimento não poderia ter acontecido na Terra, artificialmente? – perguntou ela. – A rocha teria sido queimada por um propulsor de hidrogênio e depois rapidamente congelada em um freezer criogênico.

O astrofísico ficou olhando, estarrecido.

— Côndrulos manufaturados?

— É uma idéia.

— Bem ridícula – respondeu ele, exibindo sua amostra. – Você talvez tenha esquecido, mas esses côndrulos foram irrefutavelmente datados como tendo 190 milhões de anos. – Seu tom de voz se tornou quase arrogante. – Até onde fui informado, senhorita Sexton, há 190 milhões de anos ninguém tinha propulsores de hidrogênio e freezers criogênicos.

◆◆◆

Com ou sem côndrulos, pensou Tolland, *existem evidências de uma possível fraude*. Estava em silêncio há vários minutos, profundamente inquieto com a última revelação de Rachel a respeito da crosta de fusão. A hipótese dela, embora bastante radical, havia aberto novas possibilidades e feito com que Tolland começasse a pensar em novas direções. *Se a crosta de fusão pode ser explicada, que outras possibilidades isso levanta?*

— Você está muito quieto – disse Rachel, ao lado dele.

Michael virou-se para ela. Por um instante, na luz tênue do avião, viu uma suavidade nos olhos de Rachel que fizeram com que ele se lembrasse de Celia. Afastou suas lembranças e continuou, cansado.

— Eu? É, estava apenas pensando...

Ela sorriu.

— Sobre meteoritos? – perguntou Rachel.

— E no que mais?

— Vasculhando todas as provas, procurando encontrar o que foi que deixamos passar?

— Mais ou menos isso.

— Chegou a alguma conclusão?

— Não, na verdade, não. Estou um pouco perturbado com a quantidade de dados que caíram por terra simplesmente por termos descoberto aquele poço de inserção sob o gelo.

— Evidências hierárquicas são como um castelo de cartas – disse Rachel. – Retire seu pressuposto básico e o resto todo se torna muito instável. A *localização* em que o meteorito foi encontrado era um pressuposto básico. Quando cheguei a Milne, o administrador me disse que o meteorito havia sido encontrado dentro de uma matriz intacta de gelo com 300 anos de idade e que era mais denso do que todas as rochas que poderiam existir em locais próximos. É claro que entendi tudo isso como sendo uma prova lógica de que a rocha só poderia ter caído do espaço.

– Você e todos nós.

– O conteúdo de níquel, apesar de ser persuasivo, aparentemente não é conclusivo.

– Está *próximo* da faixa ideal – disse Corky, acompanhando a conversa entre os dois.

– Mas não exatamente dentro dela.

Ele concordou com um gesto relutante.

– E essa criatura espacial nunca antes vista – interveio Tolland –, apesar de ser bastante bizarra, poderia muito bem ser apenas um crustáceo muito antigo de águas profundas.

Rachel assentiu.

– E agora há a crosta de fusão...

– Odeio dizer isso – completou Tolland, olhando para Corky –, mas começo a achar que temos mais evidências negativas do que positivas.

– A ciência não é feita de palpites – disse Corky. – É feita de provas. Os côndrulos nessa rocha são definitivamente de um meteorito. Concordo com vocês que tudo o que descobrimos é profundamente incômodo, mas não podemos ignorar os côndrulos. A evidência a favor é conclusiva, enquanto a evidência contrária é circunstancial.

A analista olhou para ambos.

– Então qual a conclusão que podemos tirar de tudo isso?

– Nenhuma – disse Corky. – Os côndrulos provam que estamos lidando com um meteorito. A grande questão é por que alguém o enfiou por baixo do gelo.

Tolland queria muito acreditar na lógica simples de seu amigo, mas sentia que havia algo errado ali.

– Você não me parece muito convencido, Mike.

O oceanógrafo olhou para ele e suspirou:

– Eu realmente não sei. Duas provas em três era bom, Corky, mas agora só nos restou uma. Eu estou com a impressão de que deixamos algo de lado.

CAPÍTULO 90

Fui pego, pensou Chris Harper, sentindo um arrepio enquanto se imaginava na cela de uma cadeia americana. *O senador Sexton sabe que menti a respeito do software do PODS.*

Chris conduziu Gabrielle Ashe de volta ao seu escritório. Fechou a porta. Seu ódio pelo administrador da NASA continuava crescendo. Naquela noite, ele havia descoberto até que ponto Ekstrom podia chegar. Além de forçar Harper a mentir a respeito da correção do problema no software, ele parecia ter criado um mecanismo de segurança caso o gerente do PODS mudasse de idéia e decidisse botar a boca no trombone.

Evidências de desvio de verbas, pensou Harper. *Chantagem. Muito astuto.* Ninguém acreditaria num cientista envolvido em desvio de verbas que tentasse desacreditar a NASA naquele momento de glória da aventura espacial americana. Ele sabia que o administrador faria qualquer coisa para salvar a agência, principalmente agora, com o impacto mundial que o anúncio do meteorito com fósseis provocara.

Harper andou em torno da grande mesa na qual fora colocado um modelo em escala reduzida do satélite PODS – um prisma cilíndrico com várias antenas e lentes por trás de escudos refletores. Gabrielle sentou-se, observando com seus olhos negros e esperando. Harper estava se sentindo nauseado como no dia daquela infame coletiva. Ele tinha feito um papelão naquela noite e todos vieram lhe fazer perguntas a respeito. Tivera que mentir novamente e dizer que estava se sentindo mal durante a entrevista e um pouco fora de si. Seus colegas e a imprensa deram pouca atenção a seu desempenho patético e rapidamente se esqueceram do assunto.

As mentiras tinham retornado para assombrá-lo.

Gabrielle olhou para ele com simpatia.

– Doutor Harper, tendo o administrador como inimigo, você irá precisar de um aliado poderoso. O senador Sexton talvez seja seu único amigo neste momento. Vamos começar pela coletiva e pela mentira a respeito do software do PODS. Conte-me o que aconteceu.

Harper respirou fundo. Hora de contar a verdade. *Já deveria ter dito tudo isso há muito tempo!*

– O lançamento do PODS ocorreu sem problemas – começou ele. – O satélite foi posicionado em uma órbita polar perfeita, conforme o planejado.

Gabrielle Ashe parecia entediada. Já sabia daquilo tudo.

– Prossiga.

– Então vieram os problemas. Quando nos preparamos para começar a vasculhar o gelo atrás de anomalias na densidade, o software para detecção de anomalias a bordo falhou.

– Sim...

Harper começou a falar mais rápido.

– O software deveria ser capaz de examinar rapidamente dados de milhares de metros quadrados e encontrar locais no gelo que estivessem fora do padrão normal de densidade. Ele estava, antes de mais nada, procurando por pontos de degelo – indicadores do aquecimento global. Mas, se encontrasse qualquer outra incongruência na densidade, estava programado para marcar esses lugares também. O plano era que o PODS varresse o Círculo Polar Ártico durante várias semanas para identificar qualquer anomalia que pudéssemos usar para medir o aquecimento global.

– Porém, se o software não estava funcionando – disse Gabrielle –, o PODS não era muito útil, não? A NASA teria que examinar as imagens de cada metro quadrado do Ártico à mão, procurando os locais com problemas.

Ele concordou, revivendo o pesadelo de seu erro de programação.

– Levaríamos décadas. A situação era terrível. Por causa do erro na programação, em essência o PODS não servia para nada. E com a eleição se aproximando e o senador Sexton criticando a NASA sem parar... – ele suspirou.

– Seu erro se transformou em algo devastador para a agência e para o presidente.

– Não podia ter acontecido num momento pior. O administrador ficou lívido. Eu prometi a ele que poderíamos resolver o problema durante a próxima missão do ônibus espacial: era só trocar o chip que continha a programação do PODS. Mas isso viria tarde demais. Ele me mandou para casa, oficialmente de licença, mas na prática eu tinha sido demitido. Isso foi há um mês.

– Apesar disso, você voltou à televisão duas semanas depois anunciando que havia descoberto uma forma de contornar o problema.

O gerente estava prestes a desabar.

– Cometi um erro terrível. Foi naquele dia que recebi um chamado do administrador. Ele me falou que surgira algo novo, uma possível forma de me redimir. Disse que viesse até seu escritório imediatamente para me encontrar com ele. Pediu-me que desse uma coletiva de imprensa e contasse a todos que havia encontrado uma solução para o problema no software do PODS e que teríamos os dados em poucas semanas. Prometeu que me explicaria os detalhes mais tarde.

— E você concordou?

— Não, eu recusei! Mas, uma hora depois, o administrador estava aqui, em meu escritório, acompanhado pela conselheira sênior da Casa Branca!

— O quê! — exclamou Gabrielle, chocada com a revelação. — Marjorie Tench?

Criatura medonha aquela, pensou Harper, fazendo que sim.

— Ela e o administrador sentaram-se comigo e me disseram que meu erro havia literalmente colocado a NASA e o presidente à beira de um colapso completo. A senhora Tench me contou os planos do senador de privatizar a NASA. Ela me pressionou, afirmando que eu tinha uma dívida com o presidente e com a agência e que era meu dever consertar as coisas. Então me disse o que eu deveria fazer.

— Continue — solicitou Gabrielle.

— Marjorie Tench me informou que a Casa Branca, por uma incrível sorte, descobrira uma forte evidência geológica de que havia um enorme meteorito enterrado na plataforma Milne. Um dos maiores já encontrados na história. Um meteorito daquele tamanho seria um grande achado para a NASA.

A assessora estava perplexa.

— Espere aí. Quer dizer que alguém já sabia que o meteorito estava lá antes que o PODS o descobrisse?

— Sim, claro. O PODS não teve nada a ver com a descoberta. O administrador sabia que o meteorito existia. Ele apenas me deu as coordenadas e me disse para reposicionar o PODS sobre o platô. Fizemos de conta que a descoberta havia sido feita por ele.

— Você deve estar brincando.

— Foi exatamente a minha reação quando me pediram para participar desse engodo. Eles se recusaram a me dizer como haviam descoberto que o meteorito estava lá, mas Tench insistia o tempo todo que isso não importava e que era a oportunidade ideal para eu me redimir do fiasco do PODS. Se pudesse fingir que o satélite tinha localizado o meteorito, então a NASA poderia falar do projeto como um grande sucesso, extremamente útil ao país, o que daria um novo impulso à campanha do presidente antes da eleição.

Gabrielle estava chocada.

— E naturalmente você não podia dizer que o PODS havia encontrado um meteorito antes de ter anunciado que o software de detecção de anomalias estava funcionando.

Harper assentiu.

— Foi por isso que contei aquela mentira na coletiva de imprensa. Fui obrigado a fazer aquilo. Tench e o administrador foram impiedosos. Eles não paravam de me dizer que eu deixara todos em péssima situação: o presidente havia providenciado os fundos para o meu projeto, a NASA passara anos trabalhando nele e, no final, eu tinha arruinado tudo por conta de um erro na programação.

– Então você finalmente concordou em ajudá-los.

– Eu não tinha escolha. Minha carreira estaria acabada se não aceitasse. E, na realidade, se eu não tivesse cometido aquele erro no software, o PODS *teria encontrado* o meteorito. Então, na época, parecia uma pequena mentira conveniente. Eu racionalizei a coisa toda me dizendo que o software poderia ser corrigido alguns meses depois, quando o ônibus espacial fosse lançado. Eu estaria apenas anunciando essa correção um pouco mais cedo.

Gabrielle olhou para ele, abismada.

– Uma pequena mentira para tirar proveito de uma oportunidade meteórica.

Harper sentia-se mal simplesmente por ter que falar naquilo.

– Pois é... então... eu fui em frente. De acordo com as ordens de Ekstrom, convoquei uma coletiva e anunciei que havia encontrado uma solução para a falha no software. Depois esperei alguns dias e reposicionei o PODS sobre as coordenadas do meteorito que o administrador me fornecera. Então, seguindo a cadeia de comando normal, liguei para o diretor do EOS e informei-o de que o PODS tinha localizado uma anomalia de alta densidade na plataforma de gelo Milne. Eu lhe dei as coordenadas e disse que a anomalia parecia ser densa o suficiente para ser um meteorito. Animada, a NASA enviou uma pequena equipe até Milne para perfurar o gelo e recolher algumas amostras do núcleo. Foi quando a operação passou a ser secreta.

– Então você não fazia idéia de que o meteorito continha *fósseis* até esta noite?

– Ninguém aqui sabia. Foi um choque. Agora todos estão achando que sou um herói por ter encontrado prova de vida extraterrestre, e eu não sei o que dizer.

Gabrielle ficou em silêncio durante um longo tempo olhando para Harper.

– Mas, se o PODS não localizou o meteorito no gelo, como Ekstrom podia saber que o meteorito estava lá?

– Alguém o encontrou primeiro.

– *Alguém?* Quem foi?

– Um geólogo canadense chamado Charles Brophy. Ele estava fazendo pesquisas na ilha de Ellesmere quando, por total acaso, descobriu a existência do que parecia ser um grande meteorito no gelo. Brophy transmitiu a descoberta pelo rádio e a NASA interceptou essa transmissão.

– Mas esse canadense não está furioso com o fato de a NASA ter levado todo o crédito pela descoberta?

– Não – respondeu Harper, nervoso. – Convenientemente, ele está morto.

CAPÍTULO 91

Michael Tolland fechou os olhos e ficou ouvindo o zumbido grave das turbinas do G-4. Tinha desistido de continuar pensando sobre o meteorito até voltarem a Washington. Segundo Corky, os côndrulos eram prova conclusiva: a rocha na plataforma Milne só podia ser um meteorito. Rachel queria ter uma resposta definitiva para William Pickering quando chegassem, mas suas hipóteses esbarravam sempre na questão dos côndrulos. Apesar de as provas coletadas serem cada vez mais duvidosas, o meteorito ainda parecia ser autêntico.

Nada a fazer, então.

Rachel evidentemente ficara abalada com a experiência traumática na geleira. Mas sua capacidade de recuperação deixara Tolland impressionado. Ela já estava totalmente concentrada na questão principal, que era buscar uma forma de invalidar ou de legitimar o meteorito, bem como descobrir quem havia tentado assassiná-los.

Durante a maior parte da viagem, Rachel ficara sentada ao lado de Tolland. Tinha sido bom conversar com ela, apesar do cansaço e das circunstâncias. Quando Rachel se levantou para ir ao banheiro, Michael notou, meio surpreso, que estava gostando da companhia dela. Ficou pensando há quanto tempo não sentia isso em relação a uma mulher desde que Celia se fora.

– Senhor Tolland? – disse o piloto, que havia aberto a porta da cabine para chamá-lo. – Você me pediu que lhe informasse quando pudéssemos contatar seu navio por telefone. Já posso fazer a ligação, se quiser.

– Obrigado. – Ele se levantou e foi em direção à cabine. Lá, fez um chamado para sua equipe. Queria avisá-los de que só estaria de volta dentro de um ou dois dias. Claro que não tinha a intenção de contar-lhes o tamanho da encrenca em que estava metido.

O telefone tocou várias vezes e Tolland ficou um pouco surpreso ao ouvir o sistema de comunicação Shincom 2100 do barco atender a ligação. A mensagem gravada não era a saudação profissional usual, e sim a voz do bagunceiro-mor da equipe de Tolland.

"Óia, óia, aqui é do *Goya!*", dizia a mensagem. "Lamentamos que não haja ninguém a bordo, mas fomos todos abduzidos por um tatuzinho gigante! Na verdade, resolvemos tirar uma folga temporária em terra firme para celebrar esta grande noite de Mike. Rapaz, como estamos orgulhosos! Vocês podem deixar seu nome e número, talvez retornemos a chamada amanhã, quando estivermos sóbrios. *Té* mais! Vamos, ET!"

Tolland riu, sentindo falta de sua tripulação. Obviamente eles haviam assistido à coletiva. Estava feliz que tivessem aproveitado para tirar uma folga. Ele saíra meio bruscamente ao ser chamado pelo presidente e não fazia sentido todos ficarem sentados no barco, à toa. Apesar de a mensagem dizer que não tinha ninguém a bordo, Tolland presumia que não deixariam o barco vazio, sobretudo na região de fortes correntes onde estava ancorado naquele momento.

Digitou o código numérico para tocar qualquer mensagem de voz interna que houvessem deixado para ele. Ouviu um único bip: uma mensagem. A voz era a do mesmo gaiato:

"Oi, Mike, foi um grande show, cara! Se você está ouvindo este recado, provavelmente está ligando de alguma festa classuda da Casa Branca e pensando onde diabos fomos parar. Lamentamos ter abandonado o navio, amigão, mas esta noite tinha que ser celebrada com boas doses de álcool. Não se preocupe, o *Goya* está bem ancorado e deixamos uma luz acesa no convés. Temos o desejo secreto de que ele seja roubado para que você deixe a NBC comprar aquele novo barco que nos prometeu! Ei, só estou brincando, cara. Não se preocupe mesmo, Xavia decidiu ficar a bordo e cuidar do forte. Ela disse que preferia ficar sozinha a festejar com um bando de pescadores bêbados! Você acredita nisso?"

Tolland riu, aliviado ao saber que alguém estava a bordo do navio. Xavia era uma pessoa responsável e definitivamente não fazia o tipo festeiro. Geóloga marinha de respeito, tinha a reputação de dizer o que pensava com uma honestidade ácida.

"Bom, Mike", continuou a mensagem, "esta noite foi realmente demais. Um daqueles momentos em que ficamos felizes por sermos cientistas, não é? Na TV, todo mundo está falando sobre o quanto isso foi oportuno para a NASA. Quer minha opinião? A NASA que se dane! Isso foi ainda mais oportuno para *nós! Maravilhas dos mares* deve ter subido milhões de pontos em audiência hoje. Você é uma estrela, cara. Pra valer! Parabéns, foi um ótimo trabalho."

Mike ouviu o ruído de algumas pessoas falando por trás do fone na gravação, depois a mesma voz voltou:

"Ah, por falar em Xavia, só para você não ficar muito convencido, ela quer te perturbar com alguma coisa. Vou passar pra ela."

A voz rascante de Xavia surgiu na gravação:

"Mike, aqui é Xavia. Como gosto muito de você, resolvi ficar aqui cuidando carinhosamente desta ruína pré-histórica. Com toda a sinceridade, vai ser bom passar algumas horas longe desses arruaceiros que você chama de cientistas. Mas, enfim, além de cuidar do navio, como eu sou a chatonilda-mor por aqui, a tripulação toda me pediu que fizesse alguma coisa para evitar que você se torne um metido a besta insuportável, o que vai ser bem difícil depois desta noite... Bom, eu tinha que ser a primeira a lhe dizer que você falou uma pequena bobagem no seu documentário. É, isso mesmo. Um raríssimo exemplo de burrice da parte de Mike Tolland. Ah, mas não se preocupe, só umas três pessoas no planeta inteiro vão reparar – e todas são geólogos obsessivos sem o menor senso de humor. Mais ou menos como eu. Você conhece a velha piada sobre geólogos, não é? Dizem que estamos sempre procurando por uma *falha!*", ela riu.

"Não é nada demais, apenas um pequeno detalhe a respeito da petrologia dos meteoritos. Só estou dizendo isso para arruinar sua noite. E, claro, pode ser que alguém ligue para fazer perguntas, então achei melhor avisá-lo antes para você não acabar parecendo o grande bobalhão que no fundo é!", ela riu de novo. "Enfim, não sou muito chegada a festas, você sabe, então vou ficar a bordo. Nem tente me ligar, tive que deixar o telefone no atendimento automático porque os malditos repórteres estão ligando o tempo todo. Você é a verdadeira estrela desta noite, apesar da mancada. Conversamos com calma quando você voltar. Tchau!"

A linha ficou muda. Michael Tolland colocou o fone de volta, intrigado. *Um erro no meu documentário?*

◆◆◆

Rachel estava no banheiro do avião, olhando-se no espelho. Parecia pálida e mais abatida do que tinha imaginado. O susto daquela noite tinha mexido com ela. Ficou pensando em quanto tempo levaria até que parasse de tremer ou conseguisse chegar de novo perto do mar. Tirando o boné do *USS Charlotte*, soltou o cabelo. *Melhor assim. Quase dá para me reconhecer.*

Olhando dentro de seus próprios olhos, viu um enorme cansaço. Por baixo daquela superfície, contudo, havia uma forte resolução. Aquilo vinha de sua mãe. *Ninguém diz o que você pode ou não fazer.* Rachel pensou se sua mãe teria visto o que havia acontecido naquela noite. *Alguém tentou me matar, mãe. Alguém tentou matar todos nós...*

Como vinha fazendo nas últimas horas, pensou de novo na lista de nomes. *Lawrence Ekstrom... Marjorie Tench... Zach Herney.* Todos tinham motivos e, pior, todos tinham meios. *O presidente não está envolvido nisso,* Rachel dizia para si mesma, agarrando-se à esperança de que Herney, que ela respeitava muito mais do que ao próprio pai, fosse apenas um espectador inocente naquele incidente misterioso.

Ainda não sabemos de nada.
Nem quem... nem se... nem por quê.

Rachel queria encontrar respostas para Pickering, mas, até aquele ponto, tudo o que tinha conseguido era levantar novas perguntas.

Quando saiu do banheiro, ela ficou surpresa ao ver que Tolland não estava em lugar nenhum. Ao olhar em volta, avistou Corky tirando um cochilo numa poltrona mais adiante. Logo em seguida Michael saiu da cabine de comando. O piloto estava colocando o radiofone de volta no lugar e Tolland parecia muito preocupado.

– O que houve? – ela perguntou.

Tolland falou sobre a mensagem telefônica, em tom grave.

Um erro na apresentação? Rachel achou que ele estava exagerando.

– Não deve ser nada demais. Ela não disse exatamente qual foi o erro?

– Alguma coisa relacionada com petrologia.

– A estrutura da rocha?

– É. Ela disse que as únicas pessoas que iriam notar isso seriam alguns poucos geólogos. Parece que, seja lá qual for o meu erro, tem a ver com a composição do meteorito em si.

Rachel compreendeu a gravidade da questão.

– Os côndrulos?

– Não sei dizer, mas é uma coincidência e tanto.

Rachel concordou. Os côndrulos eram o último fragmento de evidência que ainda apoiava categoricamente a alegação da NASA de que aquilo era mesmo um meteorito.

Corky aproximou-se, esfregando os olhos.

– O que está acontecendo?

Tolland lhe contou.

Corky sacudiu a cabeça, fazendo uma careta.

– Não tem nada a ver com os côndrulos, Mike. Não pode ser. Todos os seus dados vieram da NASA. E de *mim*. Estava tudo perfeito.

– Mas que outro erro eu poderia ter cometido na parte de petrologia?

– Como eu vou saber? Além disso, o que uma geóloga marinha sabe a respeito de côndrulos?

– Não sei, mas ela é extremamente inteligente.

– Considerando-se as circunstâncias – disse Rachel –, acho que deveríamos entrar em contato com ela antes de falarmos com Pickering.

Tolland olhou para ela.

— Já liguei quatro vezes para lá e sempre cai no atendimento eletrônico. Ela provavelmente está enfurnada no laboratório e não está nem ouvindo o telefone. Só vai receber os recados amanhã pela manhã, no mínimo. – Ele parou e olhou para o relógio. – Apesar de que...

— Apesar do quê?

Tolland virou-se para ela, sério.

— Essa conversa com Xavia... É tão importante assim falarmos com ela antes de encontrarmos seu chefe?

— Se ela tiver algo a dizer sobre os côndrulos, me parece algo crítico. Mike, no momento estou com a cabeça cheia de dados contraditórios. William Pickering gosta de obter respostas claras. Quando o encontrarmos, queria poder apresentar uma boa hipótese.

— Então é melhor fazermos uma escala.

Rachel sobressaltou-se.

— Em seu navio?

— Ele está ao largo da costa de Nova Jersey. É no caminho para Washington. Podemos falar com Xavia e ver o que ela sabe. Corky ainda tem a amostra do meteorito e, se Xavia quiser realizar testes geológicos nela, o barco tem um laboratório razoavelmente bem equipado. Não acho que leve mais do que uma hora para chegarmos a algumas respostas conclusivas.

Rachel sentiu uma onda de ansiedade. A idéia de ter que se defrontar tão cedo com o mar a deixava nervosa. *Respostas definitivas*, ela pensou consigo mesma, seduzida pela possibilidade. *Pickering certamente vai querer algumas respostas.*

CAPÍTULO 92

Delta-Um estava feliz por estar de novo em terra firme.

Apesar de ter voado apenas à metade de sua velocidade máxima e ter percorrido uma rota mais longa pelo oceano, a aeronave Aurora completara o trajeto em menos de duas horas. Isso dava à Força Delta um bom tempo para se preparar para matar a outra vítima, conforme o controlador havia solicitado.

Depois de aterrissar em uma pista militar nos arredores do Distrito de

Colúmbia, a equipe deixou o Aurora para trás e entrou em seu novo meio de transporte: um helicóptero OH-58D Kiowa Warrior, que já estava à sua espera.

Mais uma vez o chefe nos mandou o melhor, pensou Delta-Um.

O Kiowa Warrior havia sido originalmente projetado como um helicóptero ligeiro de observação e reconhecimento, mas desde então fora "expandido e aperfeiçoado" para dar origem à nova geração de helicópteros militares de ataque. O Kiowa possuía equipamentos eletrônicos de visualização térmica por infravermelho, permitindo que seu sistema de seleção de alvos fornecesse uma orientação autônoma para armas de precisão guiadas a laser, como os mísseis ar-ar Stinger e o sistema de mísseis AGM-1148 Hellfire. Um processador digital de sinais de alta velocidade possibilitava o acompanhamento simultâneo de até oito alvos. Poucos inimigos tinham visto um Kiowa de perto e sobrevivido para contar a história.

Delta-Um sentiu uma sensação familiar de poder ao se acomodar no assento do piloto do Kiowa e afivelar os cintos. Ele havia treinado naquele helicóptero e voado com ele em operações secretas três vezes. Porém, aquela era a primeira vez que iria caçar um figurão americano. O Kiowa era a aeronave perfeita para aquele trabalho. Sua turbina Rolls-Royce Allison e a dupla hélice de quatro pás semi-rígidas podiam operar no modo "silencioso", o que impedia os alvos no solo de ouvirem o helicóptero até que estivesse bem em cima deles. Como era capaz de voar no escuro, sem luz alguma, e geralmente era pintado de preto fosco, sem designações em cores vibrantes na cauda, na prática era invisível à noite, a menos que o alvo tivesse um radar.

Helicópteros pretos e silenciosos.

As pessoas que gostavam de "teorias de conspiração" ficavam loucas com aquilo. Alguns diziam que a invasão de helicópteros pretos e silenciosos era uma prova de "tropas de choque da Nova Ordem Mundial", comandadas pelas Nações Unidas. Outros diziam que os helicópteros eram sondas silenciosas dos alienígenas. Os que já haviam visto Kiowas voando em formação cerrada à noite tinham a ilusão de estar vendo luzes piscando em uma aeronave muito maior – um único disco voador que dava a impressão de se locomover verticalmente.

Estava tudo errado. Mas os militares adoravam o sigilo que isso lhes proporcionava.

Em uma recente missão clandestina, Delta-Um pilotara um Kiowa equipado com uma tecnologia militar americana extremamente secreta: uma engenhosa arma holográfica cujo codinome era S&M. Apesar das associações óbvias com sadomasoquismo, S&M significava *smoke and mirrors*, fumaça e espelhos – tecnologia que permitia "projetar" imagens holográficas no céu sobre território inimigo. O Kiowa já tinha usado a S&M para projetar hologramas de aeronaves americanas sobre uma instalação antiaérea inimiga. Em pânico, os soldados atiraram violentamente em cima dos fantasmas voadores que circulavam a base. Quando a munição finalmente acabou, os Estados Unidos lançaram o ataque real.

Acompanhado de seus homens, Delta-Um decolou com o helicóptero. Ele ainda podia ouvir as palavras do controlador. *Vocês têm um novo alvo.* A realidade era bem mais complexa, considerando-se a pessoa em questão. No entanto, Delta-Um sabia que não estava em posição de questionar nada. Sua equipe havia recebido uma ordem que seria executada de acordo com as instruções recebidas, por mais estranho que tudo parecesse.

Espero sinceramente que o controlador tenha total certeza de que este é o melhor procedimento.

Uma vez no ar, o Kiowa seguiu para sudoeste. Delta-Um já tinha visto o Memorial de Roosevelt duas vezes, mas nunca do ar.

CAPÍTULO 93

— **Esse meteorito foi** originalmente descoberto por um geólogo canadense? — Gabrielle Ashe estava olhando, espantada, para Chris Harper. — E o canadense está *morto?*

Harper concordou, desgostoso.

— Há quanto tempo você sabe disso? — ela perguntou.

— Uma ou duas semanas. Depois que o administrador e Marjorie Tench me forçaram a mentir naquela coletiva, sabiam que eu não poderia voltar atrás. Contaram-me a verdade sobre como o meteorito havia sido encontrado.

O PODS não é responsável pela descoberta do meteorito! Gabrielle não sabia aonde todas aquelas informações iriam levá-la, mas era um escândalo e tanto. Más notícias para Tench. Excelentes notícias para o senador.

— Como eu disse — prosseguiu Harper, mais sombrio agora —, o meteorito foi descoberto por meio de uma transmissão de rádio interceptada. A NASA possui um programa experimental que consiste numa série de receptores de rádio de baixíssima freqüência, próximos ao Pólo Norte, que ouvem os sons da Terra — emissões de ondas de plasma da aurora boreal, pulsos de banda larga emitidos por tempestades elétricas e outros fenômenos do gênero.

— Certo.

— Algumas semanas atrás, um dos receptores de rádio captou, por acaso, uma transmissão vinda da ilha de Ellesmere. Um geólogo canadense estava pedindo ajuda em uma freqüência excepcionalmente baixa. — Harper fez uma pausa. — Na verdade, a freqüência era *tão* baixa que ninguém poderia tê-la captado, à exceção dos receptores de VLF da NASA. Presumimos que o canadense estivesse transmitindo em ondas longas.

— Como?

— Achamos que estivesse transmitindo na freqüência mais baixa possível para que a mensagem fosse captada a uma grande distância. Ele estava no meio do nada, lembre-se... Uma freqüência de transmissão comum provavelmente não adiantaria muito.

— E o que a mensagem dizia?

— Era curta. Ele disse que estava fazendo sondagens no gelo na plataforma Milne e havia detectado uma anomalia ultradensa enterrada no gelo. Suspeitava que fosse um meteorito gigante e, enquanto fazia novas medições, viu-se preso numa tempestade. Mandou suas coordenadas, pediu socorro por causa da tempestade e desligou. O posto de escuta da NASA enviou um avião da base de Thule para tentar resgatá-lo. Procuraram por ele durante horas e finalmente o encontraram, a várias milhas de sua coordenada original, morto no fundo de um precipício com seu trenó e seus cães. Parece que ele tentou ser mais rápido que a tempestade, desviou-se da rota e caiu no abismo.

Gabrielle pensou sobre tudo aquilo, intrigada.

— Então, do nada, a NASA teve conhecimento de um meteorito sobre o qual ninguém mais sabia.

— Exato. Ironicamente, se meu software tivesse funcionado direito, o satélite PODS teria encontrado esse mesmo meteorito uma semana antes do canadense.

A coincidência fez com que Gabrielle o interrompesse.

— Um meteorito que esteve enterrado durante 300 anos quase foi descoberto *duas* vezes na mesma semana?

— Eu sei. Soa estranho, mas algumas vezes coisas altamente improváveis acontecem na ciência. A questão é que o administrador acreditava que o meteorito *deveria* ter sido uma vitória nossa. Seria, se eu tivesse feito minha parte direito. Ele me disse que, como o canadense estava morto, ninguém iria notar se eu simplesmente redirecionasse o PODS para as coordenadas transmitidas no S.O.S. A partir daí, eu poderia simular a descoberta do meteorito e isso nos traria um ponto positivo em cima do que se tornara um fracasso vergonhoso.

— E foi o que você fez.

— Como eu já disse, não tive escolha. Aquela missão fracassou por minha causa. — Ele fez uma pausa. — Hoje à noite, contudo, quando ouvi a coletiva do presidente e soube que o meteorito que eu supostamente havia detectado continha *fósseis*...

— Você entrou em parafuso.

— Fiquei em estado de choque.

— Você acha que Ekstrom já sabia que o meteorito continha fósseis antes de lhe pedir que simulasse a descoberta por meio do PODS?

— Não vejo como. Aquele meteorito estava enterrado e ainda não fora tocado quando a primeira equipe da NASA chegou lá. Minha teoria é que a NASA não tinha idéia do que havia encontrado até mandar uma equipe para o local, extrair amostras do meteorito e submetê-las a raios X. Pediram-me que mentisse sobre o PODS achando que teriam um pequeno ganho por encontrarem um grande meteorito. Então, ao chegarem lá, descobriram as verdadeiras proporções dessa história.

Gabrielle mal podia respirar de tanta excitação.

— Doutor Harper, o senhor estaria disposto a testemunhar que a NASA e a Casa Branca o forçaram a mentir sobre o software do PODS?

— Não sei — respondeu, amedrontado. — Não posso imaginar os danos que isso irá causar à agência... a essa descoberta.

— Nós dois sabemos que esse meteorito continuará sendo *fantástico*, não importa como tenha sido encontrado. A questão aqui é que você mentiu para os americanos, para o povo. Eles têm o direito de saber que o PODS não é nada do que a NASA tem afirmado que é.

— Ainda assim, não sei. Eu desprezo o administrador, mas meus *colegas*... são pessoas boas.

— E merecem saber que estão sendo enganados!

— E a evidência de desvio de verbas que há contra mim?

— Pode apagar isso de sua mente — respondeu Gabrielle, tendo quase se esquecido de sua trama original. — Vou dizer ao senador que você não sabe nada sobre o desvio. É simplesmente uma armação, um "seguro" forjado por Ekstrom para mantê-lo calado a respeito do PODS.

— O senador pode me proteger?

— Completamente. Você não fez nada errado, estava apenas cumprindo ordens. Além disso, com a informação que me deu sobre o geólogo canadense, creio que o senador sequer levantará a questão do desvio de verbas. Podemos focar apenas a forma como a NASA enganou a todos com o PODS e o meteorito. Uma vez que Sexton traga a público as informações sobre o canadense, o administrador não poderá arriscar-se a desacreditá-lo com outras mentiras.

O gerente continuava tenso e preocupado. Ficou em silêncio, com a expressão fechada, enquanto avaliava suas opções. Gabrielle deixou-o pensar por alguns instantes. Ela percebera, um pouco antes, que havia uma outra coincidência bastante perturbadora nessa história. Não pretendia mencioná-la, mas estava vendo que Harper precisava de um último empurrãozinho.

– Você tem cães, doutor?

Ele levantou o rosto e olhou para ela.

– O quê?

– Achei isso estranho. Você me disse que, pouco após o geólogo canadense ter transmitido as coordenadas do meteorito, os cães de seu trenó se atiraram cegamente em um precipício?

– Estavam em meio a uma tempestade e bem fora da rota.

Gabrielle deu de ombros, deixando seu ceticismo transparecer.

– Sei... certo.

Harper sentiu claramente o peso daquela hesitação.

– O que você está insinuando?

– Não sei, mas há muitas coincidências em torno dessa descoberta. Um geólogo canadense transmitindo coordenadas em uma freqüência que *somente* a NASA pode ouvir. Depois os cães que puxam seu trenó se atiram *cegamente* em um penhasco... – Ela fez uma pausa. – Você compreende que foi a morte desse geólogo que abriu caminho para todo esse triunfo da NASA, não?

Ele ficou branco como papel.

– Você acha que o administrador chegaria a *matar* por causa desse meteorito?

Jogos de poder e grandes somas envolvidas, pensou Gabrielle.

– Deixe-me falar com o senador e entraremos em contato. Há uma saída discreta daqui?

◆◆◆

Gabrielle Ashe deixou um pálido Chris Harper no corredor e desceu por uma escada de emergência que dava em um beco deserto atrás da NASA. Sem chamar muita atenção, fez sinal para um táxi que tinha acabado de trazer mais gente para a comemoração na agência espacial.

– Westbrooke Place Luxury Apartments – disse ela para o motorista. Em poucos minutos ela tornaria o senador Sexton um homem muito feliz.

CAPÍTULO 94

De pé, perto da entrada da cabine de comando do G-4, Rachel pensava nas implicações do que estava prestes a fazer. O cabo do radiotransmissor estava esticado ao máximo para que ela pudesse fazer a chamada sem que o piloto a ouvisse. Corky e Tolland observavam. Apesar de Rachel e o diretor do NRO terem planejado não se comunicar até que ela chegasse à base de Bollings, próxima a Washington, a agente tinha agora novas informações que Pickering com certeza gostaria de ouvir imediatamente. Rachel ligou para o celular que o diretor sempre usava e que possuía uma linha segura.

Quando ele atendeu, sua voz estava bem séria.

– Fale com cuidado, por favor. Não posso garantir a segurança desta conexão.

Rachel entendeu. O celular de Pickering, como a maioria dos telefones do NRO para uso externo, tinha um indicador para chamadas transmitidas em linhas abertas. Como Rachel estava em um radiofone, uma das formas de comunicação menos seguras, o telefone o havia alertado. Aquela conversa precisaria ser vaga. Sem nomes, sem locais.

– Minha voz é minha identidade – disse Rachel, usando o procedimento padrão dos agentes de campo neste tipo de situação. Havia esperado que o diretor ficasse zangado por ela ter decidido contatá-lo, mas a reação de Pickering pareceu positiva.

– Sim. Eu mesmo estava pensando em tentar falar com você. Precisamos redirecionar. Estou preocupado que você tenha um comitê de recepção.

Rachel estremeceu. *Alguém está nos vigiando.* Podia ouvir o tom de emergência na voz do diretor. *Redirecionar.* Então Pickering iria gostar de saber que era justamente esse o plano dela, apesar de as razões serem totalmente diferentes.

– A questão da autenticidade – disse Rachel. – Nós a discutimos. Creio que encontramos uma forma de confirmar ou negar categoricamente.

– Excelente. A situação evoluiu e, com isso, terei uma base para prosseguir.

– Esta prova envolve uma parada adicional em nosso caminho. Um de nós tem acesso a um laboratório...

– Sem localizações exatas, por favor. Para sua segurança.

Rachel não tinha a menor intenção de transmitir seus planos naquela linha.

– É possível obter uma permissão de pouso em GAS-AC?

Pickering ficou em silêncio por um segundo. Rachel sentiu que ele estava tentando processar a palavra. GAS-AC era uma sigla interna obscura do NRO para designar a Estação Aérea do Grupamento da Guarda Costeira de Atlantic City. Ela esperava que o diretor se lembrasse disso.

– Sim – respondeu ele finalmente. – Pode ser providenciado. É seu destino final?

– Não. Precisaremos de transporte adicional em helicóptero.

– Uma aeronave estará à sua espera.

– Obrigada.

– Recomendo que tenham enorme cuidado até obtermos novas informações. Não fale com ninguém. Suas suspeitas geraram profunda preocupação em pessoas poderosas.

Tench, pensou Rachel, lamentando não ter conseguido falar diretamente com o presidente.

– Estou exatamente agora no meu carro, indo para um encontro com a pessoa em questão. Ela pediu uma reunião privada em local neutro. Deve ser reveladora.

Pickering está indo para algum lugar encontrar-se com Marjorie Tench? Seja lá o que ela tenha a dizer, deve ser bem importante, já que se recusou a lhe contar por telefone.

Ele prosseguiu:

– Não dê suas coordenadas finais para ninguém. E não nos comunicaremos mais por rádio. Está claro?

– Sim, senhor. Chegaremos a GAS-AC dentro de uma hora.

– O transporte estará lá. Quando chegar a seu destino final, você pode me contatar por um canal mais seguro. – Fez uma pausa. – Devo enfatizar ao máximo a importância do segredo para sua segurança. Você fez inimigos poderosos esta noite. Tome as precauções necessárias – disse Pickering, desligando em seguida.

Rachel estava tensa ao final da ligação. Virou-se para Tolland e Corky.

– Novos rumos? – perguntou Tolland, parecendo ávido por uma resposta.

Rachel assentiu, relutante.

– O *Goya*.

Corky suspirou, olhando para a amostra de meteorito em sua mão.

– Ainda não consigo imaginar que a NASA possa ter... – sua voz se transformou em um murmúrio indistinto. Ele parecia mais preocupado à medida que o tempo passava.

Saberemos em breve, pensou Rachel.

Ela foi até à cabine e devolveu o fone ao piloto. Olhando para a planície de nuvens iluminadas pelo luar abaixo deles, teve a incômoda sensação de que não iriam gostar do que descobririam a bordo do navio de Tolland.

CAPÍTULO 95

William Pickering estava seguindo de carro pela Leesburg Highway. Sentia-se estranhamente solitário. Eram quase duas da manhã e a estrada estava vazia. Há anos ele não dirigia tão tarde.

A voz de Marjorie Tench parecia um ruído agudo e desagradável se repetindo em sua cabeça: *Encontre-me no Memorial de Roosevelt.*

Pickering lembrou-se de quando havia encontrado Marjorie pessoalmente pela última vez. A experiência nunca era muito agradável. Tinha sido há dois meses. Na Casa Branca. Tench estava sentada bem na sua frente, numa longa mesa. Também estavam presentes membros do Conselho de Segurança Nacional, do Estado-Maior, da CIA, o presidente Herney e o administrador da NASA.

– Prezados – disse o diretor da CIA, olhando diretamente para Marjorie. – Mais uma vez estou aqui, perante todos, pedindo que esta administração tome uma atitude quanto à contínua crise de segurança na NASA.

Aquela solicitação não era novidade para as pessoas reunidas naquela sala. Os problemas de segurança na agência espacial haviam se tornado uma questão permanente para a comunidade de inteligência. Dois dias antes, mais de 300 fotos de alta resolução de um dos satélites de observação da Terra de propriedade da NASA tinham sido roubadas por hackers que invadiram um banco de dados da agência espacial. As fotos revelavam a localização de uma base militar secreta que os americanos usavam para treinamento na África do Norte. Colocadas à venda no mercado negro, foram compradas por agências de inteligência de países hostis do Oriente Médio.

– Apesar de suas boas intenções – prosseguiu o diretor da CIA, deixando transparecer uma certa contrariedade em sua voz –, a NASA continua sendo uma ameaça à segurança nacional. Colocando as coisas de forma simples, nossa agência espacial não está equipada adequadamente para proteger os dados e as tecnologias que desenvolve.

– Eu compreendo – respondeu o presidente – que aconteceram algumas imprudências. Vazamentos que nos afetaram negativamente. Isso me perturba bastante, é claro. – Fez um gesto para o outro lado da mesa, na direção da fisionomia austera do administrador da NASA, Lawrence Ekstrom. – Estamos mais uma vez buscando formas de melhorar a segurança da NASA.

– Com o devido respeito – disse o diretor da CIA –, sejam quais forem as mudanças de segurança que a NASA implementar, elas não serão eficazes enquanto as operações da agência espacial permanecerem fora do abrigo da comunidade de inteligência dos Estados Unidos.

Aquela declaração causou uma movimentação incômoda nos presentes. Todos sabiam onde a discussão iria parar.

– Como sabemos – continuou, num tom mais duro –, todas as entidades participantes do governo norte-americano que lidam com informações sensíveis de inteligência seguem regras estritas de segurança: os militares, a CIA, a NSA, o NRO – todos precisam obedecer a leis rígidas no que diz respeito à segurança dos dados que recolhem e às tecnologias que desenvolvem. Então eu lhes pergunto mais uma vez: por que a NASA – a agência que atualmente produz a maioria das tecnologias de ponta aeroespaciais, de imagem, de vôo, de programação, reconhecimento e telecomunicações –, por que ela pode continuar *fora* desta cobertura de proteção e segredo?

O presidente soltou um longo e impaciente suspiro. A proposta era clara. *Reestruturar a NASA de forma a torná-la parte da comunidade de inteligência militar dos EUA*. Apesar de reestruturações similares já terem ocorrido com outras agências, Herney se recusava a sequer pensar em colocar a NASA sob as diretrizes do Pentágono, da CIA, do NRO ou de qualquer outra agência ligada ao setor militar. O Conselho de Segurança Nacional estava começando a se dividir nitidamente em relação à questão, sendo que muitos concordavam com a comunidade de inteligência.

Lawrence Ekstrom não gostava nem um pouco daquelas reuniões. Cravou um olhar duro no diretor da CIA e disse:

– Correndo o risco de repetir minhas próprias palavras, senhor, as tecnologias que a NASA desenvolve são para aplicações acadêmicas e não-militares. Se a sua comunidade de inteligência quer virar ao contrário um de nossos telescópios espaciais para observar a China, é problema seu.

O diretor da CIA estava prestes a explodir. Pickering sentiu a tensão no ar e resolveu intervir:

– Larry – dirigiu-se a Ekstrom, tomando cuidado para parecer impassível –, a cada ano a NASA se ajoelha perante o Congresso para pedir mais dinheiro. Vocês estão operando com pouco financiamento e acabam pagando um alto preço a cada missão que falha. Se pudermos incorporar a NASA à comunidade de inteligência, não será mais preciso pedir ajuda financeira ao Congresso. Vocês seriam financiados pelas verbas militares, num patamar significativamente maior. Não há perdas nessa escolha. A NASA teria o dinheiro necessário para gerenciar seus projetos da forma adequada e a comunidade de inteligência ficaria tranqüila, sabendo que as tecnologias da agência estariam protegidas.

Ekstrom balançou a cabeça.

– Por uma questão de princípios, não posso aprovar que a NASA receba patentes militares. Lidamos com a ciência do espaço. Questões de segurança nacional não nos dizem respeito.

O diretor da CIA se levantou, algo que o protocolo proíbe fazer quando o presidente está sentado. Ninguém o impediu. Ele olhou o administrador da NASA de cima a baixo.

– Você está dizendo que ciência não tem *nada* a ver com a segurança nacional? Larry, os dois são a mesma coisa! É a liderança científica e tecnológica deste país que nos mantém seguros e, querendo ou não, o papel da NASA tem sido cada vez maior no desenvolvimento dessas tecnologias. Infelizmente, sua agência deixa as coisas vazarem como se fosse uma peneira e tem nos mostrado, sucessivamente, que seus sistemas de segurança são um risco para a nação!

A sala ficou em silêncio.

Então foi a vez do administrador da NASA se levantar e encarar seu adversário.

– E qual é a sua sugestão? Trancar 20 mil cientistas da NASA em laboratórios dentro de bases militares e colocá-los para trabalhar para vocês? Realmente acha que os novos telescópios espaciais da NASA teriam sido concebidos se não fosse pelo desejo *pessoal* de nossos cientistas de ver cada vez mais longe no espaço? A NASA obtém progressos impressionantes por uma única razão: nossa equipe deseja entender o cosmo mais a fundo. São sonhadores que cresceram olhando para um céu de estrelas e imaginando o que mais havia lá. Paixão e curiosidade são o que impulsiona as inovações da NASA, não a premissa de superioridade militar.

Pickering limpou a garganta e falou de forma suave, tentando acalmar os ânimos na mesa:

– Larry, tenho certeza de que a CIA não está querendo recrutar os cientistas da NASA para projetar satélites militares. A missão da NASA permaneceria a mesma. A agência continuaria funcionando como agora, mas vocês teriam mais dinheiro e segurança. – O diretor do NRO olhou para o presidente. – Segurança custa caro. Todos nesta sala sabem que as falhas da NASA são o resultado da insuficiência de fundos. Na situação atual, a agência precisa economizar, precisa cortar custos nas medidas de segurança e ainda criar projetos em conjunto com outros países para dividir as despesas. Estou propondo que a NASA permaneça essa entidade admirável, científica e não-militar que é, só que com mais verbas e mais discrição.

Diversos membros do Conselho de Segurança balançaram a cabeça, concordando silenciosamente.

O presidente Herney levantou-se devagar, olhando diretamente para William Pickering, claramente irritado pela maneira como ele havia tomado as rédeas da discussão.

– Bill, quero lhe fazer uma pergunta. A NASA deseja chegar a Marte na próxima década. Como a comunidade de inteligência se sentiria em relação a gastar uma boa parcela dos fundos militares para financiar uma missão a Marte? Uma missão que não possui nenhum benefício imediato para a segurança nacional?

– A NASA poderia fazer aquilo que desejasse.

– Isso é babaquice – respondeu Herney, sem se alterar.

Todos se voltaram para ele. O presidente Herney raramente dizia palavrões.

– Se há uma coisa que aprendi durante este mandato é que o controle das coisas está nas mãos de quem controla o dinheiro. Eu me recuso a colocar as verbas da NASA sob o domínio de pessoas que não compartilham os objetivos que são a base da fundação da agência. Posso imaginar muito bem quanta ciência pura restaria se os *militares* pudessem decidir quais missões da NASA são viáveis.

Os olhos de Herney percorreram a mesa. Lentamente, incisivamente, retornaram a William Pickering.

– Bill, seu descontentamento com a participação da NASA em projetos conjuntos com agências espaciais estrangeiras é uma visão muito limitada. Ao menos *alguém* aqui está trabalhando de forma construtiva com os chineses e os russos. A paz neste planeta não será construída por meio da força militar. Será forjada por aqueles que conseguirem se unir *apesar* das divergências de seus governos. Penso que as missões conjuntas da NASA vão mais longe no sentido de promover a segurança nacional do que qualquer satélite-espião de bilhões de dólares, e certamente elas trazem a esperança de um futuro muito melhor.

Pickering sentiu uma raiva enorme crescendo dentro de si. *Como um político ousa falar comigo com esse desdém?* O idealismo de Herney talvez soasse bem numa sala de conferências, mas, no mundo real, fazia com que pessoas morressem.

– Bill – interrompeu Marjorie, sentindo que Pickering estava prestes a explodir –, sabemos que você perdeu uma filha. Sabemos que essa é uma questão pessoal para você.

Pickering não ouviu nada além de condescendência na voz dela.

– Lembre-se, porém, que a Casa Branca está mantendo fechada a comporta para uma horda de investidores que desejam ver o espaço aberto ao setor privado. Na minha opinião, mesmo com todos os erros, a NASA tem sido uma grande aliada da comunidade de inteligência. Talvez vocês todos devam repensar o assunto.

◆◆◆

Um sinalizador sonoro na estrada trouxe Pickering de volta ao presente. A via de acesso que teria que pegar estava se aproximando. Pouco antes dela, passou por um cervo morto e sangrando ao lado da estrada. Sentiu uma hesitação estranha, mas continuou dirigindo.

Ele tinha um encontro marcado.

CAPÍTULO 96

O Memorial de Franklin Delano Roosevelt é um dos maiores dos Estados Unidos. Situado num parque com quedas-d'água, estátuas e um lago, o memorial se divide em quatro galerias externas, uma para cada período em que Roosevelt ocupou a presidência, cobrindo 12 anos da história do país.

A 1.500 metros do memorial, um Kiowa Warrior atravessava silenciosamente o ar, bem lá no alto, com as luzes de navegação reduzidas. Numa cidade como Washington, que tinha tantos VIPs e equipes de imprensa, helicópteros no céu eram tão comuns quanto pássaros. Delta-Um sabia que, enquanto ficasse bem longe do que era chamado de "domo" – uma bolha de espaço aéreo protegido em torno da Casa Branca –, não iria chamar muita atenção. Sua equipe não ficaria ali muito tempo.

O Kiowa estava a 500 metros de altitude quando reduziu sua velocidade para se aproximar do memorial, apagado àquela hora. Delta-Um sobrevoou vagarosamente o local, verificando sua posição. Olhou para Delta-Dois, à sua esquerda, que manejava o sistema telescópico de visão noturna. A câmera de vídeo mostrava uma imagem esverdeada da estrada que levava ao memorial. A área estava deserta.

Agora iriam esperar.

Aquele não seria um assassinato silencioso. Havia algumas pessoas que não se podia matar de maneira discreta. Independentemente do método, haveria repercussões, investigações, inquéritos. Nesses casos, a melhor dissimulação era fazer muito barulho. Explosões, fogo e fumaça davam a impressão de que alguém tinha a intenção de deixar um recado, e a primeira suspeita recairia sempre sobre terroristas estrangeiros. Especialmente quando o alvo era um funcionário do alto escalão.

Delta-Um examinou a transmissão do visor noturno, que mostrava a área cheia de árvores abaixo deles. Tanto o estacionamento quanto a estrada estavam vazios. *Em breve*, pensou. Apesar de o encontro ter sido marcado em uma área urbana, ficava num local convenientemente deserto àquela hora. Delta-Um desviou os olhos do monitor e concentrou-se nos controles de armas.

O sistema Hellfire fora a arma escolhida para aquela noite. O Hellfire é um míssil guiado a laser, capaz de perfurar blindagens e também de encontrar um alvo previamente indicado. O projétil pode perseguir alvos designados por um laser operado por um observador no solo, por outras aeronaves ou pela própria aeronave que efetuou o disparo. Naquela noite, o míssil seria guiado de forma autônoma por meio de um indicador a laser num visor acoplado à parte superior do rotor do Kiowa. Depois que o alvo fosse "pintado" com um feixe de laser, o míssil Hellfire encontraria seu caminho por conta própria. Como o Hellfire podia ser disparado tanto do solo quanto do ar, seu emprego ali, naquela noite, não iria revelar que uma aeronave estivesse envolvida. Além disso, era uma munição bem difundida entre os vendedores de armas do mercado negro, o que reforçaria a hipótese de um ataque terrorista.

– Sedan – disse Delta-Dois.

Delta-Um olhou para a tela. Um sedan preto de luxo, sem marca aparente, estava se aproximando pela estrada exatamente na hora. Era um carro típico de uma agência governamental. Ao entrar no memorial, o farol foi apagado e o carro circulou algumas vezes antes de parar perto de algumas árvores. Delta-Um ficou observando a tela, enquanto seu parceiro focava o sistema telescópico de visão noturna na janela do veículo. Em pouco tempo tinham uma imagem clara do rosto da pessoa.

Delta-Um respirou fundo.

– Alvo confirmado – disse seu parceiro.

Delta-Um olhou para a tela novamente, com sua mortífera cruz indicadora do alvo, sentindo-se como um franco-atirador mirando em um membro da realeza. *Alvo confirmado.*

Delta-Dois virou-se para o lado esquerdo do compartimento de eletrônica embarcada e ativou o feixe a laser. Quinhentos metros abaixo deles, um pequeno ponto de luz apareceu no teto do sedan, invisível para seu ocupante.

– Alvo marcado – disse.

Delta-Um disparou.

Ouviram um chiado agudo debaixo da fuselagem, seguido por um rastro de luz deixado pelo míssil partindo em direção ao solo.

Um segundo depois, o carro parado no estacionamento explodiu em chamas. Pedaços de metal se espalharam para todos os lados. Pneus pegando fogo rolaram pelo bosque.

– Alvo eliminado – disse Delta-Um, já acelerando o helicóptero para fora da área. – Chame o controlador.

❖❖❖

A cerca de três quilômetros dali, o presidente Zach Herney estava se preparando para dormir. As janelas blindadas Lexan da "residência" tinham 2,5 centímetros de espessura. Herney nem chegou a ouvir a explosão.

CAPÍTULO 97

A Estação Aérea do Grupamento da Guarda Costeira de Atlantic City está situada em uma zona de segurança no Aeroporto Internacional de Atlantic City. A área de atuação do grupamento abrange a costa do Atlântico, de Asbury Park até o cabo May.

Rachel Sexton despertou com os solavancos do avião aterrissando na pista deserta entre dois enormes galpões de carga. Ficou surpresa ao descobrir que havia dormido. Olhou o relógio, sonolenta.

2h13 da manhã. Achou que tinha dormido vários dias.

Estava agradavelmente aquecida por um cobertor do avião que havia sido colocado com cuidado em volta dela. Ao seu lado, Michael Tolland também estava acordando. Ele lhe deu um sorriso cansado.

Corky vinha caminhando ao longo do corredor e fez uma cara engraçada ao ver os dois.

– Ah, droga, vocês ainda estão aqui? Acordei agora há pouco torcendo para que tivesse sido só um pesadelo.

Rachel sabia como ele se sentia. *Vou ter que voltar ao mar.*

O avião taxiou na pista até parar. Os três desceram em meio ao nada. A noite estava encoberta, mas o ar da costa era denso e quente. Em comparação com Ellesmere, Nova Jersey se parecia com os trópicos.

– Aqui! – ouviram alguém gritar.

Rachel e os outros se viraram. Um dos tradicionais helicópteros vermelhos

HH-65 Dolphin da Guarda Costeira estava parado ali perto e um piloto uniformizado acenava para eles, enquadrado pela brilhante listra branca da cauda do helicóptero.

Tolland fez um gesto com a cabeça, olhando para Rachel:

– Seu chefe não brinca em serviço!

Você não tem idéia, ela pensou.

Corky ficou se lamentando.

– De saída, já? Não tem pausa para o jantar?

O piloto lhes deu as boas-vindas e ajudou-os a subir no helicóptero. Sem perguntar quem eram, fez apenas algumas brincadeiras e falou sobre precauções de segurança. Pickering certamente deixou claro para a Guarda Costeira que a natureza daquele vôo não era de conhecimento público. Ainda assim, apesar da discrição do diretor do NRO, Rachel logo percebeu que suas identidades não permaneceriam secretas durante muito tempo: o piloto não conseguiu esconder sua surpresa ao ver uma celebridade da TV entrando na aeronave.

Sentada ao lado de Tolland, Rachel já estava se sentindo tensa ao colocar o cinto de segurança. O motor da Aérospatiale soltou um gemido e as enormes hélices do Dolphin começaram a girar, logo se transformando num borrão prateado. O gemido inicial tornou-se um ronco e o helicóptero decolou na noite.

O piloto virou-se e perguntou:

– Fui informado que vocês me diriam o destino quando estivéssemos em vôo.

Tolland lhe deu as coordenadas de um local ao largo da costa, cerca de 50 quilômetros a sudoeste de onde estavam.

O navio dele está a 20 quilômetros do litoral!, pensou Rachel, sentindo um arrepio.

O piloto programou as coordenadas em seu sistema de navegação, ajeitou-se na cadeira e acelerou. O helicóptero inclinou-se ligeiramente para a frente e partiu em direção ao navio.

Quando as dunas escurecidas da costa de Nova Jersey começaram a ficar para trás, Rachel desviou os olhos do oceano negro que se estendia abaixo deles. Apesar do medo, ela tentou reconfortar-se, sabendo que estava em companhia de um homem para quem o oceano era um amigo de toda a vida. Tolland estava apertado ao lado dela na fuselagem estreita. Seus corpos estavam colados, mas nenhum dos dois parecia desconfortável com a situação.

– Sei que não deveria dizer isso – o piloto disparou, do nada, vibrando de felicidade –, mas você obviamente é Michael Tolland e, puxa, eu preciso lhe contar... Todos nós ficamos vendo televisão a noite inteira! O meteorito! É absolutamente fantástico! Você deve estar... não sei, em êxtase!

Tolland assentiu, pacientemente:

– Nem tenho palavras.

– Rapaz, o documentário foi fantástico! Sabe, a TV está reprisando constantemente. Nenhum dos pilotos que está de serviço hoje quis pegar este vôo porque todos queriam ficar lá, vendo TV. Eu perdi nos palitinhos. Você acredita nisso? Perdi nos palitinhos e aqui estou eu! Puxa, se os rapazes soubessem que iriam levar o verdadeiro...

– Nós lhe agradecemos pelo vôo – cortou Rachel –, mas precisamos que mantenha nossa presença aqui em sigilo. Ninguém deve saber que estamos aqui.

– Sim, naturalmente, senhora. As ordens foram claras. – O piloto hesitou um pouco, depois voltou a sorrir. – Ei, por acaso estamos indo para o *Goya*?

Michael concordou, relutante.

– Sim, estamos.

– Caramba! – exclamou o piloto. – Ah, perdão, mas é que eu vi o barco no seu programa tantas vezes... Ele tem casco duplo, não é? É bem estranho! Na verdade, eu nunca estive em um barco do tipo SWATH. E jamais pensei que o primeiro fosse ser justo o *seu!*

Rachel se desligou da conversa do piloto, sentindo-se cada vez mais nervosa por estar em meio ao oceano. Tolland virou-se para ela.

– Está tudo bem? Você poderia ter ficado em terra. Eu lhe disse que não havia problema.

Eu deveria ter ficado em terra, pensou Rachel, sabendo muito bem que seu orgulho jamais permitiria aquele tipo de comportamento.

– Não, obrigada. Estou bem.

Tolland sorriu.

– Fique tranqüila, vou ficar de olho em você.

– Obrigada – respondeu ela, surpresa ao perceber como o tom carinhoso da voz dele a acalmava.

– Você já viu o *Goya* na televisão, certo?

Ela fez que sim.

– É um barco... ah... hum... Ele tem um visual interessante, não?

Ele riu.

– Tem sim. Era um protótipo extremamente radical quando foi construído, mas nunca "pegou" de fato.

– Não posso imaginar por quê – disse ela, irônica, lembrando-se do design bizarro do navio.

– A NBC está querendo que eu o troque por um navio mais novo. Algo... não sei bem, mais impressionante, mais sexy. Acho que dentro de uma ou duas temporadas eles vão acabar me forçando a trocar de barco. – Tolland falou, meio tristonho.

– E você não gostaria de um navio novinho em folha?

– Não sei... O *Goya* me traz muitas lembranças.

Rachel sorriu carinhosamente.

– Minha mãe costumava dizer que, mais cedo ou mais tarde, todos temos que deixar nosso passado para trás.

Os olhos de Tolland se fixaram nos dela por alguns instantes.

– Sim, eu sei.

CAPÍTULO 98

– **Que droga!** – disse o motorista de táxi, virando-se e olhando para Gabrielle. – Parece que houve um acidente lá na frente. Vai demorar um bocado para conseguirmos sair daqui.

Gabrielle olhou pela janela e viu as luzes de emergência de ambulâncias e carros de bombeiro cortando a noite. Diversos policiais estavam posicionados um pouco à frente, bloqueando o tráfego.

– Deve ter sido um grande acidente – disse o motorista, apontando para as chamas que subiam perto do Memorial de Roosevelt.

Gabrielle fez uma cara desanimada ao olhar para o local. *Mas logo agora!* Ela tinha que chegar até o senador Sexton para lhe contar as novidades sobre o PODS e o geólogo canadense. Ficou calculando se as mentiras inventadas pela NASA gerariam um escândalo grande o suficiente para dar novo fôlego à combalida campanha do senador. *Talvez não, se fosse outro político*, pensou, mas aquele era Sedgewick Sexton, um homem que havia construído toda a sua campanha ampliando a dimensão dos erros dos outros.

Algumas vezes Gabrielle tinha um pouco de vergonha da habilidade do senador em explorar qualquer erro político de seus oponentes. Contudo, era sempre eficaz. Como tinha total domínio da arte de fazer insinuações maliciosas e sabia usar a indignação de maneira astuciosa, Sexton poderia tornar a mentira interna da NASA numa enorme questão de caráter que contaminaria toda a agência espacial – e, por associação, o presidente.

Do lado de fora da janela, as chamas no Memorial de Roosevelt pareciam ter aumentado. Algumas árvores próximas tinham se incendiado e os bombeiros agora jogavam água sobre elas. O motorista ligou o rádio do táxi e começou a passar pelas estações, procurando notícias.

Com um suspiro, Gabrielle fechou os olhos, sentindo-se profundamente exausta. Quando chegara a Washington, seu sonho era fazer uma carreira no meio político e, quem sabe, um dia trabalhar na Casa Branca. No entanto, ela estava decepcionada com a política. Não estava disposta a ter aquele tipo de vida para sempre. Naquele dia, já tinha passado pelo duelo com Tench, visto as fotos perversas dela com o senador e, finalmente, ouvido as mentiras da NASA...

Um repórter no rádio falou algo a respeito de uma bomba num carro, uma ação possivelmente associada a terroristas.

Tenho que sair desta cidade, pensou Gabrielle pela primeira vez desde que havia chegado lá.

CAPÍTULO 99

Era raro o controlador se sentir cansado, mas aquele dia tinha sido pesado. Nada havia saído de acordo com o planejado – a trágica descoberta do poço de inserção sob o gelo, as dificuldades de manter essa informação em segredo e, agora, a crescente lista de vítimas.

Ninguém deveria ter sido morto... exceto o canadense.

Parecia irônico que a parte tecnicamente mais complexa do plano tivesse sido a menos problemática. A inserção, feita meses atrás, havia decorrido sem um único problema. Uma vez que a "anomalia" fora colocada no lugar, bastava esperar que o satélite PODS fosse lançado. O PODS deveria varrer enormes seções do Círculo Ártico e, mais cedo ou mais tarde, seu software de detecção de anomalias encontraria o meteorito, presenteando a NASA com uma grande descoberta.

Tudo corria às mil maravilhas até que... o maldito software não funcionou.

Quando o controlador descobriu que o software falhara e que não teria a menor chance de ser consertado antes das eleições, todo o plano ficou ameaçado. Sem o PODS, o meteorito não seria detectado. O controlador teve que pensar em alguma forma de alertar alguém na NASA sobre o meteorito, de forma dissimulada. A solução acabou sendo forjar a transmissão de uma mensagem de emergência por rádio feita por um geólogo que estava relativamente perto do ponto de inserção. O geólogo, por motivos óbvios, tinha que ser eliminado logo depois, e sua morte precisava parecer acidental. Atirar um geólogo inocente do alto de um helicóptero havia sido apenas o início. Agora as coisas estavam se desencadeando rápido demais.

Wailee Ming. Norah Mangor. Ambos mortos.

Aquele assassinato ousado no Memorial de Roosevelt.

Em breve, Rachel Sexton, Michael Tolland e Corky Marlinson seriam acrescentados à lista.

Não há nenhuma outra forma, pensou o controlador. *Há muitos interesses em jogo.*

CAPÍTULO 100

O Dolphin da Guarda Costeira ainda estava a três quilômetros das coordenadas do *Goya*, voando a três mil pés, quando Tolland gritou para o piloto:

— Este helicóptero tem sistema NightSight?

— Claro, é uma unidade de resgate — respondeu o piloto.

Era o que Tolland havia imaginado. Desenvolvido pela Raytheon, o NightSight é um sistema de visualização térmica do mar capaz de localizar sobreviventes de um naufrágio no escuro. O calor que se desprende da cabeça de uma pessoa na água aparece como um ponto vermelho contra o fundo preto do oceano.

— Ligue-o — pediu Tolland.

O piloto não entendeu bem o que ele queria.

— Por quê? Estamos tentando localizar alguém?

— Não, mas há algo que gostaria que vocês vissem.

— Não vamos conseguir enxergar nada no visor térmico a esta altitude, a menos que haja uma mancha de óleo pegando fogo.

— Por favor, ligue-o — insistiu Tolland.

O piloto olhou desconfiado para o apresentador e depois ajustou alguns controles, orientando o captador térmico na parte de baixo do helicóptero para varrer uma faixa do oceano cinco quilômetros à frente deles. Uma tela de LCD se iluminou no painel exibindo uma imagem incrível.

— Mas que diabos! — O helicóptero balançou ligeiramente por conta da surpresa do piloto, que se recuperou logo em seguida e continuou olhando para a tela.

Rachel e Corky inclinaram-se para a frente, igualmente surpresos com o que estavam vendo. O fundo negro do oceano estava iluminado por uma enorme espiral em movimento de uma cor vermelha pulsante.

Rachel virou-se para Tolland, preocupada.

— Parece um ciclone.

— De fato é — respondeu Tolland. — Um ciclone de correntes quentes. Tem cerca de uma milha de diâmetro.

O piloto deu uma risadinha, espantado.

— Este é um dos grandes. Já vi alguns outros por aí, mas ainda não tinha ouvido falar deste em particular.

— Veio à tona semana passada e provavelmente não vai durar mais do que alguns dias — explicou o oceanógrafo.

— Qual é a causa? — perguntou Rachel, perplexa com o enorme vórtice de água em movimento no meio do oceano.

— Uma bolha de magma no oceano — respondeu o piloto.

Rachel virou-se para Tolland, nervosa.

— Um vulcão?

— Não. Em geral não há vulcões ativos na costa leste, mas ocasionalmente aparecem alguns bolsões de magma que se abrem no fundo do oceano, fazendo com que a temperatura se eleve em determinados locais. Esses pontos quentes criam um gradiente reverso de temperatura, ou seja, a água fica quente no fundo e fria na superfície. O resultado são essas gigantescas correntes em espiral. São chamadas de megaplumas. Elas giram durante algumas semanas e depois se dissipam.

O piloto olhou para a espiral que pulsava em sua tela.

— Parece que esta corrente está em plena atividade. — Fez uma pausa, consultou as coordenadas do navio de Tolland e olhou para ele, surpreso. — Senhor Tolland, parece que seu barco está estacionado perto do meio dela.

Ele assentiu.

— As correntes são mais fracas perto do olho do ciclone. Dezoito nós. É como estar ancorado num rio de correntezas rápidas. Nossa âncora trabalhou bastante esta semana.

— Nossa! — disse o piloto. — Correntes de 18 nós? Melhor ninguém cair na água! — disse ele, rindo.

Rachel não estava achando a menor graça.

— Mike, você não me falou de megaplumas, bolhas de magma e toda essa história de correntes quentes.

Ele colocou a mão sobre o joelho dela, com um gesto tranqüilizador.

— É completamente seguro, pode confiar em mim.

Rachel franziu a testa.

— Então o documentário que você estava fazendo por aqui era sobre esse fenômeno da bolha de magma?

— Megaplumas e *Sphyrna mokarran*.

— Claro. Você falou disso mais cedo... Como pude me esquecer?

Tolland deu um sorriso envergonhado.

— Os *Sphyrna mokarran* amam a água quente e, neste momento, todos os indivíduos dessa espécie que se encontram num raio de 100 milhas à nossa volta estão se reunindo neste círculo quente de uma milha no oceano.

— Ótimo — Rachel disse, sacudindo a cabeça com um certo desespero. — Mas, se não for pedir muito, você poderia me dizer o que é um *Sphyrna mokarran*?

— Um dos peixes mais feios do mar.

— Linguado?

Tolland riu.

— Não. Grandes tubarões-martelo.

Rachel ficou dura da cabeça aos pés.

— Há *tubarões-martelo* em volta de seu navio?

— Relaxe, não são perigosos — disse Tolland, com uma piscadela.

— Você não estaria me dizendo isso se eles não fossem perigosos.

Tolland deu uma risada gostosa.

— Acho que você está certa. — Chamou o piloto num tom brincalhão e perguntou: — Ei, qual foi a última vez que vocês salvaram alguém de um ataque de tubarão-martelo?

O piloto deu de ombros.

— Puxa. Acho que faz décadas que não salvamos ninguém de um tubarão-martelo.

— Viu? *Décadas!* Não há com o que se preocupar — disse Tolland para Rachel.

— No mês passado, por exemplo — acrescentou o piloto —, tivemos um ataque porque um mergulhador estava...

— Ei, espere aí! — disse Rachel. — Você acabou de dizer que não salva ninguém há *décadas!*

— Isso mesmo — respondeu o piloto —, eu disse que não *salvamos* ninguém. Sempre chegamos tarde demais. Aqueles safados matam muito rápido.

CAPÍTULO **101**

Do helicóptero, já era possível ver a silhueta do *Goya* crescendo no horizonte. A cerca de um quilômetro, Tolland podia distinguir as fortes luzes do convés que Xavia havia sabiamente deixado acesas. Sentiu-se como um viajante cansado chegando em casa.

– Eu achei que você tinha dito que só havia uma pessoa a bordo – disse Rachel, surpresa ao ver tantas luzes.

– Você não acende a luz quando está sozinha em casa?

– Só uma, não a casa inteira.

Tolland sorriu. Apesar de Rachel tentar parecer despreocupada, ele podia sentir que ela estava extremamente apreensiva. Michael queria abraçá-la e reconfortá-la, mas sabia que não havia nada que pudesse dizer para ajudar.

– As luzes ficam acesas por segurança. Elas fazem com que o barco pareça estar em plena atividade.

– Com medo de piratas, Mike? – perguntou Corky, rindo.

– Não, o maior perigo, na verdade, são os idiotas que não sabem interpretar o que vêem no radar. A melhor defesa contra uma colisão é fazer com que todos possam avistar seu barco.

Corky apertou os olhos para enxergar melhor o barco.

– Ver o barco? Aquilo lá parece uma festa de réveillon num cruzeiro. Obviamente a NBC tem pago sua conta de eletricidade.

O helicóptero da Guarda Costeira reduziu a velocidade e voou em torno da embarcação, manobrando em direção ao heliponto que ficava na popa. Mesmo lá de cima, Tolland podia ver a forte corrente puxando o navio. Ancorado pela proa, o *Goya* estava a favor da corrente, tensionando sua enorme amarra como se fosse uma besta aprisionada.

– É realmente lindo – disse o piloto, rindo.

Tolland sabia que o comentário era sarcástico. O *Goya* era feio. "Esquisitão", segundo o comentário de um jornalista. Com casco duplo e pequena área de contato com a água, ele tinha todas as vantagens de ser uma das 17 embarcações do tipo SWATH (Small Waterplane Area Twin-Hull), mas certamente a beleza não era uma delas.

O barco era, essencialmente, uma grande plataforma horizontal flutuando cerca de nove metros acima do oceano, apoiado em quatro enormes suportes que, por sua vez, terminavam em flutuadores. Olhando de longe, parecia uma plataforma de petróleo bem baixa. De perto, se assemelhava a um catamarã suspenso. Os alojamentos da tripulação, os laboratórios de pesquisa e a ponte de comando ficavam localizados numa série de estruturas na parte superior, dando a impressão de que o barco era uma gigantesca mesa de café flutuante sobre a qual haviam sido empilhados diversos andares.

Apesar de sua aparência meio "quadrada", o projeto do *Goya* proporcionava maior estabilidade porque a área de contato com a água era bem menor do que na maioria dos barcos. A plataforma suspensa permitia melhores filmagens, facilitava o trabalho nos laboratórios e provocava menos enjôo nos cientistas. Mesmo assim, a NBC vinha pressionando Tolland a trocar seu navio por um mais moderno, o que ele se recusava a fazer. É verdade que havia embarcações melhores atualmente e até mesmo mais estáveis, porém o *Goya* tinha sido seu lar durante os últimos 10 anos. A bordo dele, Mike lutara para recolocar sua vida em ordem após a morte de Celia. Havia noites em que ainda podia ouvir a voz dela no convés, sussurrando no vento. Quando os fantasmas partissem, ele pensaria em outro barco.

Ainda não era a hora.

◆◆◆

Quando o helicóptero pousou na popa do *Goya*, Rachel Sexton se sentiu apenas ligeiramente aliviada. A boa notícia era que não estava mais voando sobre o oceano. A má era que agora estava de pé sobre ele. Ao descer do helicóptero, tentou se desligar do tremor em suas pernas e olhou em volta. O convés era incrivelmente atulhado, sobretudo com o helicóptero pousado ali. Olhando em direção à proa, Rachel examinou a peculiar estrutura de andares sobrepostos que constituía o grosso da embarcação.

Tolland aproximou-se e ficou ao lado dela.

– Eu sei – ele disse, falando alto para se fazer ouvir em meio ao forte barulho da corrente. – Parece maior na televisão, não?

Rachel concordou.

– Mais estável também.

– Este é um dos navios mais seguros do oceano. Eu juro. – Mike colocou sua mão sobre o ombro de Rachel e conduziu-a pelo convés.

Seu toque caloroso era mais tranqüilizador do que qualquer palavra. Ainda assim, quando ela olhou para a popa do navio e viu a corrente turva espumando atrás deles, como se estivessem a pleno vapor, sentiu um arrepio. *Estamos sobre uma megapluma...*

No centro da seção principal do convés de popa, Rachel viu o pequeno e familiar submersível *Triton*, suspenso em um grande guincho. O *Triton* – uma referência ao deus grego dos mares – não se assemelhava em nada ao seu predecessor feito de aço, o *Alvin*. Tinha um domo acrílico na parte frontal, fazendo com que parecesse mais um aquário do que um submarino. Rachel não conseguia pensar em muitas coisas mais assustadoras do que submergir centenas de pés no oceano não tendo nada entre ela e o mar a não ser uma lâmina de acrílico transparente. É claro que, de acordo com Tolland, a única parte desagradável de andar no *Triton* era ser lentamente abaixado pelo guincho através de uma abertura no convés do *Goya*, pendurado como um pêndulo a nove metros da água.

– Creio que Xavia está no laboratório – disse Tolland, andando pelo convés. – Vamos por aqui.

Rachel e Corky seguiram Tolland. O piloto da Guarda Costeira ficou no helicóptero, com ordens estritas para não usar o rádio.

– Dêem uma olhada nisso – disse Michael, parando rapidamente na grade da popa do navio.

Hesitante, Rachel aproximou-se. Estavam bem alto sobre o mar, mas, ainda assim, era possível sentir um vento quente vindo da água, nove metros abaixo deles.

– Está quase na mesma temperatura de um banho morno – continuou Tolland. – Vejam só. – Ele acionou um interruptor na grade.

Um grande arco de luz se espalhou pela água atrás do navio, iluminando-a por dentro como uma piscina acesa à noite. Rachel e Corky engoliram em seco ao mesmo tempo.

A água em torno do navio estava cheia de sombras fantasmagóricas. Poucos metros abaixo da superfície iluminada, um exército de formas escuras e esguias nadava em paralelo contra a corrente, com suas inconfundíveis cabeças em formato de martelo balançando de um lado para o outro, como se estivessem acompanhando algum ritmo pré-histórico.

– Meu Deus, Mike – gaguejou Corky. – Que bom que você nos mostrou essa coisa linda.

Rachel ficou paralisada com aquela visão. Queria sair correndo dali, mas não conseguia se mover.

– Eles são incríveis, não? – disse Tolland, passando o braço pelos ombros dela. – Vão ficar circulando nessa área quente durante semanas. Esses caras têm o melhor olfato dos mares, possuem lobos olfativos telencefálicos superdesenvolvidos. Podem sentir o cheiro de sangue a uma milha de distância.

Corky ficou olhando para ele, desconfiado.

– Lobos olfativos telencefálicos superdesenvolvidos?

– O que, não está acreditando? – Tolland começou a remexer numa caixa de alumínio próxima ao local onde estavam. Pouco depois, tirou de dentro um peixe pequeno e morto. – Perfeito. – Pegou uma faca lá dentro e fez alguns talhos no peixe, que começou a pingar sangue.

– Mike, pelo amor de Deus – disse Corky. – Isso é nojento.

O oceanógrafo jogou o peixe ensangüentado no mar. Assim que bateu na água, seis ou sete tubarões arremessaram-se em sua direção, numa disputa feroz, suas fileiras de dentes brancos arrancando pedaços do peixe sangrento. Em poucos instantes não havia mais nada.

Horrorizada, Rachel virou-se para Tolland, que já estava com outro peixe nas mãos. Mesmo tipo, mesmo tamanho.

– Olhem, desta vez não haverá sangue – disse, jogando o peixe na água sem cortá-lo. O peixe bateu na superfície, mas nada aconteceu. Os tubarões pareceram nem notar. A isca foi levada pela corrente, sem despertar nenhum interesse.

– Eles atacam *apenas* por conta do cheiro – disse Tolland, levando-os para longe da grade. – Vocês poderiam até nadar aí em total segurança, contanto que não tivessem nenhuma ferida aberta.

Corky apontou para os pontos em seu rosto.

Tolland franziu o rosto.

– Tudo bem. *Você*, não!

CAPÍTULO 102

O táxi de Gabrielle estava preso no engarrafamento perto do Memorial de Roosevelt.

Olhando para os carros de bombeiros ao longe, ela tinha a impressão de que uma bruma surreal baixara sobre a cidade. As reportagens que chegavam pelo rádio diziam que um funcionário de alta patente do governo podia estar dentro do carro que havia explodido.

Gabrielle pegou o celular e ligou para o senador. Ele com certeza já devia estar preocupado com a demora dela.

A linha estava ocupada.

Ela olhou para o taxímetro correndo e pensou no que fazer. Alguns dos outros carros que estavam presos no trânsito começaram a subir pelas calçadas para dar a volta, em busca de um caminho alternativo.

O motorista olhou para ela.

– Quer esperar? É você quem está pagando.

Gabrielle viu que havia mais veículos de emergência e da polícia chegando ao local.

– Não, é melhor darmos a volta.

O motorista resmungou que estava tudo bem e começou a manobrar o carro para sair dali. Ela tentou ligar para Sexton de novo.

Continuava ocupado.

Alguns minutos depois, tendo feito uma grande volta, o táxi estava subindo a Rua C. Gabrielle viu o edifício de gabinetes do Senado se aproximando. Pensara em ir diretamente para o apartamento do senador, mas já que seu escritório estava tão próximo...

– Pode parar ali na frente – pediu ao motorista. – Aí mesmo. Obrigada.

O táxi parou. Gabrielle pagou a corrida e acrescentou 10 dólares.

– Você pode me esperar 10 minutos?

O motorista olhou para o dinheiro, depois para o relógio.

– O.k., mas nem um minuto a mais.

Gabrielle se apressou. *Estarei fora daqui antes disso.*

Os corredores de mármore desertos pareciam quase um cemitério àquela hora. Os músculos de Gabrielle estavam tensos ao passar rapidamente pela fileira de estátuas austeras alinhadas no corredor de acesso do terceiro andar. Aqueles olhos de pedra pareciam vigiá-la, como sentinelas.

Ao chegar à porta principal do conjunto de cinco salas que compunham o gabinete do senador Sexton, Gabrielle usou seu cartão magnético para entrar. Havia um abajur aceso na recepção que iluminava suavemente o ambiente. Atravessando a sala de espera, andou até seu escritório. Entrou, acendeu as luzes fluorescentes e foi direto para os arquivos.

Ela tinha uma pasta inteira sobre o Sistema de Observação da Terra da NASA, incluindo várias informações sobre o PODS. Sexton certamente iria querer todos os dados disponíveis sobre o projeto assim que ela lhe contasse sobre Harper.

A NASA mentiu sobre o PODS.

Enquanto procurava em seus arquivos, seu telefone celular tocou.

– Senador? – falou, sem checar o número no visor do seu aparelho.

– Não, Gabi, é Yolanda. – A voz de sua amiga estava ligeiramente diferente.

– Você ainda está na NASA?

— Não, estou no escritório.

— Descobriu algo por lá?

Você não imagina o quê. Gabrielle, no entanto, sabia que não podia dizer nada a Yolanda enquanto não tivesse falado com o senador. Ele certamente teria idéias muito específicas sobre a melhor maneira de lidar com aquela informação.

— Eu lhe conto tudo depois que tiver conversado com Sexton. Estou indo para o apartamento dele agora.

Yolanda ficou em silêncio.

— Gabi, sabe aquelas coisas que você me contou sobre o financiamento da campanha de Sexton e a SFF?

— Ah, mas eu lhe disse que estava errada e que...

— Bom, eu acabei de descobrir que dois de nossos repórteres que fazem a cobertura da indústria aeroespacial estão trabalhando numa história bem parecida.

Gabrielle ficou surpresa.

— E o que isso quer dizer?

— Não sei. Mas esses caras são bons e parecem estar convencidos de que Sexton está recebendo algum dinheiro por trás dos panos do pessoal da SFF. Achei que era melhor avisá-la. Eu sei que lhe disse, mais cedo, que a idéia toda era maluca. Marjorie Tench me pareceu uma péssima fonte neste caso, mas nosso pessoal... Não sei, acho que você deveria falar com eles antes de se encontrar com o senador.

— Se os repórteres estão tão convencidos disso, por que não divulgam a informação? — questionou Gabrielle, mais na defensiva do que teria desejado.

— Eles não têm provas. O senador conseguiu cobrir seus rastros de forma muito eficaz.

Algo que quase todos os políticos sabem fazer.

— Acho que não tem nada aí, Yolanda. Eu lhe falei que o senador admitiu estar recebendo doações da SFF, mas todas elas dentro do limite permitido.

— É, eu sei que foi isso que *ele* lhe disse, Gabi, e não estou afirmando que sei qual a verdade nisso tudo. Só me senti na obrigação de lhe contar o que estava acontecendo porque falei que Marjorie Tench não era uma fonte confiável, mas acabo de descobrir que há *outras* pessoas que também acham que o senador pode estar na folha de pagamentos da SFF. Só isso.

— Quem são esses repórteres? — Gabrielle sentiu uma raiva enorme tomando conta dela.

— Sem nomes. Posso providenciar uma reunião. São espertos e conhecem a fundo as leis de financiamento de campanhas... — Yolanda parou, hesitando.

– Sabe, eles realmente acham que o senador está desesperado por dinheiro. Talvez até mesmo falido.

No silêncio de seu escritório, Gabrielle podia ouvir as acusações ácidas de Tench ecoando. *Depois da morte de Katherine, ele desperdiçou quase toda a sua herança em investimentos malsucedidos, luxos pessoais e na compra do que parecia ser uma vitória certa nas primárias. Há cerca de seis meses, seu candidato estava falido.*

– Nossos rapazes adorariam conversar com você – disse Yolanda.

Aposto que sim, pensou ela.

– Eu te ligo depois.

– Você parece irritada.

– Nunca com você, Yolanda. Nunca com você. Obrigada.

Desligou.

◆◆◆

O segurança adormecera numa cadeira no hall, do lado de fora do apartamento do senador Sexton. Levou um susto ao ser acordado pelo toque de seu celular. Ajeitando-se melhor, esfregou os olhos e pegou o telefone no bolso do blazer.

– Alô?

– Owen, aqui é Gabrielle.

O segurança reconheceu a voz dela.

– Ah, oi.

– Preciso falar com o senador. Você poderia bater na porta dele para mim, por favor? Não estou conseguindo falar por telefone. A linha está ocupada o tempo todo.

– Já está bem tarde.

– Ele está acordado, eu tenho certeza. – Gabrielle parecia ansiosa. – É uma emergência.

– *Outra?*

– Não, a mesma. Passe o telefone para ele, Owen. Eu tenho uma pergunta importante a fazer.

O segurança suspirou e levantou-se.

– Tudo bem. – Esticou o corpo e caminhou até a porta do senador. – Mas só vou fazer isso porque ele ficou feliz por eu ter deixado você entrar hoje mais cedo. – Um pouco relutante, fechou a mão para bater na porta.

– O que você disse? – perguntou Gabrielle.

O segurança parou, punho levantado no ar.

— Disse que o senador ficou feliz por eu ter deixado você entrar mais cedo. Você estava certa, não havia problema nenhum.

— Você e o senador *falaram* sobre isso? — Gabrielle ficou surpresa.

— É. Por quê?

— Não, é só que eu não achei que...

— Bom, na verdade foi meio estranho. O senador levou um tempinho para se lembrar de sua visita. Acho que ele e os outros caras andaram bebendo.

— Quando você falou com ele, Owen?

— Ah, logo depois que você saiu. Tem alguma coisa errada?

Silêncio na linha.

— Não... não, nada. Olhe, estava aqui pensando... é melhor não incomodarmos o senador agora, sabe? Vou continuar tentando falar com ele por telefone e, se não conseguir, volto a procurá-lo e peço para bater na porta.

O guarda-costas olhou para o alto, com uma expressão de impaciência.

— Como quiser, senhorita Ashe.

— Obrigada, Owen. Desculpe incomodar.

— Sem problemas. — Ele desligou, se jogou de volta em sua cadeira e voltou a dormir.

Sozinha em sua sala, Gabrielle ficou parada durante algum tempo antes de desligar o telefone. *Sexton sabe que estive lá... e não me disse nada?*

Aquela noite estava ficando cada vez mais estranha. Gabrielle repassou mentalmente a chamada do senador para seu celular quando ela estava nos estúdios da ABC. Ele a surpreendera com sua admissão espontânea de que estava se encontrando com companhias do setor aeroespacial e recebendo dinheiro delas. Sua honestidade havia feito com que Gabrielle voltasse a confiar em Sexton e ficasse até mesmo envergonhada por ter pensado mal dele. Agora sua confissão parecia bem menos nobre.

As doações estão abaixo do limite permitido, Sexton dissera. *Tudo perfeitamente legal.*

Subitamente todas as dúvidas de Gabrielle a respeito do senador vieram à tona de uma só vez.

Do lado de fora, o táxi estava buzinando.

CAPÍTULO 103

A ponte de comando do *Goya* era um cubo de plexiglas que ficava dois níveis acima do convés principal. Dali, Rachel tinha um panorama de 360° do mar escuro que os cercava, uma visão aterradora que tentou afastar de sua mente para concentrar-se nos problemas imediatos.

Tolland e Corky tinham saído à procura de Xavia, e ela ficou na ponte para contatar Pickering. Rachel prometera ao diretor que ligaria quando chegasse e estava curiosa para saber o que ele havia descoberto em seu encontro com Marjorie.

O sistema de comunicações digitais do *Goya*, um Shincom 2100, era um equipamento que ela conhecia bem. Sabia que, se não passasse muito tempo na linha, sua comunicação dificilmente seria detectada.

Ligou para o número pessoal de Pickering e esperou, segurando o fone do Shincom no ouvido. Achou que o diretor fosse atender ao primeiro toque, mas a linha estava apenas chamando.

Seis toques. Sete. Oito...

Rachel olhou para o oceano lá fora. O fato de não estar conseguindo alcançar o diretor não melhorava em nada sua apreensão por estar no mar.

Nove toques. Dez. *Atenda!*

Ela andou de um lado para o outro, ansiosa. *O que está acontecendo?* Pickering levava seu telefone com ele o tempo todo e havia dito expressamente a Rachel que ligasse para ele.

Após 15 toques, ela desligou.

Com uma preocupação crescente, pegou novamente o fone do Shincom e ligou outra vez.

Quatro toques. Cinco toques.

Onde ele foi parar?

Finalmente ouviu um clique, indicando que a conexão tinha sido feita. Rachel sentiu um grande alívio, mas durou pouco. Não havia ninguém na linha. Só silêncio.

– Alô? – perguntou. – Diretor?

Três cliques rápidos.

– Alô?

Uma forte estática surgiu na linha, soando bem alto no ouvido de Rachel e fazendo-a afastar o fone. A estática parou de repente e ela aproximou novamente o fone. Ouviu uma série de tons oscilando rapidamente, pulsando em intervalos de meio segundo. Sua confusão foi substituída por compreensão. E depois por medo.

– Merda!

Virando-se para trás, na direção dos controles da ponte, socou o fone de volta em seu gancho, terminando a conexão. Ficou alguns minutos olhando para o aparelho, aterrorizada, tentando calcular se havia desligado a tempo.

◆◆◆

No meio da embarcação, dois deques abaixo, estava o laboratório do *Goya*. Era uma grande área dividida por longas bancadas e algumas estações de trabalho entupidas de equipamento eletrônico: varredores de fundo, medidores de corrente, bancadas para análise, fluxos laminares, um enorme freezer para preservar espécimes, diversos computadores e uma pilha de caixas rotuladas para armazenar os dados das pesquisas, além de equipamento eletrônico sobressalente para manter tudo em funcionamento durante as viagens.

Quando Tolland e Corky entraram, a geóloga de bordo, Xavia, estava reclinada na frente de uma televisão a todo o volume. Ela nem se virou.

– E aí, o dinheiro para as cervejas já acabou? – disse ela sem olhar, achando que alguns dos membros da equipe tinham voltado.

– Xavia – disse Tolland. – Sou eu, Mike.

Ela se virou, engolindo um pedaço do sanduíche que estava comendo.

– Mike? – Ela estava surpresa por vê-lo ali. Levantou-se, diminuiu o volume da televisão e caminhou na direção deles, ainda mastigando. – Achei que parte do pessoal tivesse chegado da noitada. O que vocês estão fazendo aqui?

Xavia era corpulenta e tinha uma pele morena. Sua voz era aguda e tinha um jeitão meio grosseiro. Ela apontou para a televisão, que continuava passando reprises do documentário de Mike sobre o meteorito.

– Vocês não ficaram muito tempo lá pela geleira, não é?

Tivemos algumas surpresas, pensou Tolland.

– Xavia, você certamente já ouviu falar de Corky Marlinson.

Ela acenou com a cabeça.

– É uma honra conhecê-lo.

Corky não parava de olhar para o sanduíche que ela estava segurando.

– Isso aí parece gostoso.

A geóloga olhou para ele sem entender.

– Recebi sua mensagem – Tolland falou. – Você disse que eu cometi um erro na minha apresentação? Queria conversar com você a respeito.

Xavia soltou uma gargalhada aguda.

– Foi por *isso* que você voltou? Ah, Mike, pelo amor de Deus, não foi nada demais. Só queria te perturbar um pouco. A NASA obviamente te deu alguns dados ultrapassados. Nada relevante. Sério, somente três ou quatro geólogos marinhos no mundo devem notar o furo.

Tolland prendeu a respiração.

– Esse furo... por acaso teria a ver com os côndrulos?

A geóloga olhou para ele, espantada.

– Minha nossa! Algum maluco já ligou para você?

Tolland ficou preocupado. *Os côndrulos.* Olhou para Corky e depois de volta para ela.

– Xavia, preciso que você me conte tudo o que sabe sobre os côndrulos. Que erro eu cometi?

Ela percebeu que Tolland de fato estava falando sério.

– Mike, não é nada mesmo. É só um pequeno artigo que li em uma revista técnica há algum tempo. Mas não entendo por que você está tão preocupado com isso.

Ele suspirou.

– Xavia, por mais estranho que isto possa parecer, quanto menos você souber esta noite, melhor. Peço apenas que nos conte o que você sabe sobre os côndrulos e, depois, vamos precisar que examine uma amostra de rocha.

Ela ficou olhando, perplexa e levemente chateada por não lhe contarem os detalhes.

– Tudo bem, vou pegar aquele artigo. Está na minha sala.

Ela deixou o restante do sanduíche sobre uma mesa e dirigiu-se para a porta. Corky gritou:

– Posso comer o resto?

Xavia parou no meio do caminho e disse:

– Você quer comer o *resto* do meu sanduíche?

– Não, eu estava só pensando que você talvez já tivesse...

– Ah, vá pegar o seu *próprio* sanduíche! – disse ela, saindo.

Tolland riu e apontou para o freezer do laboratório.

– Prateleira de baixo, Corky. Entre a garrafa de Sambuca e os sacos com as lulas.

◆◆◆

Do lado de fora, no convés, Rachel desceu a escada que saía da ponte e foi em direção ao helicóptero. O piloto tinha adormecido, mas acordou quando ela bateu na cabine.

– Já terminaram? – ele perguntou. – Isso foi rápido.

Rachel balançou a cabeça, nervosa.

– Você tem radar de superfície e aéreo?

– Claro. O alcance é de 10 milhas.

– Ligue-o, por favor.

Sem entender muito bem, o piloto apertou alguns botões e a tela se acendeu. O traço de varredura do radar começou a girar lentamente na tela.

– Pode ver algo? – perguntou Rachel.

O piloto deixou que o traço completasse várias voltas. Ajustou alguns outros controles e observou. Não havia nada.

– Há algumas pequenas embarcações bem no limite de nosso alcance, mas todas estão se afastando de nossa posição. Não há nada perto. Somente milhas de mar aberto se estendendo em todas as direções.

Rachel suspirou, ainda que aquilo não a deixasse particularmente tranqüila.

– Por favor, se alguma coisa se aproximar – barco, avião, qualquer coisa –, me avise imediatamente.

– Certo. Está tudo bem?

– Acho que sim. Só gostaria de saber se vamos ter companhia.

– Vou ficar de olho no radar, senhorita. Se alguma coisa aparecer, aviso em seguida.

Os sentidos de Rachel estavam zunindo quando entrou no laboratório. Corky e Tolland estavam sentados, na frente de um monitor, comendo sanduíches.

Corky disse para ela, com a boca cheia:

– O que você prefere? Frango com gosto de peixe, peito de peru com gosto de peixe ou salada de ovo com gosto de peixe?

Rachel não prestou atenção.

– Mike, de quanto tempo você precisa para obter as informações e podermos sair deste barco?

CAPÍTULO 104

Tolland andava pelo laboratório enquanto esperava Xavia voltar. A possibilidade de haver algum erro nas informações sobre os côndrulos era quase tão preocupante quanto as notícias de Rachel sobre sua tentativa de contatar Pickering.

O diretor não atendeu.

E alguém tentou descobrir a localização do Goya *rastreando a chamada.*

– Relaxem – disse Tolland. – Estamos seguros. O piloto da Guarda Costeira está observando o radar. Ele nos avisará a tempo se alguém vier nesta direção.

Rachel concordou, apesar de ainda estar tensa.

– Ei, Mike, o que é isso aqui? – perguntou Corky, apontando para a tela de um computador Sparc, que exibia uma imagem psicodélica pulsando e se agitando como se estivesse viva.

– É um analisador de correntes por doppler acústico – respondeu Tolland. – Ele mostra um corte transversal das correntes e dos gradientes de temperatura do oceano embaixo do navio.

Rachel ficou olhando para a tela.

– Nós estamos ancorados *sobre isso aí?*

Tolland tinha que concordar que aquela imagem amedrontava. Na superfície, a água aparecia com tons verde-azulados se revolvendo, mas, olhando em direção ao fundo, as cores aos poucos mudavam para um vermelho-alaranjado ameaçador à medida que as temperaturas se elevavam. No fundo do oceano, mais de uma milha abaixo deles, o vórtice de um ciclone se agitava numa tonalidade vermelho-escura.

– É a megapluma – disse Tolland.

– Parece um tornado submarino – resmungou Corky.

– O princípio é o mesmo. Os oceanos em geral são mais frios e mais densos perto do fundo, mas aqui ocorre o inverso. A água do fundo, que está aquecida e mais leve, sobe à superfície, ao mesmo tempo que a água da superfície, mais fria e pesada, desce em espiral para preencher o vazio. O resultado são essas correntes parecidas com um escoadouro no oceano. Enormes redemoinhos.

– E essa grande protuberância bem no fundo? – perguntou Corky, apontando para uma região onde havia uma bolha subindo em forma de domo. O vórtice estava se formando diretamente acima dela.

— Essa bolha é um domo de magma. É nesse ponto que a lava está empurrando o fundo do oceano – respondeu Tolland.

— Entendo. Como uma grande bolha de pus.

— Mais ou menos isso.

— E se ela estourar?

Tolland fechou a cara, lembrando-se do evento com a placa Juan de Fuca, em 1986, quando milhares de toneladas de magma, a uma temperatura de 1.200° Celsius, jorraram no oceano de uma só vez, amplificando a intensidade da megapluma quase instantaneamente. As correntes da superfície foram amplificadas à medida que o vórtice se expandia com rapidez para cima. O que aconteceu em seguida era algo que ele não tinha a menor intenção de contar para Corky e Rachel naquela noite.

— Os domos de magma do Atlântico não estouram – disse Michael. – A água fria que circula em torno da bolha está continuamente resfriando e enrijecendo a crosta da Terra, mantendo o magma em segurança sob uma grossa camada de rocha. Em algum momento a lava que está embaixo se resfria e a espiral desaparece. Megaplumas em geral não são perigosas.

Corky apontou para uma revista em mau estado que estava ao lado do computador.

— Então você quer dizer que a *Scientific American* publica artigos fictícios?

Tolland viu a capa e franziu a testa. Alguém tinha tirado aquela revista dos arquivos do *Goya*. Era um exemplar de fevereiro de 1999. A ilustração da capa mostrava um superpetroleiro sendo tragado por um enorme redemoinho no oceano. A manchete dizia: MEGAPLUMAS – ASSASSINAS GIGANTESCAS DAS PROFUNDEZAS?

O oceanógrafo fez uma brincadeira para disfarçar.

— Ah, isso é totalmente irrelevante. Esse artigo fala sobre megaplumas que ocorrem em zonas de terremoto. Foi uma hipótese popular sobre o Triângulo das Bermudas há alguns anos, tentando explicar o desaparecimento de navios. Tecnicamente falando, se houvesse algum cataclismo geológico no fundo do oceano, algo que nunca ocorreu aqui, o domo se romperia e o vórtice ficaria grande o bastante para... bom, vocês sabem...

— Não, nós *não* sabemos – respondeu Corky.

Tolland deu de ombros.

— Ahn... O vórtice subiria até à superfície.

— Fantástico. Fico muito feliz que tenha nos convidado para visitar seu navio.

Xavia entrou carregando alguns artigos.

— Admirando a megapluma?

– Ah, é formidável – disse Corky, sarcástico. – Mike acabou de nos contar como sairíamos rodando num grande redemoinho se essa bolha se rompesse.

– Redemoinho? – Xavia deu uma risada. – Seria mais como descer descarga abaixo na maior privada do planeta!

◆◆◆

Do lado de fora, no convés do *Goya*, o piloto do helicóptero da Guarda Costeira estava observando atentamente a tela do radar. Em seu trabalho de resgate, já tinha visto muitas pessoas com medo. Rachel Sexton estava, com certeza, em pânico quando lhe pediu para vigiar se visitantes inesperados estavam se aproximando.

Que tipo de visitantes ela está esperando?, pensou ele.

Até onde podia ver, nas 10 milhas em torno do *Goya*, não estava acontecendo nada atípico nem no ar nem no mar. Havia um barco de pesca a oito milhas dali. Um ou outro avião aparecia no limite do campo do radar e sumia rapidamente, seguindo alguma rota para longe deles.

O piloto suspirou e contemplou o mar, que se movia ruidosamente ao redor de todo o navio. Era uma sensação muito singular e incômoda: estar navegando a toda a velocidade apesar de o barco estar ancorado.

Voltou a olhar para o radar e ficou observando, alerta.

CAPÍTULO 105

Tolland tinha acabado de apresentar Xavia a Rachel. A geóloga do navio estava cada vez mais impressionada com os passageiros ilustres diante dela no laboratório de hidrografia. Além disso, a pressa de Rachel para terminar logo os testes e sair dali o mais rápido possível a deixava nervosa.

Vá com calma, Xavia, pensou Tolland. *Precisamos de todos os detalhes.*

A geóloga estava explicando de forma bem direta:

– Em seu documentário, Mike, você disse que aquelas incrustações metálicas na rocha só poderiam ter sido formadas no espaço.

Tolland estava com medo do que ela diria em seguida. *Côndrulos só se formam no espaço. Foi o que a NASA me disse.*

— Mas, de acordo com estas anotações — disse a geóloga, mostrando as páginas que segurava —, isso não é inteiramente verdadeiro.
— É claro que é verdade! — irritou-se Corky.
Xavia olhou de cara feia para o astrofísico e sacudiu as anotações que trazia.
— No ano passado, um jovem geólogo chamado Lee Pollock, da Drew University, estava usando um novo tipo de robô marinho para coletar amostras em águas profundas do Pacífico, na fossa das Marianas, e conseguiu retirar de lá uma rocha solta contendo uma característica geológica jamais vista. Essa característica era muito similar, em sua aparência, aos côndrulos. Ele a chamou de "inclusões de plagioclásio por estresse" — pequenas bolhas de metal que aparentemente haviam sido re-homogeneizadas durante eventos de pressurização em grandes profundidades. O doutor Pollock ficou impressionado por ter encontrado bolhas metálicas numa rocha de origem oceânica e formulou uma teoria especial para explicar sua presença.
— Suponho que seja *realmente* especial — Corky resmungou.
Xavia prosseguiu, não lhe dando ouvidos.
— O doutor Pollock afirmou que a rocha fora formada num ambiente oceânico de enorme profundidade, onde a pressão extrema metamorfoseou uma rocha preexistente, fazendo com que alguns dos metais, antes separados, se fundissem.
Tolland pensou a respeito. A fossa das Marianas tinha cerca de 11 mil metros de profundidade, sendo uma das últimas regiões inexploradas do planeta. Pouquíssimas sondas-robôs tentaram descer tão fundo e quase todas foram esmagadas pela pressão bem antes de chegar lá embaixo. A pressão da água na fossa é enorme — 1.800 libras por polegada quadrada, contra míseras 14 libras na superfície do oceano. Os pesquisadores ainda tinham pouca compreensão das forças geológicas nos lugares mais profundos dos oceanos.
— Então esse tal de Pollock acha que a fossa das Marianas pode gerar rochas com características similares a côndrulos?
— É uma teoria bem pouco divulgada — disse a geóloga. — Na verdade, não chegou nem mesmo a ser publicada formalmente. Por acaso eu encontrei algumas anotações pessoais de Pollock na internet mês passado, quando estava fazendo pesquisa sobre interações entre fluidos e rochas para o nosso programa sobre megaplumas. Do contrário, eu mesma não teria ouvido falar nisso.
— Eu sei por que a teoria nunca foi publicada — retrucou Corky. — Porque é ridícula! É preciso *calor* para gerar côndrulos. Não vejo como a pressão da água possa reorganizar a estrutura cristalina de uma rocha.
— A pressão — devolveu Xavia — por acaso vem a ser o fator mais importante

de mudanças geológicas em nosso planeta. Você já ouviu falar em rochas *metamórficas?* Talvez se lembre disso, de suas aulas de Introdução à Geologia.

Corky ficou calado.

Tolland percebeu que Xavia havia levantado uma questão interessante. Ainda que o calor tivesse um papel importante em parte das transformações geológicas da Terra, a maioria das rochas metamórficas era formada sob extrema pressão. As rochas que se encontram em camadas profundas da crosta de nosso planeta estão sob tamanha pressão que agem mais como um caldo espesso do que como rochas sólidas, tornando-se elásticas e sofrendo mudanças químicas no processo. Ainda assim, a teoria de Pollock parecia um pouco forçada.

– Xavia, eu nunca ouvi falar de um caso em que a pressão da água fosse o único fator na alteração de uma rocha. Você é uma geóloga... Qual a sua opinião? – perguntou Michael.

– Parece que a pressão da água de fato não é o único fator – respondeu Xavia enquanto olhava suas anotações. Ela encontrou o trecho que estava procurando. – Vou ler textualmente o que Pollock escreveu: "A crosta oceânica na fossa das Marianas, que já se encontra sob enorme pressão hidrostática, pode ser ainda mais comprimida por forças tectônicas das zonas de subducção da região."

É claro, pensou Tolland. A fossa das Marianas, além de estar sob a pressão de uma coluna d'água de 11 mil metros, era uma zona de subducção – uma linha de compressão onde as placas do Pacífico e do Índico se moviam uma contra a outra e colidiam. As pressões combinadas no interior da fossa deveriam ser enormes, mas, como o acesso ao local era difícil e perigoso, se houvesse côndrulos por lá, dificilmente alguém saberia.

A geóloga continuou a leitura:

– "As forças combinadas das pressões hidrostática e tectônica têm o potencial de forçar a crosta até que ela atinja um estado elástico ou semilíquido, permitindo que elementos mais leves se fundam em estruturas similares a côndrulos, que até agora acreditávamos ocorrerem apenas no espaço."

Corky revirou os olhos, impaciente.

– Isso é impossível.

O oceanógrafo voltou-se para o amigo:

– Há alguma outra explicação para os côndrulos na rocha encontrada por Pollock?

– Fácil – disse Corky. – Pollock encontrou um *meteorito*. Eles caem no oceano o tempo todo, vocês sabem disso. Talvez ele não tenha suspeitado que se tratasse de um meteorito porque a crosta de fusão poderia ter sido erodida devido aos muitos anos que a rocha esteve sob a água, fazendo com que se parecesse com uma rocha normal. – O astrofísico virou-se para Xavia: – Por acaso esse tal doutor Pollock se lembrou de medir o conteúdo de *níquel*? Ou seria pedir muito?

– Na verdade, ele mediu, sim – respondeu ela prontamente, já procurando em seus papéis. – Eis o que Pollock diz: "Fiquei surpreso ao descobrir que o conteúdo de níquel da amostra recaiu nos níveis intermediários que geralmente *não* são associados às rochas terrestres."

Tolland e Rachel trocaram olhares espantados. Xavia continuou lendo:

– "Ainda que a quantidade de níquel não recaia exatamente nos níveis intermediários normalmente aceitos para determinar que uma rocha é um meteorito, encontra-se *muito próxima* desse patamar."

Rachel estava bastante inquieta.

– Quão próxima? É possível que essa rocha oceânica possa ser confundida com um meteorito?

Xavia sacudiu a cabeça.

– Não sou especialista em petrologia, mas, até onde posso entender, há muitas diferenças químicas entre a rocha que Pollock encontrou e meteoritos de verdade.

– Quais são as diferenças? – perguntou Tolland, com um sentido de urgência na voz.

Ela olhou para um gráfico em seus papéis.

– De acordo com isto aqui, uma diferença importante está na estrutura química dos côndrulos em si. Parece que as proporções titânio/zircônio são diferentes. Os côndrulos da amostra proveniente do oceano possuíam pouquíssimo zircônio. – Ela olhou para Tolland. – Apenas duas partes por milhão.

– Duas ppm? – disse Corky, subitamente. – A taxa encontrada nos meteoritos é *milhares* de vezes maior.

– Exato. E foi por isso que Pollock concluiu que os côndrulos de sua amostra não vieram do espaço.

Michael inclinou-se e falou baixinho para Corky:

– Por acaso a NASA mediu as proporções de titânio/zircônio na rocha encontrada em Milne?

– Claro que não! – respondeu Corky em voz alta. – Ninguém iria medir isso. É como olhar para um carro e resolver medir o conteúdo de borracha dos pneus para confirmar que de fato se trata de um carro!

Tolland respirou fundo e virou-se para Xavia novamente:

– Se lhe dermos uma amostra de rocha contendo côndrulos, você conseguirá fazer um teste para determinar se essas incrustações são côndrulos de origem meteórica ou... uma dessas "coisas" resultantes da compressão em oceano profundo que Pollock descreveu?

Ela pensou um pouco.

– Suponho que sim. O microscópio eletrônico é suficientemente preciso. Mas aonde vocês querem chegar com isso, afinal?

– Corky, dê a amostra para ela.

O astrofísico pegou relutantemente o fragmento do meteorito em seu bolso e estendeu-o para Xavia.

Ela olhou para o disco de pedra, franzindo o rosto. Observou a crosta de fusão e depois o fóssil na rocha.

– Meu Deus! – exclamou. – Isto aqui não é parte do...?

– É sim – respondeu Tolland. – Infelizmente.

CAPÍTULO 106

Sozinha em sua sala, Gabrielle Ashe ficou olhando pela janela, pensando no que faria a seguir. Menos de uma hora antes, tinha saído da NASA animada e ansiosa por contar logo ao senador os detalhes da fraude do PODS que Chris Harper lhe revelara.

Agora tinha dúvidas.

De acordo com Yolanda, dois repórteres da ABC suspeitavam que Sexton estava recebendo propinas da SFF. Além disso, Gabrielle tinha acabado de descobrir que Sexton soubera que ela havia entrado em seu apartamento durante a reunião com a SFF e, ainda assim, não comentara nada a respeito com ela.

O táxi de Gabrielle já havia partido há algum tempo. Claro, ela poderia chamar outro rapidamente, mas sabia que tinha algo a fazer antes.

Não acredito que vou tentar esta maluquice.

No entanto, não restavam muitas opções. Já não sabia em quem acreditar.

Saiu de sua sala, atravessou a recepção e foi para um corredor largo do outro lado. No final estavam as grossas portas de carvalho do escritório de Sexton, ao lado das quais havia duas bandeiras: à direita, Old Glory, como é carinhosamente conhecida a bandeira dos EUA; e, à esquerda, a bandeira do estado de

Delaware. Suas portas, como as da maioria das salas dos senadores naquele prédio, eram reforçadas com chapas de aço e trancadas por chaves convencionais. Além disso, era preciso digitar um código num terminal numérico para desativar o sistema de alarme.

Se ela conseguisse entrar, teria todas as respostas. Andou em direção às portas altamente seguras, mas não tinha a menor pretensão de *passar* por elas. Seus planos eram outros.

A três metros do escritório de Sexton, ela virou à direita e entrou no banheiro feminino. As luzes fluorescentes se acenderam automaticamente. Gabrielle parou diante do espelho e ficou se olhando, enquanto se acostumava à claridade. Como de hábito, suas feições pareciam mais suaves do que ela gostaria. Quase delicadas. Ela sempre se sentia mais durona do que aparentava ser.

Você está certa de que vai mesmo fazer isso?

A assessora sabia que o senador estava esperando ansiosamente sua chegada para ouvir os detalhes sobre o PODS. Infelizmente, ela compreendera que tinha sido manipulada por Sexton naquela noite. E Gabrielle não gostava de ser controlada. O senador havia propositalmente ocultado informações importantes. A questão era o quanto ele havia escondido. As respostas estavam na sala do outro lado da parede daquele banheiro.

"Cinco minutos", disse ela em voz alta para si mesma, reafirmando sua decisão.

Andou em direção ao quartinho de suprimentos do banheiro, estendeu o braço e passou a mão por cima do batente da porta. Uma chave caiu no chão. Os encarregados da limpeza do edifício de gabinetes do Senado eram funcionários públicos e sumiam toda vez que havia uma greve em qualquer setor, deixando o banheiro sem papel higiênico nem absorventes. Cansadas de serem pegas de surpresa, as mulheres que trabalhavam no escritório de Sexton decidiram dar um jeito naquilo e fizeram uma cópia da chave do quartinho de suprimentos para essas "emergências".

Esta noite certamente é uma emergência, pensou Gabrielle, entrando na pequena despensa.

O interior estava abarrotado de material de limpeza, vassouras, esfregões e prateleiras com papel sanitário e papel-toalha. Há cerca de um mês, Gabrielle tinha aberto aquele mesmo quartinho, procurando papel-toalha, quando fez uma descoberta inusitada. Como não estava conseguindo alcançar a prateleira mais alta, ela havia usado a ponta de um cabo de vassoura para tentar derrubar um rolo da prateleira. Ao fazer isso, bateu, sem querer, numa das placas que revestiam o teto. Quando subiu nas prateleiras para recolocar a placa no lugar, ficou surpresa ao ouvir a voz do senador em alto e bom som.

Pelo eco, percebeu que Sexton devia estar falando consigo mesmo enquanto estava em seu banheiro pessoal, aparentemente separado do banheiro feminino apenas por algumas placas de revestimento removíveis.

Agora lá estava ela buscando um pouco mais do que papel-toalha. Gabrielle tirou os sapatos, subiu nas prateleiras, empurrou a placa e se enfiou pela abertura. *Que se dane a segurança nacional*, pensou, imaginando quantas leis estaduais e federais estava prestes a quebrar.

Saindo do outro lado, dentro do banheiro pessoal do senador, ela apoiou os pés na pia fria de porcelana e então pulou para o chão. Prendendo a respiração, entrou no escritório de Sexton.

Seus tapetes orientais eram macios e aconchegantes.

CAPÍTULO 107

A 30 milhas de distância, um helicóptero Kiowa de ataque, preto, cruzava o céu sobre os pinheiros do norte do estado de Delaware. Delta-Um verificou as coordenadas que estavam programadas no sistema de navegação automática.

Tanto o dispositivo de transmissão a bordo do navio onde estava Rachel quanto o celular de Pickering eram codificados para proteger suas comunicações. No entanto, ao rastrear a chamada vinda do mar, a Força Delta não queria interceptar o *conteúdo* da conversa. O objetivo era mais simples: determinar a *localização* do emissor. Os sistemas de GPS e as triangulações calculadas por computadores indicavam com precisão as coordenadas de transmissão, uma tarefa bem mais simples do que decodificar o conteúdo de uma mensagem.

Delta-Um achava curioso o fato de que, em geral, os usuários de celulares não tinham sequer idéia de que, toda vez que faziam ou recebiam uma ligação, um posto de escuta do governo poderia detectar, com uma margem de erro de apenas três metros, a posição do aparelho em qualquer lugar da Terra. Um pequeno "detalhe" que as companhias de celular não faziam muita questão de anunciar. Naquela noite, após ter obtido acesso às freqüências de recepção do celular de Pickering, a Força Delta determinou rapidamente as coordenadas das chamadas recebidas.

Voando em linha reta rumo ao alvo, estavam agora a 20 milhas de distância.

– A proteção está pronta? – perguntou, virando-se para Delta-Dois, que manejava os sistemas de radar e armamentos.

– Afirmativo. Aguardando perímetro de cinco milhas.

Cinco milhas, pensou Delta-Um. Tinha que penetrar na área de alcance do radar do *Goya* antes que pudesse usar as armas do Kiowa. Provavelmente alguém a bordo do navio estaria observando os céus com apreensão, e, como a tarefa atual da Força Delta era eliminar o alvo sem dar qualquer chance de alguém pedir socorro pelo rádio, ele sabia que tinha que se aproximar de forma discreta.

Quando ainda estava a 15 milhas de distância, fora do alcance do radar, Delta-Um virou o Kiowa 35 graus para oeste, subiu a 900 metros – a altitude usual para pequenos aviões – e ajustou a velocidade para 200 quilômetros por hora.

◆ ◆ ◆

No convés do *Goya*, o radar do helicóptero da Guarda Costeira emitiu um bipe quando um novo objeto entrou em seu perímetro de 10 milhas. O piloto sentou-se, examinando a tela. O contato parecia um pequeno avião de carga indo para oeste, seguindo a costa.

Provavelmente Newark.

Mantendo a trajetória, o avião passaria bem perto do *Goya*. Ainda que isso parecesse mera casualidade, o piloto, vigilante, ficou olhando o ponto na tela percorrer lentamente sua linha, a 200 quilômetros por hora, em direção ao lado direito de seu visor. No ponto mais próximo do navio, o avião estava a umas quatro milhas de distância a oeste. Conforme o esperado, a aeronave continuou em sua rota, afastando-se deles.

4,1 milhas. 4,2 milhas.

O piloto respirou aliviado.

Então uma coisa muito estranha aconteceu.

◆ ◆ ◆

– Proteção ativada – informou Delta-Dois, fazendo o sinal de "positivo" diante do painel de controle de armas no Kiowa. – Barragem, ruído modulado e pulso de cobertura estão ativos e operando.

Delta-Um respondeu à indicação fornecida por seu companheiro e puxou o helicóptero abruptamente para a direita, colocando-o em rota direta para o *Goya*. Essa manobra seria completamente invisível para o radar do navio.

– Bem melhor que folhas de alumínio! – disse Delta-Dois.

Delta-Um concordou. As técnicas de bloqueio de radar foram inventadas durante a Segunda Guerra Mundial, quando um esperto aviador inglês começou a lançar de seu avião vários fardos de feno enrolados em folhas de alumínio durante missões de bombardeio. Os radares alemães detectavam tantas superfícies reflexivas que as baterias antiaéreas não sabiam em que direção atirar primeiro. As técnicas tinham sido substancialmente aperfeiçoadas desde então.

O sistema de bloqueio de radar do Kiowa usava uma "cobertura de elétrons", um dos sistemas eletrônicos de defesa mais eficazes. Ao transmitir uma cobertura de ruído de fundo sobre um determinado conjunto de coordenadas de superfície, o Kiowa conseguia eliminar os olhos, os ouvidos e a voz de seu alvo. Há pouco minutos, todas as telas de radar a bordo do *Goya* teriam ficado em branco. Quando a tripulação notasse que precisava transmitir um pedido de socorro, já não poderia mais fazer isso. Em um navio, todas as comunicações se baseavam em rádio ou microondas, já que não havia linhas físicas de telefone. Se o Kiowa estivesse próximo o bastante, todos os sistemas de comunicação do *Goya* iriam parar de funcionar totalmente, pois seus sinais de portadora estariam encobertos pela nuvem invisível de ruído térmico transmitida pelo Kiowa, como uma luz ofuscante.

Isolamento absoluto, pensou Delta-Um. *Estão indefesos.*

Seus alvos tiveram uma enorme sorte ao conseguir escapar de forma engenhosa da geleira Milne, mas aquilo não iria se repetir. Ao trocar a segurança da terra firme por uma embarcação no meio do mar, Rachel Sexton e Michael Tolland haviam feito uma grande besteira. Seria a última decisão errada de suas vidas.

◆◆◆

No interior da Casa Branca, Zach Herney sentia-se meio zonzo, sentado em sua cama, segurando o telefone.

– Agora? Ekstrom quer falar comigo *agora*?

Ele olhou para o relógio ao lado da cama: *3h17 da manhã.*

– Sim, senhor presidente – respondeu o oficial encarregado de comunicações. – Ele diz que é uma emergência.

CAPÍTULO 108

Enquanto Corky e Xavia se acotovelavam no microscópio eletrônico, medindo o conteúdo de zircônio dos côndrulos, Rachel seguiu Tolland até uma pequena sala do outro lado do laboratório. O oceanógrafo ligou um computador para verificar alguma coisa.

Enquanto esperava o monitor acender, ele se virou para Rachel, como se fosse dizer algo, mas fez uma pausa.

– O que houve? – perguntou Rachel, surpresa ao perceber a forte atração física que sentia por ele, mesmo em meio a todo aquele caos. Ela queria poder deixar tudo aquilo para trás e ficar só com Mike, ainda que fosse por apenas um minuto.

– Eu lhe devo desculpas – disse Tolland, com ar de arrependimento.

– Por quê?

– Lá em cima. A história dos tubarões. Eu fiquei empolgado. É que algumas vezes me esqueço de que o oceano pode parecer extremamente ameaçador para muitas pessoas.

Perto dele, Rachel se sentia como uma adolescente com um novo namorado.

– Foi bom você ter dito isso. Obrigada. Está tudo bem, mesmo.

Algo dentro dela lhe dizia que Tolland queria beijá-la.

Após um instante de silêncio, ele desviou o olhar timidamente.

– Eu sei. Você quer voltar para terra firme. Melhor trabalharmos.

– Por enquanto – acrescentou Rachel, com um sorriso.

– Por enquanto – repetiu Tolland, sentando-se diante do computador.

Rachel suspirou, de pé atrás dele, aproveitando aqueles momentos de privacidade. Observou Michael navegar por uma série de pastas no computador.

– O que estamos fazendo?

– Procurando algo semelhante a um grande isópode das profundezas. Queria ver se conseguimos encontrar algum fóssil marinho pré-histórico que se pareça com o que vimos naquele meteorito.

Ele abriu uma página de pesquisa que trazia a seguinte inscrição na barra superior: PROJETO DIVERSITAS. Enquanto percorria alguns menus, Tolland foi dando explicações para Rachel:

– O Diversitas é um banco de dados de biologia marinha permanentemente atualizado. Quando algum biólogo marinho encontra uma nova espécie ou um fóssil, ele pode compartilhar as informações que conseguiu alimentando esse banco com dados e fotos. Como há muita coisa sendo descoberta toda semana, essa é, na prática, a única forma de manter as pesquisas atualizadas.

— Então você está acessando a web agora? — perguntou Rachel.

— Não. O acesso à internet é meio complicado no mar. Guardamos todos esses dados em um dispositivo contendo vários discos óticos na outra sala. Toda vez que aportamos, nos conectamos ao banco de dados do Projeto Diversitas e atualizamos as informações. Assim podemos acessar tudo de qualquer lugar, mesmo sem uma conexão com a web, e nossos dados nunca ficam desatualizados mais do que um ou dois meses.

Tolland deu uma risadinha enquanto digitava algumas palavras-chave no computador.

— Você provavelmente já ouviu falar naquele programa de troca de arquivos de música chamado Napster.

Rachel disse que sim.

— O Diversitas é considerado a versão dos biólogos marinhos para o Napster. Nós o chamamos de LOBSTER* — *Lonely Oceanic Biologists Sharing Totally Eccentric Research.*

Rachel riu. Mesmo naquela situação tensa, Michael Tolland tinha um senso de humor meio irônico que apaziguava seu medo. Ela estava começando a pensar que sua vida andava muito pouco divertida naqueles últimos tempos.

— Nosso banco de dados é enorme. — Tolland fez uma pausa para reler as palavras-chave da sua consulta. — Temos mais de 10 terabytes de descrições e fotos. Há informações aqui que ninguém nunca viu e provavelmente nunca verá. O número de espécies existentes no oceano é muito vasto. — Clicou no botão de "pesquisar". — Bom, vamos descobrir em breve se alguém já viu um fóssil parecido com nosso isópode espacial.

Após poucos segundos, a tela foi atualizada, exibindo quatro entradas relativas a animais fossilizados. Tolland clicou em cada uma delas, examinando as fotos. Nenhuma se parecia sequer vagamente com os fósseis do meteorito de Milne.

Ele coçou o queixo.

— Vamos tentar outra coisa. — Ele retirou a palavra "fóssil" e clicou em "Pesquisar" novamente. — Vamos procurar todas as espécies *ainda vivas*. Talvez

---

* N. do T.: Há um trocadilho no original, já que a sigla LOBSTER também quer dizer "lagosta". A sigla original pode ser traduzida como "biólogos marinhos solitários compartilhando pesquisas totalmente excêntricas".

possamos encontrar um descendente que possua as características fisiológicas do fóssil de Milne.

O resultado surgiu na tela.

Tolland ficou pensativo. O computador havia retornado centenas de respostas possíveis. Reclinou-se na cadeira, novamente coçando o queixo.

– Agora há coisas demais. Vamos tentar refinar um pouco a pesquisa.

Rachel observou enquanto ele acessava um menu onde estava escrito "habitat". A lista de opções parecia infinita: poça de maré, pântano, lagoa, recife, plataforma oceânica, enxofre vulcânico. Tolland percorreu a lista e escolheu uma opção onde estava escrito: PLACAS DESTRUTIVAS/FOSSAS OCEÂNICAS.

Boa escolha, pensou Rachel. Tolland estava limitando sua pesquisa apenas a espécies que vivessem próximo ao ambiente onde, teoricamente, as características similares aos côndrulos pudessem se formar.

A página de respostas retornou somente três entradas desta vez.

– Ótimo!

Rachel olhou para o primeiro nome da lista. *Limulus poly... qualquer coisa.*

Tolland clicou sobre o nome. Uma foto foi exibida: o bicho se parecia com um límulo gigante sem cauda.

– Não – disse ele, voltando à página anterior.

Rachel leu o segundo nome na lista. *Camaronicus abominabilis.* Achou aquilo estranho.

– Esse nome é verdadeiro?

O oceanógrafo riu.

– Não. É alguma nova espécie que ainda não foi classificada. Seja lá quem for que a descobriu, tem senso de humor e está sugerindo *Camaronicus abominabilis* como classificação taxonômica oficial.

Tolland clicou para exibir a foto, que mostrava uma criatura impressionantemente feia, parecida com um camarão de enormes bigodes e antenas fluorescentes cor-de-rosa.

– Acho que ele escolheu um bom nome – disse Tolland –, mas certamente não é a criatura que procuramos. – Retornou ao índice. – E nosso último candidato é... – clicou na terceira entrada e uma nova página foi exibida – ...*Bathynomus giganteus.* – Logo depois apareceu a imagem em close, com cores perfeitas.

Rachel assustou-se.

– Minha nossa! – A criatura na tela dava medo.

Tolland assobiou baixinho.

– É... Este cara aqui me parece bem familiar.

Rachel balançou a cabeça, perplexa. *Bathynomus giganteus*. A criatura lembrava um gigantesco tatuzinho e se parecia muito com a espécie fossilizada do meteorito encontrado pela NASA.

– Há algumas diferenças sutis – disse Tolland, examinando alguns desenhos anatômicos e esboços. – Mas é muito próximo. Especialmente considerando-se que teve 190 milhões de anos para evoluir.

Próximo é o termo exato, pensou Rachel. *Próximo demais*.

Tolland leu a descrição que estava na tela:

– Acredita-se que o *Bathynomus giganteus* seja uma das mais antigas espécies de nossos oceanos. Raramente encontrado e tendo sido classificado apenas recentemente, é um isópode de águas profundas que se alimenta de restos, assemelhando-se a um grande tatuzinho. Podendo chegar a 60 centímetros de comprimento, essa espécie exibe um exoesqueleto de quitina segmentado em cabeça, tórax e abdômen. Possui apêndices articulados, antenas e olhos compostos similares aos dos insetos que vivem na superfície terrestre. Não possui predadores e vive em ambientes pelágicos estéreis que, até recentemente, eram tidos como não habitáveis. – Tolland olhou para Rachel. – Isso poderia explicar a ausência de outros tipos de fósseis naquela amostra!

Rachel examinou a criatura na tela. Estava empolgada, mas ao mesmo tempo em dúvida sobre o significado real daquilo tudo.

– Imagine – prosseguiu Tolland, animado – que há 190 milhões de anos uma ninhada de *Bathynomus* tenha sido enterrada por um deslizamento de lama no oceano profundo. À medida que a lama fosse se transformando em rocha, as criaturas teriam se fossilizado na pedra. Ao mesmo tempo, o fundo do oceano, num movimento contínuo e lento próximo às fossas oceânicas, levou os fósseis até uma zona de alta pressão na qual a rocha forma côndrulos! – Tolland ia falando cada vez mais rápido. – E, se parte dessa crosta cheia de côndrulos e fósseis se desprendesse e fosse parar entre os sedimentos que ficam na camada superior da fossa, o que é relativamente comum, estaria numa posição perfeita para ser descoberta!

– Mas se a NASA... – Rachel titubeou. – Quero dizer, se tudo isso for uma grande mentira, a NASA *saberia* que, mais cedo ou mais tarde, alguém iria descobrir que esse fóssil se parece com uma criatura marinha, não é? Assim como *nós* acabamos de fazer!

Tolland começou a imprimir as fotos do *Bathynomus* na impressora a laser.

– Não sei. Mesmo se aparecesse alguém mostrando as semelhanças entre os fósseis e um desses isópodes marinhos atuais, isso não provaria nada. Há diferenças na fisiologia das duas espécies. Quase o suficiente para reforçar a afirmação da NASA.

Rachel compreendeu, num estalo.

— Panspermia! — *A vida na Terra foi semeada a partir do espaço.*

— Exatamente. As semelhanças entre os organismos terrestres e os do espaço fazem muito sentido cientificamente. E esse isópode das profundezas na prática só reforçaria as afirmações da NASA.

— Exceto se a autenticidade do meteorito estivesse em questão.

Michael concordou.

— Se o meteorito for questionado, toda a teoria vem abaixo. Nosso tatuzinho gigante deixa de ser um amigo da NASA e se torna um "dedo-duro".

Rachel ficou em silêncio olhando as páginas de informações sobre o *Bathynomus* saírem da impressora. Estava tentando se convencer de que fora simplesmente um erro da NASA, sem qualquer má intenção. Mas sabia que não era. Pessoas honestas que cometem erros não tentam matar outras pessoas.

A voz anasalada de Corky se fez ouvir do outro lado do laboratório.

— *Impossível!*

Tanto Tolland quanto Rachel se viraram.

— *Meça essas malditas taxas de novo! Não faz sentido!*

Xavia veio correndo na direção deles com um papel nas mãos. Estava lívida.

— Mike, não sei como dizer isso, mas... — A geóloga se engasgou. — As proporções de titânio/zircônio que encontramos nesta amostra... — Ela limpou a garganta de novo. — Bem, está claro que a NASA cometeu um grande engano. O meteorito deles é uma rocha oceânica.

Tolland e Rachel se entreolharam em silêncio. Compreenderam naquele instante que todas as suas dúvidas e suspeitas eram reais. Sentiram-se como se estivessem na crista de uma onda prestes a quebrar. O oceanógrafo concordou, com um olhar triste:

— Eu sei. Obrigado, Xavia.

— Mas eu não entendo — disse ela. — A crosta de fusão, a localização no gelo...

— Vamos lhe explicar tudo no caminho de volta — disse Michael. — Estamos de partida.

Rapidamente, Rachel pegou todas as folhas e provas que haviam reunido. As evidências eram conclusivas: a impressão do GPR mostrando o poço de inserção na plataforma de gelo Milne, as fotos da criatura marinha similar ao fóssil da NASA, o artigo do doutor Pollock sobre formação de côndrulos no oceano e, finalmente, os dados do microscópio eletrônico evidenciando a baixíssima taxa de zircônio no suposto meteorito.

Só havia uma conclusão possível: *fraude.*

Tolland olhou para os papéis na mão de Rachel e soltou um suspiro.

– Acho que Pickering já tem as provas de que precisa.

Ela concordou, ainda pensando por que motivo o diretor do NRO não teria atendido à sua chamada.

Michael pegou um fone que estava próximo e estendeu-o na direção de Rachel.

– Você quer tentar novamente daqui?

– Não, melhor irmos. Vou tentar falar com ele do helicóptero.

Rachel já havia decidido que, se não conseguisse entrar em contato com Pickering, mandaria o piloto da Guarda Costeira deixá-los diretamente no NRO, que ficava a uns 300 quilômetros dali.

Tolland ia desligar o telefone, mas parou de repente. Parecendo confuso, colou o ouvido ao fone e franziu a testa.

– Curioso. Não há ruído de linha.

– O que você quer dizer? – perguntou Rachel, tensa.

– É estranho – disse ele. – Linhas diretas para o COMSAT nunca perdem a portadora...

– Senhor Tolland? – O piloto da Guarda Costeira entrou correndo no laboratório, assustado.

– O que é? – perguntou Rachel. – Alguém se aproximando?

– Este é o problema – respondeu o piloto. – Não sei. Os radares e sistemas de comunicação do helicóptero pararam de funcionar.

Rachel colocou todos os papéis bem fundo dentro de sua blusa.

– Vamos para o helicóptero. Temos que sair daqui. AGORA!

CAPÍTULO 109

O coração de Gabrielle batia em disparada enquanto ela atravessava, no escuro, o amplo escritório de Sexton. A sala era decorada com elegância: havia painéis de madeira entalhada recobrindo as paredes, pinturas a óleo, tapetes persas, cadeiras de couro e uma imensa mesa de mogno.

A assessora foi direto para a mesa do senador e ligou o computador, banhando a sala com uma luz néon.

Sexton tinha adotado integralmente o conceito de "escritório digital", chegando às raias da obsessão. Deixou de lado os enormes arquivos com pastas em troca da simplicidade compacta e da facilidade de consulta de seu computador pessoal, no qual colocava enormes quantidades de informação: anotações de reuniões, artigos de jornais e revistas digitalizados, discursos, idéias. Para proteger seus dados, o senador mantinha o computador trancado o tempo todo no escritório. Chegou ao ponto de recusar-se a ter uma conexão de internet com medo de que hackers pudessem entrar em seu sagrado cofre digital.

Um ano atrás Gabrielle não teria acreditado que qualquer político fosse burro o bastante para guardar cópias de documentos que pudessem incriminá-lo, mas desde então ela havia aprendido muitas coisas sobre Washington. *Informação é poder.* Gabrielle ficou espantada ao descobrir que era prática comum, entre os políticos que aceitavam contribuições questionáveis para suas campanhas, manter uma *prova* factual dessas doações — cartas, extratos de banco, recibos, registros — escondida num local seguro. Essa tática de "contrachantagem", eufemisticamente conhecida em Washington como "segurança siamesa", protegia os candidatos de doadores que viessem a acreditar que sua generosidade de alguma forma os autorizava a exercer uma pressão política intolerável sobre aqueles que tinham ajudado a eleger. Se alguém que contribuísse para a campanha se tornasse exigente demais, bastava que o político lhe mostrasse uma prova da doação ilegal, lembrando ao doador que ele também infringira a lei. A prova assegurava que tanto candidatos quanto doadores estavam unidos até o fim — como irmãos siameses.

Gabrielle sentou-se na cadeira de Sexton. Respirou fundo, olhando para o computador. *Se o senador estiver mesmo aceitando propinas da SFF, qualquer prova que ele possua estará aqui.*

O protetor de tela do computador exibia uma sucessão de imagens da Casa Branca e seus jardins. Havia sido criado por um dos membros mais entusiásticos da equipe, que acreditava profundamente em visualização e pensamento positivo. Junto com as imagens aparecia uma tarja de texto que dizia: *Sedgewick Sexton, Presidente dos Estados Unidos... Sedgewick Sexton, Presidente dos Estados Unidos... Sedgewick Sexton...*

Gabrielle moveu o mouse e a caixa de diálogo apareceu na tela.

DIGITE A SENHA:

Ela já esperava por isso. Não seria problema. Na semana anterior, Gabrielle entrara no escritório justamente quando o senador estava digitando sua senha. Ela viu Sexton repetir a senha três vezes, rapidamente.

– *Isso* é uma senha? – ironizou.

Sexton olhou para ela sem entender:

– O quê?

– E eu achei que você se preocupasse com segurança – disse ela. – Sua senha só tem três dígitos? Pensei que o pessoal de sistemas nos aconselhasse a usar pelo menos seis.

– Só tem adolescentes na área de informática. Queria ver eles se lembrarem de seis dígitos aleatórios depois dos 40 anos. Além disso, a porta tem um alarme. Ninguém entra aqui.

A assessora aproximou-se.

– E se alguém entrasse discretamente enquanto você está no banheiro?

– E tentasse todas as combinações de senhas? – questionou ele, com uma risadinha irônica. – Posso demorar no banheiro, mas não tanto!

– Aposto um jantar no Davide que consigo adivinhar sua senha em 10 segundos.

O senador olhou para ela, intrigado e achando graça no desafio.

– Você não pode pagar a conta do Davide, Gabrielle.

– Então você vai fugir da briga?

Sexton quase sentiu pena da assessora ao aceitar a aposta.

– Dez segundos?

Ele travou a máquina novamente e fez um gesto para que Gabrielle se sentasse diante do computador.

– Você sabe que sempre peço o saltimbocca no Davide. Não é um prato barato...

– Tudo bem, *você* vai pagar a conta mesmo – disse ela, com um sorriso irônico, enquanto sentava.

DIGITE A SENHA:

– Dez segundos – repetiu Sexton.

Gabrielle estava achando graça. Ela precisaria de apenas dois. Mesmo de longe, da porta, viu que o senador havia digitado a senha muito rapidamente usando apenas o dedo indicador. *Obviamente pressionou a mesma tecla três vezes. Nada esperto.* Também percebeu que a mão dele estava bem no canto esquerdo do teclado, reduzindo as possibilidades a umas nove letras. Escolher a letra correta era simples. Sexton amava a aliteração tripla de seu título: Senador Sedgewick Sexton.

Nunca subestime o ego de um político.

Ela digitou SSS e a proteção de tela desapareceu.

Sexton ficou olhando, abismado.

Aquilo acontecera havia uma semana. Agora, lá estava ela, novamente sentada diante do mesmo computador, certa de que Sexton não tinha se dado ao trabalho de pensar em outra senha. *E por que deveria? Ele confia em mim sem restrições.*

Digitou SSS.

SENHA INVÁLIDA – ACESSO NEGADO

Gabrielle olhou para a tela, surpresa.

Aparentemente ela havia superestimado o nível de confiança do senador.

CAPÍTULO 110

O ataque começou sem aviso prévio. A silhueta letal de um helicóptero Kiowa surgiu bem baixo no céu, vinda do sudoeste e descendo sobre o *Goya* como uma vespa gigante. Rachel entendeu rapidamente o que estava acontecendo.

Em meio à escuridão, uma rajada foi disparada do nariz do helicóptero, perfurando o convés de fibra de vidro do navio e traçando uma linha na popa. Rachel se atirou no chão procurando um abrigo, mas demorou demais e sentiu o calor de uma bala ferindo seu braço de raspão. Caiu de mau jeito e depois rolou sobre o próprio corpo, tentando ficar atrás do domo transparente do submersível *Triton*.

O estrondo dos rotores ressoou acima deles enquanto o helicóptero dava um rasante no *Goya*. O som transformou-se num assobio assustador à medida que a aeronave se afastava para descrever um círculo aberto e voltar para uma segunda investida sobre o alvo.

Deitada no convés, trêmula, Rachel segurou o braço e olhou ao redor, procurando Tolland e Corky. Os dois tinham buscado proteção atrás de um paiol e agora observavam o céu, apavorados, enquanto se levantavam. Rachel ficou de joelhos. O mundo inteiro parecia estar se movendo em câmera lenta.

Agachada atrás da curvatura transparente do *Triton*, ela olhava em pânico para a única possibilidade de fuga que tinham: o helicóptero da Guarda Costeira. Xavia já estava embarcando na aeronave, gesticulando freneticamente para que todos subissem a bordo. Rachel viu o piloto se ajeitando na cabine e mexendo freneticamente em seus controles. As hélices começaram a girar, mas muito devagar.

Lentas demais.

Rápido!

Rachel levantou-se e preparou-se para correr, pensando se conseguiria atravessar o convés antes que os agressores retornassem. Atrás dela, ouviu Corky e Tolland correndo em sua direção e para o helicóptero, que esperava. *Isso, rápido!*

Então ela viu.

A cerca de 100 metros, no céu, surgindo no meio da escuridão, um feixe de luz vermelha varria a noite, procurando seu alvo no convés do *Goya*. Ao encontrar o helicóptero da Guarda Costeira, o feixe parou.

Levou apenas alguns segundos para que ela compreendesse o sentido da imagem. Naquele instante terrível, Rachel sentiu toda a ação no navio transformar-se num borrão, uma colagem indistinta de formas e sons. Tolland e Corky correndo ao seu encontro, Xavia gesticulando no helicóptero e o laser cortando o céu.

Tarde demais.

Ela virou-se no sentido oposto, em direção a Corky e Tolland, que se moviam a toda a velocidade tentando chegar ao helicóptero. Arremessou-se contra eles, com os braços abertos para bloquear o caminho. Foi uma pancada forte e os três caíram no chão, num emaranhado de pernas e braços.

Um flash de luz branca surgiu ao longe. Aterrorizada, Rachel acompanhou o rastro de luz que seguia rumo ao helicóptero, perfeitamente alinhado com o laser.

Quando o míssil Hellfire se chocou contra a fuselagem, o Dolphin da Guarda Costeira explodiu em fragmentos como se fosse de brinquedo. O calor e o ruído ensurdecedor da onda de choque percorreram o convés enquanto pedaços de metal em chamas choviam do céu. O esqueleto flamejante do helicóptero dobrou-se para trás, sobre sua cauda fraturada, oscilou por um instante e finalmente caiu do navio, batendo contra o oceano e levantando uma nuvem fervilhante de vapor d'água.

Rachel fechou os olhos, sem conseguir respirar. Ouviu os destroços em chamas borbulhando e chiando enquanto afundavam, levados para longe do *Goya* pelas fortes correntes. Em meio ao caos, Tolland gritava algo que ela não conseguia compreender. Rachel sentiu mãos fortes tentando levantá-la, mas seu corpo não respondia.

O piloto e Xavia estão mortos.
Somos os próximos.

CAPÍTULO 111

A tempestade na plataforma de gelo Milne tornara-se mais branda e a habisfera estava novamente em silêncio. Mas o administrador da NASA, Lawrence Ekstrom, nem tinha tentado dormir. Ele havia passado as últimas horas sozinho, andando pelo domo, contemplando o poço de extração, passando a mão pelas ranhuras da gigantesca rocha carbonizada.

Finalmente tomou uma decisão.

Agora estava sentado diante do videofone, na cabine de comunicação da habisfera, olhando para o rosto cansado do presidente dos Estados Unidos. Zach Herney usava um roupão e parecia bastante irritado. E, com certeza, ficaria ainda mais nervoso depois que ouvisse o que Ekstrom tinha a dizer.

Quando o administrador terminou de falar, a expressão no rosto do presidente era de estranhamento e desconforto, como se achasse que ainda estava muito sonolento e não houvesse entendido direito o que Ekstrom acabara de lhe contar.

– Espere aí – disse Herney. – Acho que estamos com algum problema de comunicação. Você está me dizendo que a NASA interceptou as coordenadas desse meteorito a partir de uma transmissão de emergência e depois *fingiu* que o PODS o encontrara?

Ekstrom ficou em silêncio, sozinho no escuro, desejando que pudesse acordar daquele pesadelo.

Seu silêncio não foi bem recebido pelo presidente.

– Pelo amor de Deus, Larry, me diga que eu entendi errado!

A boca do administrador estava seca.

– O meteorito foi encontrado, senhor presidente. Isso é tudo o que importa neste caso.

– Eu lhe pedi para me dizer que eu havia entendido *errado!*

O silêncio cresceu até se transformar numa pressão ensurdecedora nos ouvidos de Ekstrom. *Eu tinha que contar,* pensou ele. *E ainda vai ficar pior antes de melhorar.*

– Senhor presidente, a falha no PODS estava prejudicando sua campanha e repercutindo negativamente nas pesquisas. Quando interceptamos a transmissão de rádio que mencionava um grande meteorito alojado no gelo, achamos que era uma chance de voltar à briga.

Herney estava aturdido.

– E fizeram isso falsificando uma descoberta do PODS?

– O PODS estaria operacional em pouco tempo, mas não o suficiente para ajudá-lo nas eleições. Os resultados das pesquisas estavam cada vez piores e Sexton não parava de bater na NASA, então...

– Você é louco? Você mentiu para mim, Larry!

– A oportunidade estava bem na nossa cara, senhor. Decidi aproveitá-la. Interceptamos a transmissão de rádio do canadense que descobriu o meteorito. Ele morreu numa tempestade e ninguém mais sabia do meteorito. O PODS estava numa órbita próxima. A NASA precisava de uma vitória e nós tínhamos as coordenadas.

– E por que você resolveu me contar isso agora?

– Achei que devesse saber.

– Você tem a mínima idéia do que Sexton fará com essas informações, se ele descobrir?

Ekstrom preferiu nem pensar.

– Ele dirá ao mundo inteiro que a NASA e a Casa Branca mentiram ao povo americano! E, o que é pior, ele estará falando a verdade!

– Mas o senhor não mentiu, fui eu. E pedirei demissão imediatamente se...

– Larry, você está deixando de lado o mais importante. Eu tentei basear o meu mandato na verdade e na honestidade! Mas que inferno! A jogada desta noite tinha sido limpa. Digna. Agora eu descubro que menti para o mundo inteiro?

– Apenas uma pequena mentira, senhor.

– Não existem "pequenas mentiras", Larry – disse Herney, furioso.

Ekstrom sentiu o trailer se fechar em torno dele. Precisava contar muitas outras coisas ao presidente, mas percebeu que era melhor esperar até o dia seguinte.

– Lamento tê-lo acordado, senhor. Eu achei que era importante que o senhor soubesse.

◆◆◆

Do outro lado de Washington, Sedgewick Sexton tomou um gole de conhaque e continuou andando de um lado para o outro de seu apartamento, exasperado.

Onde Gabrielle se meteu?

CAPÍTULO 112

Gabrielle Ashe estava sentada na sala do senador Sexton, olhando para o monitor com um misto de raiva e desapontamento.

SENHA INVÁLIDA – ACESSO NEGADO

Ela havia tentado diversas outras senhas que pareciam prováveis, mas nenhuma delas funcionara. Depois de procurar em todo o escritório alguma gaveta destrancada ou outra pista deixada ao acaso, estava quase desistindo. Ia se levantar para sair quando viu algo estranho brilhando no calendário de mesa de Sexton. Alguém tinha assinalado a data da eleição com canetas fosforescentes das cores da bandeira americana: vermelho, azul e branco. Aquilo certamente não era coisa do senador. Gabrielle pegou o calendário para olhar de perto. Envolta em bordas vistosas havia uma exclamação em letras enfeitadas e cintilantes: POTUS!

A entusiasmada secretária de Sexton devia ter feito aquele desenho colorido como mais um pensamento positivo para o senador no dia da eleição. O acrônimo POTUS era o codinome do serviço secreto para <u>P</u>resident <u>O</u>f <u>T</u>he <u>U</u>nited <u>S</u>tates. No dia da eleição, se tudo corresse bem, Sexton se tornaria o novo presidente dos Estados Unidos.

Gabrielle recolocou o calendário na posição em que estava antes, preparando-se para sair. Subitamente parou, com os olhos fixos na tela.

DIGITE A SENHA:

Olhando para o calendário, sentiu que ainda havia uma chance. De alguma forma, POTUS parecia o tipo de senha perfeita para Sexton. *Simples, positiva e auto-referente.*

Digitou rapidamente as letras: POTUS.

Prendendo a respiração, apertou "Enter". O computador emitiu um bipe.

SENHA INVÁLIDA – ACESSO NEGADO

Gabrielle baixou a cabeça, desistindo. Desligou o computador e foi andando devagar em direção à porta do banheiro para sair da mesma forma que havia entrado. Na metade do caminho, seu celular tocou. Já estava nervosa por estar ali, e o som inesperado lhe deu um grande susto. Parou e pegou o telefone, olhando para uma das preciosidades de Sexton, o relógio de parede Jourdain. *Quase quatro da manhã.* Àquela hora, a única pessoa que poderia estar ligando era o senador. Ele certamente estaria à sua procura. *Atendo ou deixo tocar?* Se atendesse, Gabrielle teria que mentir. Mas, se não atendesse, Sexton poderia suspeitar de algo.

Decidiu atender.

– Alô?

– Gabrielle? – Sexton soava impaciente. – Por que você ainda não chegou aqui?

– Foi o Memorial de Roosevelt – disse ela. – O táxi ficou preso e agora estamos...

– Pelo som, você não está dentro de um táxi.

– Não – disse ela, rapidamente. – Não estou. Resolvi passar na minha sala para pegar alguns documentos sobre a NASA que podem ser importantes para a questão do PODS. Ainda não encontrei o que queria.

– Bom, ande logo. Pretendo agendar uma entrevista coletiva logo pela manhã e precisamos acertar os detalhes.

– Já estou chegando.

Houve um silêncio do outro lado da linha.

– Você disse que está em sua sala? – Sexton parecia intrigado.

– Isso. Mais uns 10 minutos e saio daqui.

Outra pausa.

– Tudo bem. Vejo você daqui a pouco, então.

Gabrielle desligou, preocupada demais para notar o som bem nítido do pêndulo do precioso relógio Jourdain a poucos metros dela.

CAPÍTULO 113

Tolland notou que Rachel tinha sido ferida no braço, ao puxá-la para um local protegido atrás do *Triton*. Ela estava tão catatônica que nem parecia sentir dor. Depois de ajudá-la, Michael virou-se para procurar Corky. O astrofísico vinha se arrastando pelo convés para juntar-se a eles, os olhos arregalados em completo terror.

Temos que encontrar algum esconderijo, pensou Tolland, antes mesmo de perceber a gravidade da situação. Instintivamente, seus olhos percorreram os níveis superiores do *Goya*. As escadas que levavam para a ponte ficavam a céu aberto, desprotegidas. A própria ponte se assemelhava a uma grande caixa de vidro – um alvo transparente para quem estivesse no ar. Subir seria suicídio, o que lhes deixava uma única opção.

Durante um rápido momento, o oceanógrafo olhou para o *Triton*, pensando se conseguiria colocar todos a salvo embaixo da água.

Absurdo. O *Triton* só tinha espaço para uma pessoa e, de qualquer forma, seriam necessários pelo menos 10 minutos para descê-lo pela abertura no convés até o oceano. Além disso, sem que suas baterias e compressores estivessem carregados, o submersível não teria condições de fazer qualquer manobra.

– Eles estão voltando! – gritou Corky apontando para o céu, sua voz trêmula de medo.

Tolland nem olhou para cima. Apontou para uma antepara próxima, onde havia uma escada de alumínio que descia para os conveses inferiores. Não foi preciso dizer mais nada. Corky saiu correndo na direção da abertura e sumiu lá embaixo. Michael passou um braço em torno da cintura de Rachel e fez com que ela descesse com ele. Ambos desapareceram no nível inferior segundos antes de o helicóptero retornar, disparando balas para todos os lados.

Tolland ajudou Rachel a descer a escada até uma plataforma suspensa. Quando chegaram, ele sentiu o corpo dela subitamente se enrijecer. Virou-se, com medo de que tivesse sido atingida por trás pelo ricochete de um projétil, mas logo percebeu que o problema era outro.

Ao acompanhar seu olhar petrificado para baixo, Michael compreendeu imediatamente o que estava acontecendo.

◆◆◆

Imóvel, sem conseguir dar nem mais um passo, Rachel encarava o mundo bizarro que se descortinava abaixo dela.

Por causa de seu design, o *Goya* parecia um catamarã gigante, apoiado sobre grandes flutuadores. Eles haviam acabado de descer do convés principal para uma passarela gradeada suspensa sobre um abismo: nove metros abaixo, o mar se agitava provocando um ruído ensurdecedor que ecoava até onde estavam. O terror de Rachel era ainda maior porque os holofotes do navio sob a água lançavam uma luminosidade esverdeada nas profundezas do oceano, evidenciando seis ou sete silhuetas fantasmagóricas. Eram enormes tubarões-martelo, suas longas sombras sempre no mesmo lugar enquanto nadavam contra a corrente – os corpos flexíveis como borracha remexendo-se na água.

Tolland aproximou-se e falou no ouvido dela:

– Rachel, está tudo bem. Olhe para a frente. Estou logo atrás de você.

Gentilmente, Mike tentou fazer com que ela soltasse os punhos do corrimão. Foi quando Rachel viu um pingo de sangue vermelho-rubi respingar de seu braço e cair pelo gradeado. Seus olhos seguiram a trajetória da gota até o mar. Não chegou a ver o sangue bater na água, mas soube o momento exato em que isso aconteceu porque, em um segundo, todos os tubarões próximos se moveram ao mesmo tempo para aquele local, impulsionados por suas caudas vigorosas, chocando-se uns contra os outros numa fúria de dentes e barbatanas.

Lobos olfativos telencefálicos superdesenvolvidos...

Podiam sentir o cheiro de sangue a uma milha de distância.

– Olhe para a frente – repetiu Tolland, num tom de voz firme e reconfortante. – Estou logo atrás de você.

Rachel sentiu que ele estava segurando sua cintura, tentando encorajá-la a sair do lugar. Ela fez um esforço para esquecer o vazio lá embaixo e começou a andar. Em algum lugar acima deles, podia ouvir os rotores do helicóptero novamente. Bem à frente dos dois, Corky cambaleava pela passarela numa espécie de pânico cego.

– Vá até o suporte mais distante, Corky! Depois desça as escadas – Tolland gritou para orientá-lo.

Rachel viu para onde se dirigiam. Logo adiante havia uma série de escadas descendo em ziguezague. Ao atingir o nível do mar, elas desembocavam num deque estreito, similar a uma prancha, que se alongava por todo o comprimento do barco. Partindo desse deque, várias docas pequenas e suspensas formavam uma espécie de marina em miniatura acoplada ao navio. Uma grande placa indicava:

ÁREA DE MERGULHO
Mergulhadores podem emergir sem aviso
Barcos: manobrar com cuidado

Rachel esperava sinceramente que Michael não estivesse pensando em sair dali a nado. Seu medo aumentou quando ele parou na frente de uma fileira de paióis de trama de aço que ficavam ao lado da passarela. O oceanógrafo abriu as portas, deixando entrever roupas e material de mergulho pendurados, coletes salva-vidas e arpões. Antes que Rachel pudesse dizer algo, ele pegou um sinalizador.

– Vamos em frente.

Continuaram andando. Enquanto isso, Corky havia chegado às escadas em ziguezague e já estava na metade do caminho em direção ao deque lá embaixo.

– Já estou vendo! – gritou ele com uma voz quase alegre em meio ao ruído da água.

Vendo o quê?, pensou Rachel, observando Corky correr pela passagem estreita no convés. Tudo o que podia enxergar era o oceano infestado de tubarões ficando cada vez mais próximo. Tolland fez com que ela continuasse andando e, de repente, Rachel percebeu o que tinha deixado Corky tão animado. No outro lado do deque inferior havia uma pequena lancha ancorada. O astrofísico acelerou o passo em sua direção.

Rachel ficou olhando, incrédula. *Fugir de um helicóptero numa lancha?*

– Tem um rádio lá – explicou Tolland. – Se pudermos nos afastar o suficiente da interferência provocada pelo helicóptero...

Ela não ouviu mais nada. Acabara de ver algo que fez seu sangue gelar.

– Tarde demais – disse ela, apontando com um dedo trêmulo. *É o nosso fim...*

◆◆◆

Quando Tolland se virou, soube que estavam liquidados.

No outro extremo do navio, como um dragão olhando para dentro de uma caverna, o helicóptero negro descera ao nível em que estavam, seu nariz voltado na direção deles. Por um momento, Tolland achou que seus agressores iriam voar sobre eles pelo vão embaixo do barco. Contudo, o Kiowa começou a virar, preparando sua mira.

Michael viu para onde os canos das armas estavam apontados. *Não!*

Agachado ao lado da pequena lancha, soltando as amarras, Corky olhou para cima segundos antes de as metralhadoras posicionadas sob o helicóptero começarem a cuspir balas violentamente. Ele caiu de lado, como se houvesse sido atingido. Desesperado, arrastou-se por cima da amurada e jogou-se dentro do barco, deitando para se proteger. As metralhadoras pararam. Tolland viu o amigo se esconder no fundo da lancha. A batata de sua perna direita estava coberta de sangue. Agachado debaixo do painel, Corky estendeu a mão e tateou os controles até encontrar a chave. Ligou o motor Mercury de 250 HP.

Logo em seguida o helicóptero, ainda parado no ar, direcionou o laser vermelho para a pequena embarcação e se preparou para lançar outro míssil.

Tolland reagiu por instinto, usando a única arma que possuía.

O sinalizador que estava segurando sibilou quando ele puxou o gatilho e uma ofuscante linha luminosa percorreu uma trajetória horizontal diretamente para o helicóptero. Apesar disso, Michael sentiu que agira tarde demais. Enquanto a chama do sinalizador atravessava o ar em direção ao vidro frontal do Kiowa, um clarão partiu do lançador de foguetes sob o helicóptero. No exato instante em que o míssil foi disparado, a aeronave desviou bruscamente, saindo da linha de visão.

– Cuidado! – gritou Tolland, fazendo com que Rachel deitasse no chão da passarela.

Com a mudança de trajetória, o míssil errou Corky por pouco, atravessou o espaço vazio sob o *Goya* e chocou-se contra a base de um dos suportes do navio, nove metros abaixo de Rachel e Tolland.

O som foi apocalíptico. Água e chamas irromperam abaixo deles. Pedaços de metal retorcido voaram pelos ares espalhando-se pela passarela. Ouviram o ruído de metal se atritando contra metal e o barco balançou até atingir um novo ponto de equilíbrio, ligeiramente torto.

Quando a fumaça se dispersou, Tolland viu que uma das quatro estruturas principais do *Goya* havia sido severamente danificada. Fortes correntes passavam pelo flutuador, ameaçando arrancá-lo. A escada em ziguezague que descia até o convés inferior parecia estar presa apenas por um fio.

– Vamos! – gritou Tolland, puxando Rachel exatamente naquela direção. *Temos que descer!*

Mas já era tarde. Com um ruído de metal se rasgando, as escadas se separaram da fixação danificada e caíram no mar.

◆◆◆

Pouco acima do navio, Delta-Um lutou com os controles do Kiowa até estabilizá-lo. Temporariamente ofuscado pelo sinalizador, desviara por puro reflexo, fazendo com que o Hellfire errasse seu alvo. Irritado, ele manteve o helicóptero parado sobre a proa do navio, preparando-se para descer novamente e terminar o serviço.

Eliminar todos os passageiros. A exigência do controlador tinha sido clara.

— Merda! Ali! — Delta-Dois gritou do banco de trás, apontando para a janela.
— Uma lancha!

Delta-Um virou-se e viu uma Crestliner crivada de balas afastando-se do *Goya* na escuridão.

Era necessário tomar uma decisão rapidamente.

CAPÍTULO 114

As mãos ensangüentadas de Corky seguravam o volante da lancha Crestliner Phantom 2100 enquanto ela saltava velozmente pelo mar. Ele tinha empurrado o acelerador até o limite, tentando atingir a maior velocidade possível. Só depois de deixar o *Goya* sentiu uma dor lancinante na perna direita. Olhou para baixo e ficou tonto ao ver o sangue jorrando da ferida.

Apoiando-se no volante, virou-se para trás, torcendo para que o helicóptero estivesse no seu encalço. Como Tolland e Rachel haviam ficado presos na passarela, não fazia sentido esperá-los. Teve que tomar uma decisão instantânea.

Dividir para conquistar.

Corky calculou que, se conseguisse fazer com que o helicóptero o seguisse até bem longe do navio, talvez os amigos pudessem usar o rádio para pedir socorro. Infelizmente, olhando para o navio iluminado atrás dele, viu que o Kiowa ainda estava pairando sobre o *Goya*, como se os atacantes estivessem indecisos.

Andem, seus filhos-da-mãe! Venham atrás de mim!

Mas o helicóptero não o seguiu. Em vez disso, manobrou até a popa do navio, alinhou-se com ele e desceu sobre o convés. *Não!* Corky olhava, aterrorizado, pensando que deixara Tolland e Rachel para trás, indefesos.

Seria ele, então, quem teria que enviar a mensagem de rádio pedindo ajuda. Tateou pelo painel e achou o rádio. Apertou o botão de ligar. Nada aconteceu. Nenhuma luz se acendeu. Não havia sequer estática. Virou o volume até o máximo. Nada. *Droga!* Largou o volante e se ajoelhou, gritando ao sentir uma fisgada na perna. Olhou para o rádio, mas não podia acreditar no que via. O painel de controle tinha sido atingido pelas balas e estava destruído. Havia fios saindo pela frente. Corky ficou sem ação.

Mas que azar desgraçado...

Tremendo, levantou-se novamente, pensando no que mais poderia dar errado. A resposta veio do *Goya*. Olhou para o barco e viu dois soldados armados saltarem do helicóptero. Depois a aeronave decolou novamente, vindo na direção da lancha a toda a velocidade.

O astrofísico ficou arrasado. *Dividir para conquistar.* Aparentemente não tinha sido o único que tivera aquela idéia brilhante.

◆◆◆

Delta-Três atravessou o convés e aproximou-se da escada que levava ao nível inferior. Pela abertura, ouviu a voz de uma mulher gritando em algum lugar lá embaixo. Virou-se e fez sinal para Delta-Dois avisando que iria descer para verificar. Seu parceiro concordou e ficou no convés principal para cobrir os deques superiores. Os dois manteriam contato pelo CrypTalk, já que o sistema de bloqueio do Kiowa deixava uma faixa de freqüência pouco usual aberta para comunicações internas.

Segurando sua metralhadora de cano curto, Delta-Três moveu-se em silêncio. Com a atenção de um matador profissional, começou a descer a escada lentamente, arma em ponto de mira.

Como a visibilidade era ruim, Delta-Três resolveu agachar-se para enxergar melhor. Os gritos se tornaram mais audíveis. Continuou descendo os degraus. Já bem perto da passarela, avistou a escada em ziguezague retorcida na parte inferior do *Goya*. Os gritos estavam cada vez mais altos.

Logo em seguida pôde vê-la. No meio da passarela que atravessava o barco, Rachel Sexton estava olhando por cima de uma antepara para o mar lá embaixo, gritando desesperada por Michael Tolland.

Tolland teria caído? Talvez durante os disparos?

Se fosse isso, o trabalho de Delta-Três seria ainda mais simples. Só precisava percorrer mais alguns metros para ter uma mira perfeita. Sua única preocupação era que Rachel estava perto de um paiol de equipamentos, o que significava que podia estar armada – talvez com um arpão ou um rifle contra tubarões –, mas nada que pudesse fazer frente à sua metralhadora. Confiante de que tinha total controle da situação, o soldado se moveu com cuidado. Rachel Sexton estava quase totalmente visível agora. Ele preparou a arma.

Apenas mais um degrau.

Delta-Três ouviu um ruído de movimento abaixo dele. Ficou confuso, mais do que assustado, ao ver Michael Tolland arremessando um bastão de alumínio em direção a seus pés. Apesar de ter sido enganado, quase riu daquela tentativa tola de fazê-lo cair.

Então sentiu a ponta do bastão chocar-se contra sua bota, no calcanhar.

Uma dor terrível percorreu seu corpo quando seu pé direito explodiu debaixo dele com um forte impacto. Perdeu o equilíbrio e caiu no chão, rolando pela escada. Sua metralhadora escorregou ruidosamente, caindo no mar, enquanto ele se espatifava na passarela. Em total desespero, dobrou a perna para segurar seu pé direito, que não estava mais lá.

◆◆◆

Um instante depois Tolland estava de pé sobre seu agressor, sua mão ainda segurando o *bang-stick* fumegante. O bastão de alumínio de um metro e meio trazia, na ponta, uma bala de escopeta calibre 12, que era disparada quando pressionada. Geralmente era usado por mergulhadores para autodefesa em casos de ataque de tubarão. Tolland já recarregara o *bang-stick* com outra bala e mantinha a ponta fumegante encostada na garganta de seu agressor. Deitado de costas, paralisado, o homem olhava para Tolland com uma expressão de surpresa, à qual se misturavam raiva e enorme dor.

Rachel veio correndo pela passarela. O plano original era que ela pegasse a metralhadora, mas infelizmente a arma havia caído no oceano.

O dispositivo de comunicação no cinto do homem fez um barulho e transmitiu uma voz robótica:

– Delta-Três? Responda. Ouvi um tiro.

O homem não se moveu para responder.

A voz retornou.

– Delta-Três? Confirme. Você precisa de ajuda?

Quase simultaneamente, uma nova voz surgiu na linha. Também era robótica, mas era fácil saber de onde vinha por causa do som dos rotores ao fundo.

– Aqui é Delta-Um – disse o piloto. – Estou perseguindo a lancha em fuga. Delta-Três, confirme. Você está ferido? Precisa de ajuda?

Tolland pressionou o bastão contra a garganta do soldado.

– Diga ao piloto para voltar e deixar a lancha partir. Se matarem meu amigo, você também morre.

O homem gemeu de dor ao pegar seu dispositivo de comunicação e aproximá-lo da boca. Olhou nos olhos de Tolland ao apertar o botão e dizer:
– Delta-Três falando. Estou bem. Destrua a lancha.

CAPÍTULO 115

Gabrielle Ashe voltou ao banheiro particular de Sexton e preparou-se para fazer o caminho de volta até seu escritório. O telefonema do senador a deixara ansiosa. Quando Gabrielle lhe dissera que estava na sala dela, ele hesitara como se soubesse, de alguma forma, que era mentira. De qualquer maneira, ela não havia conseguido descobrir a senha do computador de Sexton e agora não sabia bem como proceder.

O senador está me esperando.

Quando subiu na pia, preparando-se para entrar pelo buraco no teto, ouviu alguma coisa caindo no chão de lajotas. Ela olhou para baixo, irritada ao ver que tinha derrubado um par de abotoaduras de Sexton que estavam sobre a pia.

Deixe tudo exatamente como você encontrou.

Gabrielle desceu, pegou-as e recolocou-as sobre a pia. Quando ia subir de novo, parou de repente e olhou para as abotoaduras. Normalmente a assessora as teria ignorado. Mas naquela noite um detalhe chamou sua atenção. Como a maioria dos objetos pessoais de Sexton, elas tinham seu monograma: duas letras entrelaçadas – SS. Lembrou-se da primeira senha que o senador havia usado: SSS. Depois lembrou-se de seu calendário... POTUS... e a proteção de tela com imagens da Casa Branca e a mensagem positiva que se repetia infinitamente:

Sedgewick Sexton, Presidente dos Estados Unidos... Sedgewick Sexton, Presidente dos Estados Unidos... Sedgewick Sexton...

Gabrielle pensou durante alguns segundos. Ele seria arrogante a este ponto?

Ela não levaria muito tempo para descobrir. Correu de volta para a mesa do senador, ligou o computador e digitou uma senha de sete dígitos:

POTUSSS

A proteção de tela sumiu imediatamente.

Gabrielle olhou, incrédula.

Nunca subestime o ego de um político.

CAPÍTULO 116

Na parte de trás da Crestliner Phantom, que sacolejava sobre as ondas, Corky analisava o ferimento em sua perna. Ele havia abandonado o volante, pois sabia que a lancha seguiria em linha reta mesmo sem ninguém na direção.

Uma bala tinha entrado pela parte da frente de sua panturrilha, errando por pouco o osso. Não havia nenhuma ferida na parte posterior da perna, então ele concluiu que o projétil ainda estava alojado lá dentro. Procurou em volta por alguma coisa que pudesse deter o sangramento, mas não achou nada de útil. Encontrou algumas nadadeiras, um respiradouro e dois coletes salva-vidas. Nenhum kit de primeiros socorros. Nervoso, abriu uma pequena caixa e encontrou algumas ferramentas, panos, fita isolante grossa, óleo e outros itens de manutenção. Olhou para sua perna sangrando e ficou pensando o quanto ainda teria que andar para sair do território dos tubarões.

Certamente bem mais do que isso.

◆◆◆

Delta-Um estava fazendo um vôo rasante com o Kiowa sobre o oceano, procurando na escuridão pela lancha que havia escapado. Supondo que o barco em fuga seguiria para a terra firme tentando se distanciar o máximo possível do *Goya*, Delta-Um havia seguido a trajetória original da Crestliner, afastando-se do navio.

Eu já deveria ter passado por ele a essa altura.

Normalmente seria muito simples encontrar a lancha: bastaria usar o radar. Contudo, com os sistemas de interferência do helicóptero transmitindo um cobertor de ruído térmico num raio de vários quilômetros, o radar era inútil. Por outro lado, ele não podia desligar o sistema de interferência até que soubesse que todos a bordo do *Goya* tinham sido eliminados. Ninguém iria transmitir um chamado de emergência naquela noite.

O segredo sobre o meteorito vai morrer. Aqui e agora.

Felizmente Delta-Um tinha outras formas de procurar a lancha. Mesmo contra o pano de fundo do oceano quente, descobrir a assinatura térmica de uma lancha era fácil. Ligou a varredura térmica. O oceano em volta dele estava a 35°C. O motor externo de 250 HP a plena potência estaria centenas de graus mais quente.

◆ ◆ ◆

A bordo da lancha, Corky estava perdendo a sensibilidade na perna e no pé.

Sem saber o que fazer, ele havia limpado a ferida na panturrilha com um pano e depois recoberto o machucado com várias camadas de fita isolante. Usou o rolo de fita até o fim, envolvendo toda a parte inferior da perna, do tornozelo ao joelho, criando uma apertada tala prateada. O sangramento havia parado, mas suas roupas, o curativo improvisado e suas mãos ainda estavam recobertos de sangue.

Sentado no chão da Crestliner, o astrofísico tentava entender por que o helicóptero ainda não tinha conseguido encontrá-lo. Levantou o rosto para olhar por cima da balaustrada, examinando o horizonte atrás dele. Esperava ver o *Goya* ao longe e o helicóptero se aproximando. Entretanto, não podia ver nenhum dos dois. As luzes do navio tinham sumido. *Não poderia ter ido assim tão longe, não é?*

Corky sentiu-se esperançoso de que pudesse escapar. Talvez não fosse tão fácil detectar a lancha no escuro. Talvez ele conseguisse chegar até à costa!

Então notou que a trilha deixada pelo motor da lancha não era reta. Parecia curvar-se gradualmente, como se estivesse navegando num arco aberto e não em linha reta. Confuso, seguiu com a cabeça o arco formado pela espuma atrás do barco, extrapolando uma curva aberta sobre o mar. Logo em seguida ele compreendeu.

O *Goya* estava a bombordo, a menos de uma milha de distância. Apavorado, Corky entendeu seu erro, mas já era tarde. Sem ninguém ao volante, a lancha havia se alinhado o tempo todo na direção da forte corrente – o fluxo circular de água gerado pela megapluma. *Estive andando num maldito círculo!*

Ele estava retornando ao ponto de partida.

Sabia que ainda estava dentro da megapluma e, portanto, no território dos tubarões. Corky lembrou-se das palavras sombrias de Tolland: *Lobos olfativos telencefálicos superdesenvolvidos... os tubarões-martelo podem sentir o cheiro de sangue a uma milha de distância.*

Bastaria uma gota para atraí-los. Corky olhou para a perna, envolta em fita isolante mas ainda assim ensangüentada. Depois para o sangue em suas mãos.

O helicóptero logo o encontraria.

Rasgando a roupa, arrastou-se, nu, em direção à popa. Sabendo que nenhum tubarão poderia nadar tão rápido quanto a lancha, lavou-se da melhor forma possível no jato d'água que saía do motor.

Uma única gota de sangue...

Levantou-se, secando o corpo no vento noturno. Ele sabia que só havia uma coisa a fazer. Havia aprendido que os animais marcavam seu território com urina porque o ácido úrico era o fluido com o cheiro mais forte que o corpo podia produzir.

Mais poderoso do que sangue, ele esperava. Queria ter tomado muito mais cerveja naquela noite. Esforçou-se para apoiar sua perna ferida sobre a balaustrada da lancha e tentou urinar sobre a fita. *Vamos!* Ele esperou. *Não há nada como a pressão de ter que urinar sobre si mesmo com um helicóptero caçando você.*

Finalmente conseguiu. Encharcou toda a fita isolante. Usou as últimas gotas de sua bexiga para molhar um pano, que passou, então, por todo o corpo. *Muito agradável.*

No silêncio do céu acima dele, um feixe de laser surgiu, pairando sobre a lancha como a lâmina brilhante de uma enorme guilhotina. O helicóptero apareceu vindo de um dos lados da Crestliner, provavelmente confuso quanto ao curso que o astrofísico havia tomado.

Corky enfiou-se rapidamente num colete salva-vidas e moveu-se para a popa da lancha. Um ponto vermelho e brilhante apareceu no chão manchado de sangue, bem próximo de onde ele estava.

É agora ou nunca.

◆ ◆ ◆

A bordo do *Goya*, Michael Tolland não viu quando a Crestliner Phantom 2100 irrompeu em chamas e voou pelos ares em espirais de fogo e fumaça.

Mas ele ouviu o som da explosão.

CAPÍTULO 117

A Ala Oeste era normalmente silenciosa àquela hora, mas a aparição inesperada do presidente vestindo roupão e chinelos havia tirado o pessoal de apoio e a equipe residente de suas camas improvisadas ou de seus quartos na Casa Branca.

– Não estou conseguindo encontrá-la, senhor presidente – disse um jovem assistente, andando rápido atrás de Herney em direção ao Salão Oval. O rapaz já tinha procurado em todos os lugares possíveis. – A senhora Tench não está atendendo nem o pager nem o celular.

O presidente estava irritado.

– Você já procurou no...

– Ela saiu do prédio, senhor – informou outro assistente. – Há um registro de saída há cerca de uma hora. Achamos que ela pode ter ido para o NRO. Uma das telefonistas disse que ela e Pickering se comunicaram esta noite.

– William Pickering? – perguntou Herney, espantado. Tench e Pickering estavam longe de serem amigos. – Você já ligou para ele?

– Ele também não está respondendo, senhor. O NRO não conseguiu entrar em contato com Pickering. As telefonistas disseram que o celular do diretor não está nem mesmo tocando. É como se ele tivesse desaparecido da face da Terra.

Herney ficou olhando para seus dois assistentes por um instante, depois foi até o bar e serviu um copo de uísque. Estava prestes a tomar um gole quando um agente do serviço secreto entrou afobado.

– Senhor presidente? Eu não ia acordá-lo, mas devo informá-lo de que explodiram um carro no Memorial de Roosevelt esta noite.

– O quê? – Herney quase deixou cair o copo. – Quando?

– Há cerca de uma hora – respondeu, tenso. – E o FBI já identificou a vítima...

CAPÍTULO 118

O pé de Delta-Três doía enormemente. Ele se sentiu flutuando em meio a uma consciência turva. *Isso é a morte?* Tentou se mover, mas estava paralisado, mal conseguindo respirar. Só via alguns borrões. Voltou no tempo, lembrando-se do barulho da explosão da Crestliner no mar. Lembrava-se da expressão de raiva nos olhos de Michael Tolland, de pé acima dele, pressionando o cilindro explosivo contra sua garganta.

Certamente Tolland me matou...

No entanto, a dor insuportável no pé direito de Delta-Três lhe dizia que estava bem vivo. Lentamente as coisas voltaram à sua memória. Ao ouvir a explosão da lancha, o oceanógrafo dera um grito de raiva e angústia pela morte do amigo e se curvara sobre o soldado preparando-se para enfiar o bastão na garganta dele. Mas, no mesmo instante, Tolland pareceu hesitar, como se sua própria moralidade o impedisse de ir em frente. Brutalmente frustrado e enfurecido, afastou o *bang-stick* e chutou, com força, o pé dilacerado de Delta-Três.

A última coisa de que o soldado da Força Delta se lembrava era ter vomitado de dor enquanto o mundo inteiro era engolido por um delírio negro. Agora estava voltando a si, sem saber muito bem quanto tempo tinha passado inconsciente. Podia sentir que seus braços tinham sido amarrados atrás de suas costas com um nó tão apertado que só podia ter sido feito por um marinheiro. Suas pernas também estavam presas, dobradas para trás e amarradas a seus pulsos, deixando-o imobilizado numa posição extremamente desagradável. Tentou gritar, mas nenhum som saiu. Algo fora enfiado em sua boca.

Ele não tinha a menor idéia do que estava acontecendo. Ao sentir a brisa fresca e ver luzes brilhantes, percebeu que estava no convés principal do *Goya*. Olhou ao redor à procura de ajuda, mas tudo o que viu foi uma imagem distorcida de si mesmo, refletida na bolha de plexiglas do submersível *Triton*. O submarino estava suspenso bem à sua frente, e Delta-Três notou que estava deitado sobre um gigantesco alçapão no convés. Tudo aquilo, contudo, era menos perturbador que a outra pergunta, mais óbvia.

Se estou no convés, onde foi parar Delta-Dois?

◆◆◆

Delta-Dois estava nervoso.

Apesar de seu parceiro ter afirmado ao CrypTalk que estava bem, o único tiro que ele ouvira não era de metralhadora. Tolland ou Rachel haviam disparado uma arma. Delta-Dois moveu-se para investigar a escada por onde seu parceiro havia descido e encontrou sangue.

Arma em punho, foi para o convés inferior, onde seguiu o rastro de sangue ao longo de uma passarela que dava na proa do navio. Lá, a trilha vermelha o levou de volta, por outra escada, até o convés principal, que estava deserto. Cada vez mais cauteloso, o homem seguiu os pingos de sangue pela lateral do convés de volta à parte posterior do navio, passando ao largo do acesso à escada por onde ele havia descido inicialmente.

Mas que diabos está acontecendo? O rastro parecia descrever um grande círculo ao redor do *Goya*.

Movendo-se com cuidado, a arma apontada à sua frente, Delta-Dois passou pela entrada para os laboratórios do navio. Os pingos continuavam na direção do convés de popa. Muito cautelosamente, fez uma curva aberta quando chegou ao canto. Seus olhos acompanharam a trilha de sangue... até que encontrou seu companheiro.

Minha nossa!

Amarrado e amordaçado, Delta-Três fora jogado sem a menor cerimônia diante do pequeno submersível do *Goya*. Mesmo daquela distância, seu parceiro podia ver que ele perdera boa parte do pé direito.

Atento para não cair numa armadilha, Delta-Dois manteve a arma em posição de tiro e seguiu em frente. Delta-Três estava se retorcendo agora, tentando dizer algo. Ironicamente, a forma como ele havia sido amarrado, com os joelhos fortemente dobrados para trás, provavelmente salvara sua vida. O sangramento em seu pé parecia contido.

Delta-Dois aproximou-se do submarino, notando que tinha o raro luxo de ser capaz de vigiar a própria retaguarda, já que todo o convés do navio estava refletido no domo esférico do cockpit do submarino. Caminhou até o parceiro, que se debatia, mas demorou demais para notar o aviso em seus olhos.

O objeto prateado surgiu sem aviso.

Uma das garras mecânicas do *Triton* saltou para a frente repentinamente e agarrou a coxa esquerda de Delta-Dois com uma força esmagadora. Ele tentou se livrar, mas não foi bem-sucedido. Gritou de dor, sentindo um osso se quebrar. Seus olhos se voltaram para o cockpit do submersível. Por trás do reflexo do convés, do outro lado do vidro, Delta-Dois podia vê-lo agora, encoberto pelas sombras no interior do *Triton*.

Michael Tolland estava lá dentro, manipulando os controles.

Péssima idéia, pensou o soldado, furioso, deixando de lado a dor e empunhando sua metralhadora. Mirou um pouco para cima e para a esquerda, na direção do peito de Tolland, que estava a apenas 30 centímetros de distância, do outro lado do domo de plexiglas do submarino. Puxou o gatilho e a arma urrou. Louco de raiva por ter sido enganado, Delta-Dois apertou o gatilho até a última de suas balas cair no convés, esvaziando todo o pente. Sem fôlego, largou a arma e olhou para o domo estilhaçado à sua frente.

– Morto! – sibilou o soldado, fazendo força para soltar sua perna da garra. Quando girou, o metal cortou fundo sua pele, abrindo uma grande ferida.

– Merda! – Moveu-se para pegar o CrypTalk em seu cinto, mas, quando ia levá-lo até à boca, uma segunda garra robótica projetou-se na direção dele e agarrou seu braço direito. O CrypTalk caiu no convés.

Foi quando Delta-Dois viu o fantasma na janela diante dele. Um rosto pálido, virado de lado e olhando através de um pedaço do vidro que não havia sido atingido. Perplexo, olhou para o centro do *Triton* e só então percebeu que sua metralhadora sequer chegara perto de penetrar o grosso domo, crivado com marcas de balas.

Pouco depois a escotilha superior do submarino se abriu e Michael Tolland saiu lá de dentro. Estava assustado, mas ileso. Desceu pela escadinha de alumínio até o convés e olhou para a janela esférica de seu submarino, arruinada pelas balas.

– Dez mil libras por polegada quadrada – disse Tolland. – Melhor usar uma arma mais poderosa da próxima vez.

◆◆◆

Dentro do laboratório de hidrografia, Rachel sabia que seu tempo era curto. Ouvira os tiros no convés e estava rezando para que as coisas tivessem saído exatamente como Tolland havia planejado. Já não se importava em saber quem estava por trás da fraude do meteorito – se tinha sido Ekstrom, Tench ou mesmo o presidente.

Os culpados não vão se safar dessa. A verdade virá à tona.

A ferida no braço de Rachel parara de sangrar e a adrenalina que fluía por seu corpo, além de reduzir a dor, ajudava a manter sua concentração. Pegou caneta e papel para escrever um bilhete de duas linhas. O texto era seco e sem requintes, mas não havia tempo para floreios. Acrescentou o bilhete à pilha de papéis incriminadores que estava em suas mãos – a impressão do GPR, imagens do *Bathynomus giganteus*, fotos e artigos sobre côndrulos oceânicos e uma impressão da varredura de elétrons. O meteorito era falso e ali estavam todas as provas.

Rachel inseriu os papéis na máquina de fax do laboratório. Ela sabia poucos números de fax de cor e, portanto, suas escolhas eram bem limitadas. No entanto, já tinha decidido quem seria o destinatário daquelas páginas e de seu curto bilhete. Digitou cuidadosamente o número que tinha em mente.

Pressionou "Enviar", rezando para ter escolhido o destinatário sabiamente.

O aparelho de fax emitiu um bipe.

ERRO: SEM SINAL DE CHAMADA

Rachel já estava esperando aquilo. As comunicações do *Goya* continuavam sendo bloqueadas pela interferência. Ela ficou ao lado do fax, esperando que aquele modelo funcionasse como o de sua casa.

Vamos lá!

Após cinco segundos, a máquina emitiu outro sinal.

REDISCANDO...

Isso! Rachel observou a máquina entrar num ciclo sem fim.

ERRO: SEM SINAL DE CHAMADA
REDISCANDO...

Rachel deixou o aparelho de fax à espera de um sinal de chamada e saiu correndo do laboratório de hidrografia bem no instante em que as hélices do helicóptero rugiram acima dela.

CAPÍTULO 119

A mais de 250 quilômetros do *Goya*, Gabrielle Ashe olhava para a tela do computador do senador Sexton em estado de choque. Suas suspeitas estavam certas.

Ela só não imaginava *quanto*.

Tinha acabado de ver imagens digitalizadas de dezenas de cheques entregues a Sexton por corporações do setor espacial e depositados em contas numeradas nas ilhas Cayman. O menor cheque que havia encontrado era de 15 mil dólares. Vários deles passavam de meio milhão de dólares.

Ilegal? Claro que não!, dissera Sexton. *Todas as doações estão abaixo do limite permitido.*

O senador tinha mentido o tempo todo. Gabrielle estava diante de provas de financiamento ilegal de campanha em larga escala. A traição e a desilusão doeram no fundo de seu coração. *Ele mentiu para mim.*

Sentiu-se uma completa idiota. Sentiu-se desonesta. E ficou possessa.

Sentada na sala apagada, Gabrielle não tinha a menor noção do que fazer a seguir.

CAPÍTULO 120

Enquanto manobrava o Kiowa em direção à popa do *Goya*, Delta-Um olhou para baixo, fixando os olhos em algo completamente inesperado.

Michael Tolland estava de pé no deque ao lado de um pequeno submarino. Delta-Dois estava preso às garras mecânicas do *Triton*, como se tivesse sido imobilizado por um inseto gigante. Ele lutava em vão para livrar-se das enormes garras.

Mas que diabos está...?

Viu então outra imagem inusitada. Rachel Sexton havia acabado de chegar ao convés e se posicionara sobre um homem amarrado e ensangüentado que estava logo abaixo do submersível. Aquele só podia ser Delta-Três. Rachel apontava uma das metralhadoras da Força Delta para o soldado e olhava para o helicóptero, como se o desafiasse a atacá-los.

Delta-Um ficou temporariamente confuso, incapaz de imaginar como aquilo poderia ter acontecido. Os deslizes da sua equipe na plataforma de gelo Milne haviam sido uma ocorrência rara, mas explicável. Aquilo, porém, era impensável.

Em circunstâncias normais, Delta-Um já se sentiria terrivelmente humilhado. Mas naquela noite sua vergonha era ainda maior devido à presença de outra pessoa a seu lado no helicóptero, uma participação extremamente incomum naquele tipo de operação.

O controlador.

Após o assassinato no Memorial de Roosevelt, o chefe ordenara que Delta-Um voasse até um parque público deserto, não muito longe da Casa Branca. Seguindo suas orientações, ele pousara numa pequena colina gramada em meio a algumas árvores enquanto o controlador, que havia estacionado seu carro ali perto, saía da escuridão e subia a bordo do Kiowa. Em poucos segundos partiram novamente.

Apesar de o envolvimento direto de um controlador ser raro, Delta-Um não tinha como reclamar. Irritado com os erros da Força Delta e preocupado com o aumento das suspeitas e investigações de diversos grupos, o controlador lhe informara que iria supervisionar a missão pessoalmente.

Agora ele estava ao seu lado, testemunhando falhas cujas proporções iam muito além de quaisquer outras já cometidas por Delta-Um.

Isso precisa terminar. Agora.

◆◆◆

O controlador olhou do helicóptero para o convés do *Goya* imaginando como podiam ter chegado àquele ponto. Nada tinha dado certo: das suspeitas sobre o meteorito até à incompetência dos assassinos da Força Delta em Milne, culminando com a necessidade de eliminar uma figura do alto escalão no memorial.

– Controlador – gaguejou Delta-Um, num tom de vergonha e perplexidade diante da situação –, não posso imaginar...

Nem eu, pensou o controlador. *Obviamente haviam subestimado aquele grupo.*

Ele observou Rachel Sexton, que, por sua vez, estava tentando enxergar através do vidro reflexivo do helicóptero. A agente do NRO aproximou o dispositivo CrypTalk da boca. Quando sua voz sintetizada soou dentro do Kiowa, o controlador esperava que ela fosse exigir que a aeronave recuasse ou desligasse o sistema de interferência eletrônica para que Tolland pudesse mandar um pedido de ajuda. Contudo, Rachel foi muito mais dura.

– Vocês chegaram tarde – ela disse. – Outras pessoas já sabem.

Aquelas palavras ressoaram por alguns instantes dentro do helicóptero. A afirmação parecia pouco provável. Ainda assim, a menor possibilidade de que a ameaça fosse real era assustadora. O sucesso daquele projeto dependia da eliminação de todos os que sabiam da verdade e, por mais que essa contenção de danos terminasse em rios de sangue, o controlador precisava estar certo de que aquele era de fato o fim.

Outras pessoas já sabem...

Considerando-se a reputação que Rachel tinha de seguir rigidamente o protocolo quanto a informações confidenciais, o controlador achava muito difícil acreditar que ela tivesse decidido compartilhar os dados com uma fonte externa.

A analista de inteligência falou no CrypTalk novamente:

– Recuem e nós pouparemos os prisioneiros. Aproximem-se e eles morrem. De qualquer forma, a verdade será revelada. Minimizem as perdas. Recuem.

– Você está blefando – respondeu o controlador, sabendo que Rachel iria ouvir uma voz andrógina e robótica. – Não contou a mais ninguém.

– Está disposto a apostar? – retrucou ela. – Não consegui falar com Pickering mais cedo, então fiquei preocupada e decidi tomar algumas precauções.

O controlador fechou a cara. Era possível.

◆◆◆

– Eles não vão cair nessa – comentou Rachel, virando-se para Tolland.

O soldado que estava preso nas garras do *Triton* desafiou-os num tom irônico.

– Essa arma está descarregada e o helicóptero vai mandá-los para o inferno. A única chance de vocês é nos deixar sair daqui.

Jamais, pensou Rachel, calculando seu próximo movimento. Olhou para o homem amarrado e amordaçado a seus pés, que já estava meio delirante devido à perda de sangue. Agachando-se ao seu lado, ela falou com firmeza:

– Vou tirar sua mordaça e segurar o CrypTalk para que você convença o piloto do helicóptero a recuar. Está claro?

O homem concordou com veemência. Assim que Rachel tirou a mordaça, o soldado deu uma cusparada de saliva ensangüentada no rosto dela.

– Piranha – gritou, tossindo. – Vou ver você morrer. Meus parceiros vão sangrá-la como um porco e vou me divertir com cada minuto do seu sofrimento.

Rachel limpou a saliva do rosto enquanto Tolland a puxava para longe. Depois de ajudá-la, ele pegou a metralhadora das suas mãos. Estava transtornado. Caminhando até um painel de controle a poucos metros de distância, colocou a mão sobre uma alavanca e encarou o homem amarrado no convés.

– Foi sua segunda chance – disse Tolland. – No meu barco, é também a última.

Com enorme raiva, puxou a alavanca para baixo. O alçapão no convés abaixo do *Triton* abriu-se como a base de uma forca. Delta-Três deu um curto grito de terror e desapareceu através da abertura, caindo no mar nove metros abaixo. Uma grande mancha avermelhada surgiu na água. Em segundos, os tubarões se lançaram sobre o soldado.

Trêmulo de raiva, o controlador viu o que sobrara do corpo de Delta-Três sair flutuando de baixo do barco, puxado pela forte corrente. Iluminada pelos holofotes do Kiowa, a água parecia ter sido tingida de rosa. Diversos tubarões ainda brigavam por algo que parecia ser um braço.

Que horror.

– Tudo bem – berrou o controlador no CrypTalk. – Esperem. Esperem só um instante.

De pé no convés, Rachel olhava para o Kiowa. Mesmo à distância, o controlador podia sentir que ela estava decidida. A agente levantou o CrypTalk e tornou a falar:

– Ainda acha que estamos blefando? Ligue para a central telefônica do NRO. Chame Jim Samiljan, da Divisão de Planejamento e Análise. Ele está trabalhando no turno da noite e irá confirmar que eu lhe contei tudo o que sei sobre o meteorito.

Ela está me dando um nome específico? Aquilo soava estranho. Rachel não era tola e sabia que, se estivesse mentindo, poderia ser desmascarada em poucos minutos. O controlador não conhecia ninguém no NRO com aquele nome, mas a organização era grande. Antes de ordenar a eliminação dos alvos, ele precisava descobrir se aquilo era mesmo um blefe – ou não.

Delta-Um olhou para trás.

– Devo desativar o sistema de interferência eletrônica para que o senhor possa ligar e verificar?

O controlador olhou para Rachel e Tolland. Ambos estavam bem à vista. Se qualquer um dos dois tentasse alcançar um celular ou um rádio, ele sabia que Delta-Um podia reativar os sistemas e interromper a chamada. O risco era mínimo.

– Desligue tudo – disse o controlador, pegando o celular. – Vou confirmar que ela está mentindo. Então vamos pensar numa forma de resgatar Delta-Dois e terminar logo com isso.

◆◆◆

Em Fairfax, a telefonista do NRO estava quase perdendo a paciência.

– Como eu acabei de lhe dizer, não estou encontrando nenhum Jim Samiljan na Divisão de Planejamento e Análise.

A pessoa do outro lado da linha continuava insistindo.

– Você já procurou o mesmo nome com outra grafia? Verificou outros departamentos?

Ela já havia verificado tudo, mas olhou novamente. Após um tempo, respondeu com bastante segurança:

— Não há ninguém em nossa equipe chamado Jim Samiljan, seja lá como se escreva.

O interlocutor parecia ter ficado feliz com essa notícia.

— Então você tem mesmo certeza de que o NRO não possui nenhum funcionário chamado Jim Samil...

Uma agitação súbita invadiu a linha. Alguém disse um palavrão bem alto e desligou.

◆◆◆

A bordo do Kiowa, Delta-Um estava praguejando, enfurecido, enquanto mexia nos controles para reativar o sistema de interferência. Ele tinha demorado demais para perceber o que estava acontecendo. Em meio à enorme quantidade de indicadores e controles no painel, um pequeno medidor de LEDs indicou que um sinal de dados SATCOM estava sendo transmitido do *Goya*.

Mas como? Ninguém saiu do convés!

Antes que Delta-Um conseguisse reativar os sistemas, a conexão terminou por conta própria.

Dentro do laboratório de hidrografia, a máquina de fax emitiu um bipe.

PORTADORA ENCONTRADA... FAX TRANSMITIDO

CAPÍTULO 121

Matar ou morrer. Rachel havia descoberto um aspecto de sua personalidade que nem sabia que existia: uma força selvagem alimentada pelo medo. Era como se seu instinto de sobrevivência tivesse assumido o controle da situação.

— Qual o conteúdo do fax que foi transmitido? — perguntou a voz no CrypTalk, exigindo uma resposta.

Rachel ficou feliz ao ouvir a confirmação de que o fax fora enviado como ela planejara.

— Deixem a área — ela ordenou, falando pelo CrypTalk e olhando para o helicóptero. — Está tudo acabado. Seu segredo foi revelado. — Rachel informou a seus agressores tudo o que havia divulgado. Meia dúzia de páginas contendo imagens e textos. Provas incontestáveis de que o meteorito era falso. – Atacar-nos só irá piorar as coisas para vocês.

Houve uma longa pausa.

– Para quem você enviou o fax?

Rachel não tinha a menor intenção de responder àquela pergunta. Ela e Tolland precisavam ganhar tempo. Estavam perto da abertura do convés, em linha direta com o *Triton*, tornando impossível para o helicóptero acertá-los sem atingir o soldado que estava suspenso nas garras do submersível.

– William Pickering – disse a voz, soando estranhamente esperançosa. – Você enviou o fax para Pickering.

Errado, pensou Rachel. O diretor do NRO teria sido sua primeira opção, mas ela resolvera escolher outra pessoa, temendo que seus agressores houvessem eliminado Pickering – uma manobra cuja audácia comprovaria a obstinação de seus inimigos. Pouco antes, num momento de desespero, a agente enviara os documentos sobre a farsa do meteorito para o único outro número de fax que sabia de cor.

O do escritório de seu pai.

Aquele número ficara dolorosamente gravado na memória de Rachel após a morte de sua mãe, quando o senador decidiu resolver vários detalhes do inventário sem ter que lidar com a filha pessoalmente. Ela nunca teria imaginado que precisaria pedir ajuda a seu pai, mas o senador possuía duas qualidades essenciais para enfrentar aquela situação: todas as motivações políticas possíveis para divulgar a fraude sem a menor hesitação e poder suficiente para ligar para a Casa Branca e pressioná-la, por meio de chantagem, a chamar de volta aquele esquadrão da morte.

Seu pai provavelmente não estaria no escritório àquela hora, mas Rachel sabia que ele mantinha sua sala trancada e protegida por um sofisticado sistema de alarme. Era como se ela tivesse transmitido o fax para um cofre com abertura programada para determinado horário. Mesmo se os agressores descobrissem para onde as informações tinham sido enviadas, havia poucas chances de que conseguissem burlar a estrita segurança federal do edifício de gabinetes do Senado e arrombar o escritório de Sexton sem que ninguém notasse.

– Seja lá para onde for que tenha enviado o fax – disse a voz lá de cima –, você colocou a vida de alguém em perigo.

Rachel sabia que precisava manter uma postura firme, não importando o medo que estivesse sentindo. Fez um gesto na direção do soldado preso nas garras do *Triton*. As pernas dele estavam suspensas sobre o abismo, pingando sangue no mar.

– Acho que a única pessoa em perigo aqui é seu agente – disse ela no CrypTalk. – O jogo acabou. Vão embora. Os dados já foram enviados. Vocês perderam. Evacuem a área ou esse homem morre.

A voz no CrypTalk retrucou de imediato:

– Senhorita Sexton, você não entende a importância...

– Não entendo? – explodiu Rachel. – Eu entendo perfeitamente que vocês mentiram sobre o meteorito e mataram pessoas inocentes! Mas não vão se safar dessa história! Mesmo que nos matem agora, está tudo acabado para vocês.

Houve um longo silêncio. Finalmente a voz disse:

– Vou descer.

Rachel sentiu seu corpo se retesar. *Descer?*

– Estou desarmado – disse a voz. – Não tente nenhum gesto desesperado. Você e eu precisamos conversar frente a frente.

Antes que Rachel tivesse tempo de reagir, o helicóptero pousou sobre o convés do *Goya*. A porta de passageiros se abriu e um homem desceu. Sua aparência era bastante comum e ele usava casaco preto e gravata. Por alguns instantes a agente do NRO não conseguiu pensar em nada.

Estava diante de William Pickering.

◆ ◆ ◆

William Pickering olhou para Rachel Sexton com tristeza. Nunca imaginou que tudo terminaria assim. Andou na direção dela, vendo a perigosa combinação de emoções espelhada em seus olhos.

Perplexidade, desapontamento, confusão, raiva.

Perfeitamente compreensível, pensou. *Há tantas coisas que ela não entende.*

Lembrou-se de sua própria filha, Diana. *O que ela teria sentido antes de morrer?* Tanto Diana quanto Rachel eram vítimas da mesma guerra – e Pickering tinha jurado nunca abandonar aquele campo de batalha. *Algumas vezes as baixas podem ser muito cruéis.*

– Rachel – disse o diretor –, nós ainda podemos encontrar uma solução. Há muitas coisas que preciso lhe explicar.

Ela estava em choque, enojada. Tolland também parecia confuso.

– Não se aproxime! – gritou o oceanógrafo, apontando a metralhadora para o peito de Pickering.

O diretor do NRO parou a cinco metros de Rachel.

– Seu pai está recebendo suborno. Dinheiro de companhias do setor aeroespacial. Ele planeja desativar a NASA e abrir o espaço para a iniciativa privada. Era necessário fazer alguma coisa para impedi-lo, por questões de segurança nacional.

Rachel permaneceu impassível.

Depois de um longo suspiro, Pickering disse:

— A NASA, apesar de todos os seus erros, *precisa* continuar sendo uma agência governamental.

Ela certamente compreende os perigos da privatização. As melhores mentes da NASA iriam para o setor privado. O capital intelectual se dispersaria. Os militares não teriam mais acesso a tecnologias de importância estratégica. Interessadas em maximizar seus lucros, as companhias particulares venderiam patentes e idéias da agência espacial para qualquer nação que oferecesse uma boa quantia.

— Você falsificou o meteorito e matou pessoas inocentes... em nome da segurança nacional? — questionou Rachel, com a voz trêmula.

— Não era isso que eu pretendia — respondeu Pickering. — Queria apenas salvar uma agência importante do governo. Matar inocentes não estava nos meus planos.

Como a maioria das propostas de inteligência, a farsa do meteorito era um produto do medo. Há três anos, num esforço para colocar os hidrofones do NRO em águas mais profundas, onde não pudessem ser encontrados por sabotadores inimigos, Pickering liderara um programa que usava um novo material desenvolvido pela NASA para projetar um submarino incrivelmente resistente, capaz de levar o homem às regiões mais profundas do oceano, inclusive à fossa das Marianas.

Feito com uma cerâmica revolucionária, o submersível com capacidade para dois tripulantes foi elaborado a partir de planos furtados do computador de um engenheiro californiano chamado Graham Hawkes, um brilhante projetista que sonhava construir um submarino de águas profundas que batizara de *Deep Flight II*. Enquanto Hawkes enfrentava dificuldades para conseguir financiamento para a construção de seu protótipo, Pickering, por outro lado, tinha um orçamento ilimitado.

Usando o submersível secreto, ele enviara uma equipe de operações especiais para o fundo do oceano com o objetivo de fixar os novos hidrofones às paredes da fossa das Marianas, fora do alcance de seus inimigos. Durante as perfurações, a equipe se deparara com estruturas geológicas nunca vistas. As descobertas incluíam côndrulos e fósseis de várias espécies desconhecidas. Obviamente, como a capacidade do NRO de descer àquela profundidade era segredo de estado, nenhuma dessas informações poderia ser divulgada.

Há pouco tempo, novamente impulsionados pelo medo, Pickering e uma discreta equipe de consultores científicos do NRO decidiram colocar seu conhecimento da geologia peculiar da fossa das Marianas a serviço de uma operação para salvar a NASA. Transformar uma rocha tirada das profundezas do oceano num meteorito fora uma tarefa engenhosamente simples. Usando um propulsor de ciclo de expansão à base de pasta de hidrogênio, a equipe do NRO carbonizara a rocha, gerando uma convincente crosta de fusão. Depois, com o auxílio de um pequeno submarino de transporte, o falso meteorito foi levado até o fundo da plataforma de gelo Milne e inserido por baixo do gelo. Depois que o poço de inserção congelou novamente, parecia que aquela rocha estivera lá por quase 300 anos.

Infelizmente, como acontecia muitas vezes no mundo das operações secretas, os planos mais ambiciosos podiam ser estragados pelo menor dos empecilhos. Há menos de 24 horas, toda a ilusão que Pickering se esforçara para criar tinha sido desfeita por um punhado de plâncton bioluminescente.

◆ ◆ ◆

Ainda sentado na cabine do Kiowa, Delta-Um observava atentamente a cena à sua frente. Rachel e Tolland pareciam ter controle total da situação, mas o soldado quase riu do truque infantil que os dois tentavam usar para enganá-los. A metralhadora que o cientista segurava não serviria para nada. Mesmo de longe, Delta-Um podia ver que o ferrolho estava para trás, indicando que não havia mais balas no pente.

Delta-Um olhou seu parceiro se debatendo nas garras do *Triton*. Ele precisava se apressar. O foco no convés desviara-se para Pickering, dando-lhe maior liberdade para entrar em ação. Deixando os rotores em baixa rotação, o soldado saiu do Kiowa discretamente pela parte traseira da fuselagem e, ocultado pelo helicóptero, conseguiu chegar à passarela de estibordo sem ser visto. Empunhando sua metralhadora, seguiu para a proa. Pickering lhe dera ordens bem claras antes de pousarem no convés, e Delta-Um não pretendia falhar naquela tarefa tão simples.

Em poucos minutos a situação estará resolvida, disse para si mesmo.

CAPÍTULO 122

Sentado diante de sua mesa no Salão Oval, ainda de roupão, Zach Herney sentia a cabeça latejar. Mais uma peça do quebra-cabeça acabara de ser revelada.

Marjorie Tench está morta.

Os assistentes de Herney lhe disseram que as informações obtidas indicavam que Tench teria ido até o Memorial de Roosevelt para uma reunião secreta com William Pickering. Como o diretor do NRO não estava sendo localizado, o temor era de que ele também pudesse estar morto.

Nos últimos tempos o presidente e Pickering vinham se desentendendo. Há poucos meses, Herney soubera que Bill se envolvera em atividades ilegais para tentar salvar sua campanha à reeleição.

Usando recursos do NRO, Pickering havia discretamente coletado evidências contra Sedgewick Sexton: fotos escandalosas do envolvimento sexual do senador com sua auxiliar, Gabrielle Ashe, bem como registros financeiros incriminadores, provando que o candidato estava recebendo suborno de empresas privadas do setor espacial. Sem se identificar, Pickering enviara as provas para Marjorie Tench, supondo que a Casa Branca iria usá-las em seu proveito. Só que Herney não permitiu que Tench lançasse mão daquele artifício. Escândalos sexuais e subornos eram uma praga em Washington, e o presidente estava convencido de que aquele tipo de jogada só iria aumentar a descrença no governo.

O cinismo está matando este país.

Ainda que Herney soubesse que podia destruir Sexton com um bom escândalo, ele achava que macular a dignidade do Senado norte-americano era um custo muito alto a pagar.

Chega de propaganda negativa. O presidente estava decidido a vencer o senador com base em suas propostas políticas.

Irritado com a recusa da Casa Branca em usar as provas que ele tinha fornecido, Pickering tentou divulgar o escândalo por conta própria, deixando vazar rumores de que Sexton tinha ido para a cama com Gabrielle Ashe. Infelizmente, o senador declarou sua inocência com uma indignação tão convincente que, no final das contas, o próprio presidente teve que se desculpar pelos boatos. William Pickering havia atrapalhado mais do que ajudado. Herney foi duro com o diretor do NRO e ameaçou indiciá-lo se ousasse interferir na campanha novamente. A maior ironia nisso tudo é que Pickering nem mesmo gostava do presidente. Suas tentativas de ajudá-lo a se reeleger eram resultado de seu medo em relação ao destino da NASA. Zach Herney era o menor de dois males.

E agora alguém havia assassinado Pickering? Herney não podia imaginar algo assim.

– Senhor presidente? – interrompeu um auxiliar. – Conforme sua solicitação, falei com Lawrence Ekstrom e contei-lhe sobre Marjorie Tench.

– Obrigado.

– Ele deseja falar com o senhor.

Herney ainda estava furioso com Ekstrom por ter mentido a respeito do PODS.

– Diga a ele que eu entro em contato pela manhã.

– O administrador pediu para falar com o senhor imediatamente. – O auxiliar não sabia bem o que fazer. – Ele está transtornado.

ELE está transtornado? O presidente sentiu que sua paciência estava no limite. Saiu do Salão Oval para falar com Ekstrom, pensando no que mais poderia dar errado naquela noite.

CAPÍTULO 123

A bordo do *Goya*, Rachel sentia-se zonza. A perplexidade que havia tomado conta dela como uma névoa densa estava se dissipando, e uma realidade aterradora começava a entrar em foco. Ela mal conseguia ouvir o que aquele estranho à sua frente estava dizendo.

– Precisávamos reconstruir a imagem da NASA – falava Pickering. – A queda de popularidade da agência e os problemas de financiamento tornaram-se perigosos em diversos níveis. – Ele parou, encarando-a com seus olhos castanhos. – Rachel, a NASA precisava *desesperadamente* de um triunfo. Alguém tinha que fazer com que isso acontecesse.

◆◆◆

Algo tinha que ser feito, pensou Pickering.

A fraude do meteorito foi uma atitude extrema de desespero. Ele e um pequeno grupo já haviam tentado salvar a NASA de diversas formas, inclusive fazendo lobby para que a agência fosse incorporada à comunidade de inteligência, onde disporia de mais recursos e maior segurança. Mas a Casa Branca se negava a tomar aquela decisão, considerando a manobra como um ataque à ciência pura. *Idealistas com visão de curto prazo*, lamentava Pickering.

Diante da crescente popularidade da retórica de Sexton, contrária à NASA, o diretor do NRO e um grupo de militares influentes perceberam que era preciso agir rápido. Concluíram que a única maneira de resgatar a imagem da NASA e impedir a privatização do espaço era capturar a imaginação do povo e do Congresso. Para que pudesse sobreviver, a agência espacial precisaria de uma nova aura de grandeza, algo que fizesse o público se lembrar dos dias gloriosos do Projeto Apollo. E, se Zach Herney pretendia derrotar o senador Sexton, com certeza precisaria de auxílio.

Tentei ajudá-lo, pensou Pickering, recordando todas as evidências negativas que enviara para Marjorie Tench. Infelizmente, Herney havia proibido seu uso, deixando o diretor sem outra escolha senão tomar medidas drásticas.

– Rachel – retomou Pickering –, as informações que você acabou de transmitir por fax são perigosas. Você precisa entender isso. Se forem divulgadas, farão com que a Casa Branca e a NASA pareçam cúmplices nessa história. O impacto negativo para o presidente e para a agência seria enorme. Nenhum dos dois sabe nada disso. Eles são inocentes. Acreditam que o meteorito é autêntico.

Pickering nem havia tentado convencer Herney ou Ekstrom a participar daquilo porque ambos eram idealistas demais para concordar com qualquer armação, não importando qual fosse seu potencial para salvar a presidência ou a agência espacial. O único crime do administrador da NASA tinha sido persuadir o gerente da missão PODS a mentir sobre o software de detecção de anomalias – um ato de que Ekstrom sem dúvida se arrependeria ao compreender a importância daquele meteorito em particular.

Marjorie Tench, frustrada com a insistência de Herney em fazer uma campanha limpa, havia conspirado com Ekstrom na questão do PODS, esperando que um pequeno sucesso da NASA ajudasse o presidente a reverter a trajetória ascendente de Sexton.

Se Tench tivesse usado as fotos comprometedoras do senador e os dados de suborno que eu lhe passei, nada disso teria acontecido!

O assassinato da consultora do presidente, apesar de lamentável, se tornou absolutamente necessário a partir do momento em que Rachel ligou para Tench e falou sobre suas suspeitas em relação ao meteorito. Pickering sabia que Marjorie faria uma apuração minuciosa até esclarecer os motivos por trás das alegações desmedidas de Rachel – e aquela era uma investigação que o diretor do NRO não podia deixar acontecer jamais. Ironicamente, a consultora talvez pudesse ser mais útil ao presidente agora que estava morta, pois seu assassinato brutal traria um voto de simpatia para a Casa Branca, assim como lançaria suspeitas sobre a campanha de Sexton, um candidato desesperado que tinha sido humilhado publicamente por Marjorie na TV.

Rachel não se moveu, olhando fixamente para seu chefe.

– Entenda – disse ele – que, se as notícias da fraude do meteorito se espalharem, você terá destruído um presidente e uma agência inocentes. Também terá colocado um homem muito perigoso no Salão Oval. Eu preciso saber para quem os dados foram enviados.

Ao ouvir as palavras de Pickering, Rachel não conseguiu esconder sua apreensão. Compreendeu naquele instante que podia ter cometido um erro grave.

◆◆◆

Tendo dado a volta pela proa e retornado ao convés de bombordo, Delta-Um estava agora no laboratório de hidrografia, de onde vira Rachel sair quando se aproximava do navio com o helicóptero. Um computador exibia uma imagem preocupante – um gráfico colorido mostrando o vórtice que pulsava nas profundezas, em algum lugar no fundo do oceano sob o *Goya*.

Mais uma razão para dar o fora daqui, pensou ele, movendo-se para seu alvo.

A máquina de fax estava num balcão no outro extremo da sala. A bandeja continha um punhado de papéis, exatamente como Pickering tinha previsto. Delta-Um pegou as folhas. Havia uma nota de Rachel bem em cima. Apenas duas linhas. Ele leu o pequeno texto.

Curto e preciso, pensou.

Folheou rapidamente as páginas, impressionado e preocupado com a quantidade de dados que Tolland e Rachel haviam reunido ao desvendar a farsa do meteorito. Quem visse aqueles papéis não teria a menor dúvida de seu significado. Delta-Um não precisou nem apertar "Rediscar" para descobrir o número do destinatário. O último número chamado ainda estava sendo exibido no visor de LCD do fax.

Um prefixo de Washington, D.C.

Copiou cuidadosamente o número do fax, juntou todas as folhas e saiu do laboratório.

◆◆◆

As mãos de Tolland suavam de nervoso enquanto ele mantinha a metralhadora apontada para o peito de William Pickering. O diretor do NRO continuava pressionando Rachel. O oceanógrafo começou a desconfiar de que Pickering estava simplesmente tentando ganhar tempo. *Para quê?*

– A Casa Branca e a NASA são *inocentes* – repetiu ele. – Vamos, junte-se a mim. Não deixe que meus erros destruam a pouca credibilidade que restou à NASA. A agência vai parecer culpada aos olhos do povo se essas informações vazarem. Nós dois podemos chegar a um acordo. O país precisa desse meteorito. Me diga para onde você enviou o fax antes que seja tarde demais.

– E por que eu diria? Para que você possa matar mais alguém? – questionou Rachel. – Você me dá nojo.

Tolland estava impressionado com a bravura de Rachel. Ela desprezava o pai, mas não tinha a menor intenção de colocar a vida dele em risco. Infelizmente, seu plano de enviar as informações para o senador tinha sido um tiro pela culatra. Ainda que Sexton visse o fax ao chegar a seu escritório e ligasse para o presidente para questionar a fraude do meteorito e exigir que suspendesse o ataque, ninguém na Casa Branca teria a menor idéia de quem estava por trás daquela história.

– Só vou repetir isso mais uma vez – disse Pickering, com olhar ameaçador. – Essa situação é complexa demais para que você possa compreender todos os detalhes. Você cometeu um erro enorme ao enviar os dados e colocou sua nação em perigo.

William Pickering estava de fato ganhando tempo, concluiu Tolland. E a razão para isso era o homem que vinha caminhando tranqüilamente pelo convés de estibordo do navio. Michael entrou em pânico ao ver o soldado andando na direção deles, fortemente armado e com uma pilha de papéis na mão.

O oceanógrafo reagiu rápido e sem hesitar. Empunhando a metralhadora, virou-se, apontou para o soldado e puxou o gatilho.

A arma soltou um estalido inócuo.

– Já descobri o número do fax – disse Delta-Um, entregando ao controlador uma folha com o número anotado. – E o senhor Tolland está sem munição.

CAPÍTULO 124

Sedgewick Sexton atravessou correndo o saguão do edifício de gabinetes do Senado. Não tinha a menor idéia de como Gabrielle havia conseguido entrar em sua sala, mas sabia que ela estava lá. Enquanto falavam ao telefone, Sexton ouvira claramente o ruído do pêndulo de seu relógio Jourdain ao fundo. Concluiu que, ao entrar em seu apartamento e espionar a reunião com a SFF, a assessora devia ter escutado alguma coisa que a deixara desconfiada. Então, ela teria ido ao escritório do senador à procura de provas.

Como ela conseguiu entrar na minha sala?

Sexton ficou feliz por ter trocado a senha de seu computador.

Quando chegou ao seu escritório, ele digitou rápido o código para desativar o alarme. Pegou as chaves no bolso, destravou as pesadas portas, abriu-as subitamente e entrou, certo de que pegaria Gabrielle em flagrante.

A sala, contudo, estava vazia e escura. Ele acendeu as luzes e começou a analisar cada detalhe do escritório. Tudo parecia estar no mesmo lugar. O silêncio completo era rompido apenas pelo relógio.

Onde ela se meteu?

O senador ouviu alguma coisa se movendo em seu banheiro e correu para lá, acendendo a luz. Também estava vazio. Olhou atrás da porta. Nada.

Desconcertado, Sexton examinou o próprio rosto no espelho, pensando se teria bebido demais naquela noite. *Eu ouvi algo.* Sentindo-se confuso, voltou ao escritório.

– Gabrielle? – chamou em voz alta, atravessando o corredor até à sala dela. Não havia ninguém lá e as luzes estavam apagadas.

Ouviu o som de descarga no banheiro das mulheres e caminhou naquela direção. Chegou à porta exatamente quando Gabrielle ia saindo, secando as mãos. Ela saltou para trás, assustada.

– Nossa! Você me deu um susto! – disse, parecendo realmente espantada.
– O que está fazendo aqui?

– Você disse que tinha vindo pegar documentos da NASA no seu escritório – falou, olhando para as mãos vazias da assessora. – Onde estão os papéis?

– Eu não consegui encontrá-los. Procurei em todos os lugares. Foi por isso que demorei tanto.

Ele olhou bem no fundo dos olhos de Gabrielle.

– Você esteve em minha sala?

◆◆◆

Devo minha vida àquela máquina de fax, pensou Gabrielle.

Poucos minutos antes ela estava sentada diante do computador de Sexton, tentando imprimir as imagens digitalizadas de cheques de doações ilegais. Os arquivos estavam protegidos por algum programa e ela precisaria de mais tempo para descobrir uma forma de imprimi-los. Provavelmente estaria tentando até agora se a máquina de fax do senador não tivesse recebido uma chamada, assustando-a e trazendo-a de volta à realidade. Gabrielle considerou aquilo um aviso para sair dali. Sem nem mesmo olhar o que havia no fax que estava chegando, desligou o computador, arrumou tudo e voltou por onde havia entrado. Ela acabara de subir no teto do banheiro de Sexton quando ele entrou no escritório.

Agora o senador estava parado na frente dela, olhando-a fixamente, à procura de algum sinal de que estava mentindo. Sedgewick Sexton podia sentir o cheiro de uma mentira melhor do que qualquer pessoa que já tivesse conhecido. Se tentasse enganá-lo, ele descobriria.

– Você estava bebendo – disse Gabrielle, dando as costas para o chefe. *Como é que ele sabe que eu estive em sua sala?*

Sexton pegou-a pelos ombros e virou-a de frente para ele.

– Você esteve em minha sala?

A assessora sentiu uma pontada de medo. Sexton de fato tinha bebido e seu toque foi rude.

– Na sua sala? – ela perguntou, dando uma risada forçada, como se estivesse confusa. – Como? *Por quê?*

– Pude ouvir meu relógio Jourdain quando liguei para você.

Gabrielle tremeu por dentro. *O relógio?* Sequer tinha pensado naquilo.

– Você não acha que isso é ridículo?

– Eu passo o dia naquela sala. Sei exatamente qual é o som daquele relógio.

Ela percebeu que precisava acabar com aquela conversa rápido. *A melhor defesa é o ataque.* Pelo menos era o que Yolanda Cole sempre dizia. Colocando as duas mãos na cintura, Gabrielle partiu para cima do senador com tudo. Chegou bem perto, fitando-o com um olhar penetrante.

– Vamos resolver esse assunto agora, senador. São quatro da manhã, você bebeu a noite toda, ouviu um ruído em seu telefone e veio até aqui por causa disso? – Apontou o dedo, indignada, em direção à porta do escritório dele no final do corredor. – Só para deixarmos isso claro, você está me acusando de ter desarmado um sistema de alarme do governo federal, de destravar dois cadeados, invadir sua sala, ser burra o bastante para atender o telefone enquanto estava cometendo um crime, depois reativar o sistema de alarme ao sair e usar o toalete feminino calmamente antes de fugir de mãos vazias? É essa a sua teoria?

Sexton piscou, sem entender nada.

– Há bons motivos para não ficar bebendo sozinho, sabe? Bem, vamos falar sobre a NASA ou não?

O senador foi andando com ela de volta até o seu escritório, sentindo-se bastante confuso. Foi direto para o bar, pegou um refrigerante e se serviu. Ele certamente não estava bêbado. Teria mesmo se enganado? Do outro lado da sala, o Jourdain continuava batendo cadenciado, como se risse dele. Tomou o refrigerante num gole e encheu novamente o copo, servindo também a assessora.

– Você quer um, Gabrielle? – perguntou. Ela ainda estava de pé na porta, com ar ofendido. – Puxa, mas que coisa! Vamos, entre. O que você descobriu lá na NASA?

– Pensando bem, estou cansada – disse ela, distante. – Vamos conversar amanhã.

Sexton não estava a fim de brincadeiras. Precisava das informações naquele instante e não tinha a menor intenção de se ajoelhar para consegui-las. Soltou um suspiro cansado. *Confiança é tudo*, pensou.

– Desculpe, estraguei tudo – falou. – Hoje foi um dia infernal. Não sei o que passou pela minha cabeça.

Gabrielle continuava na porta.

Sexton colocou o refrigerante de Gabrielle sobre a mesa. Fez um gesto, apontando para a cadeira de couro – a posição de poder.

– Vamos, sente-se. Beba seu refrigerante. Vou até o banheiro jogar uma água fria no rosto – disse ele, dirigindo-se para o banheiro.

A assessora não saiu do lugar.

– Acho que há um fax na máquina – comentou Sexton ao entrar no banheiro. *Mostre que você confia nela.* – Você poderia ver o que é, por favor?

O senador fechou a porta e encheu a pia com água fria. Molhou o rosto, mas continuava se sentindo confuso. Aquilo nunca tinha acontecido com ele antes: estar tão certo de alguma coisa e, ao mesmo tempo, tão errado. Ele confiava em seus instintos e algo lhe dizia que Gabrielle estivera em sua sala.

Mas como? É impossível.

Concluiu que era melhor esquecer aquela história e se concentrar no assunto mais urgente: a NASA. Precisava de Gabrielle agora. Não podia se dar ao luxo de brigar com ela. Tinha que saber o que ela havia descoberto. *Esqueça seus instintos. Você estava errado.*

Enquanto secava o rosto, deixou a cabeça pender para trás e respirou fundo.

Relaxe. Não perca a concentração. Fechou os olhos e respirou profundamente outra vez. Já estava se sentindo melhor.

Quando saiu do banheiro, ficou feliz ao ver que a assessora deixara aquela disputa de lado e entrara na sala. *Muito bom*, pensou ele. *Agora podemos falar de trabalho.* Gabrielle estava de pé diante do aparelho de fax, mexendo nas páginas que tinham chegado. Sexton ficou confuso ao ver a expressão no rosto dela. Estava lívida.

– O que foi? – perguntou, indo até ela.

Gabrielle deu um passo para trás, como se fosse desmaiar.

– O quê? – insistiu Sexton.

– O meteorito... – disse ela, sem ar, entregando com as mãos trêmulas vários papéis ao senador. – É a sua filha... ela está em perigo.

Estupefato, Sexton pegou o fax da mão de Gabrielle. A primeira página era um bilhete escrito à mão. Ele reconheceu imediatamente a letra. O comunicado era chocante em sua simplicidade.

O meteorito é falso. Aqui estão as provas.
NASA/Casa Branca estão tentando me matar.
Socorro! – RS

O senador dificilmente se sentia perdido, mas, ao reler as palavras de Rachel, não conseguia entender o que aquilo significava.

O meteorito é falso? A NASA e a Casa Branca estão tentando matá-la?

Num transe cada vez mais profundo, Sexton começou a folhear as páginas. A primeira continha uma imagem gerada por computador com o cabeçalho "GPR – Radar de Penetração do Solo". Parecia a impressão de uma sondagem do gelo. O senador viu o poço de extração do qual tinha ouvido falar na TV. Depois seu olho foi atraído pelo contorno esmaecido do que parecia ser um corpo flutuando no poço. Então viu algo ainda mais impressionante: um segundo poço feito exatamente abaixo de onde o meteorito fora encontrado, como se a pedra tivesse sido inserida por baixo do gelo.

Mas que diabos...

Na página seguinte, ele se deparou com a fotografia de um animal marinho contemporâneo chamado *Bathynomus giganteus*. Olhou para aquilo, abismado. *Este é o mesmo bicho do meteorito!*

Virando as folhas mais rápido, viu um gráfico mostrando o conteúdo de hidrogênio ionizado na crosta do meteorito. Naquela página alguém havia escrito à mão: *Queima limpa de pasta de hidrogênio? Propulsor de ciclo de expansão da NASA?*

Sexton não podia acreditar no que estava vendo. Chegou à última página e olhou atentamente para a foto de uma rocha contendo bolhas metálicas exatamente iguais às que havia no meteorito. O mais incrível era a descrição ao lado, dizendo que aquela rocha era produto de atividades sísmicas no oceano. *Uma rocha marinha?* Ele ficou pensativo. *Mas a NASA afirmou que os côndrulos só se formam no espaço!*

Colocando os papéis sobre a mesa, desabou na cadeira. Levara apenas 15 segundos para juntar tudo o que tinha visto. As implicações das imagens naquelas folhas eram transparentes como cristal. Qualquer idiota poderia entender o que revelavam.

O meteorito da NASA é falso!

Nenhum outro dia em toda a sua carreira havia transcorrido em meio a tantos altos e baixos. Era como se estivesse numa montanha-russa de esperança e desespero. Sua perplexidade ao tentar entender como aquela enorme armação fora montada se tornou completamente irrelevante quando percebeu o que aquilo significava politicamente para ele.

Quando eu levar essas informações a público, a presidência será minha!

Entusiasmado com a volta por cima que daria em breve, Sedgewick Sexton havia temporariamente se esquecido do pedido de socorro da filha.

– Rachel está em perigo – lembrou Gabrielle. – O bilhete dela diz que a NASA e a Casa Branca estão tentando...

A linha do fax de Sexton começou a tocar novamente. Gabrielle virou-se para a máquina. O senador também fixou os olhos no aparelho. Não podia imaginar o que mais Rachel iria lhe enviar. *Mais provas? Não era possível que houvesse muito mais, aquilo já era suficiente!*

O fax atendeu o chamado automaticamente, mas não entrou mais nenhuma página. Como não havia sinal de fax, a máquina passou para a secretária eletrônica.

– Oi – começou a resposta gravada. – Você ligou para o escritório do senador Sedgewick Sexton. Se está tentando passar um fax, pode iniciar a transmissão. Caso contrário, deixe sua mensagem após o sinal.

Antes que Sexton atendesse, a máquina emitiu um bipe.

– Senador Sexton? – A voz do homem do outro lado da linha era seca. – Aqui é William Pickering, diretor do NRO, o Escritório Nacional de Reconhecimento. O senhor provavelmente não está em seu gabinete a esta hora, mas preciso lhe falar com urgência. – Fez uma pausa, como se esperasse alguma resposta.

Gabrielle estendeu o braço para pegar o fone, mas Sexton voou sobre a mão dela, puxando-a de volta. A assessora ficou aturdida:

– Mas é o diretor do....

– Senador – Pickering continuou, num tom quase feliz por ninguém ter atendido à chamada –, lamento estar ligando com notícias perturbadoras, mas acabei de saber que sua filha, Rachel, está em grande perigo. Há uma equipe minha tentando ajudá-la neste momento. Não posso discutir a situação em detalhes por telefone, mas fui informado de que ela pode ter lhe enviado algumas informações relativas ao meteorito da NASA. Não vi os dados nem sei do que se trata, mas as pessoas que estão fazendo essas ameaças me avisaram que, se o senhor levar essas acusações a público, sua filha morrerá. Perdoe-me se isso soa rude, senhor, mas estou falando desta forma para que não haja enganos. Rachel corre perigo de vida. Se ela de fato lhe enviou alguma coisa, não divulgue para mais ninguém. Ainda não. A vida dela depende disso. Fique onde está, eu o encontrarei em breve. – Fez outra pausa. – Com um pouco de sorte, senador, tudo isso estará resolvido antes mesmo que o senhor tenha acordado. Se, por qualquer motivo, receber esta mensagem antes que eu chegue a seu escritório, fique onde está e não ligue para ninguém. Estou fazendo todo o possível para resgatar sua filha.

Pickering desligou.

Gabrielle estava tremendo.

– Tomaram Rachel como refém?

Apesar de sua desilusão com o senador, a assessora demonstrava uma dolorosa empatia ao pensar na brilhante jovem em perigo. Curiosamente, o próprio Sexton não estava sentindo nada daquilo: parecia uma criança que havia acabado de ganhar seu presente de Natal mais desejado e se recusava a deixar que qualquer um o tirasse de suas mãos.

Pickering quer que eu mantenha tudo em silêncio?

Ponderou o assunto por algum tempo, tentando se decidir quanto ao sentido de tudo aquilo. O lado frio e calculista de sua mente estava simulando todos os cenários e avaliando cada resultado possível. Ele olhou para a pilha de faxes em suas mãos e sentiu o poder daquelas imagens. O meteorito da NASA havia despedaçado seus sonhos de se tornar presidente. Mas era tudo mentira. Uma armação. Agora, seus inimigos iriam pagar caro. O meteorito forjado para destruí-lo serviria para torná-lo mais poderoso do que qualquer um poderia imaginar. Sua filha havia possibilitado aquela reviravolta.

Há apenas uma saída aceitável, ele sabia agora. *Apenas um curso de ação para um verdadeiro líder.*

Sentindo-se hipnotizado pelas imagens resplandecentes de sua própria ressurreição, Sexton foi até à fotocopiadora e ligou-a, preparando-se para tirar xerox das folhas que Rachel enviara por fax.

– Mas o que você está fazendo? – perguntou Gabrielle, chocada.
– Eles não vão matar Rachel – declarou o senador.

Mesmo se algo saísse errado, Sexton sabia que perder sua filha para o inimigo só o tornaria ainda mais poderoso. De qualquer maneira, ele venceria. Era um risco aceitável.

– Para quem são essas cópias? – insistiu a assessora. – William Pickering acabou de falar para você não contar a ninguém!

Sexton estava de frente para a copiadora. Olhou para Gabrielle, surpreso ao perceber como ela lhe parecia pouco atraente agora. Naquele instante, o senador era uma ilha. Intocável. Tudo de que precisava para realizar seus sonhos estava em suas mãos. Nada podia detê-lo. Nem acusações de suborno nem escândalos sexuais. Nada.

– Vá embora, Gabrielle. Não preciso mais de você.

CAPÍTULO 125

Está tudo acabado, pensou Rachel.

Ela e Tolland estavam sentados lado a lado no convés, olhando para o cano da metralhadora do soldado da Força Delta. Infelizmente Pickering havia descoberto que Rachel transmitira o fax para o escritório do senador Sexton.

Rachel duvidava que seu pai sequer chegasse a receber a mensagem que o diretor do NRO tinha deixado em sua secretária. Pickering provavelmente entraria no escritório de Sexton antes de qualquer outra pessoa pela manhã. Se fosse capaz de retirar as folhas do fax em segredo e apagar a mensagem telefônica antes da chegada do senador, não precisaria eliminá-lo. William Pickering era provavelmente uma das pouquíssimas pessoas em Washington que podia entrar de forma ilícita no escritório de um senador americano sem despertar nenhuma suspeita. A analista de inteligência sempre se impressionava com o que podia ser feito "em nome da segurança nacional".

Claro que, se aquilo falhasse, o diretor podia simplesmente passar com seu helicóptero em frente à janela de Sexton e disparar um míssil Hellfire, destruindo o escritório todo, pensou Rachel. Mas algo lhe dizia que Pickering não precisaria tomar uma medida tão drástica.

Perdida em pensamentos, ela sentiu Tolland pegar a sua mão carinhosamente. O toque dele era ao mesmo tempo firme e suave, e os dois entrelaçaram os dedos com tanta naturalidade que pareciam se conhecer desde sempre. Tudo o que Rachel queria naquele exato momento era aconchegar-se nos braços de Mike, protegida do rugido oprimente do mar noturno que revolvia em espirais em torno deles.

Nunca, pensou ela. *Não é nosso destino.*

◆ ◆ ◆

Tolland se sentia como um condenado que encontrara esperança a caminho da forca.

A vida está brincando comigo.

Desde a morte de Celia, ele experimentava uma enorme solidão. Durante muito tempo, achou que a única saída para o seu sofrimento seria a morte. Naquela noite, pela primeira vez, Tolland compreendera o que os amigos tentavam lhe dizer há anos: "Mike, você não tem que passar o resto da vida sozinho. Ainda pode encontrar outro amor."

Sentir a mão de Rachel junto à sua tornava toda aquela ironia ainda mais difícil de aceitar. O destino sabia ser cruel. Em seu coração, os escudos de defesa se quebravam e se desfaziam. Por um momento, naquele convés tão familiar do *Goya*, o oceanógrafo sentiu o fantasma de Celia olhando por ele, como muitas vezes fazia. Sua voz estava nos murmúrios da água, repetindo as últimas palavras que dissera antes de morrer: "Você é um sobrevivente. Prometa que irá encontrar um novo amor."

Tolland respondera que jamais amaria outra pessoa, mas agora percebia que Celia estava certa ao afirmar que ele acabaria encontrando alguém. Com Rachel, ele estava finalmente redescobrindo o amor. Uma grande felicidade tomou conta dele.

E, com ela, veio um enorme desejo de viver.

◆ ◆ ◆

Quando se dirigiu aos dois prisioneiros, Pickering sentiu uma estranha tranquilidade. Parou diante de Rachel, surpreso que aquilo não lhe causasse nenhum arrependimento.

– Algumas vezes – disse – as circunstâncias exigem decisões impossíveis.

Rachel não se abalou.

– Você criou essas circunstâncias.

– A guerra sempre provoca baixas – Pickering endureceu o tom de voz. *Pergunte a Diana ou a qualquer um dos que morrem a cada ano defendendo esta nação.* – Você deveria saber disso, Rachel. – Olhou-a de frente e concluiu: – *Iactura paucorum serva multos.*

A agente se lembrava do lema, bastante usado pelo pessoal da área de segurança nacional: *A sobrevivência de muitos justifica o sacrifício de poucos.*

Rachel devolveu o olhar, mal conseguindo acreditar naquela situação.

– E agora eu e Michael nos tornamos parte dos "poucos" que devem ser sacrificados?

Pickering sabia que não havia outra saída. Virou-se para Delta-Um e ordenou:

– Liberte seu parceiro e acabe com isso.

O soldado fez um gesto afirmativo.

O diretor olhou longamente para Rachel, depois caminhou até à balaustrada do navio e ficou contemplando o mar revolto. Preferia não assistir àquele desfecho.

◆◆◆

Delta-Um se sentiu novamente no controle ao segurar a arma e olhar para seu parceiro, ainda preso pelas garras. Bastava fechar o alçapão sob os pés de Delta-Dois, libertá-lo e eliminar Rachel e Michael.

Ele teria, porém, que lidar com o complexo painel, composto por uma série de alavancas e vários outros comandos sem nenhuma indicação, que controlava a abertura e fechamento do alçapão. E não tinha a menor intenção de apertar o botão errado e arriscar a vida do parceiro fazendo com que o submersível fosse lançado ao mar por engano.

Elimine todos os riscos. Nunca se apresse.

Seria melhor forçar Tolland a realizar a operação. E, para garantir que ele não faria nada de errado, Delta-Um iria tomar providências, usando aquilo que, em seu ramo, era conhecido como "efeito colateral biológico".

Use seus adversários um contra o outro.

Delta-Um apontou o cano da arma diretamente para o rosto de Rachel, parando a poucos centímetros de sua têmpora. Ela fechou os olhos e o soldado viu os punhos de Tolland se contraírem, numa fúria protetora.

– Senhorita Sexton, levante-se – disse ele.

Ela obedeceu.

Com a arma firmemente pressionada contra as costas dela, Delta-Um fez com que andasse até uma pequena escada de alumínio que levava ao topo do *Triton* pela parte traseira.

– Suba e fique em cima do submarino.

Rachel estava amedrontada e confusa.

– Faça o que estou mandando – disse o homem.

❖ ❖ ❖

Rachel parecia estar vivendo um pesadelo ao subir a escada de alumínio atrás do *Triton*. Ela parou no último degrau, com medo de ir para cima do submersível, suspenso sobre o vazio, com o oceano abaixo dele.

– Vamos, fique sobre o submarino – disse Delta-Um, andando até Tolland e apontando a arma contra a cabeça dele.

Na frente de Rachel, o soldado preso nas garras observava todos os seus movimentos, mexendo-se dolorosamente e obviamente ansioso para sair dali. Ela olhou para Tolland, que estava sob a mira da metralhadora. *Subir no submarino*. Não havia escolha.

Sentindo-se como se estivesse à beira de um precipício, Rachel deu um passo e ficou sobre a tampa do motor do submersível, uma pequena parte plana atrás da escotilha. O *Triton* estava suspenso como um enorme prumo acima do alçapão aberto. Mesmo sustentado apenas pelo cabo de seu guindaste, o submarino de nove toneladas quase não se moveu quando ela subiu nele, balançando apenas alguns milímetros enquanto se ajustava ao peso.

– Levante-se – Delta-Um ordenou a Tolland. – Vá até os controles e feche o alçapão.

Sob a mira da arma, ele caminhou em direção ao painel de controle com o soldado atrás dele. Movendo-se lentamente, Tolland encarou Rachel no alto do submersível como se estivesse tentando lhe dizer algo. Olhou diretamente para ela, depois um pouco mais para baixo, em direção à escotilha aberta na parte superior do *Triton*.

Rachel olhou para baixo. A seus pés, a pesada tampa circular da escotilha estava aberta. Ela podia ver o interior da cabine para uma pessoa. *Ele quer que eu entre?* Achando que estava enganada, Rachel olhou para Tolland novamente. Ele estava quase chegando ao painel de controle. Encarou-a novamente e dessa vez foi menos sutil. Moveu os lábios, dizendo:

– Pule para dentro! Agora!

❖ ❖ ❖

Delta-Um percebeu o movimento de Rachel com o canto dos olhos e virou-se instintivamente, abrindo fogo enquanto ela se jogava dentro da escotilha, protegendo-se da chuva de balas. Os projéteis ricochetearam sobre a tampa circular, soltando fagulhas e fechando-a ruidosamente sobre a cabeça de Rachel.

Quando Tolland sentiu que a metralhadora não estava mais apontada na sua direção, levou adiante sua parte do plano. Atirou-se para a esquerda, para longe do alçapão, batendo com o corpo no convés e rolando para o lado segundos antes que o soldado se virasse atirando. As balas zuniram atrás dele enquanto buscava abrigo atrás do cabrestante do navio – um enorme cilindro motorizado em torno do qual estavam enrolados centenas de metros do cabo de aço que segurava a âncora.

Tolland tinha um plano e precisava agir rápido. Quando o soldado correu em sua direção, o oceanógrafo esticou os braços e, usando as duas mãos, deu um puxão para baixo na trava da âncora. Instantaneamente o cabrestante começou a soltar o cabo e o *Goya* inclinou-se na forte corrente. O movimento súbito fez com que as pessoas e objetos que estavam sobre o convés fossem jogados para o lado. À medida que o barco acelerava para trás, seguindo a corrente, o cabo da âncora se soltava cada vez mais velozmente.

Vamos lá, mais rápido, pensou Tolland.

O soldado recuperou o equilíbrio e foi atrás dele. Esperando até o último segundo possível, Tolland se segurou firme e empurrou a alavanca de volta com toda a força, travando o cabrestante. O cabo estalou e esticou até o limite, parando o navio imediatamente e fazendo com que o *Goya* estremecesse. Os objetos no convés saíram voando. Delta-Um cambaleou e caiu de joelhos perto do oceanógrafo. Pickering foi jogado da balaustrada em que estava apoiado sobre o deque. O *Triton* sacudiu vigorosamente.

Um rangido de ferro se rasgando percorreu o barco como um terremoto quando o suporte danificado finalmente cedeu. O canto da popa direita do *Goya* começou a desabar sob o próprio peso. O navio se desestabilizou, inclinando-se na diagonal como uma enorme mesa que houvesse perdido uma de suas quatro pernas. O ruído que vinha lá de baixo era ensurdecedor: um gemido de metal sendo dobrado e retorcido que era somado ao rugido da corrente marinha batendo no casco.

Com os dedos brancos pelo esforço, Rachel se segurava como podia dentro da cabine do *Triton* enquanto a máquina de nove toneladas balançava sobre o alçapão e o convés, que agora estava bem inclinado. Pela parte inferior do domo de vidro ela podia ver o mar raivoso lá embaixo. Quando olhou para cima, procurando Tolland, viu uma cena bizarra se desenrolar em poucos segundos.

A apenas um metro de distância, preso às garras do *Triton*, Delta-Dois gritava de dor enquanto era sacudido como uma marionete numa vareta. William Pickering atravessou rastejando o campo de visão de Rachel e agarrou-se a um balaústre no convés. Perto da trava da âncora, Tolland também estava se segurando, tentando não deslizar pelo lado do barco para dentro d'água. Quando Rachel viu o soldado armado se reequilibrar perto de Michael, gritou de dentro do submarino:

– Mike, cuidado!

Mas Delta-Um ignorou Tolland. Estava olhando para trás, na direção do helicóptero, com uma expressão de pânico no rosto. Rachel também se virou para entender o que estava acontecendo. O Kiowa, com seus enormes rotores girando em baixa velocidade, havia começado a deslizar lentamente para a frente pelo convés inclinado. Seu trem de aterrissagem estava funcionando como um par de esquis numa rampa. Rachel percebeu que a enorme máquina vinha na direção do *Triton*.

◆◆◆

Delta-Um escalou o convés inclinado até à aeronave e conseguiu subir na cabine. Não tinha a menor intenção de permitir que o único meio de fuga existente escorregasse pelo convés e caísse no mar. Ele pegou os controles do Kiowa e puxou violentamente o coletivo. *Decole!* Com um ruído ensurdecedor, as hélices começaram a acelerar, lutando para levantar a aeronave pesadamente armada do convés. *Para cima, droga!* O helicóptero estava seguindo diretamente na direção do *Triton* e de Delta-Dois, ainda suspenso em suas garras.

Como seu nariz estava virado para baixo, as hélices do Kiowa também se inclinavam nesse ângulo. Assim, quando o helicóptero começou a se mover pelo convés, andou mais para a frente do que para cima, acelerando numa rota de colisão com o *Triton*, como uma serra elétrica gigante. *Para cima!* O soldado da Força Delta continuava puxando o coletivo, desejando ter uma forma de soltar a meia tonelada de mísseis Hellfire que impediam sua decolagem. As lâminas passaram rente à cabeça de seu parceiro e pouco acima do submersível, mas o helicóptero estava se movendo rápido demais. Seria impossível evitar o choque com o cabo do guindaste do *Triton*.

Quando as hélices do Kiowa colidiram a 300 rpm com o cabo de aço do guincho, capaz de sustentar 15 toneladas, a noite foi cortada pelo grito agudo de metal contra metal. Os sons evocavam imagens de uma batalha épica. Da cabine blindada do helicóptero, Delta-Um viu seus rotores cortarem o cabo do submarino como um gigantesco cortador de grama passando por cima de uma corrente de aço. Um jato de faíscas irrompeu acima dele e as pás do Kiowa se partiram. O piloto sentiu a aeronave cair, sua estrutura chocando-se violentamente contra o convés. Tentou controlá-la, mas perdera a sustentação. O helicóptero bateu duas vezes no deque inclinado e depois deslizou, chocando-se contra o guarda-corpo do navio.

Por um instante, Delta-Um achou que o guarda-corpo iria agüentar.

Depois ouviu o ruído de algo se quebrando. O aparelho, pesadamente carregado, tombou do navio e mergulhou no mar.

◆◆◆

No interior do *Triton*, Rachel Sexton estava paralisada, seu corpo pressionado contra o assento. O minissubmarino havia sido violentamente chacoalhado quando os rotores do helicóptero se chocaram contra o cabo, mas ela conseguira se apoiar. As hélices não chegaram a atingir o corpo do submersível, mas Rachel acreditava que o cabo estivesse muito danificado. Tudo em que conseguia pensar, naquele momento, era sair dali o mais rápido possível. O homem preso às garras estava olhando para ela, quase inconsciente, sangrando e queimado pelos fragmentos de metal lançados pelo atrito das lâminas com o cabo.

Onde está o Michael? Ela não conseguia vê-lo. Seu pânico durou apenas um instante, pois havia algo ainda pior com que se preocupar. Acima dela, o cabo dilacerado do guindaste do *Triton* soltou um pavoroso ruído, como uma chicotada. Depois ouviu-se um estalo bem alto e ele se partiu.

Rachel flutuou por alguns instantes sobre o assento dentro da cabine enquanto o submersível despencava em direção ao mar. O convés desapareceu acima dela e as passarelas inferiores do *Goya* passaram voando diante dos seus olhos. O soldado preso às garras ficou branco de medo, encarando Rachel à medida que o *Triton* se aproximava do mar.

A queda parecia nunca ter fim.

Quando o submarino bateu contra as ondas, a pancada foi tão forte que cravou Rachel no assento. Sua espinha se comprimiu e o oceano iluminado escorreu acima do domo. Ela sentiu um puxão sufocante quando o *Triton* desacelerou dentro d'água e depois começou a acelerar de volta em direção à superfície, balançando como uma rolha.

Os tubarões se lançaram sobre o novo alvo no mesmo minuto. Da cabine, Rachel assistiu, chocada, ao espetáculo cruel se desenrolando a dois metros dela.

◆ ◆ ◆

Delta-Dois sentiu a cabeça retangular do tubarão bater nele com uma força inacreditável. Dentes afiados como lâminas envolveram seu braço perto do ombro, cortando até o osso e prendendo-o com firmeza. Uma dor inimaginável tomou conta dele quando o tubarão se remexeu vigorosamente, balançando a cabeça para arrancar seu braço. Outros tubarões se aproximaram. Facas penetrando em sua perna. Torso. Pescoço.

Delta-Dois não tinha ar para gritar em agonia enquanto os tubarões-martelo despedaçavam seu corpo. A última visão que teve foi uma boca em formato semicircular virando-se de lado e várias fileiras de dentes agarrando sua cabeça.

O mundo foi engolfado pela escuridão.

◆ ◆ ◆

As pancadas de pesadas cabeças cartilaginosas chocando-se contra o domo finalmente cessaram. Rachel abriu os olhos. O homem não estava mais lá e a água que envolvia o submarino ganhara um tom avermelhado.

Bastante perturbada, Rachel contraiu-se dentro da cabine, em posição fetal. Ela sentia que o submersível estava sendo levado pela corrente, raspando ao longo do convés de mergulho inferior do *Goya*. Percebeu que ele também estava se movendo em outra direção: para baixo.

Do lado de fora, o ruído nítido de água borbulhando para dentro dos tanques de lastro aumentou. O oceano subia aos poucos no vidro à frente dela.

Estou afundando!

Rachel foi tomada por um profundo terror e levantou-se como um raio. Estendendo os braços, alcançou o mecanismo da escotilha. Se pudesse subir para o topo do submarino, ainda teria tempo de pular dali até o deque de mergulho do *Goya*. Estava a poucos metros dele.

Tenho que sair daqui!

O mecanismo da escotilha trazia uma indicação bem clara sobre o lado que devia ser empurrado para abri-la. Ela fez força. A tampa não se moveu. Tentou novamente. Nada. Estava emperrada, torta. O medo foi crescendo dentro dela como a água subindo do lado de fora do submersível. Rachel usou toda a força que tinha.

Ainda assim, a escotilha não se moveu.

O *Triton* afundou mais alguns centímetros, chocando-se contra o *Goya* pela última vez antes de ser levado para fora do casco destruído... rumo ao alto-mar.

CAPÍTULO 126

— **Não faça isso!** — Gabrielle implorou ao senador, que acabara de tirar cópias dos documentos. — Você está colocando em risco a vida de sua filha.

Sexton ignorou o que ela estava dizendo e retornou à sua mesa com 10 pilhas idênticas de papel. Cada uma delas continha fotocópias do dossiê que Rachel lhe enviara, incluindo sua mensagem escrita à mão alegando que o meteorito era falso e acusando a NASA e a Casa Branca de tentar matá-la.

Os kits de imprensa mais chocantes já preparados até hoje, pensou Sexton, começando a inserir cada pilha num envelope de linho branco com seu nome, endereço oficial e o selo do Senado. Não haveria dúvidas quanto à origem daquelas informações incríveis. *O escândalo político do século será revelado por mim!*

A assessora continuava pedindo que ele pensasse na segurança de Rachel, mas Sexton não estava ouvindo nada. Enquanto preparava os envelopes, ele se fechara em seu próprio mundo. *Toda carreira política possui um momento decisivo. Este é o meu.*

A mensagem que William Pickering deixara na secretária era bem clara. Se o senador levasse a público aquelas informações, a vida de sua filha estaria em perigo. Infelizmente para Rachel, Sexton também sabia que, se divulgasse as provas da fraude da NASA, aquele gesto de ousadia iria colocá-lo na Casa Branca. E de uma forma mais decisiva e dramática do que tudo que acontecera até então na política norte-americana.

A vida é cheia de decisões difíceis, pensou ele. *Os vencedores são aqueles capazes de tomá-las.*

Examinando o rosto do senador, Gabrielle Ashe chegou à conclusão de que já conhecia aquele olhar antes. *Ambição desmedida.* Ela sempre teve medo daquilo e agora percebia que estava certa. Sexton claramente estava pronto para arriscar a vida da filha para ser o primeiro a anunciar a armação da NASA.

— Você não vê que já ganhou? — insistia Gabrielle. — Zach Herney e a NASA não têm nenhuma chance diante desse escândalo. Não importa quem o tornará público! Nem quando será divulgado! Espere até que Rachel esteja em segurança. Espere até falar com Pickering!

Sexton continuava não lhe dando a menor atenção. Abriu a gaveta e tirou uma folha metalizada na qual estavam grudados vários selos auto-adesivos, do tamanho de uma pequena moeda, contendo suas iniciais. Ele geralmente os usava para convites formais, mas achou que selos de cera vermelha dariam um toque adicional de dramaticidade. Foi desgrudando-os da folha um a um e colando-os na aba dos envelopes, selando-os como uma epístola com monograma.

O coração da assessora pulsava com enorme raiva. Ela pensou nas imagens digitalizadas dos cheques ilegais no computador do senador. Contudo, se mencionasse aquilo, ele poderia apagar as evidências.

– Não faça isso – disse ela – ou vou contar a todos sobre o nosso caso.

Sexton deu uma risada alta enquanto continuava a colar os selos.

– É mesmo? E você acha que vão acreditar numa assistente sedenta de poder que não recebeu um cargo em minha administração e está procurando vingança a qualquer custo? Eu já neguei nosso envolvimento uma vez e todos acreditaram em mim. Vou simplesmente negar tudo outra vez.

– A Casa Branca possui fotos – declarou Gabrielle.

Sexton nem levantou a cabeça.

– Eles não têm fotos. Mesmo que tivessem, elas não fazem mais sentido – disse, colando o último selo. – Eu tenho imunidade. Estes envelopes são um trunfo maior do que qualquer coisa que possam levantar contra mim.

Gabrielle sabia que o senador tinha razão. Sentia-se impotente enquanto Sexton admirava sua grande obra: 10 elegantes envelopes de linho branco, com seu nome e endereço impressos em relevo e fechados com selos de cera vermelha com suas iniciais manuscritas. Pareciam cartas da nobreza. Com certeza, reis já haviam sido coroados por conta de revelações muito menos poderosas.

Sexton pegou os envelopes e preparou-se para sair. Gabrielle deu um passo para o lado e bloqueou seu caminho.

– Você está cometendo um erro. Isso pode esperar.

O senador encarou-a.

– Eu fiz você, Gabrielle, e agora vou desfazer você.

– Esse fax de Rachel vai levá-lo à presidência. Você lhe deve algo! – continuou a assessora.

– Já dei muitas coisas a ela.

– E se alguma coisa acontecer a sua filha?

– Então ela terá garantido alguns votos de simpatia para mim.

Gabrielle não podia acreditar que aquele pensamento sequer tivesse passado pela cabeça de Sexton, muito menos que ele pudesse dizer algo tão mesquinho em voz alta. Revoltada, ela pegou o telefone.

– Vou ligar para a Casa...

O senador virou-se e deu-lhe um forte tapa no rosto.

Ela cambaleou, sentindo que seu lábio estava sangrando. Apoiando-se na mesa, reequilibrou-se e olhou, com total espanto, para o homem que um dia havia venerado.

Sexton encarou-a com uma expressão selvagem.

– Se você sequer pensar em me trair agora, vou fazer com que se arrependa durante o resto de sua vida. – Ficou parado, segurando a pilha de envelopes. Uma agressividade cruel brilhava em seus olhos.

Quando a assessora saiu do prédio, tomada pelo ar frio da noite, seu lábio continuava sangrando. Chamou um táxi e entrou no carro. Então, pela primeira vez desde sua chegada a Washington, Gabrielle Ashe desmoronou em lágrimas.

CAPÍTULO 127

O Triton *caiu...*

Michael Tolland ficou de pé, cambaleando no convés inclinado, e olhou por cima do cabrestante na direção do cabo do guindaste que antes sustentava o submarino. Virando-se para a popa, procurou-o no oceano. O *Triton* tinha acabado de sair de baixo do *Goya*, levado pela corrente. Feliz por ver que ele ao menos estava intacto, Tolland colou o olhar na escotilha, desejando que Rachel a abrisse e saísse lá de dentro sem nenhum arranhão. A escotilha, contudo, não se abriu. Ele ficou imaginando se Rachel teria se machucado devido à queda violenta.

Mesmo dali, Tolland podia ver que o submersível estava mais imerso do que o normal – bem abaixo de sua linha-d'água usual. *Está afundando.* O oceanógrafo não conseguia entender por que aquilo estava acontecendo, mas as razões já não importavam.

Tenho que tirar Rachel de lá. Agora.

Quando Michael se levantou, pronto para correr até à popa, uma metralhadora disparou sobre ele uma saraivada de balas, que ricochetearam no maciço cabrestante mais acima. Ajoelhou-se de novo. *Merda!* Levantou um pouco a cabeça, o suficiente para ver que Pickering estava no convés acima dele, mirando como um franco-atirador. O soldado da Força Delta havia deixado sua metralhadora cair antes de subir no helicóptero condenado, e Pickering conseguira pegar a arma. O diretor, então, subiu para o outro nível.

Agachado atrás do cabrestante, Tolland olhou de volta para o *Triton*, que afundava lentamente. *Vamos, Rachel! Saia!* Esperou que a escotilha se abrisse, mas nada aconteceu.

Durante alguns segundos, avaliou a distância entre a sua posição e a balaustrada da popa do navio. Cerca de seis metros. Um percurso longo para completar sem nenhuma proteção.

Tolland respirou fundo e decidiu-se. Tirando a camisa, jogou-a para a sua direita. Enquanto Pickering a enchia de balas, ele saiu correndo pela esquerda, cortando em diagonal pelo convés inclinado em direção à popa. Com um grande salto, pulou por cima da balaustrada. Descrevendo um arco no ar, ainda ouviu as balas sibilando ao seu redor e pensou que um único arranhão faria com que se tornasse petisco de tubarão assim que encostasse na água.

◆ ◆ ◆

Rachel se sentia como um animal selvagem enjaulado. Tinha tentado abrir a escotilha várias vezes, sem sucesso. Podia ouvir que havia um tanque abaixo dela se enchendo de água e percebia que o submarino estava ficando mais pesado. A escuridão do oceano tomava conta aos poucos do domo transparente, como uma cortina negra vinda do fundo.

Pela metade inferior do vidro, Rachel podia ver o vazio do oceano atraindo-a para seu túmulo. A imensidão abaixo dela ameaçava engolfá-la por inteiro. Agarrou o mecanismo da escotilha e tentou movê-lo mais uma vez, porém nada se mexia. Começou a arfar, as narinas tomadas pelo cheiro ácido do excesso de dióxido de carbono. Em meio a tudo aquilo, um único pensamento apavorante se repetia em sua mente.

Vou morrer sozinha embaixo d'água.

Ela olhou os painéis de controle do *Triton*, procurando algo que pudesse ajudá-la, mas todos os indicadores estavam apagados. Não havia energia. Estava presa numa cripta inerte de aço mergulhando em direção às profundezas do oceano.

Um dos tanques parecia estar borbulhando mais rápido agora e a água estava quase tapando completamente o vidro. Ao longe, visível através da infindável extensão do mar, uma faixa violeta surgia no horizonte. Estava quase amanhecendo. Rachel temia que aquela fosse a última luz que iria ver. Fechou os olhos, tentando não pensar em seu destino, mas encontrou as imagens aterrorizantes de sua infância projetadas em sua mente.

Caindo através do gelo em direção ao fundo.

Sem ar. Incapaz de subir à tona. Afundando.

Sua mãe repetindo seu nome: "Rachel! Rachel!"

Um ruído de batidas do lado de fora tirou Rachel de seu devaneio. Abriu os olhos. Um rosto surgiu, apertado contra o vidro, de cabeça para baixo, com o cabelo negro solto na água. Ela quase não conseguia vê-lo na escuridão do oceano.

— Michael!

◆◆◆

Tolland emergiu, respirando aliviado ao ver que Rachel estava bem. *Ela está viva*. Nadou, com braçadas vigorosas, até à parte posterior do *Triton* e subiu na plataforma do motor, quase submersa. No mar, as correntes o envolviam com um calor pesado. Posicionou-se para agarrar a tarraxa do portal circular, mantendo o corpo abaixado e torcendo para estar fora do alcance da arma de Pickering.

O casco do *Triton* já estava quase todo submerso e Tolland sabia que teria que se apressar para abrir a escotilha e tirar Rachel dali. Sua margem era inferior a 30 centímetros e diminuía rapidamente. Se a escotilha ficasse submersa, seria impossível abri-la, pois isso faria com que um jato de água do mar invadisse o *Triton*, aprisionando Rachel lá dentro e lançando o submarino em uma queda livre até o fundo.

Agora ou nunca, pensou, segurando o volante da escotilha e forçando-o no sentido anti-horário. Nada aconteceu. Tentou novamente, usando mais força. Ainda assim, a escotilha se recusava a se mover.

Podia ouvir a voz de Rachel lá dentro, do outro lado do portal. Estava abafada e carregada de medo.

— Já tentei! — gritou ela. — Não consegui girar!

A água já estava batendo na tampa do portal.

— Vamos girar juntos! — gritou Tolland. — Você vai na direção horária! — Ele sabia que a direção estava marcada de forma clara. — Vamos lá, agora!

Apoiando o corpo nos tanques de lastro, ele usou toda a sua força. Podia ouvir Rachel fazendo o mesmo lá dentro. O volante girou um ou dois centímetros e parou.

De repente, o oceanógrafo percebeu que a tampa do portal não estava corretamente encaixada na abertura. Como a tampa de uma jarra que foi fechada meio torta e depois forçada, a escotilha tinha emperrado. A vedação de borracha estava corretamente posicionada, mas as braçolas estavam recurvadas, o que significava que aquela tampa só sairia com o auxílio de um maçarico.

Quando o topo do submarino mergulhou abaixo da superfície, Tolland sentiu um pânico súbito tomando conta dele. Rachel Sexton não iria escapar do *Triton*.

Cerca de 600 metros abaixo deles, a fuselagem retorcida do Kiowa afundava a toda a velocidade, prisioneira da gravidade e atraída pelo vórtice no fundo do oceano. Dentro da cabine, Delta-Um estava morto, seu corpo completamente desfigurado pela enorme pressão da água.

Enquanto a aeronave descia em espiral, com os mísseis Hellfire ainda presos a ela, o domo de magma jazia no fundo do oceano à sua espera, como um heliponto saído do inferno. Abaixo de sua crosta com três metros de espessura, um pontão de lava estava em ebulição a mais de 1.000° Celsius. Um vulcão prestes a explodir.

CAPÍTULO 128

Tolland estava sobre a plataforma do motor com a água batendo em seus joelhos. O *Triton* continuava afundando e ele tentava descobrir uma maneira de salvar Rachel.

Não deixe o submarino afundar!

Olhou para trás, em direção ao *Goya*, pensando se havia alguma forma de conectar um gancho ao *Triton* para mantê-lo perto da superfície. Impossível. Seu navio já estava a 50 metros de distância, e Pickering encontrava-se no alto da ponte, de pé, como um imperador romano com assento privilegiado num espetáculo sangrento no Coliseu.

Pense! Por que o submarino está afundando?

A mecânica da flutuação de um submarino é extremamente simples: tanques de lastro cheios de água ou de ar ajustam sua flutuabilidade para que ele possa emergir ou submergir.

Obviamente os tanques de lastro estavam se enchendo.

Mas não deveriam.

Os tanques de lastro de todos os submarinos tinham orifícios tanto na parte superior quanto na inferior. Os orifícios inferiores, chamados de "válvulas de enchimento", ficavam sempre abertos, enquanto os superiores, as "válvulas de ventilação", podiam ser abertos e fechados para deixar o ar sair de forma que a água pudesse encher os tanques.

Será que as válvulas de ventilação do *Triton* estavam abertas? Tolland se ajeitou sobre a plataforma do motor, agora submersa, e percorreu com as mãos um dos tanques de lastro de compensação. As válvulas de ventilação estavam fechadas. Porém, enquanto tateava, seus dedos se depararam com outra coisa.

Buracos de bala.

Merda! O submersível havia sido perfurado por balas quando Rachel pulou para dentro. Tolland mergulhou imediatamente e nadou para baixo do *Triton*, passando a mão cuidadosamente pelo tanque de lastro mais importante – o de imersão. Os ingleses chamavam aquele tanque de "expresso para baixo". Os alemães costumavam se referir a ele como "botas de chumbo". De qualquer forma, o sentido era o mesmo. Quando o tanque de imersão se enchia, levava o submarino para o *fundo*.

Ao passar as mãos pela lateral do tanque, o apresentador de *Maravilhas dos mares* encontrou dezenas de buracos de balas. Podia sentir a água entrando. O *Triton* estava se preparando para um mergulho profundo, quer Tolland gostasse ou não.

O submarino estava agora a quase um metro de profundidade. Nadando para a frente, Tolland encostou o rosto no domo e olhou para dentro. Rachel estava socando o vidro e gritando, apavorada. Michael sentiu-se impotente, a mesma sensação que experimentara anos antes, ao ver a mulher que amava morrer num quarto frio de hospital. Movendo-se debaixo d'água, ele pensou que não suportaria passar por tudo aquilo novamente. Celia dissera que o marido era um sobrevivente, mas ele não queria continuar a viver sozinho pela segunda vez.

Seus pulmões estavam ardendo, mas ainda assim Tolland permanecia lá, na frente dela. A cada vez que Rachel batia no vidro, ele ouvia bolhas de ar saindo e o submarino afundava mais um pouco. Ela estava fazendo gestos para mostrar que havia água entrando pela janela.

Havia um vazamento no domo.

Um buraco de bala na janela? Pouco provável. Com os pulmões quase arrebentando, Tolland preparou-se para subir. Percorreu com as palmas das mãos a grande janela de plexiglas e seus dedos encontraram uma peça de borracha solta. Uma das vedações externas fora danificada quando o submarino caiu. Por isso estava ocorrendo um vazamento no interior da cabine. *Mais notícias ruins.*

Subindo até à superfície, Tolland respirou fundo três vezes, tentando concentrar-se. A água que estava entrando na cabine só iria acelerar a descida do *Triton*. O submersível já estava a 1,5 metro de profundidade e o oceanógrafo mal conseguia tocá-lo com os pés. Mas ainda podia sentir Rachel batendo desesperadamente no domo.

Havia apenas uma possibilidade em sua mente. Se ele mergulhasse até à plataforma do motor e encontrasse o cilindro de alta pressão, poderia usá-lo para expulsar a água do tanque de lastro. Aquilo seria um exercício de futilidade, já que o *Triton* se manteria na superfície por apenas mais um minuto ou dois, antes que os tanques perfurados se enchessem de água novamente.

E depois?

Sem ter encontrado nenhuma outra opção, Tolland preparou-se para mergulhar. Inspirando mais profundamente do que o normal, expandiu seus pulmões muito além de seu estado natural, quase a ponto de doerem. *Maior capacidade pulmonar. Mais oxigênio. Maior tempo sob a água.* Entretanto, quando sentiu seus pulmões se dilatarem, pressionando suas costelas para fora, um pensamento estranho lhe ocorreu.

E se ele aumentasse a pressão do ar *dentro* do submarino? Uma das vedações no domo estava danificada. Se ele aumentasse a pressão no interior da cabine, poderia explodir a janela para fora e tirar Rachel de lá.

Ele expirou, boiando na superfície por alguns instantes, tentando calcular se aquilo era mesmo possível. *É perfeitamente lógico, não?* Afinal de contas, submarinos são construídos para resistir a pressões monstruosas vindas de fora, mas nenhuma de dentro.

Além disso, o *Triton* usava válvulas reguladoras idênticas para reduzir o número de peças sobressalentes necessárias no *Goya*. Bastava que Tolland soltasse a mangueira de recarga do cilindro de alta pressão e a redirecionasse para um regulador de ventilação de emergência no lado esquerdo do submarino! Pressurizar a cabine poderia ser fisicamente doloroso para Rachel, mas talvez lhe proporcionasse uma forma de escape.

Tolland respirou fundo e mergulhou.

O *Triton* estava agora a uns 2,5 metros de profundidade. Tanto as correntes quanto a escuridão tornavam difícil para Michael orientar-se. Ao encontrar o tanque pressurizado, ele rapidamente redirecionou a mangueira e se preparou para insuflar ar na cabine. Quando agarrou o registro, a pintura amarela fosforescente ao lado do tanque fez com que percebesse quão arriscada era aquela manobra: PERIGO: AR COMPRIMIDO – 3.000 PSI.

Três mil libras por polegada quadrada, pensou Tolland. Sua esperança era de que a janela do *Triton* fosse empurrada para fora antes que a pressão dentro da cabine esmagasse os pulmões de Rachel. O que ele estava prestes a fazer era o equivalente a enfiar uma mangueira de água de alta pressão num balão de borracha e torcer para que ele estourasse bem rápido.

Segurou a válvula e tomou sua decisão final. Mergulhando cada vez mais fundo com o submarino, Tolland abriu o registro. A mangueira ficou rígida no mesmo instante e o ar entrou na cabine com uma força enorme.

♦♦♦

Dentro do *Triton*, Rachel sentiu uma dor de cabeça alucinante. Abriu a boca para gritar, mas o ar forçou a entrada em seus pulmões com uma pressão tão dolorosa que ela pensou que seu peito fosse explodir. Seus olhos pareciam estar sendo enfiados para dentro. Uma pressão ensurdecedora entrou em seus ouvidos, quase fazendo com que desmaiasse. Instintivamente, fechou os olhos e colocou as mãos sobre os ouvidos. A dor estava aumentando.

Ouviu batidas contra o vidro e forçou-se a abrir os olhos apenas o suficiente para ver a silhueta de Michael nadando na escuridão. Seu rosto estava apoiado contra o domo e ele gesticulava para que ela fizesse algo.

Mas o quê?

Mal podia vê-lo na escuridão. Sua visão estava turva, seus globos oculares pareciam distorcidos pela pressão. Mesmo assim, podia perceber que o submersível havia mergulhado além dos últimos restos de luz dos holofotes do *Goya*. Em volta dela havia apenas um abismo infinitamente escuro.

♦♦♦

Tolland agarrou com todo o corpo a janela do *Triton* e continuou a bater. Seu peito queimava e ele precisaria voltar à superfície em pouco segundos.

Empurre o vidro, Rachel! Ele podia ouvir o ar pressurizado escapando pelo domo, borbulhando em direção à superfície. Em algum lugar a vedação estava solta. Suas mãos procuravam desesperadamente uma borda, algo em que pudesse enfiar os dedos e puxar. Nada.

Seu oxigênio estava acabando e sua visão começou a escurecer. Bateu no vidro uma última vez. Não podia nem mesmo vê-la, estava escuro demais. Usando o último sopro de ar em seus pulmões, gritou embaixo d'água.

– Rachel... empurre... o... vidro!

Suas palavras, contudo, saíram como um gargarejo abafado.

CAPÍTULO 129

Aprisionada no submersível, Rachel se sentia como se sua cabeça estivesse sendo comprimida por um aparelho de tortura medieval. De pé, curvada ao lado do assento da cabine, podia sentir as garras da morte se fechando em torno dela. Na sua frente, o domo estava vazio. Escuro. As batidas haviam cessado. Tolland tinha ido embora, deixando-a para trás.

O silvo do ar pressurizado entrando na cabine fazia com que ela se lembrasse do vento catabático ensurdecedor na geleira Milne. O piso do submarino já tinha quase 30 centímetros de água. *Quero sair!* Milhares de pensamentos e memórias cruzavam sua mente, como uma luz estroboscópica.

Na escuridão, o *Triton* começou a emborcar e Rachel perdeu o equilíbrio, caindo por cima do assento. Seu corpo foi projetado para a frente, batendo com força no domo esférico. Seu braço doeu. Ao estatelar-se contra a janela, sentiu algo inesperado: uma redução na pressão no interior da cabine. O aperto nos ouvidos se reduziu sensivelmente. Além disso, escutou uma golfada de ar sair do submarino.

Num instante entendeu o que havia acontecido. Quando caiu de encontro ao domo, seu peso forçou o plexiglas para fora o suficiente para que parte da pressão interna fosse liberada por uma brecha na vedação. Era óbvio, portanto, que o vidro da janela estava solto! Rachel compreendeu o que Tolland pretendia ao aumentar a pressão dentro do submarino.

Ele está tentando explodir a janela!

Acima dela, o cilindro continuava bombeando ar comprimido. Naquele instante, sentiu a pressão aumentar novamente. Desta vez era algo quase bem-vindo, embora a pressão sufocante quase fizesse com que perdesse a consciência. Ajeitando-se, Rachel empurrou o vidro para fora com toda a sua força.

Desta vez, não aconteceu nada. O vidro mal se moveu.

Jogou seu peso novamente contra a janela. Nada. Examinou o ferimento no braço, que doía. O sangue estava seco. Preparou-se para tentar novamente, mas não teve tempo. Sem nenhum aviso, o minissubmarino avariado começou a inclinar-se para trás. O motor pesava mais do que os tanques de compensação, agora cheios d'água, e o *Triton* começou a afundar com a parte traseira voltada para baixo.

Rachel caiu de costas contra a parede posterior da cabine. Com metade do corpo imerso na água que esguichava para dentro do submersível, ela olhou para o domo que estava vazando, pairando sobre ela como uma clarabóia.

Do lado de fora havia apenas a noite... e centenas de toneladas de água empurrando-a para baixo.

Ela queria se levantar, mas seu corpo parecia pesado e entorpecido. Outra vez sua mente regressou àquele momento em que estava presa sob um lago congelado.

"Lute, Rachel!", sua mãe gritava, esticando o braço para tirá-la da água. "Segure firme!"

Fechou os olhos. *Estou afundando.* Seus patins pareciam feitos de chumbo, puxando-a para baixo. Podia ver sua mãe deitada sobre o gelo, braços e pernas abertos para distribuir o próprio peso, tentando alcançá-la.

"*Chute*, Rachel! Use os pés e *chute!*"

Rachel chutou com toda a força que tinha. Seu corpo subiu ligeiramente no buraco de gelo. Uma centelha de esperança. Sua mãe conseguiu pegá-la.

"Isso!", gritou a mãe. "Me ajude a tirar você daí! Continue chutando!"

Com sua mãe puxando-a de cima, Rachel usou a energia que ainda lhe restava para chutar com seus patins. Foi o suficiente para que Katherine Sexton conseguisse tirá-la da água. Depois de arrastar a filha, ensopada, até um banco coberto de neve, ela caiu em prantos.

De volta ao presente, na crescente umidade e calor do submarino, Rachel abriu os olhos em meio à escuridão que a cercava. Ouviu a mãe sussurrando, sua voz era nítida no interior da cabine do *Triton*.

Use os pés e chute.

Olhando para o domo acima dela, Rachel reuniu a coragem que lhe restara e subiu no assento, que estava quase na horizontal naquele momento, como a cadeira de um dentista. Apoiada em suas costas, ela dobrou os joelhos, puxou as pernas para perto do corpo o máximo que pôde, apontou seus pés para cima e soltou-os numa explosão. Com um grito selvagem de desespero e força, enfiou os pés no centro do domo de plexiglas. Pontadas de dor aguda se espalharam por suas pernas. Seus ouvidos estalaram e ela sentiu a pressão se equilibrar de repente. A vedação no lado esquerdo do domo se rompeu, deslocando a janela parcialmente, abrindo-a para o lado como uma porta.

Uma torrente de água invadiu o submarino, empurrando Rachel de volta à sua cadeira. O oceano rugia em torno dela, pegando-a pelas costas e levantando-a da cadeira, virando-a de cabeça para baixo como uma meia numa máquina de lavar. Ela tateou desesperadamente à procura de algo em que se segurar, mas estava girando sem controle. Seu corpo foi precipitado para cima na cabine e ela se sentiu imobilizada. Um jato de bolhas irrompeu em torno dela, fazendo-a girar, puxando-a para a esquerda e mais uma vez para cima. Uma aba de acrílico duro se chocou contra a sua bacia.

Subitamente ela estava livre.

Girando e revirando na infinita escuridão da água quente, Rachel estava quase sem ar. *Vá para a superfície!* Ela abriu os olhos, procurando alguma luz, mas não havia nenhuma. O mundo parecia igual em todas as direções. Escuridão. Nenhuma gravidade. Impossível saber o que era "para cima" ou "para baixo".

Naquele momento de pânico, ela percebeu que não sabia em que direção nadar.

◆◆◆

Mais de 1.500 metros abaixo, o helicóptero Kiowa continuava seu mergulho em direção ao fundo, esmagado pela pressão que crescia sem parar. Os 15 mísseis AGM-1148 Hellfire que ainda estavam a bordo, altamente explosivos, deformavam-se, seus tubos de cobre e ogivas detonadas por pressão inclinando-se perigosamente para dentro.

Trinta metros acima do fundo do oceano, o poderoso vórtice da megapluma agarrou os destroços do helicóptero, puxando-os para baixo e arremessando-os contra a crosta incandescente do domo de magma. Como uma caixa de fósforos se acendendo, um após outro, os mísseis Hellfire explodiram, abrindo um rasgo no topo do domo de magma.

◆◆◆

Michael Tolland subiu para respirar e depois mergulhou novamente, desesperado, tentando discernir algo em meio à escuridão. Estava a cinco metros da superfície quando os mísseis explodiram. O flash de luz branca se espalhou pelo oceano, fazendo com que ele visse uma imagem da qual jamais se esqueceria.

Rachel estava três metros abaixo dele, como uma marionete enrolada em seus fios, flutuando na água. Abaixo dela, o *Triton* descia rapidamente, seu domo solto na frente. Os tubarões daquela área se dispersavam e fugiam, pressentindo o perigo iminente.

A felicidade de Tolland ao ver Rachel fora do submarino foi quase instantaneamente superada pela compreensão do que iria acontecer a seguir. Memorizando a posição exata em que ela se encontrava, Tolland mergulhou o mais rápido que pôde para alcançá-la antes que a luz se extinguisse totalmente.

◆◆◆

A crosta rompida do domo de magma explodiu centenas de metros abaixo deles, e o vulcão submarino entrou em erupção, lançando magma a 1.200° Celsius para cima no oceano. A lava de altíssima temperatura vaporizava toda a água com a qual entrava em contato, criando um gigantesco pilar de vapor quente que se projetava como uma flecha em direção à superfície no eixo central da megapluma. Impulsionada pelas mesmas propriedades cinéticas que davam força aos tornados, a transferência vertical de energia do vapor era contrabalançada pela vorticidade anticiclônica que circulava em torno do poço, levando energia no sentido contrário.

Em torno dessa coluna de gás emergente, as correntes oceânicas começaram a se intensificar, girando e descendo em direção ao fundo. O vapor que escapava criava um enorme vácuo que sugava milhões de litros de água do mar para dentro, jogando-os contra o magma. Quando esta água mais fria chegava ao fundo, também era vaporizada, juntando-se à crescente coluna de exaustão de vapor que subia, puxando cada vez mais água para baixo. Em meio a esse movimento, o vórtice se intensificava. A pluma hidrotérmica se alongava e o imenso redemoinho ficava mais forte a cada segundo, com sua borda superior se movendo inexoravelmente em direção à superfície.

Um buraco negro marítimo acabava de nascer.

◆◆◆

Rachel se sentia como um bebê no útero, envolvida por uma escuridão aquosa e quente. Seus pensamentos estavam embaralhados em meio àquele calor escuro. *Respire.* Ela lutou contra o reflexo. O clarão de luz que viu só podia vir da superfície, mas parecia estar tão distante. *Uma ilusão. Vá para a superfície.* Quase sem forças, começou a nadar na direção da luz. Podia ver mais luz agora... um estranho brilho vermelho ao longe. *Está amanhecendo?* Nadou com mais vigor.

Uma mão segurou seu tornozelo. Ela tentou gritar debaixo d'água e quase deixou escapar o pouco ar que lhe restava.

Sentiu um puxão para trás. Alguém a girava e apontava para a direção oposta. Logo depois Rachel reconheceu aquele toque familiar. Michael Tolland estava lá, segurando sua mão e puxando-a com ele na direção certa.

A mente de Rachel lhe dizia que estava sendo levada para o fundo. Seu coração, entretanto, respondia que Tolland sabia o que estava fazendo.

Use os pés e chute!, podia ouvir a voz de sua mãe sussurrando.

Rachel chutou com todas as forças.

CAPÍTULO 130

Assim que Tolland e Rachel emergiram, ele compreendeu que era tarde. *O domo de magma havia se rompido.* Quando a parte superior do vórtice atingisse a superfície, o gigantesco tornado submarino iria começar a sugar tudo para o fundo. Estranhamente, o mundo fora d'água não era mais a madrugada silenciosa de instantes atrás. Havia um ruído ensurdecedor e o vento batia em sua cara como se uma tempestade tivesse chegado depois que ele mergulhou.

Tolland estava quase inconsciente pela falta de oxigênio. Tentou manter o corpo de Rachel acima da superfície, mas ela estava sendo puxada de seus braços. *A corrente!* Ele fez o possível para segurá-la, mas a força invisível aumentou, ameaçando arrancá-la de seus braços. De repente, não conseguiu mais segurá-la e o corpo de Rachel acabou deslizando de suas mãos – estranhamente, *subindo*.

Confuso, Michael observou enquanto Rachel saía do mar, levitando.

◆◆◆

Acima dele, uma aeronave Osprey, com rotores basculantes, da Guarda Costeira, estava parada no ar e puxou Rachel para dentro. Há 20 minutos tinham recebido um relatório de uma explosão no mar. Como haviam perdido contato com o helicóptero que deveria estar na mesma área, temeram que fosse um acidente. Digitaram as últimas coordenadas conhecidas do Dolphin no sistema de navegação do Osprey e rezaram para chegar a tempo.

Quando estavam a cerca de meia milha do *Goya*, ainda todo iluminado, viram destroços em chamas flutuando na corrente. Pareciam restos de uma lancha. Ali perto, um sobrevivente acenava vigorosamente com os braços, pedindo socorro. A Guarda Costeira puxou o homem para cima. Estava completamente nu, exceto por uma perna coberta com fita isolante.

Exausto, Tolland olhou para a parte de baixo do enorme avião. As hélices, em posição horizontal, como as de um helicóptero, lançavam fortes rajadas de vento sobre ele. Rachel foi içada por um cabo e várias pessoas ajudaram a puxá-la para dentro da aeronave. Enquanto Tolland observava a operação de resgate, viu de relance um homem agachado, sem camisa, perto da abertura na fuselagem. Seu rosto era familiar.

Corky? O coração de Tolland se encheu de alegria. *Você está vivo!*

Logo em seguida a bóia de salvamento foi lançada do avião novamente. Caiu a três metros dele. O oceanógrafo tentou nadar até lá, mas já podia sentir a pluma sugando a água para baixo. O punho forte do mar fechou-se em torno dele, não querendo que partisse.

A corrente puxava-o para baixo. Lutou para manter-se na superfície, mas sentia um cansaço enorme. *Você é um sobrevivente*, dizia uma voz dentro dele. Bateu as pernas, impulsionando seu corpo em direção à superfície. Quando emergiu, em meio às rajadas de vento, a bóia ainda estava fora de alcance. A corrente tentava arrastá-lo para baixo novamente. Olhando para cima, em meio à confusão do vento e do ruído, Tolland viu Rachel. Seu rosto estava voltado para ele, desejando que logo pudessem estar juntos.

Tolland deu quatro braçadas vigorosas para chegar até à bóia. Numa última tentativa, conseguiu passar o braço e a cabeça para dentro da alça de borracha e deixou-se levar.

O mar inteiro estava sendo drenado bem embaixo dele.

Olhou para o mar a tempo de ver o enorme vórtice se abrir. A megapluma havia finalmente atingido a superfície.

◆◆◆

William Pickering estava de pé, na ponte do *Goya*, olhando, em estado de choque, o espetáculo que se desenrolava em torno dele. Alguns metros a estibordo da popa do navio, uma enorme concavidade, como uma bacia, estava se formando na superfície do oceano. O redemoinho tinha centenas de metros de diâmetro e estava aumentando rapidamente. O mar descia em espiral para dentro dele, precipitando-se com uma suavidade amedrontadora pela borda externa. Ao seu redor, de todas as direções emanava um ruído gutural vindo das profundezas. Pickering, estarrecido, olhava aquele buraco se expandir em sua direção, como a boca escancarada de um deus mitológico sedento de sacrifícios.

Estou sonhando, pensou.

Subitamente, com um sibilar explosivo que partiu as janelas da ponte do *Goya*, uma majestosa pluma de vapor irrompeu do vórtice, lançando-se em direção aos céus. Um imenso gêiser subia vertiginosamente, seu ápice desaparecendo no céu ainda escuro.

Ao mesmo tempo, as paredes do funil se tornavam mais íngremes e seu perímetro crescia com rapidez, avançando pelo mar em direção ao *Goya*. A popa da embarcação foi puxada abruptamente em direção à cavidade.

Pickering perdeu o equilíbrio e caiu de joelhos no convés. Como uma criança diante de Deus, olhou para baixo, para o abismo.

Seu último pensamento foi sobre sua filha, Diana. Rezou para que ela não tivesse sentido um medo tão terrível quando morreu.

◆◆◆

A onda de choque do gêiser desequilibrou o Osprey.

Tolland e Rachel se seguraram enquanto os pilotos estabilizavam o avião, fazendo uma curva bem aberta sobre o *Goya*. Olhando para baixo, podiam ver Pickering – o Quaker –, de casaco preto e gravata, segurando-se na balaustrada do navio condenado. Ele estava de joelhos.

A popa mergulhou no redemoinho. De repente, o cabo da âncora se partiu. Com sua proa levantada, solene, o *Goya* desceu pela extremidade do vórtice, sugado pela parede maciça da espiral de água.

Suas luzes acesas foram a última coisa que eles viram quando o barco desapareceu sob a fúria do mar.

CAPÍTULO 131

Em Washington, o céu matinal estava claro e fresco.

Uma brisa soprava pequenos redemoinhos de folhas nas proximidades do Monumento a George Washington. O maior obelisco do mundo, em geral, amanhecia placidamente refletido no lago à sua frente, mas naquele dia havia um caos de repórteres brigando por espaço em torno dele, numa espera ansiosa.

O senador Sedgewick Sexton sentia-se maior do que Washington quando saiu de sua limusine e andou, como um leão, em direção à área de imprensa montada para ele na base do monumento. Ele havia convidado as 10 maiores cadeias de notícias da nação para comparecerem àquele local, prometendo-lhes o escândalo da década.

Nada como o cheiro de morte para atrair os urubus, pensou Sexton.

O senador segurava a pilha de envelopes de linho branco, cada um deles elegantemente fechado com um selo ostentando seu monograma. Se informação é poder, Sexton estava carregando uma ogiva nuclear.

Sentiu-se inebriado ao chegar ao palanque, feliz ao ver que seu palco improvisado era fechado de ambos os lados por divisórias azul-marinho, um velho truque de Ronald Reagan para assegurar-se de que sua imagem sobressairia contra qualquer fundo.

Sexton entrou no palco pela direita, saindo de trás da divisória como um ator surgindo dos bastidores. Os repórteres rapidamente se sentaram nas várias fileiras de cadeiras dobráveis colocadas na frente do palanque. A leste, o sol começava a surgir sobre o Capitólio, lançando uma luz rosa e dourada sobre o senador, como raios descendo dos céus.

Um dia perfeito para me tornar o homem mais poderoso do mundo.

– Bom dia, senhoras e senhores – disse Sexton, colocando os envelopes na estante à sua frente. – Vou fazer com que isso seja tão rápido e indolor quanto possível. As informações que estou prestes a divulgar são, francamente, muito perturbadoras. Estes envelopes contêm provas de uma artimanha tramada nos mais altos níveis de nosso governo. Sinto vergonha de dizer que o presidente ligou para mim meia hora atrás e implorou – sim, *implorou* – para que não divulgasse estas provas. – Sacudiu a cabeça, como se estivesse chocado. – No entanto, sou um homem que acredita na verdade, não importa quão dolorosa ela seja.

O senador fez uma pausa e levantou os envelopes, instigando a platéia. Os olhos dos repórteres seguiram o movimento dos envelopes, como uma matilha de cães salivando por uma iguaria ainda desconhecida.

O presidente havia ligado para Sexton meia hora antes e lhe explicado tudo o que acontecera. Herney tinha falado com Rachel, que estava em segurança a bordo de um avião em algum lugar. Por mais incrível que fosse, tanto a Casa Branca quando a NASA pareciam ser inocentes naquele fiasco, uma trama engendrada por William Pickering.

Não que isso tivesse a menor importância, pensou Sexton. *Zach Herney vai à lona da mesma forma.*

Sexton queria ser uma mosquinha na parede da Casa Branca naquele instante para ver a cara do presidente ao descobrir que seu oponente ia divulgar as informações. O senador tinha combinado um encontro com Herney naquele mesmo horário, na Casa Branca, para discutir a melhor forma de contar a verdade sobre o meteorito à nação. O presidente provavelmente estava diante de uma TV, em estado de choque, percebendo que não havia nada que o governo pudesse fazer para impedir a mão do destino.

– Meus amigos – continuou Sexton, percorrendo a platéia com o olhar –, eu ponderei este assunto com severidade. Pensei em respeitar o desejo do presidente de manter essas informações em segredo, mas concluí que era preciso fazer aquilo que me parecia correto – suspirou, deixando a cabeça pender como se estivesse preso à História. – A verdade é a verdade. Não vou fazer pressuposições para não distorcer a maneira como os senhores interpretarão esses fatos. Simplesmente lhes fornecerei os dados tais como eles são.

Ao longe, o senador ouviu o ruído de enormes hélices de helicóptero. Por um instante, pensou que talvez o presidente tivesse resolvido se deslocar da Casa Branca até lá, tentando impedir a coletiva de imprensa. *Seria o glacê no meu bolo*, pensou, alegremente. *Herney pareceria ainda mais culpado.*

– Essa situação não me traz nenhum contentamento – prosseguiu Sexton, sentindo que o *timing* era perfeito. – Mas acredito que é meu dever fazer com que o povo americano saiba que mentiram para esta nação.

Com um enorme barulho, a aeronave aterrissou na esplanada à direita de onde estavam. Quando Sexton virou-se para olhar, ficou surpreso ao ver que não era o helicóptero presidencial, e sim um enorme avião Osprey de rotores basculantes.

Em sua fuselagem podia-se ler: GUARDA COSTEIRA DOS ESTADOS UNIDOS.

Sem entender o que estava acontecendo, Sexton viu a porta da cabine se abrir e uma mulher descer. Ela usava uma parca abóbora da Guarda Costeira e estava desgrenhada, como se tivesse acabado de voltar de uma guerra. Andou até à área de imprensa. Então ele compreendeu.

Rachel?, pensou, engolindo em seco. *Mas o que ELA está fazendo aqui?*

Ouviu-se um burburinho entre os repórteres.

Colando um sorriso falso ao rosto, Sexton virou-se para os repórteres e levantou um dedo, pedindo desculpas.

– Vocês poderiam me dar um minuto? Sinto muito por isso. – Ele soltou seu velho suspiro bem-humorado. – A família vem sempre primeiro...

Alguns dos repórteres riram.

Rachel se aproximava rapidamente pela direita. O senador estava certo de que o melhor seria que aquele reencontro de pai e filha acontecesse bem longe dos olhos da imprensa. Infelizmente, privacidade era algo difícil naquele momento. Ele olhou para a divisória à sua direita.

Ainda sorrindo calmamente, acenou para a filha e desceu do palco. Movendo-se em diagonal na direção de Rachel, posicionou-se de forma que ela tivesse que passar por trás da divisória para chegar até ele. Sexton encontrou-a no meio do caminho, escondido dos olhos e ouvidos da imprensa.

– Querida? – disse, sorrindo e abrindo os braços quando a filha se aproximou. – Mas que surpresa!

Rachel lhe deu um tapa na cara.

◆◆◆

A sós com o pai, ambos escondidos atrás da divisória, Rachel emanava uma fúria avassaladora. Ela bateu forte, mas o senador mal piscou. Com um controle assustador, seu sorriso falso se desfez, transformando-se num olhar fixo de raiva.

Sua voz, em tom baixo, parecia um sopro demoníaco.

— Você não deveria estar aqui.

Rachel viu nos olhos do pai que ele estava furioso, mas, pela primeira vez na vida, não sentiu medo.

— Eu recorri a você, esperando ajuda, e você me traiu! Eu quase fui morta!

— Você obviamente está bem — retrucou ele, meio desapontado.

— A NASA é inocente! — ela disse. — O presidente já lhe explicou isso! O que você está fazendo aqui? — A curta viagem de Rachel até Washington no avião da Guarda Costeira havia sido pontuada por uma série de chamadas entre ela, a Casa Branca, seu pai e até mesmo Gabrielle Ashe. — Você prometeu a Zach Herney que iria à Casa Branca!

— E vou — respondeu com um sorriso cínico. — Logo após a eleição.

Raquel sentia nojo ao pensar que aquele homem era seu pai.

— O que você está prestes a fazer é loucura.

— É? — Sexton deu um risinho. Virou-se e fez um gesto para trás, em direção ao palanque, que estava visível bem no final da divisória. Havia uma pilha de envelopes brancos numa bancada. — Foi você quem me mandou as informações que estão naqueles envelopes, Rachel. Foi você quem selou o destino do presidente.

— Eu mandei o fax quando precisava de sua ajuda! Quando achava que o presidente e a NASA eram os culpados!

— Considerando-se as provas, a NASA de fato parece culpada.

— Mas não é! E merece uma chance de explicar seus erros. Você já venceu esta eleição. Zach Herney está acabado, e você *sabe* disso. Deixe que ele se vá com um pouco de dignidade.

Sexton grunhiu.

— Tão ingênua. Isso não tem a ver com a vitória na eleição, Rachel. Tem a ver com *poder*. Com uma vitória indiscutível, com atos de grandeza, com esmagar a oposição e controlar os poderes em Washington de forma que seja possível agir de fato.

— Mas a que preço?

— Ah, não se faça de santa! Estou apenas apresentando fatos. As pessoas irão tirar suas próprias conclusões sobre quem foi o culpado.

– Você sabe muito bem como as pessoas vão interpretar isso.

Ele deu de ombros.

– Talvez a NASA esteja de fato ultrapassada.

O senador notou que a imprensa estava ficando impaciente do outro lado da divisória e não queria passar a manhã ali, recebendo um sermão da filha. Seu momento de glória o esperava.

– Esta conversa está encerrada – disse ele. – Os jornalistas estão me esperando.

– Estou lhe pedindo como filha. Por favor, não faça isso – implorou Rachel.

– Pense no que significa. Há um caminho melhor.

– Não para mim.

Ouviu-se um ruído agudo de retorno no sistema de som atrás dele e Sexton virou-se para ver o que estava acontecendo. Uma repórter havia chegado atrasada, subira no palanque e estava tentando ajeitar o microfone de sua rede num dos suportes.

Esses idiotas não conseguem nem mesmo chegar na hora?

Apressada, a jornalista derrubou a pilha de envelopes do senador no chão.

Que droga!, pensou, andando até lá, amaldiçoando sua filha por tê-lo distraído. Quando chegou, a mulher estava ajoelhada, pegando os envelopes que haviam caído. Sexton não viu seu rosto, mas obviamente era da imprensa – usava um casaco de cashmere até os pés, um cachecol combinando e uma boina de lã angorá com um passe de imprensa da ABC grudado nela.

Mas que imbecil!

– Eu fico com isso – disse, ríspido, estendendo as mãos para pegar os envelopes brancos.

A mulher juntou os últimos que faltavam e entregou-os a Sexton, sem se virar.

– Perdão... – disse bem baixo, visivelmente envergonhada. Saiu agachada, para não chamar a atenção e misturou-se à multidão.

Sexton contou rapidamente os envelopes. *Dez. Ótimo.* Ninguém iria roubar sua glória naquele dia. Ajeitando a pilha, falou diante dos microfones:

– Melhor eu distribuir isto antes que alguém se machuque.

Os repórteres riram, ansiosos para saber o que havia ali.

O senador sentiu que sua filha estava ali perto, de pé ao lado da divisória, fora do campo de visão da imprensa.

– Não faça isso – disse ela novamente. – Você vai se arrepender.

Ele a ignorou.

– Estou lhe pedindo para confiar em mim – disse Rachel, em voz alta. – É um erro.

Sexton pegou os envelopes, ajeitando as pontas.

— Pai — disse Rachel, suplicando —, é sua última chance de fazer o que é certo.

Fazer o que é certo? Ele cobriu com as mãos os microfones e virou-se, como se estivesse limpando a garganta. Olhou discretamente na direção da filha.

— Você é como sua mãe: idealista e fraca. Mulheres não conseguem entender a verdadeira natureza do poder.

Sedgewick Sexton já havia se esquecido dela quando olhou novamente para os repórteres. Com a cabeça erguida, deu a volta e entregou os envelopes nas mãos ávidas dos jornalistas. Podia ouvir os selos sendo quebrados e o papel rasgado, como presentes de Natal.

Um murmúrio de espanto percorreu a platéia.

Naquele silêncio, o candidato assistia ao momento de coroação de sua carreira.

O meteorito é uma fraude. E fui eu que a revelei.

Sexton sabia que eles levariam alguns minutos para entender as reais implicações do que estavam vendo: as imagens de GPR do poço de inserção no gelo; uma espécie marinha ainda viva e quase idêntica aos fósseis da NASA; evidências de côndrulos formados na profundeza dos oceanos. Tudo levando à terrível conclusão.

— Ahn... senhor? — balbuciou um dos repórteres, que parecia bastante intrigado enquanto olhava para o seu envelope. — Isto é sério?

O senador soltou um suspiro sombrio.

— Sim, lamento dizer que é.

Os murmúrios de perplexidade se espalharam por todo o grupo.

— Vou lhes dar algum tempo para examinar o material — disse Sexton — e depois responderei às perguntas para tentar deixar bem claro o que vocês estão vendo.

— Senador? — perguntou outro jornalista, boquiaberto. — Estas imagens são autênticas? Sem retoques?

— Cem por cento autênticas — respondeu com segurança. — Eu não iria apresentá-las como provas se não fossem.

A confusão em meio aos repórteres pareceu aumentar. Sexton achou que tinha ouvido uma risada. Não era bem a reação que ele esperava. Estava começando a temer que houvesse superestimado a capacidade da imprensa de compreender o óbvio.

— Eh... senador? — indagou alguém, num tom de voz meio debochado. — Só para registro, o senhor realmente confirma a autenticidade das imagens?

Ele estava ficando frustrado.

— Amigos, vou dizer isso uma última vez. As evidências em suas mãos são 100% exatas. E, se alguém puder provar algo em contrário, como meu chapéu!

Sexton esperou gargalhadas, mas ninguém riu. Havia apenas um silêncio pesado e olhares confusos.

O jornalista que fizera a última pergunta andou na direção do senador, mexendo nos papéis que tinha nas mãos.

– O senhor está certo, senador. De fato é um escândalo. – O repórter parou, coçando a cabeça. – Mas estamos todos um pouco confusos sobre seus motivos para nos apresentar estas imagens, especialmente após ter negado tudo com tanta veemência antes.

Sexton não fazia idéia do que ele estava falando. Quando o homem lhe passou as fotocópias, o senador ficou olhando para os papéis, sem saber o que dizer. Sua mente parecia ter dado um branco.

Ele nunca havia visto aquelas fotos antes. Eram retratos em preto-e-branco de duas pessoas nuas. Braços e pernas entrelaçados. Levou um tempo para compreender as imagens diante de seus olhos. Então sentiu uma forte pontada no estômago.

Horrorizado, o senador levantou a cabeça e olhou para os repórteres. Estavam todos rindo agora. De celulares em punho, metade deles passava os detalhes para as respectivas redações.

Sexton sentiu alguém bater em seu ombro.

Virou-se, meio tonto.

Rachel estava de pé, olhando para o pai.

– Tentamos impedi-lo. Você teve todas as chances. – Havia uma mulher ao lado dela.

Trêmulo, Sexton virou-se para a mulher ao lado de Rachel. Era a repórter com o casaco de cashmere e a boina de lã angorá. O sangue do senador gelou quando ele a reconheceu.

Os olhos negros de Gabrielle pareciam atravessá-lo. Ela abriu um dos lados do casaco, deixando entrever uma pilha de envelopes brancos debaixo do braço.

CAPÍTULO 132

O Salão Oval estava na penumbra, banhado apenas pela luz suave do abajur dourado na mesa de Zachary Herney. De pé ao lado do presidente, Gabrielle Ashe mantinha o queixo erguido. Do lado de fora da janela atrás dele, a noite começava a cair.

— Ouvi dizer que você não ficará conosco — disse Herney, desapontado.

Gabrielle assentiu. O presidente tinha lhe oferecido um abrigo por tempo indeterminado na Casa Branca, num setor em que não teria qualquer contato com a imprensa. Mas ela preferia não ter que atravessar aquela tempestade escondida no olho do furacão. Queria ficar tão longe quanto possível, pelo menos durante algum tempo.

Herney olhou para ela, impressionado.

— A decisão que você tomou esta manhã, Gabrielle... — Ele fez uma pausa, como se não encontrasse palavras. Seus olhos eram transparentes e não lembravam em nada os poços enigmáticos e profundos que, tempos atrás, haviam aproximado Gabrielle de Sedgewick Sexton. Mesmo naquele lugar que emanava poder, ela via bondade verdadeira no olhar de Zach Herney, uma honra e uma dignidade de que não iria se esquecer.

— Fiz aquilo por mim também — garantiu ela, após algum tempo.

Herney balançou a cabeça.

— Ainda assim devo lhe agradecer. — O presidente se levantou, fazendo um gesto para que ela o seguisse pelo corredor. — Realmente esperava que você fosse ficar conosco tempo suficiente para que eu pudesse lhe oferecer um cargo no setor orçamentário de minha equipe.

Gabrielle olhou para ele, com um sorriso no canto dos lábios.

— "Chega de gastar, é hora de reformar?"

— Algo assim — disse ele, rindo, ao ouvir o slogan da campanha de Sexton.

— Eu creio, presidente, que no momento represento um risco para o senhor, mais do que um ganho.

Herney deu de ombros.

— Deixe a coisa correr por alguns meses. Tudo vai passar. Grandes homens e grandes mulheres já enfrentaram situações similares e tiveram carreiras brilhantes. — Ele deu uma piscadela. — Alguns chegaram mesmo a se tornar presidentes dos Estados Unidos.

Gabrielle sabia que ele não estava brincando. Desempregada há poucas horas, ela já tinha rejeitado duas propostas naquele dia. Uma de Yolanda Cole, na ABC, e a outra da editora St. Martin's Press, que lhe oferecera uma quantia absurda caso aceitasse escrever uma biografia contando tudo em detalhes. *Não, obrigada.*

Enquanto Gabrielle e o presidente atravessavam o corredor, ela pensou nas imagens de seu corpo nu agora sendo estampadas em jornais e exibidas em canais de TV.

Os danos para o país teriam sido piores, falou para si mesma. *Muito piores.*

Depois de ter passado na ABC para pegar as fotos que havia deixado lá e pegar emprestado o crachá de imprensa de Yolanda, Gabrielle entrara escondida novamente no escritório de Sexton para preparar as duplicatas dos envelopes. Desta vez, conseguiu imprimir cópias dos cheques de doações ilegais arquivadas no computador do senador.

Ao confrontar-se com Sexton no Monumento a Washington, Gabrielle mostrou as cópias dos cheques e fez suas exigências: "Dê ao presidente a chance de explicar o engano cometido nessa história do meteorito ou o resto destes dados também vai se tornar público." O senador olhou apenas uma vez para a pilha de registros financeiros, depois trancou-se em sua limusine e saiu dali. Ninguém mais ouviu falar dele desde então.

O presidente e Gabrielle Ashe estavam se aproximando da porta dos fundos da Sala de Imprensa. A ex-assessora de Sexton podia ouvir a multidão de repórteres do outro lado. Pela segunda vez, em 24 horas, o mundo aguardava ansiosamente um pronunciamento especial do presidente.

– O que o senhor vai dizer a eles?

Herney suspirou, com uma expressão incrivelmente tranquila.

– Ao longo dos anos, há uma coisa que venho aprendendo várias vezes – Pousou amigavelmente uma das mãos no ombro dela e sorriu. – Não há nada melhor do que a verdade.

Gabrielle sentiu um orgulho inesperado enquanto observava o presidente caminhar para seu lugar diante das câmeras. Zach Herney estava prestes a admitir o maior erro de sua vida e, curiosamente, sua postura nunca parecera mais presidencial.

CAPÍTULO 133

Quando Rachel acordou, o quarto estava escuro.

Olhou para o relógio e viu que eram 22h14. Aquela não era a sua cama. Durante algum tempo ficou deitada, imóvel, pensando onde estava. Aos poucos foi se lembrando... a megapluma... aquela manhã no Monumento a Washington... o convite do presidente para que ficassem hospedados na Casa Branca.

Estou na Casa Branca, lembrou-se Rachel. *Dormi aqui o dia inteiro.*

O helicóptero da Guarda Costeira, sob as ordens de Zach Herney, havia transportado Michael, Corky e Rachel do Monumento a Washington para a Casa Branca, onde lhes foi servido um café-da-manhã suntuoso. Em seguida eles foram examinados por médicos. Como estavam exaustos, foram convidados a se acomodar em qualquer um dos 14 quartos de dormir do prédio para que se recuperassem.

Todos aceitaram prontamente.

Rachel estava surpresa por ter dormido tanto. Ligou a televisão e viu que o presidente Herney já havia terminado sua coletiva de imprensa. A agente do NRO e os dois cientistas se ofereceram para ficar ao seu lado quando ele anunciasse as más notícias sobre o meteorito. *Nós todos erramos*. Mas Herney decidira que aquela era uma responsabilidade que cabia somente a ele.

– Infelizmente – dizia um analista político na TV –, a NASA não descobriu vida no espaço. Esta é a segunda vez nesta década que a agência espacial concluiu incorretamente que um meteorito continha vestígios de vida extraterrestre. Desta vez, contudo, diversos civis altamente respeitados estavam entre os cientistas que se enganaram.

– Em outras circunstâncias – um segundo analista complementou –, eu diria que uma armação como a revelada esta noite pelo presidente teria um efeito devastador para a sua carreira. Ainda assim, considerando-se o que aconteceu pela manhã no Monumento a Washington, devo dizer que as chances de Zach Herney permanecer na presidência são maiores do que nunca.

O primeiro analista prosseguiu:

– Parece, então, que não há vida no espaço, mas também não há mais vida na campanha do senador Sedgewick Sexton. Sobretudo agora, quando novas evidências sugerem que o senador vem enfrentando grandes problemas financeiros...

Uma batida na porta de Rachel desviou sua atenção.

É o Michael, pensou, desligando rapidamente a TV. Ela não o vira desde o café-da-manhã. Quando chegaram à Casa Branca, tudo o que ela queria era dormir nos seus braços. Embora Michael visivelmente quisesse o mesmo, Corky se metera no meio da conversa, jogando-se na cama de Tolland e contando várias vezes, com todos os detalhes, sua história a respeito de ter urinado em si mesmo e salvado a vida de todos. Finalmente, derrotados pelo cansaço, Rachel e Tolland tinham desistido, indo dormir em quartos diferentes.

Rachel andou até à porta, parando antes no espelho para ver como estava e achando graça de seus trajes ridículos. Ela havia dormido com um velho suéter da Universidade da Pensilvânia que encontrara no armário. Ia até os joelhos, como uma camisola.

Bateram de novo.

Ela abriu a porta, decepcionada ao ver uma agente do serviço secreto. A moça, esbelta e bonita, usava um blazer azul.

— Senhorita Sexton, o cavalheiro no Quarto de Lincoln ouviu o som de sua televisão. Ele me pediu que lhe dissesse que, como já está acordada... — fez uma pausa, levantando as sobrancelhas, obviamente acostumada às idas e vindas noturnas pelos andares superiores da Casa Branca.

Rachel agradeceu, corando.

A agente a acompanhou pelo corredor belamente decorado até uma porta próxima.

— Este é o Quarto de Lincoln — disse a moça. — E a etiqueta manda que eu sempre diga do lado de fora desta porta: "Durma bem e cuidado com os fantasmas."

Rachel sorriu. As lendas sobre o Quarto de Lincoln eram tão antigas quanto a Casa Branca. Dizia-se que Winston Churchill tinha visto o fantasma de Lincoln. Muitos outros também teriam visto, incluindo Eleanor Roosevelt, Amy Carter, o ator Richard Dreyfuss e vários serviçais que durante décadas passaram por lá. Também se falava que o cachorro do presidente Reagan ficava horas latindo diante daquela porta.

Todas essas memórias de personagens históricos fizeram com que Rachel se lembrasse da importância daquele quarto, quase um lugar sagrado. Sentiu-se envergonhada de entrar lá apenas de suéter e com as pernas nuas, como uma universitária insinuando-se no quarto de um rapaz.

— Posso entrar deste jeito? — sussurrou para a agente. — Quero dizer, é o Quarto de Lincoln.

A agente piscou um olho.

— Nossa política neste andar é "Não pergunte, não conte".

Ela sorriu, agradecendo. Estendeu a mão para a maçaneta, ansiosa pelo que se seguiria.

— Rachel! — falou uma voz anasalada que atravessou o corredor como uma serra.

Rachel e a agente se viraram. Corky Marlinson vinha mancando na direção delas, de muletas, com a perna agora enfaixada por um profissional.

— Também não consegui dormir!

Rachel ficou arrasada, sentindo que seu encontro romântico estava prestes a ir para o espaço.

Os olhos de Corky percorreram a bela agente do serviço secreto de cima a baixo. Abriu um grande sorriso.

— Adoro mulheres que usam uniformes.

Com cara de poucos amigos, a agente abriu o blazer revelando um coldre sob o braço.

Corky parou de sorrir.

– Tudo bem, já entendi. – Virou-se para Rachel. – Mike também está acordado? Você vai entrar? – Parecia bastante animado para se juntar à festa.

Rachel não sabia o que dizer, mas a agente foi rápida e veio em seu socorro.

– Doutor Marlinson – disse a moça, tirando um bilhete do bolso –, de acordo com este papel, que me foi dado pelo senhor Tolland, tenho ordens explícitas de conduzi-lo à cozinha, solicitar ao nosso *chef* que prepare o que o senhor desejar e pedir-lhe que me conte nos mínimos detalhes como se salvou da morte certa ao... – a agente parou, lendo atentamente a nota para ver se não estava enganada – ...ao urinar sobre si mesmo?

Aparentemente, aquela era a senha. Corky deixou de lado suas muletas e, colocando um braço sobre os ombros da moça para apoiar-se, disse:

– Vamos então para a cozinha, querida!

A pobre agente teve que ajudar Corky a atravessar o corredor mancando. Rachel não tinha dúvida de que ele estava muito feliz.

– Você sabe, a urina é a chave – ouviu-o dizer ao longe –, porque aqueles desgraçados, com seus *lobos olfativos telencefálicos superdesenvolvidos*, podem sentir o cheiro de qualquer coisa!

◆◆◆

O Quarto de Lincoln estava às escuras quando Rachel entrou. Ficou surpresa ao ver a cama vazia e arrumada. Michael Tolland não estava à vista.

Uma antiga lamparina a óleo estava acesa ao lado da cama e, sob o brilho tênue, ela podia vislumbrar o tapete Brussels, a famosa cama de jacarandá entalhada, o retrato da mulher de Lincoln, Mary Todd, e a mesa onde Lincoln assinara a Proclamação da Emancipação.

Rachel fechou a porta e sentiu um vento frio em suas pernas. *Onde ele está?* Do outro lado do quarto, uma janela estava aberta e as cortinas de organza branca eram agitadas pelo vento. Foi caminhando até lá, para fechá-la. De repente, ouviu um murmúrio fantasmagórico vindo do armário.

– Maaaaarrrrrrry...

Ela se virou.

– Maaaaarrrrrry... – sussurrou a voz novamente. – É você, Mary Todd Liiiincoln?

Rachel fechou a janela e se dirigiu para o armário. Seu coração batia forte, apesar de achar aquilo uma tolice.

— Mike, eu sei que é você.
— Nãoooooo... — prosseguiu a voz. — Não sou o Mike... Sou Abraham... Aaaaabe.
Rachel colocou as mãos na cintura.
— Ah, é mesmo? Abe, o Honesto?
Ouviu um riso abafado.
— Relativamente honesto, sim.
Rachel começou a rir também.
— Tenha meeeedo... — disse a voz. — Tenha muuuuuito meeeedo...
— Não estou com medo.
— Por favor, fique com medo... — continuou a voz. — Na espécie humana, as emoções de medo e desejo sexual estão intimamente ligadas.
Rachel se dobrou de rir.
— Essa é sua idéia de como criar um clima romântico?
— Descuuuulpeeee... Há aaaaanoooos não tenho um encontro romântico com uma mulher...
— Estou vendo — disse Rachel, abrindo a porta.
Michael Tolland olhou para ela com um sorriso matreiro. Ele estava irresistível, usando um pijama azul-marinho de cetim. Rachel ficou espantada quando viu o selo presidencial brasonado na altura do peito.
— Pijama presidencial?
— Estava na gaveta — respondeu Michael.
— E por que no meu quarto só tinha este suéter ridículo?
— Quem mandou não escolher o Quarto de Lincoln?
— Você devia ter deixado este quarto para mim!
— Eu ouvi dizer que o colchão era ruim. Feito de crina de cavalo da época, sabe?
— Tolland piscou e apontou para o embrulho de presente que estava sobre uma mesa com tampo de mármore. — Acho que isso vai ajudar a zerar nossas contas.
Rachel ficou emocionada.
— Para mim?
— Fiz com que um dos assistentes do presidente saísse e comprasse para você. Acabou de chegar. Mas não sacuda!
Ela abriu cuidadosamente o embrulho, retirando um objeto pesado. Dentro havia um aquário redondo no qual estavam nadando dois peixes cor de laranja bem feios. Rachel ficou olhando, confusa e desapontada.
— Isso é uma brincadeira?
— *Helostoma temmincki* — respondeu Michael, orgulhoso.
— Você me deu *peixes* de presente?

– Peixes-beijadores chineses, raríssimos. É muito romântico.
– Mike, peixes não são nada românticos.
– Diga isso a eles. Podem passar horas se beijando.
– E isso supostamente deve me deixar empolgada?
– Eu ando meio enferrujado nessa coisa de relacionamentos amorosos... Mas é a intenção que conta, não?
– Para sua futura referência, Mike, anote aí que peixes definitivamente não são nada românticos. Tente flores da próxima vez.

Tolland estendeu o braço que estava escondendo atrás das costas e lhe deu um buquê de lírios brancos. – Tentei pegar umas rosas vermelhas, mas quase atiraram em mim quando eu estava me esgueirando pelo Jardim das Rosas da Casa Branca.

◆◆◆

Michael puxou Rachel, sentindo o suave perfume de seus cabelos. Percebeu os anos de isolamento se dissolverem dentro dele. Beijou-a apaixonadamente, apertando-a contra seu corpo. Ela deixou os lírios brancos caírem. Dentro de Tolland desfaziam-se as últimas barreiras que ele havia construído sem perceber.

Os fantasmas se foram.

Rachel empurrou-o delicadamente na direção da cama, dizendo baixinho em seu ouvido:

– Você não acha mesmo que peixes sejam românticos, não é?
– Acho, sim – disse ele, beijando-a de novo. – Você tem que ver o ritual de acasalamento das águas-vivas. É incrivelmente erótico.

Quando Mike se deitou de costas na cama, Rachel pousou seu corpo suavemente sobre o dele.

– E os cavalos-marinhos... – disse Tolland, arfando ao sentir as mãos dela percorrendo o tecido macio de seu pijama. – Eles executam um ritual amoroso incrivelmente sensual.

– Chega de falar de peixes – ela interrompeu, com voz sensual, desabotoando seu pijama. – O que você me diz dos rituais de acasalamento de espécies avançadas de primatas?

Tolland suspirou.

– Acho que não é minha especialidade.

Rachel tirou a camisola improvisada.

– Então é melhor aprender rápido.

Epílogo

O jato de transporte da NASA voava bem alto sobre o Atlântico.

A bordo, o administrador Lawrence Ekstrom deu uma última olhada para a rocha no compartimento de carga. *De volta para o oceano, onde você foi encontrada.*

Ekstrom fez um sinal para o piloto, que abriu o compartimento, liberando a pedra. Os dois observaram enquanto o enorme objeto despencava, descrevendo um arco sobre o oceano e desaparecendo sob as ondas numa coluna prateada de água.

Afundou rápido.

Debaixo d'água, a luz aos poucos foi desaparecendo, tornando cada vez mais difícil distinguir a silhueta da rocha até que ela mergulhou na escuridão total.

Cada vez mais fundo.

Caiu durante quase 12 minutos.

Então, como um meteorito chocando-se contra o lado escuro da Lua, foi de encontro a uma vasta planície de lama, levantando uma nuvem de sedimentos. Quando tudo assentou, uma das inúmeras criaturas ainda desconhecidas do oceano nadou até lá para ver o que era aquele novo objeto.

Percebendo que não havia nada de interessante ali, a criatura partiu.

LEIA UM TRECHO DE OUTRA AVENTURA DE ROBERT LANGDON

Origem
Dan Brown

Prólogo

Enquanto o antigo trem de cremalheira se arrastava pela encosta vertiginosa, Edmond Kirsch ia examinando o topo serrilhado da montanha. A distância, construído na face de um penhasco íngreme, o enorme mosteiro de pedra parecia suspenso no espaço, fundido magicamente com o precipício vertical.

Esse santuário antiquíssimo na Catalunha, Espanha, tinha sofrido a atração implacável da gravidade durante mais de quatro séculos, jamais escorregando do objetivo original: isolar seus ocupantes do mundo moderno.

Por ironia, agora eles serão os primeiros a saber da verdade, pensou Kirsch, imaginando como reagiriam. Historicamente, os homens mais perigosos da Terra eram homens de Deus... em especial quando seus deuses eram ameaçados. *E eu vou arremessar uma lança em chamas contra um ninho de vespas.*

Quando o trem chegou ao topo da montanha, Kirsch viu uma figura solitária esperando na plataforma. Um velho esquelético vestindo a tradicional batina católica roxa com roquete branco e um solidéu na cabeça. Kirsch reconheceu as feições duras e ossudas do homem a partir de fotos e sentiu uma inesperada onda de adrenalina.

Valdespino veio me receber pessoalmente.

O bispo Antonio Valdespino era uma figura formidável na Espanha – não somente amigo e conselheiro de confiança do próprio rei, mas também um dos mais influentes e enfáticos defensores da preservação dos valores católicos conservadores e dos padrões políticos tradicionais.

– Edmond Kirsch, presumo? – entoou o bispo quando Kirsch saiu do trem.

– Culpado – respondeu Kirsch, sorrindo enquanto se adiantava para apertar a mão ossuda do anfitrião. – Bispo Valdespino, quero agradecer por ter arrumado este encontro.

– Eu é que agradeço que o tenha *requisitado*. – A voz do bispo era mais forte do que Kirsch esperava: clara e penetrante. – Não é comum sermos consultados por homens de ciência, em especial um tão importante como o senhor. Aqui, por obséquio.

Enquanto Valdespino guiava Kirsch pela plataforma, o ar frio da montanha açoitava sua batina.

– Devo confessar que o senhor é diferente do que imaginei – disse Valdespino. – Estava esperando um cientista, mas o senhor é um homem bem-apessoado... – Ele olhou com uma leve sugestão de desdém o elegante terno Kiton K50 e os sapatos de couro de avestruz Barker. – Está, como se diz, nos trinques, não é?

Kirsch sorriu educadamente. *A expressão "nos trinques" saiu de moda há décadas.*

– Lendo a lista dos seus feitos – continuou o bispo –, ainda não estou totalmente certo do que o senhor faz.

– Sou especializado na teoria dos jogos e em modelagem por computador.

– Então o senhor faz os jogos de computador com os quais as crianças brincam?

Kirsch sentiu que o bispo estava fingindo ignorância numa tentativa de parecer antiquado. Sabia que Valdespino era um estudioso de tecnologia assustadoramente bem informado e que sempre alertava sobre os seus perigos.

– Não, senhor, na verdade a teoria dos jogos é um campo da matemática que estuda padrões com o objetivo de fazer previsões sobre o futuro.

– Ah, sim. Acho que li que o senhor previu uma crise monetária na Europa há alguns anos, não foi? Quando ninguém lhe deu atenção, o senhor salvou o mundo inventando um programa de computador que trouxe os Estados Unidos de volta dos mortos. Qual foi mesmo a sua frase famosa? "Aos 33 anos, tenho a mesma idade que Cristo quando ele ressuscitou."

Kirsch se encolheu.

– Uma analogia ruim, Reverendíssimo. Eu era jovem.

– Jovem? – O bispo deu um risinho. – E quantos anos o senhor tem agora? Quarenta, talvez?

– Exato.

O velho sorriu enquanto o vento forte continuava a agitar sua batina.

– Bom, os mansos deveriam herdar a Terra, mas em vez disso ela foi para os jovens: os que têm vocação tecnológica, os que preferem olhar para monitores de vídeo em vez de para a própria alma. Devo admitir que jamais imaginei que teria motivo para me encontrar com o rapaz que lidera essa batalha. Eles o chamam de *profeta*, o senhor sabe.

– No que diz respeito a Vossa Excelência Reverendíssima, não sou um profeta muito bom. Quando perguntei se poderia ter um encontro privado com o senhor e seus colegas, calculei que a chance de aceitarem seria de apenas 20 por cento.

– Como eu disse aos meus colegas, o devoto sempre pode se beneficiar de ouvir os incrédulos. É escutando a voz do diabo que podemos apreciar melhor a voz de Deus. – O velho sorriu. – Estou brincando, claro. Por favor, desculpe meu senso de humor antiquado. De vez em quando meus filtros falham.

Em seguida o bispo Valdespino sinalizou adiante.

– Os outros estão esperando. Por aqui, por favor.

Kirsch olhou para onde iam: uma colossal cidadela de pedra cinza empoleirada na borda de um penhasco íngreme que mergulhava centenas de metros até uma luxuriante tapeçaria de colinas cobertas de florestas. Incomodado com a altura, desviou o olhar do abismo e acompanhou o bispo pelo caminho irregular à beira do penhasco, levando os pensamentos para a reunião que viria.

Ele tinha pedido uma audiência com três proeminentes líderes espirituais que haviam acabado de participar de uma conferência ali.

O Parlamento das Religiões do Mundo.

Desde 1893, centenas de líderes de quase 30 religiões mundiais vinham se reunindo em lugares diferentes, a intervalos de alguns anos, para passar uma semana debatendo sobre suas crenças. Dentre os participantes havia uma variedade de importantes sacerdotes cristãos, rabinos judeus e mulás muçulmanos de todo o mundo, além de *pujaris* hindus, *bhikkus* budistas, jainistas, *sikhs* e outros.

O objetivo autoproclamado do parlamento era "cultivar a harmonia entre as religiões do mundo, construir pontes entre diversas espiritualidades e celebrar as interseções de todas as crenças".

Uma busca nobre, pensou Kirsch, apesar de vê-la como um exercício vazio: uma procura sem sentido de pontos aleatórios de correspondência entre uma mixórdia de ficções, fábulas e mitos antigos.

Enquanto o bispo Valdespino o guiava pelo caminho, Kirsch olhou para o precipício com um pensamento irônico. *Moisés subiu a montanha para aceitar a Palavra de Deus... e eu, para fazer o oposto.*

Sua motivação, como dissera a si mesmo, era cumprir uma obrigação ética, mas sabia que essa visita era alimentada por uma boa dose de orgulho: estava ansioso para sentar-se cara a cara com aqueles clérigos e sentir o prazer de prever seu fim iminente.

Vocês tiveram sua chance de definir nossa verdade.

– Olhei o seu currículo – disse o bispo em tom abrupto, virando-se para Kirsch. – Vi que o senhor é cria da Universidade de Harvard.

– Na graduação. Sim.

– Sei. Recentemente li que, pela primeira vez na história de Harvard, entre os alunos novos, há mais ateus e agnósticos do que os que se dizem seguidores de alguma religião. Essa é uma estatística bastante reveladora, Sr. Kirsch.

O que posso dizer?, quis responder Kirsch. *Nossos alunos são cada vez mais inteligentes.*

O vento açoitou com mais força quando chegaram à antiga construção de pedra. À luz fraca da entrada do prédio, o ar estava pesado com a fragrância densa de incenso queimando. Os dois homens serpentearam por um labirinto de corredores escuros e os olhos de Kirsch se esforçaram para se acostumar enquanto ele seguia o anfitrião. Por fim chegaram a uma porta de madeira estranhamente pequena. O bispo bateu, abaixou-se e entrou, sinalizando para o visitante acompanhá-lo.

Em dúvida, Kirsch passou pela soleira.

Viu-se num aposento retangular cujas paredes altas estavam atulhadas de antigos volumes encadernados em couro. Outras estantes se projetavam das paredes como costelas, intercaladas com aquecedores de ferro fundido que estalavam e sibilavam, dando a fantasmagórica impressão de que a sala estava viva. Kirsch ergueu os olhos para a passarela com parapeito ornamentado que circundava todo o segundo andar. E soube, sem dúvida, onde estava.

A famosa Biblioteca de Montserrat, constatou, espantado por ter recebido permissão de entrar ali. Segundo boatos, aquela sala sagrada continha textos raros, acessíveis apenas aos monges que tinham dedicado a vida a Deus e estavam isolados naquela montanha.

– O senhor pediu discrição – disse o bispo. – Este é o nosso local mais privativo. Poucas pessoas de fora já entraram aqui.

– É um enorme privilégio. Obrigado.

Kirsch acompanhou o bispo até uma grande mesa de madeira onde dois homens idosos estavam sentados, esperando. O da esquerda parecia desgastado pelo tempo, com olhos exaustos e barba branca emaranhada. Usava um terno preto amarrotado, camisa branca e chapéu de feltro.

– Este é o rabino Yehuda Köves – disse o bispo. – É um importante filósofo judeu, autor de vários estudos sobre cosmologia cabalista.

Kirsch apertou educadamente a mão do rabino por cima da mesa.

– É um prazer conhecê-lo, senhor – cumprimentou. – Li seus livros sobre a Cabala. Não posso dizer que os entendi, mas li.

Köves assentiu amigavelmente, enxugando os olhos aquosos com o lenço.

– E aqui – continuou o bispo, indicando o outro homem – está o respeitado *allamah* Syed al-Fadl.

O reverenciado erudito muçulmano se levantou e deu um sorriso largo. Era baixo e atarracado, com um rosto jovial que parecia não combinar com os olhos escuros e penetrantes. Vestia um discreto *thawb* branco.

– E, Sr. Kirsch, eu li *suas* previsões sobre o futuro da humanidade. Não posso dizer que *concordo* com elas, mas li.

Kirsch deu um sorriso gentil e apertou a mão do sujeito.

– E, como os senhores sabem – continuou o bispo, dirigindo-se aos dois colegas –, Edmond Kirsch, o nosso visitante, é um respeitado cientista da computação, teórico dos jogos, inventor e uma espécie de profeta do mundo tecnológico. Considerando seu histórico, fiquei perplexo por ele ter pedido um encontro conosco. Portanto agora deixarei que o Sr. Kirsch explique a que veio.

Com isso o bispo Valdespino sentou-se entre os dois colegas, cruzou as mãos e olhou com expectativa para Kirsch. Os três estavam de frente para ele, como num tribunal, criando um ambiente mais parecido com uma inquisição do que um encontro amigável entre eruditos. Kirsch percebeu que o bispo nem tinha posto uma cadeira para ele.

Sentiu-se mais admirado do que intimidado enquanto examinava os três homens idosos. *Então esta é a Santíssima Trindade que eu requisitei. Os Três Reis Magos.*

Parando um momento para reafirmar seu poder, foi até a janela e olhou a paisagem de tirar o fôlego, lá embaixo. Uma ensolarada colcha de retalhos de antigas terras pastoris se estendia por um vale profundo, dando lugar aos picos serrilhados da Cordilheira de Collserola. Quilômetros além, em algum lugar no Mar das Baleares, nuvens ameaçadoras se reuniam no horizonte.

Adequado, pensou Kirsch, sentindo a turbulência que causaria na sala e no mundo lá fora.

– Senhores – começou, virando-se abruptamente de volta para eles –, creio que o bispo Valdespino já os colocou a par do meu pedido de segredo. Antes de continuarmos, quero esclarecer que o que vou lhes contar deve ser mantido no mais absoluto sigilo. Dito de modo simples, estou pedindo um voto de silêncio. Estamos de acordo?

Os três assentiram. Uma concordância tácita que, Kirsch sabia, era provavelmente redundante. *Eles vão querer enterrar essa informação, e não divulgá-la.*

– Estou hoje aqui – continuou Kirsch – porque fiz uma descoberta científica que acredito que acharão espantosa. É algo que busquei durante muitos anos, esperando fornecer respostas para duas das perguntas mais fundamentais da experiência humana. Agora que consegui, vim especificamente aos senhores porque acredito que essa informação afetará de maneira profunda os *fiéis* do mundo todo, possivelmente causando uma mudança que só pode ser descrita como, digamos... demolidora. No momento sou a única pessoa na face da Terra que tem a informação que estou prestes a revelar.

Kirsch enfiou a mão no bolso do paletó e pegou um smartphone grande – que ele próprio havia projetado e construído para servir às suas necessidades especiais. A capa tinha um mosaico de cor vibrante, e ele posicionou o aparelho diante dos três homens como se fosse uma televisão. Em instantes iria usá-lo para se conectar a um servidor especialmente seguro, digitaria a senha de 47 caracteres e transmitiria para eles sua apresentação.

– O que os senhores estão prestes a ver – disse – é o esboço de um anúncio que espero compartilhar com o mundo. Dentro de um mês, aproximadamente. Mas antes disso queria consultar alguns dos pensadores religiosos mais influentes do planeta para entender como essa notícia será recebida por aqueles que ela mais afeta.

O bispo soltou um suspiro alto, parecendo mais entediado do que preocupado.

– É um preâmbulo intrigante, Sr. Kirsch. O senhor fala como se o que vai nos mostrar fosse capaz de abalar os alicerces das religiões do mundo.

Kirsch olhou o antigo repositório de textos sagrados. *Isso não vai abalar seus alicerces. Vai destruí-los.*

Avaliou os homens à frente. O que eles não sabiam era que em apenas três dias planejava ir a público com aquela apresentação num evento espantoso, meticulosamente coreografado. Quando fizesse isso, as pessoas ao redor do mundo perceberiam que os ensinamentos de todas as religiões tinham de fato uma coisa em comum.

Estavam completamente errados.

CAPÍTULO 1

O professor Robert Langdon olhou para o cachorro de 12 metros sentado na praça. O pelo do animal era um tapete vivo de grama e flores perfumadas.

Estou tentando amar você, pensou. *De verdade.*

Refletiu um pouco mais sobre a criatura e depois continuou andando por uma passarela suspensa, descendo por uma ampla escadaria cujos degraus de tamanhos diferentes se destinavam a arrancar o visitante de seu ritmo e das passadas usuais. *Missão cumprida*, decidiu, quase tropeçando duas vezes nos degraus irregulares.

Na base da escada parou bruscamente, olhando um objeto enorme.

Agora vi tudo.

Uma altíssima viúva-negra se erguia à frente dele, com as finas patas de ferro sustentando o corpo volumoso a pelo menos nove metros de altura. Da barriga da aranha pendia um saco de ovos feito de tela de arame, cheio de globos de vidro.

– O nome dela é *Mamãe* – disse uma voz.

Langdon baixou o olhar e viu um homem magro parado embaixo da aranha. Ele usava um casaco indiano de brocado preto e tinha um bigode enrolado para cima, quase cômico, estilo Salvador Dalí.

– Meu nome é Fernando – continuou ele – e estou aqui para lhe dar as boas-vindas ao museu. – O homem olhou para uma fileira de crachás na mesa à frente. – Poderia me dizer seu nome, por favor?

– Certamente. Robert Langdon.

Os olhos de Fernando se ergueram de novo, bruscamente.

– Ah, sinto muito! Não o reconheci, senhor!

Eu mesmo mal me reconheço, pensou Langdon, avançando rigidamente com sua gravata-borboleta branca, a casaca preta e o colete branco. *Estou parecendo um almofadinha.* A casaca clássica de Langdon tinha quase 30 anos, preservada desde os dias do Ivy Club em Princeton. Mas, graças à fiel rotina de natação diária, a roupa ainda servia bastante bem. Na pressa para fazer as malas tinha pegado a sacola errada no armário, deixando para trás o smoking usual.

– O convite recomendava traje a rigor, preto e branco – disse Langdon. – Imagino que a casaca seja apropriada, não?

CONHEÇA OS LIVROS DE DAN BROWN

Fortaleza digital
Ponto de impacto

Série Robert Langdon
Anjos e demônios
O código Da Vinci
O símbolo perdido
Inferno
Origem

Para saber mais sobre os títulos e autores da Editora Arqueiro,
visite o nosso site e siga as nossas redes sociais.
Além de informações sobre os próximos lançamentos,
você terá acesso a conteúdos exclusivos
e poderá participar de promoções e sorteios.

editoraarqueiro.com.br